W9-CQU-674

SENDEROS 3

Spanish for a Connected World

VISTA®
HIGHER LEARNING

Boston, Massachusetts

On the cover: Panama City, Panama

Creative Director: José A. Blanco
Executive Vice President and General Manager of K12: Vincent Grosso
Editorial Director: Harold Swearingen
Editorial Development: Diego García, Jaime Patiño
Project Management: Rosemary Jaffe, Adriana Lavergne
Rights Management: Jorgensen Fernandez, Annie Pickert Fuller, Kristine Janssens, Juan Esteban Mora
Technology Production: Sergio Arias, Egle Gutiérrez, Lauren Krolick
Design: Paula Díaz, Radoslav Mateev, Gabriel Noreña, Andrés Vanegas
Production: Oscar Díez, Sebastián Díez, Andrés Escobar, Adriana Jaramillo, Daniel Lopera, Daniela Peláez

© 2023 Vista Higher Learning, Inc. All rights reserved.

No part of this work may be reproduced or distributed in any form or by any means, electronic or mechanical, including photocopying and recording, or by any information storage or retrieval system without prior written permission from Vista Higher Learning, 500 Boylston Street, Suite 620, Boston, MA 02116-3736.

Level 3 Student Text ISBN: 978-1-54335-813-1
Level 3 Teacher's Edition ISBN: 978-1-54335-814-8

2 3 4 5 6 7 8 9   TC   26 25 24 23 22

Printed in Canada.

SENDEROS 3

Spanish for a Connected World

Table of Contents

Lección Preliminar

Lección 1 — La naturaleza

Lección 2 — En la ciudad

Lección 3 — El bienestar

Table of Contents

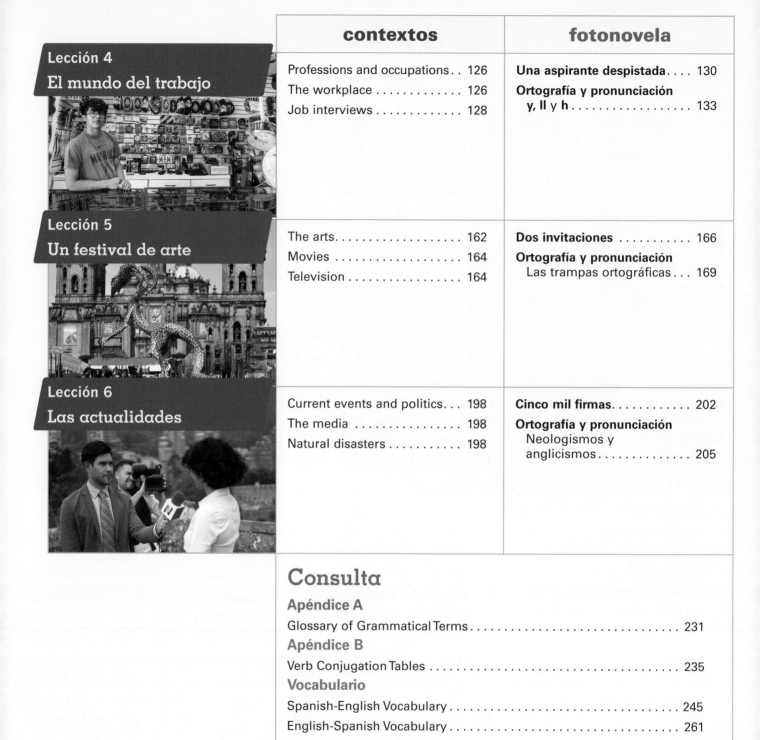

cultura	estructura	adelante
En detalle: La entrevista de trabajo . . . . .134 **Perfiles:** César Chávez 135	**4.1** The future . . . . 136 **4.2** The future perfect . . . . . . 140 **4.3** The past subjunctive. . . . 142 **Recapitulación** 146	**Lectura:** *A Julia de Burgos* de Julia de Burgos . . . . 148 **Escritura** . . . . 150 **Escuchar** . . . . 151 **En pantalla** . . . . 152 **Flash cultura** . . . . 153 **Panorama:** Nicaragua y La República Dominicana . . 154
En detalle: Museo de Arte Contemporáneo de Caracas . . . . 170 **Perfil:** Fernando Botero: un estilo único 171	**5.1** The conditional . . . . 172 **5.2** The conditional perfect . . 176 **5.3** The past perfect subjunctive. . . . . 179 **Recapitulación** 182	**Lectura:** Tres poemas de Federico García Lorca . . . . . 184 **Escritura** . . . . 186 **Escuchar** . . . . 187 **En pantalla** . . . . 188 **Flash cultura** . . . . 189 **Panorama:** El Salvador y Honduras 190
En detalle: Protestas sociales . . . . 206 **Perfil:** Dos líderes suramericanos 207	**6.1** **Si** clauses . . . . 208 **6.2** Summary of the uses of the subjunctive . . . . . . 212 **Recapitulación** 216	**Lectura:** *Don Quijote de la Mancha* de Miguel de Cervantes . . . 218 **Escritura** . . . . 220 **Escuchar** . . . . 221 **En pantalla** . . . . 222 **Flash cultura** . . . . 223 **Panorama:** Paraguay y Uruguay. 224

OCÉANO ÁRTICO

Mar de Siberia Oriental

Mar de Beaufort

GROENLANDIA (DINAMARCA)

Bahía de Baffin

RUSIA

Alaska (EE.UU.)

60N

Mar de Bering

Bahía de Hudson

CANADÁ

Mar del Labrador

ESTADOS UNIDOS

OCÉANO ATLÁNTICO

30N

Trópico de Cáncer

MÉXICO

Golfo de México

ISLAS BAHAMAS

REPÚBLICA DOMINICANA

Islas Hawái (EE.UU.)

BELICE

CUBA

PUERTO RICO (EE.UU.)

HAITÍ

SAN CRISTÓBAL Y NIEVES

ANTIGUA Y BARBUDA

JAMAICA

GUADALUPE (FRANCIA)

ISLAS MARSHALL

GUATEMALA

SAN VICENTE Y LAS GRANADINAS

DOMINICA

EL SALVADOR

Mar Caribe

MARTINICA (FRANCIA)

HONDURAS

GRANADA

BARBADOS

SANTA LUCÍA

ESTADOS FEDERADOS DE MICRONESIA

OCÉANO PACÍFICO

NICARAGUA

COSTA RICA

VENEZUELA

TRINIDAD Y TOBAGO

KIRIBATI

PANAMÁ

COLOMBIA

GUYANA FRANCESA (FRANCIA)

0

NAURU

Islas Galápagos (Ecuador)

ECUADOR

GUYANA

ISLAS SALOMÓN

SURINAM

ISLAS TUVALU

SAMOA OCCIDENTAL

PERÚ

BRASIL

VANUATU

FIYI

SAMOA ORIENTAL (EE.UU.)

BOLIVIA

APIA

PARAGUAY

NUEVA CALEDONIA (FRANCIA)

Trópico de Capricornio

30S

Isla de Pascua (CHILE)

URUGUAY

NUEVA ZELANDA

CHILE ARGENTINA

Islas Malvinas

El mundo

● Países hispanohablantes

● Países con alto número de hispanohablantes

60S

ANTÁRTIDA

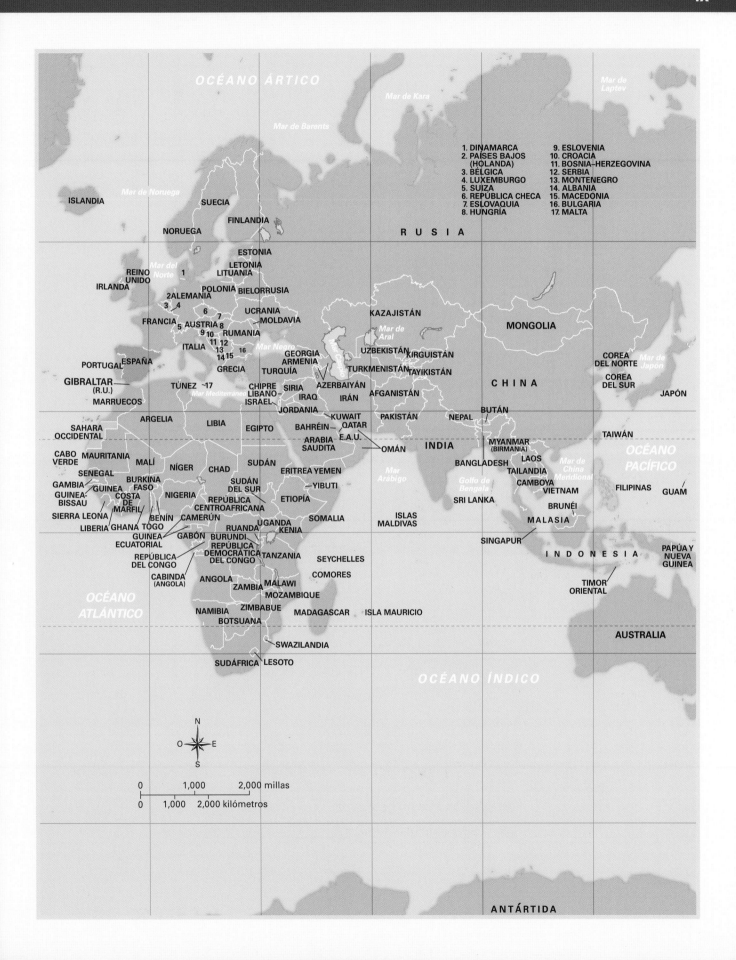

OCÉANO ÁRTICO

Mar de Kara

Mar de Laptev

Mar de Barents

1. DINAMARCA   9. ESLOVENIA
2. PAÍSES BAJOS   10. CROACIA
   (HOLANDA)   11. BOSNIA–HERZEGOVINA
3. BÉLGICA   12. SERBIA
4. LUXEMBURGO   13. MONTENEGRO
5. SUIZA   14. ALBANIA
6. REPÚBLICA CHECA 15. MACEDONIA
7. ESLOVAQUIA   16. BULGARIA
8. HUNGRÍA   17. MALTA

Mar de Noruega

ISLANDIA

SUECIA

FINLANDIA

NORUEGA

R U S I A

ESTONIA

Mar del Norte   LETONIA
REINO   1   LITUANIA
UNIDO
IRLANDA   POLONIA   BIELORRUSIA

2 ALEMANIA
3   4   6   7   UCRANIA
FRANCIA 5 AUSTRIA 8   MOLDAVIA
         9 10   RUMANIA
         11 12
ITALIA   13   16   Mar Negro   GEORGIA
         14 15   ARMENIA
PORTUGAL ESPAÑA   GRECIA   TURQUÍA

KAZAJISTÁN

Mar de Aral

MONGOLIA

UZBEKISTÁN   KIRGUISTÁN

TURKMENISTÁN   TAYIKISTÁN

COREA DEL NORTE   Mar de Japón

COREA DEL SUR

CHINA

JAPÓN

GIBRALTAR
(R.U.)   TÚNEZ 17   Mar Mediterráneo   CHIPRE   SIRIA
MARRUECOS   LÍBANO   IRAQ   IRÁN   AFGANISTÁN
                             ISRAEL
                             JORDANIA
                             KUWAIT   PAKISTÁN   NEPAL   BUTÁN
AZERBAIYÁN

ARGELIA   LIBIA   EGIPTO   BAHRÉIN   QATAR
SAHARA   ARABIA   E.A.U.
OCCIDENTAL   SAUDITA   OMÁN   INDIA   TAIWÁN

OCÉANO PACÍFICO

CABO   MAURITANIA
VERDE   MALÍ   NÍGER   CHAD   SUDÁN
SENEGAL   ERITREA   YEMEN   Mar Arábigo   BANGLADESH   MYANMAR (BIRMANIA)
GAMBIA   BURKINA   LAOS
GUINEA- GUINEA FASO   NIGERIA   SUDÁN   YIBUTI   TAILANDIA   Mar de China Meridional
BISSAU   COSTA   DEL SUR   CAMBOYA
         DE   REPÚBLICA   ETIOPÍA   VIETNAM   FILIPINAS   GUAM
SIERRA LEONA MARFIL   CENTROAFRICANA   BRUNÉI
LIBERIA GHANA TOGO   CAMERÚN   SOMALIA   MALASIA
         BENÍN   UGANDA   SINGAPUR
GUINEA   RUANDA   KENIA   ISLAS
ECUATORIAL   BURUNDI   MALDIVAS   INDONESIA   PAPÚA Y
         GABÓN   REPÚBLICA   NUEVA
REPÚBLICA   DEMOCRÁTICA   TANZANIA   SEYCHELLES   GUINEA
DEL CONGO   DEL CONGO   TIMOR
CABINDA   COMORES   ORIENTAL
(ANGOLA)   ANGOLA
           ZAMBIA   MALAWI
OCÉANO   MOZAMBIQUE
ATLÁNTICO   NAMIBIA   ZIMBABUE   MADAGASCAR   ISLA MAURICIO
            BOTSUANA   AUSTRALIA

SWAZILANDIA
SUDÁFRICA   LESOTO

OCÉANO ÍNDICO

N
O   E
S

0   1,000   2,000 millas

0   1,000   2,000 kilómetros

ANTÁRTIDA

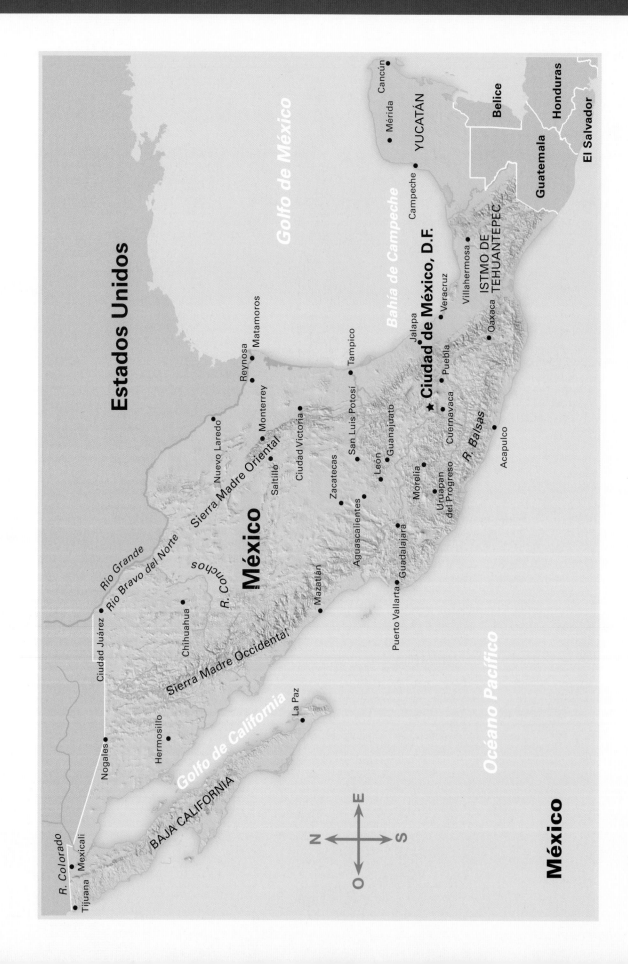

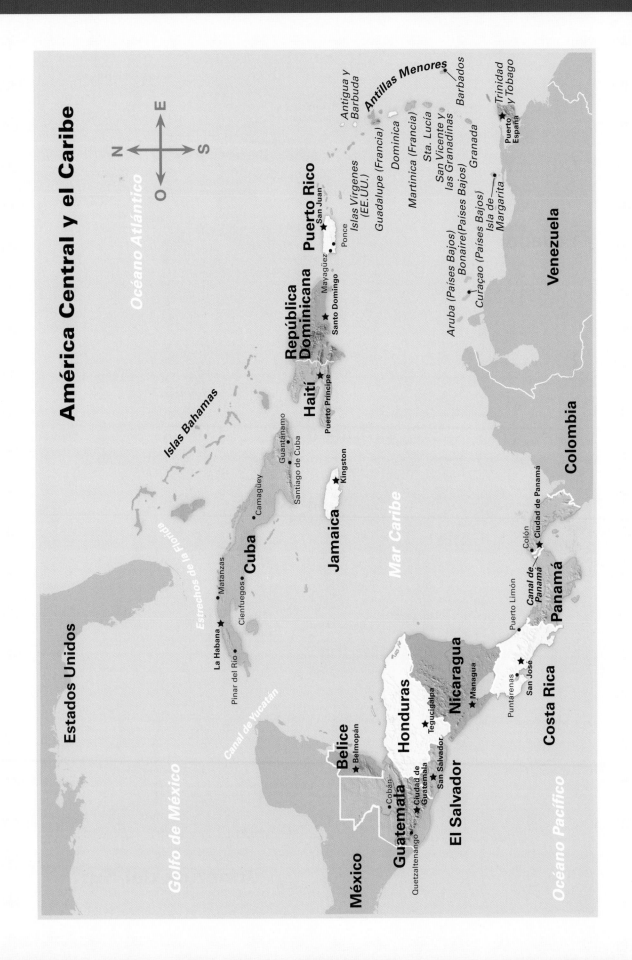

América Central y el Caribe

Estados Unidos

Golfo de México

Océano Atlántico

Islas Bahamas

Estrechos de la Florida

Canal de Yucatán

Matanzas

La Habana

Pinar del Río

Cienfuegos

Cuba

Camagüey

Guantánamo

Santiago de Cuba

Jamaica

Kingston

Mar Caribe

República Dominicana

Haití

Puerto Príncipe

Santo Domingo

Puerto Rico

San Juan

Ponce

Mayagüez

Islas Vírgenes (EE.UU.)

Antigua y Barbuda

Antillas Menores

Barbados

Guadalupe (Francia)

Dominica

Martinica (Francia)

Sta. Lucía

San Vicente y las Granadinas

Granada

Aruba (Países Bajos)

Bonaire (Países Bajos)

Curaçao (Países Bajos)

Isla de Margarita

Trinidad y Tobago

Puerto España

Venezuela

Colombia

México

Guatemala

Quetzaltenango

Cobán

Ciudad de Guatemala

El Salvador

San Salvador

Belice

Belmopán

Honduras

Tegucigalpa

Nicaragua

Managua

Costa Rica

Puntarenas

San José

Puerto Limón

Panamá

Colón

Ciudad de Panamá

Canal de Panamá

Océano Pacífico

N E S O

South America

América del Sur

Spain

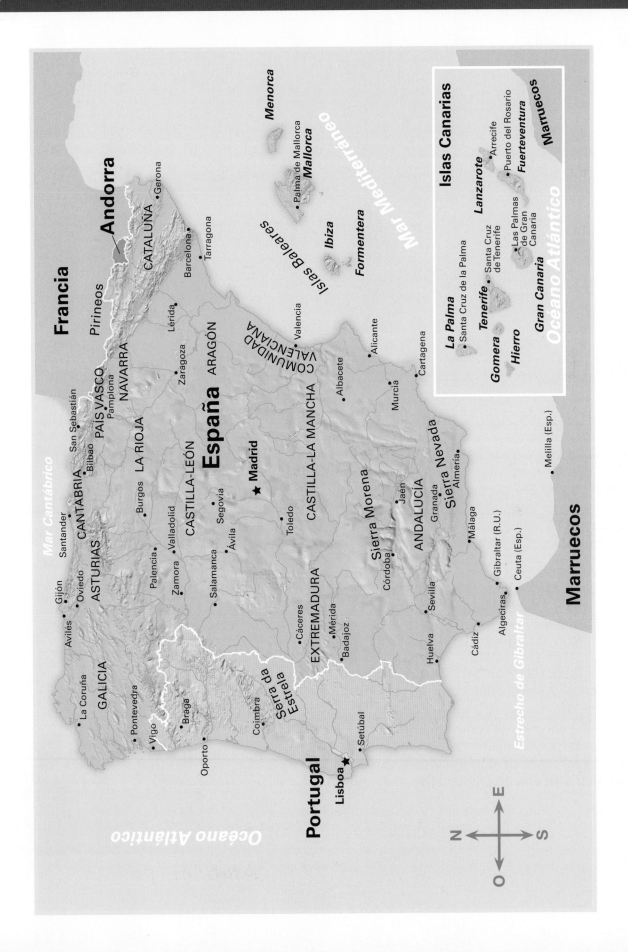

Fotonovela video program

The Cast

Here are the main characters you will meet in the **Fotonovela** Video:

From Spain,
Daniel García

From Spain,
Sara López

From Spain,
Valentina Herrera

From Spain,
Manuel Vásquez

From Venezuela,
Olga Lucía Pérez

From The Dominican
Republic,
Juan José Reyes
(Juanjo)

Fully integrated with your text, the *Senderos* **Fotonovela** Video is a dynamic and contemporary window into the Spanish language. The video centers around a group of students while they live and travel in Spain. In this story, Sara, Olga Lucía, Valentina, Daniel, Manuel, and Juanjo live in the same apartment building and explore the cities of Madrid and Toledo together. Their adventures take them through some of the greatest natural and cultural treasures of Spain, as well as the highs and lows of everyday life.

The **Fotonovela** section in each textbook lesson is actually an abbreviated version of the dramatic episode featured in the video. Therefore, each **Fotonovela** section can be done before you see the corresponding video episode, after it, or as a section that stands alone.

In each dramatic segment, the characters interact using the vocabulary and grammar you are studying. As the storyline unfolds, the episodes combine new vocabulary and grammar with previously taught language, exposing you to a variety of authentic accents along the way. At the end of each episode, the **Resumen** section highlights the grammar and vocabulary you are studying.

We hope you find the **Fotonovela** Video to be an engaging and useful tool for learning Spanish!

En pantalla video program

The *Senderos* online content features an authentic video clip for each lesson. Clip formats include commercials and newscasts. These clips have been carefully chosen to be comprehensible for students learning Spanish, and are accompanied by activities and vocabulary lists to facilitate understanding. More importantly, though, these clips are a fun and motivating way to improve your Spanish!

Here are the countries represented in each lesson in **En pantalla**:

Lesson 1 **Spain**

Lesson 2 **Uruguay**

Lesson 3 **Mexico**

Lesson 4 **Uruguay**

Lesson 5 **Mexico**

Lesson 6 **Mexico**

Flash cultura video program

In the dynamic **Flash cultura** Video, young people from all over the Spanish-speaking world share aspects of life in their countries with you. The similarities and differences among Spanish-speaking countries that come up through their adventures will challenge you to think about your own cultural practices and values. The segments provide valuable cultural insights as well as linguistic input; the episodes will introduce you to a variety of accents and vocabulary as they gradually move into Spanish.

Panorama cultural video program

The **Panorama cultural** videos are integrated with the **Panorama** section in each lesson. These videos provide an exciting visual companion for two of the **Panorama** paragraphs about the featured country. The images were specially chosen for interest level and visual appeal.

Online Content

Each section of your textbook comes with resources and activities on the *Senderos* online content. You can access them from any computer with an Internet connection. Visit vhlcentral.com to get started.

My Vocabulary Tutorials	**→ CONTEXTOS** Listen to audio of the **Vocabulary**, watch dynamic **Tutorials**, and practice using Flashcards.
Video: *Fotonovela*	**→ FOTONOVELA** Follow the adventures of Sara, Olga Lucía, Valentina, Daniel, Manuel, and Juanjo while they live and travel in Spain. Watch the **Video** again at home to see the characters use the vocabulary in a real context.
Audio	**→ PRONUNCIACIÓN** Improve your accent by listening to native speakers, then recording your voice and comparing it to the samples provided.
Additional Reading	**→ CULTURA** Explore cultural topics through the *Entre culturas* activity or reading the *Más cultura* selection.
Tutorial	**→ ESTRUCTURA** Watch an animated **Tutorial**, and then answer *el profesor*'s questions to make sure you got it.
Audio: Reading Additional Reading Audio Video: TV Clip Video: *Flash cultura* Video: *Panorama cultural* Interactive Map	**→ ADELANTE** Listen along as the **reading** is read aloud. Read another selection related to the chapter's theme. Listen again to the audio from *Escuchar*. Watch the **En pantalla**, **Flash cultura**, and **Panorama cultural Videos** again outside of class so that you can pause and repeat to really understand what you hear. Use the **Interactive Map** to explore the places you might want to visit.
My Vocabulary Diagnostics	**→ VOCABULARIO - RECAPITULACIÓN** Just what you need to get ready for the test! Review the **vocabulary** with **audio**. Practice vocabulary with Flashcards in **My Vocabulary**. Complete the Diagnostic *Recapitulación* to see what you might still need to study. Get additional **Remediation Activities**.

Icons

Familiarize yourself with these icons that appear throughout *Senderos*.

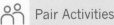

Listening

The listening icon indicates that audio is available. You will see it in the lesson's **Contextos, Pronunciación, Escuchar,** and **Vocabulario** sections.

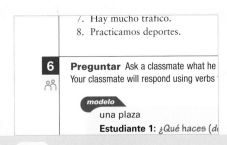

Pair Activities

Two heads indicate a pair activity.

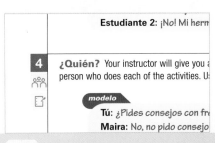

Handout

The activities marked with this icon require handouts that your teacher will give you to help you complete the activity.

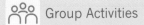

Group Activities

Three heads indicate a group activity.

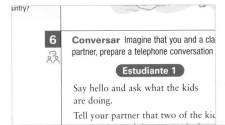

Partner Chat/Virtual Chat Activities

Two heads with a speech bubble indicate that the activity may be assigned as a Partner Chat or a Virtual Chat activity online.

Video

This icon indicates that there is a video available for this paragraph of **Panorama.**

The Spanish-Speaking World

Spanish Speakers Outside of the U.S. and Canada

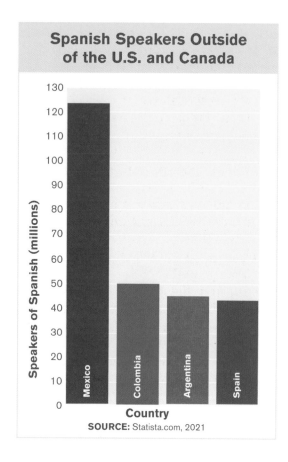

Speakers of Spanish (millions)

Country

Mexico, Colombia, Argentina, Spain

SOURCE: Statista.com, 2021

Do you know someone whose first language is Spanish? Chances are you do! More than approximately forty million people living in the U.S. speak Spanish; after English, it is the second most commonly spoken language in this country. It is the official language of twenty-two countries and an official language of the European Union and United Nations.

The Growth of Spanish

Have you ever heard of a language called Castilian? It's Spanish! The Spanish language as we know it today has its origins in a dialect called Castilian (**castellano** in Spanish). Castilian developed in the 9th century in north-central Spain, in a historic provincial region known as Old Castile. Castilian gradually spread towards the central region of New Castile, where it was adopted as the main language of commerce. By the 16th century, Spanish had become the official language of Spain and eventually, the country's role in exploration, colonization, and overseas trade led to its spread across Central and South America, North America, the Caribbean, parts of North Africa, the Canary Islands, and the Philippines.

Spanish in the United States

1500

1600

1700

16th Century
Spanish is the official language of Spain.

1565
The Spanish arrive in Florida and found St. Augustine.

1610
The Spanish found Santa Fe, today's capital of New Mexico, the state with the most Spanish speakers in the U.S.

Spanish in the United States

Spanish came to North America in the 16th century with the Spanish who settled in St. Augustine, Florida. Spanish-speaking communities flourished in several parts of the continent over the next few centuries. Then, in 1848, in the aftermath of the Mexican-American War, Mexico lost almost half its land to the United States, including portions of modern-day Texas, New Mexico, Arizona, Colorado, California, Wyoming, Nevada, and Utah. Overnight, hundreds of thousands of Mexicans became citizens of the United States, bringing with them their rich history, language, and traditions.

This heritage, combined with that of the other Hispanic populations that have immigrated to the United States over the years, has led to the remarkable growth of Spanish around the country. After English, it is the most commonly spoken language in 43 states. More than 12 million people in California alone claim Spanish as their first or "home" language.

You've made a popular choice by choosing to take Spanish in school. Not only is Spanish found and heard almost everywhere in the United States, but it is the most commonly taught foreign language in classrooms throughout the country! Have you heard people speaking Spanish in your community? Chances are that you've come across an advertisement, menu, or magazine that is in Spanish. If you look around, you'll find that Spanish can be found in some pretty common places. For example, most ATMs respond to users in both English and Spanish. News agencies and television stations such as **CNN** and **Telemundo** provide Spanish-language broadcasts. When you listen to the radio or download music from the Internet, some of the most popular choices are Latino artists who perform in Spanish. Federal government agencies such as the Internal Revenue Service and the Department of State provide services in both languages. Even the White House has an official Spanish-language webpage! Learning Spanish can create opportunities within your everyday life.

1800

1900

2010

1848
Mexicans who choose to stay in the U.S. after the Mexican-American War become U.S. citizens.

1959
After the Cuban Revolution, thousands of Cubans emigrate to the U.S.

2010
Spanish is the 2nd most commonly spoken language in the U.S., with more than approximately 40 million speakers.

Why Study Spanish?

Learn an International Language

There are many reasons to learn Spanish, a language that has spread to many parts of the world and has along the way embraced words and sounds of languages as diverse as Latin, Arabic, and Nahuatl. Spanish has evolved from a medieval dialect of north-central Spain into the fourth most commonly spoken language in the world. It is the second language of choice among the majority of people in North America.

Understand the World Around You

Knowing Spanish can also open doors to communities within the United States, and it can broaden your understanding of the nation's history and geography. The very names Colorado, Montana, Nevada, and Florida are Spanish in origin. Just knowing their meanings can give you some insight into, of all things, the landscapes for which the states are renowned. Colorado means "colored red;" Montana means "mountain;" Nevada is derived from "snow-capped mountain;" and Florida means "flowered." You've already been speaking Spanish whenever you talk about some of these states!

Connect with the World

Learning Spanish can change how you view the world. While you learn Spanish, you will also explore and learn about the origins, customs, art, music, and literature of people in close to two dozen countries. When you travel to a Spanish-speaking country, you'll be able to converse freely with the people you meet. And whether in the U.S., Canada, or abroad, you'll find that speaking to people in their native language is the best way to bridge any culture gap.

State Name	Meaning in Spanish
Colorado	"colored red"
Florida	"flowered"
Montana	"mountain"
Nevada	"snow-capped mountain"

Why Study Spanish?

Expand Your Skills

Studying a foreign language can improve your ability to analyze and interpret information and help you succeed in many other subject areas. When you first begin learning Spanish, your studies will focus mainly on reading, writing, grammar, listening, and speaking skills. You'll be amazed at how the skills involved with learning how a language works can help you succeed in other areas of study. Many people who study a foreign language claim that they gained a better understanding of English. Spanish can even help you understand the origins of many English words and expand your own vocabulary in English. Knowing Spanish can also help you pick up other related languages, such as Italian, Portuguese, and French. Spanish can really open doors for learning many other skills in your school career.

Explore Your Future

How many of you are already planning your future careers? Employers in today's global economy look for workers who know different languages and understand other cultures. Your knowledge of Spanish will make you a valuable candidate for careers abroad as well as in the United States or Canada. Doctors, nurses, social workers, hotel managers, journalists, businessmen, pilots, flight attendants, and many other professionals need to know Spanish or another foreign language to do their jobs well.

How to Learn Spanish

Start with the Basics!

As with anything you want to learn, start with the basics and remember that learning takes time! The basics are vocabulary, grammar, and culture.

Vocabulary | Every new word you learn in Spanish will expand your vocabulary and ability to communicate. The more words you know, the better you can express yourself. Focus on sounds and think about ways to remember words. Use your knowledge of English and other languages to figure out the meaning of and memorize words like **conversación, teléfono, oficina, clase,** and **música**.

Grammar | Grammar helps you put your new vocabulary together. By learning the rules of grammar, you can use new words correctly and speak in complete sentences. As you learn verbs and tenses, you will be able to speak about the past, present, or future, express yourself with clarity, and be able to persuade others with your opinions. Pay attention to structures and use your knowledge of English grammar to make connections with Spanish grammar.

Culture | Culture provides you with a framework for what you may say or do. As you learn about the culture of Spanish-speaking communities, you'll improve your knowledge of Spanish. Think about a word like **salsa**, and how it connects to both food and music. Think about and explore customs observed on **Nochevieja** (New Year's Eve) or at a **fiesta de quince años** (a girl's fifteenth birthday party). Watch people greet each other or say good-bye. Listen for idioms and sayings that capture the spirit of what you want to communicate!

Teenagers celebrating at a **fiesta de quince años.**

Listen, Speak, Read, and Write

Listening | Listen for sounds and for words you can recognize. Listen for inflections and watch for key words that signal a question such as **cómo** (*how*), **dónde** (*where*), or **qué** (*what*). Get used to the sound of Spanish. Play Spanish pop songs or watch Spanish movies. Borrow books on CD from your local library, or try to visit places in your community where Spanish is spoken. Don't worry if you don't understand every single word. If you focus on key words and phrases, you'll get the main idea. The more you listen, the more you'll understand!

Speaking | Practice speaking Spanish as often as you can. As you talk, work on your pronunciation, and read aloud texts so that words and sentences flow more easily. Don't worry if you don't sound like a native speaker, or if you make some mistakes. Time and practice will help you get there. Participate actively in Spanish class. Try to speak Spanish with classmates, especially native speakers (if you know any), as often as you can.

Reading | Pick up a Spanish-language newspaper or a pamphlet on your way to school, read the lyrics of a song as you listen to it, or read books you've already read in English translated into Spanish. Use reading strategies that you know to understand the meaning of a text that looks unfamiliar. Look for cognates, or words that are related in English and Spanish, to guess the meaning of some words. Read as often as you can, and remember to read for fun!

Writing | It's easy to write in Spanish if you put your mind to it. And remember that Spanish spelling is phonetic, which means that once you learn the basic rules of how letters and sounds are related, you can probably become an expert speller in Spanish! Write for fun—make up poems or songs, write e-mails or instant messages to friends, or start a journal or blog in Spanish.

Tips for Learning Spanish

- Listen to Spanish radio shows. Write down words that you can't recognize or don't know and look up the meaning.

- Watch Spanish TV shows or movies. Read subtitles to help you grasp the content.

- Read Spanish-language newspapers, magazines, or blogs.

- Listen to Spanish songs that you like —anything from Shakira to a traditional mariachi melody. Sing along and concentrate on your pronunciation.

- Seek out Spanish speakers. Look for neighborhoods, markets, or cultural centers where Spanish might be spoken in your community. Greet people, ask for directions, or order from a menu at a Mexican restaurant in Spanish.

- Pursue language exchange opportunities (**intercambio cultural**) in your school or community. Try to join language clubs or cultural societies, and explore opportunities

Practice, practice, practice!

Seize every opportunity you find to listen, speak, read, or write Spanish. Think of it like a sport or learning a musical instrument—the more you practice, the more you will become comfortable with the language and how it works. You'll marvel at how quickly you can begin speaking Spanish and how the world that it transports you to can change your life forever!

for studying abroad or hosting a student from a Spanish-speaking country in your home or school.

- Connect your learning to everyday experiences. Think about naming the ingredients of your favorite dish in Spanish. Think about the origins of Spanish place names in the U.S., like Cape Canaveral and Sacramento, or of common English words like *adobe, chocolate, mustang, tornado,* and *patio.*

- Use mnemonics, or a memorizing device, to help you remember words. Make up a saying in English to remember the order of the days of the week in Spanish (L, M, M, J, V, S, D).

- Visualize words. Try to associate words with images to help you remember meanings. For example, think of a **paella** as you learn the names of different types of seafood or meat. Imagine a national park and create mental pictures of the landscape as you learn names of animals, plants, and habitats.

- Enjoy yourself! Try to have as much fun as you can learning Spanish. Take your knowledge beyond the classroom and find ways to make the learning experience your very own.

Useful Spanish Expressions

The following expressions will be very useful in getting you started learning Spanish. You can use them in class to check your understanding or to ask and answer questions about the lessons. Read **En las instrucciones** ahead of time to help you understand direction lines in Spanish, as well as your teacher's instructions. Remember to practice your Spanish as often as you can!

Expresiones útiles *Useful expressions*

¿Cómo se dice _____ en español?	How do you say _____ in Spanish?
¿Cómo se escribe _____?	How do you spell _____?
¿Comprende(n)?	Do you understand?
Con permiso.	Excuse me.
De acuerdo.	Okay.
De nada.	You're welcome.
¿De veras?	Really?
¿En qué página estamos?	What page are we on?
Enseguida.	Right away.
Más despacio, por favor.	Slower, please.
Muchas gracias.	Thanks a lot.
No entiendo.	I don't understand.
No sé.	I don't know.
Perdone.	Excuse me.
Pista	Clue
Por favor.	Please.
Por supuesto.	Of course.
¿Qué significa _____?	What does _____ mean?
Repite, por favor.	Please repeat.
Tengo una pregunta.	I have a question.
¿Tiene(n) alguna pregunta?	Do you have questions?
Vaya(n) a la página dos.	Go to page 2.

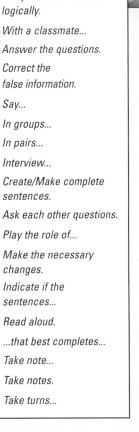

En las instrucciones *In direction lines*

Cierto o falso	True or false
Completa las oraciones de una manera lógica.	Complete the sentences logically.
Con un(a) compañero/a...	With a classmate...
Contesta las preguntas.	Answer the questions.
Corrige la información falsa.	Correct the false information.
Di/Digan...	Say...
En grupos...	In groups...
En parejas...	In pairs...
Entrevista...	Interview...
Forma oraciones completas.	Create/Make complete sentences.
Háganse preguntas.	Ask each other questions.
Haz el papel de...	Play the role of...
Haz los cambios necesarios.	Make the necessary changes.
Indica/Indiquen si las oraciones...	Indicate if the sentences...
Lee/Lean en voz alta.	Read aloud.
...que mejor completa...	...that best completes...
Toma nota...	Take note...
Tomen apuntes.	Take notes.
Túrnense...	Take turns...

Common Names

Get started learning Spanish by using a Spanish name in class. You can choose from the lists on these pages, or you can find one yourself. How about learning the Spanish equivalent of your name? The most popular Spanish female names are Lucía, María, Paula, Sofía, and Valentina. The most popular male names in Spanish are Alejandro, Daniel, David, Mateo, and Santiago. Is your name, or that of someone you know, in the Spanish top five?

Más nombres masculinos	Más nombres femeninos
Alfonso	Alicia
Antonio (Toni)	Beatriz (Bea, Beti, Biata)
Carlos	Blanca
César	Carolina (Carol)
Diego	Claudia
Ernesto	Diana
Felipe	Emilia
Francisco (Paco)	Irene
Guillermo	Julia
Ignacio (Nacho)	Laura
Javier (Javi)	Leonor
Leonardo	Liliana
Luis	Lourdes
Manolo	Margarita (Marga)
Marcos	Marta
Oscar (Óscar)	Noelia
Rafael (Rafa)	Patricia
Sergio	Rocío
Vicente	Verónica

Los 5 nombres masculinos más populares	Los 5 nombres femeninos más populares
Alejandro	Lucía
Daniel	María
David	Paula
Mateo	Sofía
Santiago	Valentina

Acknowledgments

On behalf of its authors and editors, Vista Higher Learning expresses its sincere appreciation to the many instructors and teachers across the U.S. who contributed their ideas and suggestions. Their insights and detailed comments were invaluable to us as we created *Senderos*.

In-depth reviewers

Patrick Brady
Tidewater Community College, VA

Christine DeGrado
Chestnut Hill College, PA

Martha L. Hughes
Georgia Southern University, GA

Aida Ramos-Sellman
Goucher College, MD

Reviewers

Jaclyne Ainlay
Tower School, MA

Jacklyn Alvarez
Snake River High School, ID

Hilda Ávalos
Paloma Valley High School, CA

Melissa Badger
New Albany High School, IN

Delia Bahena
Chino Hills High School, CA

Mary Jo Baldwin
Mullen High School, CO

Darren Belles
Foresthill High School, CA

Susan Bennitt
Hopkins School, CT

Tania Berkowitz
Severn School, MD

Sara Blanco
Holmes Junior High
Cedar Falls School District, IA

Melissa Blazek
Paloma Valley High School, CA

Scott Boydston
Heritage High School, CA

Heather Bradley
Floyd Central High School, IN

Florencia Bray
St. Pius X Catholic School, TX

Jaclyn Browning
Gateway High School, PA

Alexandra Byers
Lakeridge Junior High, OR

Lee-Anne Calhoon
Pleasant Valley High School, CA

Mary Carmignani
Burr Ridge Middle School, IL

Jane Chambers
Thetford Academy, VT

Pamela Chovnick
Kettle Run High School, VA

Debbie Cullum
Grapevine High School, TX

Cecilia de Lankford
River Oaks Baptist School, TX

Sharon Deering
Arlington Independent School
District (AISD), TX

Cristina Deirmengian
Episcopal Academy, PA

Betty Díaz
Crete Middle School, NE

Kathleen Eiden
Academy of Holy Angels, MN

Sam Eisele
Harrisburg High School, SD

Lisa Evonuk
Lake Oswego High School, OR

Yvette Fisher
Sierra High School, CA

Alejandra Galeano
Desert High School, CA

Martha Galviz
Kittatinny Regional High School, NJ

Mariella Garay
Perris Union High School District, CA

Carita García
Laguna Beach High School, CA

Maria Gernert
Wyomissing Area Junior
Senior High School, PA

Sharon Gordon-Link
Del Oro High School, CA

Adrián Gutiérrez
Lindsay High School, CA

Jacqueline M. Gutiérrez
IC Catholic Prep, IL

David Hamilton
Harrisburg High School, SD

Daniel Hanson
Manteca High School, CA

Martha Hardy
Laurel School, OH

Amanda Howard
Mallard Creek High School, NC

Johanna Hribal
New Albany High School, KY

Gabriela F. Irwin
River Oaks Baptist School, TX

Ciro Jiménez
Bishop O'Connell, VA

Norma Jovel
Ramona Convent Secondary School, CA

Acknowledgments

Reviewers

Nora Kinney
Montini Catholic High School, IL

Dina Knouse
Albuquerque Academy, NM

Amie Kosberg
Marymount High School, CA

Deinorah Kraus
Lynn Classical High School, MA

Traci Lerner
Woodward Academy, GA

Deborah Lewicki
Highland Park High School, IL

José B. López
Dawson School, CO

Shelly D. Loyall
North Oldham High School, KY

Susan Loyd-Turner
Westover School, CT

María F. Maldonado
Albuquerque Academy, NM

Michael Mandel
H-B Woodlawn Secondary Program, DC

Wuiston A. Medina Rodríguez
Bruns Academy, NC

Griselda Mercedes
Lynn Public Schools, MA

Sandra Meyer
South Meck High School, NC

Anita Minguela
Kennesaw Mountain High School, GA

Kelly Nalty
Lake Oswego High School, OR

Jason Nino
Waddell Language Academy, NC

Beatriz O'Connell
Paloma Valley High School, CA

María Olivas
Denair High School, CA

Isaac Ortiz
Anderson High School, CA

Diana Page
The Potomac School, VA

Marino Perea
Bishop Kelly High School, ID

Sherrill Piazza
Middletown High School North, NJ

James Poleto
Clearfield Area Junior Senior High School, PA

Michelle Popovich
Pratt High School, KS

Natalie Puhala
Gateway High School, PA

Araceli Qualls
St. Joseph Central Catholic High School, WV

Cori Quick
Isbell Middle School, CA

Kathleen Ramirez
Charlotte Catholic High School, NC

Samuel Ramírez
Santa Paula High School, CA

Dina Reece
Carroll County High, VA

Scott Rowe
Seabury Academy, KS

Christine D. Ruvalcaba
Saint Bonaventure High School, CA

Xochitl Safady
River Oaks Baptist School, TX

Will Salzman
Bullis Charter School, CA

Jessica Schriever
Chaska High School, MN

Daniel Shannon
The Potomac School, VA

Joan Smith
Concord Christian School, TN

Maria Elena Sonnekalb
Arlington Public Schools, VA

Alyssa Stern
Fox Valley Lutheran High School, WI

Jaqueline Sullivan
St. Joseph High School, CT

Macarena Teixeira
Avenues: The World School, NY

Denise Troha
Notre Dame Cathedral Latin, OH

Virginia Vinales
A.J. Dimond High School, AK

Angela Wagoner
Crete High School, NE

Anna Walcutt
Tower School, MA

Ruth Ward
Auburn Middle School, VA

Stephanie Wittie
Clearfield Area Junior
Senior High School, PA

Scott Wood
Snake River Junior High School, ID

Christina Ziegler
David W. Butler High School, NC

Stephanie Zinzun
Perris High School, CA

About the Authors

José A. Blanco founded Vista Higher Learning in 1998. A native of Barranquilla, Colombia, Mr. Blanco holds degrees in Literature and Hispanic Studies from Brown University and the University of California, Santa Cruz. He has worked as a writer, editor, and translator for Houghton Mifflin and D.C. Heath and Company, and has taught Spanish at the secondary and university levels. Mr. Blanco is also the co-author of several other Vista Higher Learning programs: **Vistas, Panorama, Aventuras,** and **¡Viva!** at the introductory level; **Ventanas, Facetas, Enfoques, Imagina,** and **Sueña** at the intermediate level; and **Revista** at the advanced conversation level.

Philip Redwine Donley received his M.A. in Hispanic Literature from the University of Texas at Austin in 1986 and his Ph.D. in Foreign Language Education from the University of Texas at Austin in 1997. Dr. Donley taught Spanish at Austin Community College, Southwestern University, and the University of Texas at Austin. He published articles and conducted workshops about language anxiety management and the development of critical thinking skills, and was involved in research about teaching languages to the visually impaired. Dr. Donley was also the co-author of **Vistas, Aventuras,** and **Panorama**, three introductory college Spanish textbook programs published by Vista Higher Learning. Dr. Donley passed away in 2003.

A primera vista

- ¿Dónde está la chica de la foto?
- ¿En qué país crees que está?
- ¿Qué actividades se pueden hacer en este lugar?
- ¿Te gustaría visitarlo? ¿Por qué?

Essential Questions

1. What do popular celebrations reveal about a culture?
2. Why is it important to keep popular festivities alive?
3. How can travelers show respect for the traditions of the places they are visiting?

Lección preliminar

Can Do Goals

By the end of this lesson I will be able to:

- Discuss everyday activities
- Tell what happened in the past
- Express preferences
- Talk about health and medical conditions
- Talk about using technology and electronics
- Describe my house or apartment

Also, I will learn about:

Culture
- Popular festivals in Spain
- A special festival in the city of Medellín, Colombia
- Other festivals in the Spanish-speaking world

Práctica:
Hablar español te abre las puertas a 21 países del mundo.

¿Qué países de habla española te gustaría visitar?

Pasaporte de varios países latinoamericanos

1 Completar Complete each sentence with the appropriate preterite form.

1. Yo _____ (cerrar) las ventanas anoche.
2. Los estudiantes _____ (escribir) las respuestas en la pizarra.
3. María y yo _____ (nadar) en la piscina el sábado.
4. Tú _____ (vivir) en la casa amarilla, ¿no?
5. Mis abuelos no _____ (gastar) mucho dinero.
6. Enrique no _____ (beber) ni té ni café.
7. ¿_____ (Tomar) tú la última galleta?
8. Todos los jugadores _____ (oír) las malas noticias.
9. Yo _____ (decidir) comer más frutas y verduras.
10. Ellos _____ (olvidar) la dirección de la tienda.

2 El fin de semana pasado Complete the paragraph by choosing the correct verb and conjugating it in the appropriate preterite form.

El sábado a las diez de la mañana, mi hermano (1) _____ (costar, usar, ganar) un partido de tenis. A la una, yo (2) _____ (llegar, compartir, llevar) a la tienda con mis amigos y nosotros (3) _____ (costar, comprar, abrir) dos o tres cosas. A las tres, mi amigo Pepe (4) _____ (pasear, nadar, llamar) a su novia por teléfono. ¿Y el domingo? Mis primos me (5) _____ (salir, gastar, visitar) y nosotros (6) _____ (hablar, traer, pedir) por horas. Mi mamá (7) _____ (mostrar, leer, preparar) mi comida favorita y mis primos (8) _____ (vender, comer, empezar) con nosotros. Después, (yo) (9) _____ (salir, ver, servir) una película en la televisión.

3 ¿Ser o ir? Complete these sentences with the appropriate preterite form of **ser** or **ir**. Indicate the infinitive of each verb form.

1. Los viajeros _____ a Perú.
2. Usted _____ muy amable.
3. Yo _____ muy cordial.
4. Patricia _____ a la cafetería.
5. Guillermo y yo _____ a ver una película.
6. Ellos _____ simpáticos.
7. Yo _____ a su casa.
8. Él _____ a Machu Picchu.
9. Tú _____ pronto a clase.
10. Tomás y yo _____ muy felices.
11. Tú _____ muy generoso.
12. Este semestre los exámenes _____ muy difíciles.
13. Cuatro estudiantes no _____ a la fiesta.
14. La película _____ muy divertida.
15. Mi amiga y yo _____ al gimnasio el domingo.

1.1 Preterite tense of regular verbs

► The preterite tense is used to describe actions or states that were completed at a definite time in the past.

► The preterite of regular verbs is formed by dropping the infinitive ending (**-ar, -er, -ir**) and adding the preterite endings. Note that the endings of regular **-er** and **-ir** verbs are identical in the preterite tense.

comprar	vender	escribir
compré	vendí	escribí
compraste	vendiste	escribiste
compró	vendió	escribió
compramos	vendimos	escribimos
comprasteis	vendisteis	escribisteis
compraron	vendieron	escribieron

► These verbs have spelling changes in the preterite:

-car: buscar → yo busqué

-gar: llegar → yo llegué

-zar: empezar → yo empecé

creer: creí, creíste, creyó, creímos, creísteis, creyeron

leer: leí, leíste, leyó, leímos, leísteis, leyeron

oír: oí, oíste, oyó, oímos, oísteis, oyeron

ver: vi, viste, vio, vimos, visteis, vieron

► **-ar** and **-er** verbs that have a stem change in the present tense are regular in the preterite.

jugar (u:ue): Él **jugó** al fútbol ayer.

volver (o:ue): Ellas **volvieron** tarde anoche.

► **-ir** verbs that have a stem change in the present tense also have a stem change in the preterite.

pedir (e:i): La semana pasada, él **pidió** tacos.

1.2 Preterite of ser and ir

Los amigos fueron a Toledo.

► The preterite forms of **ser** and **ir** are identical. Context will determine the meaning.

ser and ir	
fui	fuimos
fuiste	fuisteis
fue	fueron

1.3 Other irregular preterites

▶ The preterite forms of the following verbs are also irregular. Pay attention to the different stem changes.

Valentina y Juanjo estuvieron
en la Plaza Mayor.

u-stem	estar poder poner saber tener	estuv- pud- pus- sup- tuv-	-e, -iste, -o, -imos, -isteis, -ieron
i-stem	hacer querer venir	hic- quis- vin-	-e, -iste, -o, -imos, -isteis, -ieron
j-stem	conducir decir traducir traer	conduj- dij- traduj- traj-	-e, -iste, -o, -imos, -isteis, -eron

Preterite of **dar**: di, diste, dio, dimos, disteis, dieron

Preterite of **hay** (*inf.* haber): hubo

1.4 Verbs that change meaning in the preterite

Daniel y Juanjo se
conocieron en Madrid.

▶ The verbs **conocer, saber, poder,** and **querer** change meanings when used in the preterite.

	Present	Preterite
conocer	*to know*	*to meet*
saber	*to know information*	*to find out; to learn*
poder	*to be able; can*	*to succeed*
querer	*to want; to love*	*to try*

---

4 **¿Cuándo?** In pairs, use the time expressions from the word list to ask and answer questions about when you and others did the activities.

anoche	ayer	el año pasado	la semana pasada
anteayer	dos veces	el mes pasado	una vez

> **modelo**
> **Estudiante 1**: ¿Cuándo escribiste una carta?
> **Estudiante 2**: Yo escribí una carta anoche.

1. mi compañero/a: llegar tarde a clase
2. mi mejor (*best*) amigo/a: volver de Brasil
3. mis padres: ver una película
4. yo: llevar un traje/vestido
5. el presidente de los EE.UU.: no escuchar a la gente
6. mis amigos y yo: comer en un restaurante

5 **Verbos** Complete the chart with the preterite form of the verbs.

Infinitive	yo	ella	nosotros
conducir			
hacer			
saber			

6 **Cambiar** Change each verb from present to preterite.

> **modelo**
> Escucho la canción.
> Escuché la canción.

1. **Tengo** que ayudar a mi padre. _____
2. La maestra **repite** la pregunta. _____
3. ¿**Vas** al cine con tu amigo? _____
4. Mis padres **piden** arroz en el restaurante del barrio. _____
5. El camarero les **sirve** papas fritas. _____
6. **Vengo** de la escuela en autobús. _____
7. El concierto **es** a las ocho. _____
8. ¿Dónde **pones** las llaves del auto? _____
9. ¿Y ellos cómo lo **saben**? _____
10. ¿Quién **trae** la comida? _____

7 **Oraciones** Form complete sentences using the information provided in the correct order. Use the preterite tense of the verbs.

1. ir / al / semana / pasada / yo / dentista / la

2. parque / Pablo / y / correr / perro / su / por / el

3. día / leer / ellos / periódicos / tres / cada

4. nunca / la historia / Doña Rita / la verdad / saber / de

8   **Escoger**   Choose the most logical option.

1. Ayer te llamé varias veces, pero tú no contestaste.
   a. Quise hablar contigo.   b. Pude hablar contigo.
2. Las chicas fueron a la fiesta. Cantaron y bailaron mucho.
   a. Ellas pudieron divertirse.   b. Ellas no supieron divertirse.
3. Yo no hice lo que ellos me pidieron. ¡Tengo mis principios!
   a. No supe hacerlo.   b. No quise hacerlo.

9   **¿Presente o pretérito?**   Choose the correct form of the verbs in parentheses.

1. Después de muchos intentos (*tries*), (podemos/pudimos) hacer una piñata.
2. —¿Conoces a Pepe?
   —Sí, lo (conozco/conocí) en tu fiesta.
3. Como no es de aquí, Cristina no (sabe/supo) mucho de las celebraciones locales.
4. Yo no (quiero/quise) ir a un restaurante grande, pero tú decides.
5. Ellos (quieren/quisieron) darme una sorpresa, pero Nina me lo dijo todo.
6. Mañana se terminan las clases; por fin (podemos/pudimos) divertirnos.
7. Ayer no (tengo/tuve) tiempo de llamarte.
8. ¿(Quieres/Quisiste) ir al cine conmigo esta tarde?
9. Todavía no sabemos quiénes lo (dicen/dijeron), pero mañana lo vamos a saber.
10. Dos veces al año, mi hermano y yo (hacemos/hicimos) algo especial juntos.

10   **Preguntas**   Pretend that your friend or parent keeps checking up on what you did. Respond that you already (**ya**) did what he/she asks. (Switch roles every two questions.)

> **modelo**
> leer la lección
> **Estudiante 1:** ¿Leíste la lección?
> **Estudiante 2:** Sí, ya la leí.

1. escribir el correo electrónico   4. practicar los verbos

2. lavar (*to wash*) la ropa   5. empezar la tarea

3. oír las noticias   6. buscar las llaves

11

Una película Working with a partner, prepare a brief summary of a movie you have seen. First, make a list of verbs you will use to describe the film's plot. Then present your summary to the class and have the other students guess what movie you described.

> *modelo*
>
> decidir, decir, llegar, tener miedo, traducir, ver
> Un día, Peter Quill decidió...

12

Conversar In small groups, ask each other what you did yesterday or last weekend. Use the word list and keep track of the activities that more than one person did so you can share them later with the class.

asistir a una reunión	ir al centro comercial
cenar en un restaurante	ir de compras
dar una fiesta	limpiar la habitación
dar un regalo	mirar la televisión
empezar una novela	pasarlo bien
escribir una carta	poner un anuncio en el periódico
escribir un correo electrónico	tener una idea
escuchar música	tener un sueño (*dream*)
hacer la tarea	traducir un poema
ir al cine	visitar a un amigo

13

Escribir Describe a dream (**un sueño**) you had recently, or invent one. Use at least six preterite verbs, including a minimum of two irregular verbs. You may write your description as a paragraph or as a poem.

AYUDA

soñar con =
to dream about

PUEDO describir eventos que ocurrieron en el pasado.

1 Vacaciones

Ramón is going to San Juan, Puerto Rico with his friends, Javier and Marcos. Express his thoughts more succinctly using direct object pronouns.

modelo

Quiero hacer una excursión.
Quiero hacerla./La quiero hacer.

1. Voy a hacer mi maleta.
2. Necesitamos llevar los pasaportes.
3. Marcos está pidiendo el folleto turístico.
4. Javier debe llamar a sus padres.
5. Ellos esperan visitar el Viejo San Juan.
6. Puedo llamar a Javier por la mañana.
7. Prefiero llevar mi cámara.
8. No queremos perder nuestras reservaciones de hotel.

2 Oraciones

Form complete sentences using the information provided. Use indirect object pronouns and the present tense of the verbs.

1. Javier / prestar / el abrigo / a Gabriel

   _____

2. nosotros / vender / ropa / a los clientes

   _____

3. el vendedor / traer / las camisetas / a mis amigos y a mí

   _____

4. yo / querer dar / consejos / a ti

   _____

5. ¿tú / ir a comprar / un regalo / a mí?

   _____

6. Carmen y Sofía / mostrar / las fotos / a Milena

   _____

3 ¿Directo o indirecto?

Restate the sentences, replacing the underlined words with the correct direct or indirect object pronoun.

modelo

Lidia quiere ver <u>una película</u>. → *Lidia la quiere ver./*
Lidia quiere verla.

1. Siempre digo la verdad <u>a mi madre</u>.
2. Juan Carlos puede traer <u>los refrescos</u> a la fiesta.
3. ¿No quieres ver <u>las pinturas</u> (*paintings*) en el museo?
4. Raquel va a comprar un regalo <u>para su prima</u>.
5. Leí <u>el último libro de Harry Potter</u> anoche.
6. Voy a regalar estos libros <u>a mis padres</u>.

2.1 Direct and indirect object pronouns

¿Las gafas? Acabo de comprarlas.

▶ Direct and indirect object pronouns take the place of nouns.

▶ Direct object pronouns directly receive the action of the verb.

Direct object pronouns

Singular		Plural	
me	lo	nos	los
te	la	os	las

In affirmative sentences:

Adela practica **el tenis**. → Adela **lo** practica.

In negative sentences:

Adela **no lo** practica.

With an infinitive:

Adela **lo** va a practicar. / Adela va a practicar**lo**.

With the present progressive:

Adela **lo** está practicando. / Adela está practicándo**lo**.

▶ Indirect object pronouns identify *to whom* or *for whom* an action is done.

Olga Lucía les toma una foto a sus amigos.

Indirect object pronouns

Singular	Plural
me	nos
te	os
le	les

▶ Place an indirect object pronoun in a sentence in the same position where a direct object pronoun would go.

▶ Both the indirect object pronoun and the person to which it refers may be used together in a sentence for clarity or extra emphasis. Use the construction **a** + [*prepositional pronoun*].

Su madre **les** ofrece una solución **a los niños**.

2.2 Gustar and similar verbs

▶ Though **gustar** is translated as *to like*, its literal meaning is *to please*. **Gustar** is preceded by an indirect object pronoun indicating who is pleased. It is followed by a noun (the subject) indicating *the thing that pleases*. Many verbs follow this pattern.

¡Me gusta el vestido rojo!

| aburrir | faltar | importar | molestar |
| encantar | fascinar | interesar | quedar |

▶ With singular subjects or verbs in the infinitive, use the third person singular form.

Me **gusta** la clase.

No nos **interesó** el proyecto.

Les **fascina** ir al cine.

▶ With plural subjects, use the third person plural form.

Te **quedaron** diez dólares.

Le **aburren** los documentales.

▶ The construction **a** + [*noun/pronoun*] may be added for clarity or emphasis.

A mí me encanta bailar, ¿y a ti?

2.3 Double object pronouns

¿Me las vende por 20 euros?

▶ When direct and indirect object pronouns are used together, the indirect object pronoun always goes before the direct object pronoun.

Nos van a servir los platos. ➔ **Nos los** van a servir. / Van a servír**noslos**.

▶ The indirect object pronouns **le** and **les** always change to **se** when they precede **lo, la, los,** and **las**.

Le escribí una carta. ➔ **Se la** escribí.

▶ Spanish speakers often clarify to whom the pronoun **se** refers by adding **a usted, a él, a ella, a ustedes, a ellos,** or **a ellas.**

---

4 **La música** Complete each sentence with the correct indirect object pronoun and verb form. Use the present tense.

1. A Adela _____ _____ (gustar) la música de Enrique Iglesias.
2. A mí _____ _____ (encantar) las canciones (*songs*) de Maná.
3. A mis amigos no _____ _____ (molestar) la música alta (*loud*).
4. A nosotros _____ _____ (fascinar) los grupos de pop latino.
5. A mi padre no _____ _____ (interesar) los cantantes (*singers*) de hoy.

5 **Descripciones** Look at the pictures and describe what is happening. Use the verbs from the word bank.

| encantar | interesar | molestar | quedar |

1. a ti

2. a Sara

3. a Ramón

4. a nosotros

6 **En el restaurante** Complete each sentence with the missing direct or indirect object pronoun.

Objeto directo

1. ¿La ensalada? El camarero nos __la__ sirvió.
2. ¿El salmón? La dueña me ____ recomienda.
3. ¿La comida? Voy a preparárte____.
4. ¿Las bebidas? Estamos pidiéndose____.
5. ¿Los refrescos? Te ____ puedo traer ahora.

Objeto indirecto

1. ¿Puedes traerme tu plato? No, no __te__ lo puedo traer.
2. ¿Quieres mostrarle la carta? Sí, voy a mostrár____la ahora.
3. ¿Les serviste la carne? No, no ____ la serví.
4. ¿Vas a leerle el menú? No, no ____ lo voy a leer.
5. ¿Me recomiendas la langosta? Sí, ____ la recomiendo.

PUEDO hablar sobre las cosas que me gustan y las que no me gustan.

Festivales populares de
España

siguiente ocurre el recorrido° de los toros. Los toros y la gente más valiente (¡y loca!) corren juntos por las calles estrechas° de la Parte Vieja de Pamplona. Aunque es muy peligroso°, el evento atrae° a cientos de corredores° cada año.

Para los cinéfilos°, la región de Cataluña es un destino obligatorio. El Festival de Cine de Sitges es el primer festival que pasa° las mejores películas de fantasía de toda Europa. Y hay que asistir también al Animac, exhibición de producciones de animación y de la tecnología cinematográfica de punta°.

Y en el pueblo pequeño de Buñol el último miércoles de agosto tiene lugar el festival más extraño° del país: La Tomatina, una batalla° en que los tomates son la munición°. Los miles de participantes se arrojan° tomates hasta quedar empapados° de jugo de tomate. Es incierto el origen de este festival, ¡pero sí es cierto que es muy divertido!

Por toda España, durante un año típico se realizan cientos de ferias, fiestas y celebraciones cívicas, religiosas y culturales. Hay eventos para todos los gustos.

Del 15 al 19 de marzo, se celebran las Fallas de Valencia, fiestas en honor a San José. Una falla es una obra artística grande (más de diez metros de altura°) cuyo tema° puede ser político, literario o de cultura de masas°. Son construidas de materiales combustibles° porque la última noche de la celebración se incendian° todas, creando fogatas° enormes y un ambiente jubiloso°.

Casi todos conocen la famosa Fiesta de San Fermín. Comienza el 6 de julio con el chupinazo, el disparo de un cohete°, al mediodía. Al día

ASÍ SE DICE	
el arreglo	*arrangement (of flowers)*
la feria	*fair, festival*
las flores	*flowers*
los gustos	*likes*
el jardín	*garden*
el pueblo	*town*
realizar	*to hold (a festival)*

de altura *in height* **cuyo tema** *whose theme* **cultura de masas** *pop culture* **combustibles** *combustible (able to burn)* **se incendian** *are set on fire* **fogatas** *bonfires* **ambiente jubiloso** *jubilant atmosphere* **disparo de un cohete** *firing of a rocket* **recorrido** *running* **estrechas** *narrow* **peligroso** *dangerous* **atrae** *attracts* **corredores** *runners* **cinéfilos** *film buffs* **pasa** *shows* **de punta** *cutting-edge* **más extraño** *strangest* **batalla** *battle, fight* **munición** *weapon* **se arrojan** *throw at each other* **hasta quedar empapados** *until they are soaked*

ACTIVIDADES

1 **¿Cierto o falso?** Indica si lo que dice cada oración es cierto o falso. Corrige la información falsa.

1. Nadie se lastima nunca en la Fiesta de San Fermín.

2. Los participantes de La Tomatina se ensucian mucho.

3. Los aficionados del cine viajan cada año a Buñol.

4. El chupinazo indica el fin de las Fallas.

5. En España todos los festivales son religiosos.

6. Después de la fiesta, las fallas más populares se exhiben en un museo de Valencia.

2 **Comprensión** Completa cada oración con base en la información de las dos lecturas.

1. Las Fallas de Valencia se celebran en _____ a San José.

2. Las fallas pueden ser de tema político o _____.

3. En la fiesta de San Fermín, algunas personas _____ con _____.

4. Para hacer una silleta se usan miles de _____.

5. La Feria de las Flores de Medellín se celebra en el mes de _____ para conmemorar la _____ de Antioquia.

3 **¿A qué festival vamos?** En grupos pequeños, creen una corta entrada de blog (de 2 o 3 párrafos) sobre un festival al que fueron o al que les gustaría ir. ¿Cuál es su importancia? ¿Dónde y cuándo se lleva a cabo? ¿Qué lo distingue de otros eventos? Busquen en Internet información básica e incluyan una foto o dos en su publicación.

ENTRE CULTURAS

¿Cuáles son algunos de los festivales más importantes del mundo hispano?

_____

*Go to **vhlcentral.com** to find more cultural information related to this **Cultura** section.*

PUEDO describir un festival que conozco o al que quiero asistir.

PERFIL

El color brota°
en Medellín

Silletas de la Feria de las Flores

Cada ciudad o región del mundo tiene su propio festival que rinde homenaje° a la cultura local. En la ciudad de Medellín, Colombia, es la Feria de las Flores que se celebra anualmente durante 10 días muy festivos a principios° del mes de agosto.

La primera Feria tuvo lugar° en 1957 en el mes de mayo, siendo éste° el mes tradicionalmente asociado con las flores de primavera. Pero en 1968, decidieron realizar la Feria en agosto para conmemorar la independencia de Antioquia°. En el período de la Feria toda la ciudad se convierte en un jardín botánico de millones de flores, sus brillantes colores y embriagantes° aromas llenando cada rincón° de Medellín.

La estrella° de la Feria es, sin duda°, el espectacular Desfile° de Silleteros. Una silleta es una obra de arte compuesta de miles de flores que forman escenas y diseños muy elaborados. Los artistas se sirven de° un sinfín° de variedades de flores para crear estos arreglos impresionantes – las perlas más preciadas° de toda la Feria.

brota *buds, sprouts* **rinde homenaje** *pays homage* **a principios** *at the beginning* **tuvo lugar** *took place* **siendo éste** *this being* **Antioquia** *Department (political division similar to a state) of which Medellín is the capital* **embriagantes** *intoxicating* **rincón** *corner* **estrella** *star* **sin duda** *without a doubt* **Desfile** *Parade* **se sirven de** *make use of* **sinfín** *endless number* **perlas más preciadas** *crown jewels*

Comprensión Responde a estas preguntas con base en la lectura de **Perfil**.

1. ¿Cuándo se celebró la primera versión de la Feria de las Flores de Medellín?

2. ¿Durante cuántos días se celebra la Feria de las Flores?

3. ¿Qué es una silleta?

4. ¿Cuál es el festival más importante de tu ciudad o región?

1 Completar
Completa la oración con el imperfecto del verbo entre paréntesis.

1. Antes de casarse mi padre _____ (ser) actor.
2. Amelia y Tina _____ (buscar) un apartamento cerca del centro.
3. Tú _____ (dormir) hasta mediodía todos los sábados, ¿verdad?
4. Antes de estudiar español, yo no _____ (poder) entender lo que _____ (decir) mis vecinos cubanos.
5. Los viernes nosotros _____ (preparar) tapas para comer mientras _____ (mirar) una película.
6. Uds. no _____ (ir) a la escuela en autobús. Uds. _____ (caminar).
7. A menudo en la playa _____ (hacer) fresco de noche y _____ (haber) una brisa ligera (*light breeze*).
8. Mi tía Luisa, la viuda, siempre _____ (vestirse) de negro.

2 ¿Pretérito o imperfecto?
Lee la narración y llena los espacios en blanco con la forma apropiada del verbo indicado.

Anoche los Díaz (1. dar) _____ una fiesta para celebrar el aniversario de Marisela y Roberto. Ellos (2. casarse) _____ en 1997. (3. Haber) _____ regalos, música, decoraciones y un pastel muy rico. La casa (4. estar) _____ muy ordenada porque la señora Díaz (5. pasar) _____ todo el día arreglándolo todo. Cecilia (6. ir) _____ a servir una paella clásica pero el día anterior (7. decidir) _____ preparar un menú más informal. En fin, la fiesta (8. ser) _____ todo un éxito (*success*). (9. Ser) _____ las once cuando (10. salir) _____ los invitados.

3 ¡Qué nervios!
Escucha lo que le cuenta Sandra a su amiga sobre su día. Luego, indica si cada afirmación es **cierta** o **falsa** según lo que escuchaste.

	Cierto	Falso
1. El paciente es dueño de una farmacia.	○	○
2. Sandra estaba muy segura de sí misma (*herself*).	○	○
3. El paciente también sabe poner inyecciones.	○	○
4. La enfermera tenía dolor de cabeza.	○	○
5. El paciente era muy amable.	○	○
6. El paciente necesitaba una pastilla para relajarse.	○	○
7. Sandra pudo ponerle la inyección sin problema.	○	○

3.1 The imperfect tense

Cuando era niña, vivíamos en Caracas.

Imperfect of regular verbs			
	bailar	**leer**	**vivir**
yo	bailaba	leía	vivía
tú	bailabas	leías	vivías
Ud./él/ella	bailaba	leía	vivía
nosotros/as	bailábamos	leíamos	vivíamos
vosotros/as	bailabais	leíais	vivíais
Uds./ellos/ellas	bailaban	leían	vivían

► All Spanish verbs are regular in the imperfect except three: **ser, ir,** and **ver**.

Imperfect of irregular verbs			
	ser	**ir**	**ver**
yo	era	iba	veía
tú	eras	ibas	veías
Ud./él/ella	era	iba	veía
nosotros/as	éramos	íbamos	veíamos
vosotros/as	erais	ibais	veíais
Uds./ellos/ellas	eran	iban	veían

► The imperfect refers to past actions and states. Use the imperfect to express:
- habitual or repeated activities
- physical characteristics and age
- time and weather
- actions in progress
- mood, emotions, or mental state

3.2 The preterite and the imperfect

► Both the preterite and the imperfect refer to past actions and states, but they are not used interchangeably. The preterite is used to:
- narrate a series of completed actions or events
- express actions that the speaker views as completed
- indicate the beginning or the end of an activity

3.3 Constructions with *se*

▶ In Spanish, **se** + third person verb is used when the subject of the sentence is not defined. Often, such sentences in English use the subjects *they, you, one,* or *people.*
> No **se** debe comer en clase.
> *You shouldn't (One shouldn't) eat in class.*

▶ Note that third person singular verbs are used with singular nouns and third person plural verbs with plural nouns.
> — ¿**Se habla** sólo español en España?
> — No, **se hablan** varias lenguas regionales también.

▶ **Se** is also used to describe unplanned or accidental events. Use the following construction:

$$\textbf{se} + \begin{bmatrix} \textbf{INDIRECT} \\ \textbf{OBJECT} \\ \textbf{PRONOUN} \end{bmatrix} + \begin{bmatrix} \textbf{VERB} \end{bmatrix} + \begin{bmatrix} \textbf{SUBJECT} \end{bmatrix}$$

| **Se** | **me** | **cayó** | **la pluma.** |

These verbs are often used to describe unplanned events.

caer	olvidar	quedar
dañar	perder (e:ie)	romper

3.4 Reciprocal reflexives

▶ A reflexive verb indicates that the subject performs the action to or for itself. Reflexive verbs consist of the verb and a reflexive pronoun: **me, te, se, nos,** or **os.**

Manuel **se mira** en el espejo.
Manuel looks at himself in the mirror.

▶ In contrast, in a reciprocal reflexive sentence, the action is shared or mutual among two or more people — the meaning "each other" or "one another" is implicit.

Valentina y Manuel **se miran.**
Valentina and Manuel look at one another (each other).

▶ Because a reciprocal reflexive sentence involves two or more people or things, only plural verb forms are used.

---

4 **Oraciones originales** Escribe una oración usando las palabras indicadas y una construcción con **se.**

1. ¿comer / mucho arroz / en China?
2. no servir / la carne / en los restaurantes / vegetariano
3. necesitar / enfermeros / en ese hospital
4. no vender / antibióticos / en aquella farmacia
5. los zapatos de tenis / no llevar / en la piscina
6. alquilar / carros / en Hertz
7. buscar / apartamento / con dos dormitorios

Ahora, escribe oraciones que expresan un evento inesperado (*unplanned*) o accidental. Usa el pretérito del verbo.

8. a Elena / romper / el espejo del cuarto de baño
9. ¿a ti / caer / el vaso de leche?
10. al profesor / olvidar / nuestros exámenes
11. ¡a mí / no quedar / ni un dólar!
12. a los Hernández / dañar / su coche nuevo

5 **Todo es recíproco** Completa las oraciones con la forma recíproca del verbo entre paréntesis.

1. Ayer Rebeca y su amiga (verse) _____ en el centro comercial.
2. El verano pasado mis amigos y yo (escribirse) _____ muchas tarjetas postales desde las vacaciones.
3. Todos los días mis padres (besarse) _____ cuando salen de la casa.
4. Elías y Ben no (ayudarse) _____ con la tarea.
5. A menudo tú y yo (encontrarse) _____ en el café.
6. ¡Qué cómico! Rosa y Tere (regalarse) _____ suéteres feos para la Navidad.

6 **Una entrevista (*interview*)** Escribe una lista de 5 o 6 preguntas usando **se.** Después, en grupos de tres, entrevista a dos compañeros/as de clase. Sigue el modelo.

> **modelo**
> — Michelle, ¿tú y tu hermana se ayudan con la tarea?
> — Sí, nos ayudamos todo el tiempo. / ¡No, nunca nos ayudamos con nada!
> — Y tú, Eduardo, ¿tú y tu hermana se ayudan con la tarea? etc.

PUEDO describir eventos que ocurrían en el pasado.

PUEDO hablar sobre acciones que hacen las personas (mutuamente).

1 Pronombres relativos
Completa la oración con un pronombre relativo: **que, (a) quien, quienes** o **lo que.**

1. _____ necesito es más tiempo.
2. A Nina se le perdió el cuaderno _____ acaba de comprar.
3. El cine _____ está en la calle Morales no está abierto.
4. El chico con _____ estudia Marisa trabaja en ese café.
5. Mis hermanos, _____ son mucho menores que yo, recibieron juguetes en Navidad.
6. Mi mamá nunca comprende _____ yo le digo.
7. Los platos _____ rompiste no costaron mucho.
8. No conocemos a la chica _____ mi hermana invitó a la casa.
9. Los chicos _____ viven en esa casa van a tu escuela.
10. El carro _____ ves allí es de mi papá.
11. _____ te contó Juliana no es cierto.
12. Juan, _____ conocí anoche, es un chico muy inteligente.
13. ¿Sabes _____ aún no tenemos para la fiesta? ¡Unas servilletas!
14. Camila, _____ habla inglés, francés y español, es una persona muy interesante.
15. La computadora _____ me regalaste es muy lenta.

2 Completar
Completa el cuadro con la forma correspondiente de subjuntivo.

yo/él/ella	tú	nosotros/as	Uds./ellos/ellas
escriba			
	limpies		
		ofrezcamos	
quiera			
			hablen
tenga			

3 Entrevista
Contesta las preguntas de tu compañero/a. Explica tus respuestas.

1. ¿Es importante que las personas aprendan lenguas extranjeras? ¿Por qué?
2. Si alguien quiere aprender alemán, ¿es mejor que lo aprenda en Alemania?
3. ¿Es importante que un turista aprenda un poco del idioma del país que visita?
4. ¿Es urgente que los políticos aprendan otras lenguas?
5. ¿Es necesario leer los libros y artículos en su idioma original? ¿Por qué?

4.1 Relative pronouns

▶ Spanish has three very common relative pronouns:

que	that, which, who
quien(es)	who, whom, that
lo que	that which, what

▶ Relative pronouns are used to join two sentences that share a common noun or pronoun. **Que** is the most common and can refer to things or people.

Los zapatos me gustan mucho. Los zapatos son caros.
Los zapatos **que** me gustan mucho son caros.

▶ **Quien** (singular) and **quienes** (plural) only refer to people. They are often used after a preposition or the personal **a.**
Los estudiantes **a quienes** hablé son de Quito.
Elisa, **quien** se mudó a Madrid, me llama con frecuencia.

▶ **Lo que** does not refer to a specific person or thing but rather to an idea, a concept, a situation, or a past event.
Pedro no encontró **lo que** buscaba.
Pedro didn't find what (the thing that) he was looking for.

4.2 The present subjunctive

▶ The present subjunctive is formed as follows: start with the present indicative **yo** form, drop the **o** ending, and add the following present subjunctive endings.

-AR VERBS	-ER AND -IR VERBS
-e, -es, -e, -emos, -eis, -en	-a, -as, -a, -amos, -ais, -an

REGULAR VERBS		
cantar	canto	cante, cantes, etc.
leer	leo	lea, leas, etc.
vivir	vivo	viva, vivas, etc.

VERBS WITH IRREGULAR YO FORM		
tener	tengo	tenga, tengas, etc.
conocer	conozco	conozca, conozcas, etc.

▶ Verbs ending in **-car**, **-gar**, or **-zar** have a spelling change to maintain correct pronunciation.
tocar (c ⟶ qu): toque, toques, etc.
llegar (g ⟶ gu): llegue, llegues, etc.
abrazar (z ⟶ c): abrace, abraces, etc.

▶ All verbs with stem changes in the present indicative follow the same stem change pattern in the subjunctive.

▶ The following verbs are irregular in the present subjunctive. The present subjunctive of **hay** is **haya.**
dar: **dé, des, dé, demos, deis, den**
estar: **esté, estés, esté, estemos, estéis, estén**
ir: **vaya, vayas, vaya, vayamos, vayáis, vayan**
saber: **sepa, sepas, sepa, sepamos, sepáis, sepan**
ser: **sea, seas, sea, seamos, seáis, sean**

4.3 Subjunctive with verbs of will and influence

▶ The present subjunctive is used in sentences made up of two clauses. If the first clause contains a verb of will or influence, the verb in the second clause will be in the subjunctive. Each clause must have a different subject, and the two clauses are joined by **que**.

VERB OF WILL		SUBJUNCTIVE
Olga Lucía **desea**	**que**	Juanjo le **crea**.
Olga Lucía wants Juanjo to believe her.		

Remember that the action of a subjunctive sentence is not certain to take place: Teresa may or may not believe Victor, even though he wants her to.

▶ The following verbs are often used in such sentences.

aconsejar *to advise*	**pedir** (e:i) *to ask (for)*
desear *to wish; to desire*	**preferir** (e:ie) *to prefer*
importar *to be important,*	**prohibir** *to prohibit, to forbid*
to matter	**querer** (e:ie) *to want*
insistir (en) *to insist (on)*	**recomendar** (e:ie) *to recommend*
mandar *to order*	**rogar** (o:ue) *to beg*
necesitar *to need*	**sugerir** (e:ie) *to suggest*

▶ Indirect object pronouns often accompany the verbs **aconsejar, importar, mandar, pedir, prohibir, recomendar, rogar,** and **sugerir.** The indirect object pronoun corresponds to the subject of the second clause. Note that all forms of **prohibir** (except **prohibimos**) have a written accent.

> **Les prohíbo** que salgan a las once.
> *I forbid them from going out at eleven o'clock.*

▶ Some impersonal expressions (meaning they don't take a specific subject) are also considered verbs of will or influence: **es bueno que, es importante que, es malo que, es mejor que, es necesario que,** and **es urgente que.**

> **Es importante que hagas** la tarea.
> *It's important that you do your homework.*

▶ **¡Atención!** If the sentence contains only one subject, the infinitive is used and the conjunction **que** is not needed.

> Beto quiere que **vayamos** a la tienda.
> (*2 sujetos:* Beto y nosotros)
> Beto quiere **ir** a la tienda. (*1 sujeto:* Beto)

---

4 **Completar** Completa la oración con el presente de subjuntivo del verbo entre paréntesis.

1. El profesor sugiere que sus estudiantes _____ (escribir) ensayos originales.
2. Mamá nos ruega que _____ (arreglar) nuestro cuarto.
3. Es urgente que ellos _____ (ir) al hospital.
4. ¡Yo te mando que _____ (salir) de aquí!
5. Muchos padres prohíben que sus niños _____ (beber) café.
6. Emma me pide que le _____ (prestar) veinte dólares.
7. Deseamos que la profesora de español no nos _____ (dar) mucha tarea.
8. Es importante que nuestro equipo no _____ (perder) otro partido.
9. Elena prefiere que su marido le _____ (comprar) el vestido de seda.
10. Esas chicas insisten en que la cafetería _____ (servir) platos vegetarianos.
11. Tomás nos aconseja que _____ (guardar) todos los documentos.

5 **¿Qué desean?** Completa cada oración de una manera lógica y original. Usa el presente de subjuntivo o el infinitivo, según sea necesario.

1. Mis padres insisten en que yo…
2. ¿Quién te aconseja que tú…?
3. Manolo les pide que…
4. Es mejor… todos los días.
5. Se prohíbe que los estudiantes…
6. Tina no desea…
7. Es malo que Uds. no…
8. Preferimos que nuestros amigos…

6 **Otra oportunidad** Escucha la conversación entre Alfredo y su profesora. Luego, indica si las conclusiones son **lógicas** o **ilógicas**, según lo que escuchaste.

	Lógico	Ilógico
1. Alfredo tiene que entregar un trabajo para la clase de Español.	○	○
2. Alfredo tiene un trabajo asignado desde hace dos semanas.	○	○
3. La profesora está de acuerdo con que Alfredo entregue el trabajo la próxima semana.	○	○
4. Alfredo no pudo presentar su trabajo a tiempo porque perdió sus apuntes de clase.	○	○
5. No es urgente que Alfredo haga su trabajo.	○	○

PUEDO hablar sobre los deseos o aspiraciones de las personas.

Descripción

In groups of three or four, write a short skit in which a group of friends has dinner together and tells each other about their day. You will perform your skit for the class.

Paso a paso

1. Decide who will take each role (**personaje** = *a character in a play or a story*). Not all roles will be portrayed.

   Personaje 1: You went to the doctor. Tell why you went, what happened while you were there, and what the doctor did. Was it a good or bad experience?

   Personaje 2: You cleaned your house or apartment from top to bottom. Which chores did you take care of? Did anything unexpected happen?

   Personaje 3: You were working on an important document and you had a problem with your computer. What happened? How did you resolve it? Did you need help?

   Personaje 4: You started planning a party. Talk about what the special occasion is, when the party will take place, and the preparations and plans you made.

2. Write your own part of the script. You should speak for about a minute about your day and interact with other characters. Remember that you are talking about the past, so you will have to use the preterite and imperfect appropriately.

3. Have a group reading. Each **personaje** "performs" his or her part, and the groupmates assist with constructive feedback.

   > **modelo**
   > — Huy, qué día ocupado. Mitch, ¿qué pasó hoy? ¿Qué hiciste?
   > — Pues, yo fui a… Y tú, Belinda, ¿pasaste un buen día? *etc.*

Evaluación

The day of the presentation of your skit you will be assessed on the following criteria. Use this as a checklist to make sure you have successfully completed the task.

▶ You use vocabulary related to the topic of your part of the presentation.

▶ You narrate correctly in the past, using the preterite and imperfect appropriately.

▶ You speak clearly, with correct pronunciation and intonation.

▶ You interact with other characters at least for one minute.

PUEDO participar en una conversación en la que hablo sobre lo que hice recientemente.

Descripción

Inti Raymi is an important event for the modern descendants of the Incas. You will create a travel brochure to advertise a trip to Peru to experience this event. You must include information about the festival, and some advice for travelers.

Paso a paso

1. **Investiga sobre el evento.** Do research on the Internet to find information about the festival, its symbols, and their significance. Answer the following questions to guide your research:

   - ¿Dónde y cuándo se celebra el festival?

   - ¿Quiénes lo celebran y para qué?

   - ¿Cuáles son sus raíces (*roots*)?

   - ¿Qué pueden observar los visitantes que asisten al festival?

   Gather images to illustrate your brochure:

   - Fotos de la ceremonia y del lugar donde se celebra

   - Un mapa del lugar donde se celebra y de sus alrededores

2. **Escribe un texto informativo.** Write an informative text about the ceremony, its history and its purpose.

   Organize your text in three parts: introduction, body, and conclusion. Try to make it interesting for someone who is going to travel there.

3. **Haz el folleto.** Fold a piece of paper to make a travel brochure and complete with your text and images.

4. **Presenta tu folleto.** Once you have finished, present your final brochure to the class.

Evaluación

You will be assessed on the following criteria. Use this as a checklist to make sure you have successfully completed the task.

▶ Content: Relevant, interesting information.

▶ Organization: Information and content are clearly organized visually and logically.

▶ Presentation: Clear communication. Correct and complete vocabulary and grammar.

PUEDO elaborar un folleto sobre la celebración de Inti Raymi.

A primera vista

- ¿Dónde es este lugar?
- ¿Te gustaría visitarlo?
- ¿Qué palabras puedes usar para describir este lugar?
- ¿Qué podemos hacer para protegerlo?

Essential Questions

1. How do humans and the natural world interact?
2. What are the best practices to preserve culture and natural resources?
3. What does nature teach us about diversity?

1 La naturaleza

Can Do Goals

By the end of this lesson I will be able to:

- Discuss environmental problems
- Propose solutions for environmental problems
- Express opinions and suggest solutions to problems in my community
- Write a short article about an environmental problem
- Comment on or make predictions about environmental problems

Also, I will learn about:

Culture
- Young Hispanic environmentalists
- Nature in Costa Rica
- Colombia's culture and geography

Skills
- Reading: Recognizing the purpose of a text
- Writing: Considering audience and purpose
- Listening: Using background knowledge/Guessing meaning from context

Lesson 1 Integrated Performance Assessment

Context: You and a partner would like to go on a "green" vacation to a destination in Costa Rica, a country known for ecotourism. The two of you will plan the trip together, each of you choosing three activities or attractions you find interesting and appealing.

Indígena arhuaco en la Sierra Nevada de Santa Marta, Colombia

Práctica:
Los indígenas latinoamericanos respetan y protegen la naturaleza.

¿Cómo se protege la naturaleza en tu comunidad?

La naturaleza

Más vocabulario	
el desierto	desert
la naturaleza	nature
la selva, la jungla	jungle
el sendero	trail; path
la tierra	land; soil
el valle	valley
el animal	animal
la ballena	whale
la tortuga (marina)	(sea) turtle
la vaca	cow
el cielo	sky
la estrella	star
la luna	moon
el calentamiento global	global warming
el cambio climático	climate change
la conservación	conservation
la ecología	ecology
el/la ecologista	ecologist
el ecoturismo	ecotourism
la energía (nuclear; solar)	(nuclear; solar) energy
la extinción	extinction
el medio ambiente	environment
el peligro	danger
el recurso natural	natural resource
la solución	solution
el gobierno	government
la ley	law
la (sobre)población	(over)population
ecológico/a	ecological
puro/a	pure
renovable	renewable

Variación léxica

hierba ←→ pasto (*Méx., Perú*);
grama (*Venez., Col.*)

el mono

el árbol

el bosque (tropical)

el río

la flor

la hierba

la contaminación del aire

la fábrica

la deforestación

el perro

el gato

el sol

el ave, el pájaro

la nube

la planta

el pez (sing.), los peces (pl.)

la piedra

el lago

el cráter

el volcán

la contaminación del agua

Práctica

1 **Escuchar** Mientras escuchas las frases, anota los sustantivos (*nouns*) que se refieren a las plantas, los animales, la tierra y el cielo.

Plantas	Animales	Tierra	Cielo
_____	_____	_____	_____
_____	_____	_____	_____
_____	_____	_____	_____

2 **Una invitación** Completa las oraciones sobre la invitación de Claudia.

1. Hay muchos tipos de _____ y de árboles en el parque.
2. Claudia quiere almorzar sobre la _____.
3. Hay un _____ muy grande en el parque.
4. Claudia quiere estar en contacto con la _____.

3 **Seleccionar** Selecciona la palabra que no está relacionada.

1. estrella • gobierno • luna • sol
2. lago • río • mar • peligro
3. vaca • gato • pájaro • población
4. cielo • cráter • aire • nube
5. desierto • solución • selva • bosque
6. flor • hierba • renovable • árbol

4 **Definir** Trabaja con un(a) compañero/a para definir o describir cada palabra. Sigue el modelo.

> **modelo**
> **Estudiante 1:** ¿Qué es el cielo?
> **Estudiante 2:** El cielo está sobre la tierra y tiene nubes.

1. la población
2. un valle
3. el calentamiento global
4. la naturaleza
5. un desierto
6. la extinción
7. la ecología
8. un sendero
9. un bosque tropical

5 **Describir** Trabajen en parejas para describir estas fotos.

El reciclaje

Recicla la lata de aluminio. (reciclar)

el envase de plástico

Recoge la botella de vidrio. (recoger)

Más vocabulario

cazar	to hunt
conservar	to conserve
contaminar	to pollute
controlar	to control
cuidar	to take care of
dejar de (+ *inf*.)	to stop (doing something)
desarrollar	to develop
descubrir	to discover
destruir	to destroy
estar afectado/a (por)	to be affected (by)
estar contaminado/a	to be polluted
evitar	to avoid
mejorar	to improve
proteger	to protect
reducir	to reduce
resolver (o:ue)	to resolve; to solve
respirar	to breathe

6 **Completar** Selecciona la palabra o la expresión adecuada para completar cada oración.

contaminar	destruyen	reciclamos
controlan	están afectadas	recoger
cuidan	mejoramos	resolver
descubrir	proteger	se desarrollaron

1. Si vemos basura en las calles, la debemos _____.
2. Los científicos trabajan para _____ nuevas soluciones.
3. Es necesario que todos trabajemos juntos para _____ los problemas del medio ambiente.
4. Debemos _____ el medio ambiente porque hoy día está en peligro.
5. Muchas leyes nuevas _____ el nivel de emisiones que producen las fábricas.
6. Las primeras civilizaciones _____ cerca de los ríos y los mares.
7. Todas las personas _____ por la contaminación.
8. Los turistas deben tener cuidado de no _____ los lugares que visitan.
9. Podemos conservar los recursos si _____ el aluminio, el vidrio y el plástico.
10. La contaminación y la deforestación _____ el medio ambiente.

Comunicación

7 **¿Es importante?** En parejas, lean este párrafo y contesten las preguntas.

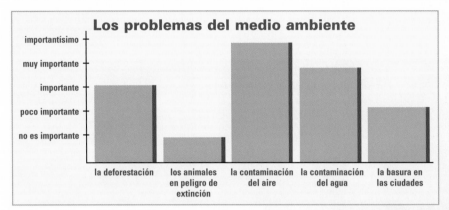

Los problemas del medio ambiente

importantísimo
muy importante
importante
poco importante
no es importante

la deforestación | los animales en peligro de extinción | la contaminación del aire | la contaminación del agua | la basura en las ciudades

Para celebrar el Día de la Tierra, una estación de radio colombiana hizo una pequeña encuesta entre estudiantes de escuela secundaria y les preguntaron sobre los problemas del medio ambiente. Se les preguntó cuáles creían que eran los cinco problemas más importantes del medio ambiente. Ellos también tenían que decidir el orden de importancia de estos problemas, del uno al cinco.

Los resultados probaron (*proved*) que la mayoría de los estudiantes están preocupados por la contaminación del aire. Muchos mencionaron que no hay aire puro en las ciudades. El problema número dos para los estudiantes es que los ríos y los lagos están afectados por la contaminación. La deforestación quedó como el problema número tres, la basura en las ciudades como el número cuatro y los animales en peligro de extinción como el número cinco.

1. Según la encuesta, ¿qué problema consideran el más grave? ¿Qué problema consideran el menos grave?

2. ¿Cómo creen que se puede evitar o resolver el problema más importante?

3. ¿Es necesario resolver el problema menos importante? ¿Por qué?

4. ¿Consideran ustedes que existen los mismos problemas en su comunidad? Den algunos ejemplos.

8 **Situaciones** Trabajen en grupos pequeños para representar estas situaciones.

1. Unos/as representantes de una agencia ambiental (*environmental*) hablan con el/la presidente/a de una fábrica que está contaminando un río o el aire.

2. Un(a) guía de ecoturismo habla con un grupo sobre cómo disfrutar (*enjoy*) de la naturaleza y conservar el medio ambiente.

3. Un(a) representante de la escuela habla con un grupo de nuevos estudiantes sobre la campaña (*campaign*) ambiental de la escuela y trata de reclutar (*tries to recruit*) miembros para un club que trabaja por la protección del medio ambiente.

9 **Escribir una carta** Trabajen en parejas para escribir una carta a una empresa real o imaginaria que esté contaminando el medio ambiente. Expliquen las consecuencias que sus acciones van a tener para el medio ambiente. Sugiéranle algunas ideas para que solucione el problema. Utilicen por lo menos diez palabras de **Contextos**.

PUEDO escribir una carta o sostener una conversación sobre problemas medioambientales.

Una excursión a la sierra

Juanjo, Valentina, Olga Lucía, Sara y Daniel hacen una excursión a la Sierra de Madrid.

ANTES DE VER
Haz predicciones sobre lo que vas a ver y oír en un episodio en el cual los personajes hacen una excursión.

JUANJO ¡Estamos en la naturaleza! ¡Respiren el aire puro!

VALENTINA Es una lástima que Manuel no esté aquí.

SARA Dijo que se sentía... mal.

OLGA LUCÍA Dudo mucho que esté enfermo.

DANIEL Seguro que no quiso levantarse temprano.

JUANJO ¡Ojalá podamos ver un oso pardo!

VALENTINA Daniel, no creo que debas darles comida a los peces.

DANIEL ¡Tienen hambre!

JUANJO ¡No seas tonto, Daniel, eso afecta el ecosistema!

SARA Juanjo, ¡deja de dibujar plantitas y come!

JUANJO En cuanto termine.

DANIEL ¡Guau! ¡Es hermoso!

JUANJO ¡Es terrible!

VALENTINA Mirad todo ese plástico.

OLGA LUCÍA ¡Hay botellas en todas partes!

SARA Me molesta que la gente no sepa cuidar la naturaleza.

JUANJO ¡Tranquilos! ¡Cuando veo basura, la recojo! El reciclaje en una bolsa y la basura en otra. (*a Valentina y Olga Lucía*) ¿Qué?

VALENTINA Y OLGA LUCÍA ¡¿Tenemos que recoger la basura de otros?!

PERSONAJES

JUANJO

VALENTINA

SARA

DANIEL

OLGA LUCÍA

MANUEL

JUANJO ¡Me encanta el sonido del río! Es tan relajante. Aunque dudo que veamos un oso pardo, están en peligro de extinción.

VALENTINA Pero es probable que veamos una cabra, ¿no?

JUANJO Pues sí, aquí en la Sierra hay una sobrepoblación de cabras.

SARA Chicos, ¡¿visteis eso?!

VALENTINA ¡Tal vez sea una cabra!

JUANJO ¡Toma una foto antes de que se vaya!

Expresiones útiles

atrapar *to catch*
la cabra *goat*
de verdad *real*
el oso pardo *brown bear*
relajante *relaxing*
el sonido *sound*
Tranquilo(s)/a(s). *Relax.*

---

el disfraz *costume; disguise*
disfrazarse de *to dress up as*
mojado/a *wet*
la señal *signal*

Sierra de Madrid

A una hora de la ciudad en coche, se encuentra la Sierra de Madrid. Incluye el Parque Nacional de la Sierra de Guadarrama. Allí se pueden visitar altas montañas, pastizales (*pastures*) y valles, pero también lagunas, embalses (*reservoirs*) y ríos, con bosques de pinos y robles (*pine and oak trees*). Este parque es el hogar del 40% de las especies animales de España y más de mil especies de plantas.

¿Hay un parque nacional cerca de tu ciudad o pueblo? ¿Cómo es?

¿Qué pasó?

1 **¿Cierto o falso?** Indica si lo que dicen estas oraciones es **cierto** o **falso**. Corrige las oraciones falsas.

1. Daniel quiere ver un oso pardo.
2. En la Sierra de Madrid hay muchísimas cabras.
3. Juanjo dibuja plantas.
4. Daniel les da comida a los peces porque cree que tienen hambre.
5. La playa del lago está llena de basura.
6. Valentina y Olga Lucía no ayudan a recoger la basura.
7. Manuel se quedó en casa.

2 **Identificar** Identifica quién dice las oraciones equivalentes.

JUANJO   **SARA**   **VALENTINA**

1. Dijo que no se sentía bien.
2. No debes darles comida a los peces.
3. Los osos pardos están en peligro de extinción.
4. Es posible que veamos una cabra, ¿verdad?
5. La gente no sabe cuidar la naturaleza.
6. ¡Recojo basura cuando la veo!
7. ¡Sacad una foto antes de que sea demasiado tarde!

3 **Ordenar** Indica el orden de los eventos.

a. Juanjo piensa que ve un oso. _____

b. Daniel les da comida a los peces. _____

c. Los chicos ven botellas. _____

d. El agua daña los dibujos de Juanjo. _____

e. Juanjo quiere recoger la basura. _____

4 **El medio ambiente** En parejas, discutan los problemas medioambientales mencionados en el video y sus posibles soluciones.
- la basura
- la contaminación del agua
- los animales en peligro de extinción
- la sobrepoblación de una especie de animales

PUEDO proponer soluciones para algunos problemas medioambientales.

Ortografía y pronunciación

Los signos de puntuación

In Spanish, as in English, punctuation marks are important because they help you express your ideas in a clear, organized way.

> **No podía ver las llaves. Las buscó por los estantes, las mesas, las sillas, el suelo; minutos después, decidió mirar por la ventana. Allí estaban…**

The **punto y coma (;)**, the **tres puntos (…)**, and the **punto (.)** are used in very similar ways in Spanish and English.

> **Argentina, Brasil, Paraguay y Uruguay son miembros de Mercosur.**

In Spanish, the **coma (,)** is not used before **y** or **o** in a series.

| 13,5% | 29,2° | 3.000.000 | $2.999,99 |

In numbers, Spanish uses a **coma** where English uses a decimal point and a **punto** where English uses a comma.

 **Cómo te llamas** **¿Dónde está?** **¡Ven aquí!** **Hola**

Questions in Spanish are preceded and followed by **signos de interrogación (¿ ?)**, and exclamations are preceded and followed by **signos de exclamación (¡ !)**.

Práctica Lee el párrafo e indica los signos de puntuación necesarios.

Ayer recibí la invitación de boda de Marta mi amiga colombiana inmediatamente empecé a pensar en un posible regalo fui al almacén donde Marta y su novio tenían una lista de regalos había de todo copas cafeteras tostadoras finalmente decidí regalarles un perro ya sé que es un regalo extraño pero espero que les guste a los dos

¿Palabras de amor? El siguiente diálogo tiene diferentes significados (*meanings*) dependiendo de los signos de puntuación que utilices y el lugar donde los pongas. Intenta encontrar los diferentes significados.

JULIÁN	me quieres
MARISOL	no puedo vivir sin ti
JULIÁN	me quieres dejar
MARISOL	no me parece mala idea
JULIÁN	no eres feliz conmigo
MARISOL	no soy feliz

EN DETALLE

Jóvenes por el medio ambiente

[handwritten: climate problems - affects the whole world]

No hay duda de que la crisis climática afecta a todo el mundo por igual. Pero América Latina y el Caribe en particular han sufrido° los estragos° de esta crisis. La continua reducción de lagos en Bolivia, la destrucción de Puerto Rico por el huracán María en 2017, y los incendios en la Amazonia y otras regiones en varios países en 2019 y 2020 son solo algunos ejemplos de los retos° que enfrentan° los gobiernos y las comunidades de la región.

Ante esta situación, los jóvenes han cumplido° un rol fundamental y no están esperando a que las personas adultas o los países más ricos —usualmente los mayores causantes de esta crisis— propongan las soluciones. Una gran cantidad de adolescentes y jóvenes de toda la región se están movilizando para exigir° que se lleven a cabo° acciones que mitiguen los efectos de la crisis.

[handwritten: the youth isn't waiting for adults and rich countries to take action]

Por ejemplo, la joven Xiye Bastida, original de San Pedro Tultepec, Estado de México, y miembro de la nación indígena otomita-tolteca, ha estado° al frente del movimiento de la juventud para salvar° el clima del planeta. Después de que su pueblo sufrió sequías° e inundaciones, y tras presenciar los daños del huracán Sandy en Long Island, la joven, quien ahora vive en la ciudad de Nueva York, se convirtió en líder de las protestas del movimiento Fridays For Future (FFF), que pide a los gobiernos tomar acciones frente al cambio climático. Su activismo es tan intenso, que ahora es conocida como "la

[handwritten: she is the youth movement to save the planet from the climate]

[handwritten: she's a leader, leader of (FFF) protests]

Greta Thunberg de América".

Como Xiye, son muchos los jóvenes de Latinoamérica y España que están levantando° su voz por la defensa de un ambiente saludable y sostenible. El argentino Bruno Rodríguez, por ejemplo, en el otro extremo del continente, lidera la asociación Jóvenes por el Clima, que lucha por la justicia climática, los derechos humanos y la justicia social.

[handwritten: Another Activist for climate change →]

A Xiye y Bruno los acompañan miles de jóvenes de España y Latinoamérica, agrupados en organizaciones como Jóvenes Verdes (España), Guateambiente (Guatemala) o Pacto X El Clima (Colombia), todas ellas conformadas por jóvenes entre 14 y 30 años.

[handwritten: youth climate organizations]

ha sufrido *has suffered* estragos *ravages* retos *challenges* enfrentan *face* han cumplido *have played* exigir *to demand* lleven a cabo *carry out* ha estado *has been* salvar *to save* sequías *drought* levantando *raising*

ASÍ SE DICE

La naturaleza

el arco iris	*rainbow*
la catarata	*waterfall*
el cerro; la colina; la loma	*hill, hillock*
la cima; la cumbre; el tope (Col.)	*summit; mountaintop*
la maleza; los rastrojos (Col.); la yerba mala (Cuba); los hierbajos (Méx.); los yuyos (Arg.)	*weeds*
la niebla	*fog*

ACTIVIDADES

1 **¿Cierto o falso?** Indica si lo que dicen las oraciones es **cierto** o **falso**. Corrige las falsas.

1. Hay una continua reducción de lagos en Puerto Rico.
2. San Pedro Tultepec sufrió sequías e indundaciones.
3. Xiye Bastida es conocida como "la Greta Thunberg de América".
4. Xiye Bastida es una de las líderes del movimiento Fridays for Future.
5. Bruno Rodríguez lidera la organización Jóvenes Verdes.
6. Pacto X El Clima es una organización española.

2 **Preguntas** Responde a las preguntas con oraciones completas

1. ¿Qué ocurrió en Puerto Rico en 2017?
2. ¿De dónde es Xiye Bastida?
3. ¿En dónde vive Xiye Bastida actualmente?
4. ¿Quién lidera la asociación Jóvenes por el Clima?
5. ¿Cómo se llama la organización guatemalteca?
6. ¿De qué país es la organización Jóvenes Verdes?

3 **¿Qué piensas?** Responde a las preguntas y coméntalas con un(a) compañero/a.

1. ¿Por qué crees que tantos jóvenes de Latinoamérica y España se están movilizando por el medio ambiente?
2. ¿Qué opinas de Xiye Bastida y Bruno Rodríguez? ¿Por qué?
3. ¿Por qué crees que la asociación Jóvenes por el Clima conecta la justicia climática, los derechos humanos y la justicia social?
4. ¿Te inspiran estos activistas? ¿Por qué?
5. ¿Qué le dirías a uno de esos activistas si tuvieras la oportunidad de hablar con ellos?

4 **Comparación cultural** Discutan estas preguntas en grupos pequeños: ¿En su país existen problemas similares a los causados por el cambio climático en Bolivia, Puerto Rico y la Amazonia? ¿Qué hacen los jóvenes del país para mitigar los efectos de la crisis medioambiental? ¿En tu comunidad hay jóvenes destacados por su activismo?

PUEDO hablar sobre el activismo de los jóvenes por el medio ambiente.

PERFIL

La Sierra Nevada de Santa Marta

La Sierra Nevada de Santa Marta es una cadena de montañas en la costa norte de Colombia. Se eleva abruptamente desde las costas del mar Caribe y en apenas 42 kilómetros llega a una altura de 5.775 metros (18.947 pies) en sus picos nevados°. Tiene las montañas más altas de Colombia y es la formación montañosa costera° más alta del mundo.

Los pueblos indígenas que habitan allí lograron° mantener los frágiles ecosistemas de estas montañas a través de° un sofisticado sistema de terrazas° y senderos empedrados° que

permitieron° el control de las aguas en una región de muchas lluvias, evitando así la erosión de la tierra. La Sierra fue nombrada Reserva de la Biosfera por la UNESCO en 1979.

nevados *snowcapped* costera *coastal* lograron *managed* a través de *by means of* terrazas *terraces* empedrados *cobblestone* permitieron *allowed*

Comprensión Responde las preguntas con base en la lectura.

1. ¿Dónde se encuentran las montañas más altas de Colombia?
2. ¿Para qué sirve el sistema de terrazas y senderos diseñados por los pueblos indígenas de la Sierra Nevada de Santa Marta?
3. ¿Cuál título de la UNESCO ostenta (*holds*) la Sierra Nevada?

ENTRE CULTURAS

¿Dónde se puede hacer ecoturismo en Latinoamérica?

Go to **vhlcentral.com** *to find out more cultural information related to this* **Cultura** *section.*

1.1 The subjunctive with verbs of emotion

ANTE TODO In the previous lesson, you learned how to use the subjunctive with expressions of will and influence. You will now learn how to use the subjunctive with verbs and expressions of emotion.

```
        Main clause                    Subordinate clause
┌─────────────────────┐         ┌──────────────────────────────────┐
Marta **espera**   (que)   yo **vaya** al lago este fin de semana.
```

▶ When the verb in the main clause of a sentence expresses an emotion or feeling, such as hope, fear, joy, pity, or surprise, the subjunctive is required in the subordinate clause.

Nos alegramos de que te **gusten** las flores.
We are happy that you like the flowers.

Temo que Ana no **pueda** ir mañana con nosotros.
I'm afraid that Ana won't be able to go with us tomorrow.

Siento que tú no **puedas** venir mañana.
I'm sorry that you can't come tomorrow.

Le **sorprende** que Juan **sea** tan joven.
It surprises him that Juan is so young.

Es una lástima que Manuel no esté aquí.

Me molesta que la gente no sepa cuidar la naturaleza.

Common verbs and expressions of emotion

alegrarse (de)	*to be happy*	**tener miedo (de)**	*to be afraid (of)*
esperar	*to hope; to wish*	**es extraño**	*it's strange*
gustar	*to be pleasing; to like*	**es una lástima**	*it's a shame*
molestar	*to bother*	**es ridículo**	*it's ridiculous*
sentir (e:ie)	*to be sorry; to regret*	**es terrible**	*it's terrible*
sorprender	*to surprise*	**es triste**	*it's sad*
temer	*to be afraid; to fear*	**ojalá (que)**	*I hope (that); I wish (that)*

Me molesta que la gente no **recicle** el plástico.
It bothers me that people don't recycle plastic.

Es triste que **tengamos** problemas como el cambio climático.
It's sad that we have problems like climate change.

VERIFICA

▶ As with expressions of will and influence, the infinitive, not the subjunctive, is used after an expression of emotion when there is no change of subject. Compare these sentences.

Temo **llegar** tarde.
I'm afraid I'll arrive late.

Temo que mi novio **llegue** tarde.
I'm afraid my boyfriend will arrive late.

▶ The expression **ojalá (que)** means *I hope* or *I wish,* and it is always followed by the subjunctive. Note that the use of **que** with this expression is optional.

Ojalá (que) se conserven nuestros recursos naturales.
I hope (that) our natural resources will be conserved.

Ojalá (que) recojan la basura hoy.
I hope (that) they collect the garbage today.

Ojalá que
su aseguradora escuche sus necesidades con la misma atención.

Por fin usted se puede poner en manos de **una compañía confiable.**

COLMENA
salud - medicina
Con su familia, por su futuro.

¡INTÉNTALO! Completa las oraciones con las formas correctas de los verbos.

1. Ojalá que ellos _descubran_ (descubrir) nuevas formas de energía.
2. Espero que Ana nos _____ (ayudar) a recoger la basura en la carretera.
3. Es una lástima que la gente no _____ (reciclar) más.
4. Esperamos _____ (proteger) el aire de nuestra comunidad.
5. Me alegro de que mis amigos _____ (querer) conservar la naturaleza.
6. Espero que tú _____ (venir) a la reunión (*meeting*) del Club de Ecología.
7. Es malo _____ (contaminar) el medio ambiente.
8. A mis padres les gusta que nosotros _____ (participar) en la reunión.
9. Es terrible que nuestras ciudades _____ (estar) afectadas por la contaminación.
10. Ojalá que yo _____ (poder) hacer algo para reducir el calentamiento global.

Práctica

1

Completar Completa el diálogo con palabras de la lista. Compara tus respuestas con las de un(a) compañero/a. No vas a usar dos de las palabras.

Bogotá, Colombia

alegro	molesta	salga
encuentre	ojalá	tengo miedo de
estén	pueda	vaya
llegue	reduzcan	visitar

OLGA   Me alegro de que tu hermana (1)_____ a Colombia. ¿Va a estudiar?

SARA   Sí. Es una lástima que (2)_____ una semana tarde. Ojalá que la universidad la ayude a buscar casa. (3)_____ que no consiga dónde vivir.

OLGA   Me (4)_____ que seas tan pesimista, pero sí, yo también espero que (5)_____ gente simpática y que hable mucho español.

SARA   Sí, ojalá. Va a hacer un estudio sobre la deforestación en las costas. Es triste que en tantos países los recursos naturales (6)_____ en peligro.

OLGA   Pues, me (7)_____ de que no se quede mucho en la capital por la contaminación. (8)_____ tenga tiempo de viajar por el país.

SARA   Sí, espero que (9)_____ ir a Medellín. Sé que también espera (10)_____ la Catedral de Sal de Zipaquirá.

◄ **NOTA CULTURAL**

Los principales factores que determinan la temperatura de **Bogotá, Colombia,** son su proximidad al ecuador y su altitud, 2.640 metros (8.660 pies) sobre el nivel (*level*) del mar. Con un promedio (*average*) de 13° C (56° F), Bogotá disfruta de un clima templado (*mild*) durante la mayor parte del año. Hay, sin embargo, variaciones considerables entre el día (18° C) y la noche (7° C).

2

Transformar Transforma estos elementos en oraciones completas para formar un diálogo entre Sara y su madre. Añade palabras si es necesario. Luego, con un(a) compañero/a, presenta el diálogo a la clase.

1. Sara, / esperar / (tú) escribirle / Raquel. / Ser / tu / hermana. / Ojalá / no / sentirse / sola

2. molestarme / (tú) decirme / lo que / tener / hacer. / Ahora / mismo / le / estar / escribiendo

3. alegrarme / oírte / decir / eso. / Ser / terrible / estar / lejos / cuando / nadie / recordarte

4. mamá, / ¡yo / tener / miedo de / (ella) no recordarme / mí! / Ser / triste / estar / sin / hermana

5. ser / ridículo / (tú) sentirte / así. / Tú / saber / ella / quererte / mucho

6. ridículo / o / no, / sorprenderme / (todos) preocuparse / ella / y / (nadie) acordarse de / mí

Comunicación

3 **Comentar** En parejas, túrnense para formar oraciones sobre su comunidad, sus clases, su gobierno o algún otro tema, usando expresiones como **me alegro de que, temo que** y **es extraño que.** Luego, reaccionen a los comentarios de su compañero/a.

> **modelo**
>
> **Estudiante 1:** Me alegro de que vayan a limpiar el río.
> **Estudiante 2:** Yo también. Me preocupa que el agua del río esté tan sucia.

4 **Contestar** Lee el mensaje electrónico que Raquel le escribió a su hermano. Luego, en parejas, contesten el mensaje usando expresiones como **me sorprende que, me molesta que** y **es una lástima que.**

De:	Raquel
Para:	Juan
Asunto:	¡Hola!

Hola, Juan:

Siento no escribirte más frecuentemente. La verdad es que estoy muy ocupada todo el tiempo. No sabes cuánto me estoy divirtiendo en Colombia. Me sorprende haber podido adaptarme tan bien. Aprendo mucho más aquí que en el laboratorio de la universidad. Me encanta que me den responsabilidades y que compartan sus muchos conocimientos conmigo. Ay, pero pienso mucho en ti y en toda la familia. Qué triste es que no podamos hablar todos los días como antes. Ojalá que estés bien. Bueno, es todo por ahora. Escríbeme pronto.

Te extraño mucho,

Raquel

> **AYUDA**
>
> **Echar de menos (a alguien)** and **extrañar (a alguien)** are two ways of saying *to miss (someone)*.

Síntesis

5 **No te preocupes** Estás muy preocupado/a por los problemas del medio ambiente y le comentas a tu compañero/a todas tus preocupaciones. Él/Ella va a darte la solución adecuada a tus preocupaciones. Su profesor(a) les va a dar una hoja distinta a cada uno/a con la información necesaria para completar la actividad.

> **modelo**
>
> **Estudiante 1:** Me molesta que las personas tiren basura en las calles.
> **Estudiante 2:** Por eso es muy importante que los políticos hagan leyes
>   para conservar las ciudades limpias.

PUEDO expresar opiniones y ofrecer soluciones de manera oral o escrita frente a problemas de mi comunidad.

1.2 The subjunctive with doubt, disbelief, and denial

ANTE TODO   Just as the subjunctive is required with expressions of emotion, influence, and will, it is also used with expressions of doubt, disbelief, and denial.

Main clause		Subordinate clause
Dudan	que	su hijo les **diga** la verdad.

▶ The subjunctive is always used in a subordinate clause when there is a change of subject and the expression in the main clause implies negation or uncertainty.

Dudo mucho que esté enfermo.

Daniel, no creo que debas darles comida a los peces.

▶ Here is a list of some common expressions of doubt, disbelief, or denial.

Expressions of doubt, disbelief, or denial

dudar	to doubt	**no es seguro**	it's not certain
negar (e:ie)	to deny	**no es verdad**	it's not true
no creer	not to believe	**es imposible**	it's impossible
no estar seguro/a (de)	not to be sure	**es improbable**	it's improbable
no es cierto	it's not true; it's not certain	**(no) es posible**	it's (not) possible
		(no) es probable	it's (not) probable

El gobierno **niega** que el agua **esté** contaminada.
The government denies that the water is contaminated.

Es probable que **haya** menos bosques y selvas en el futuro.
It's probable that there will be fewer forests and jungles in the future.

Dudo que el gobierno **resuelva** el problema.
I doubt that the government will solve the problem.

No es verdad que mi hermano **estudie** ecología.
It's not true that my brother studies ecology.

¡LENGUA VIVA!

In English, the expression *it is probable* indicates a fairly high degree of certainty. In Spanish, however, **es probable** implies uncertainty and therefore triggers the subjunctive in the subordinate clause: **Es muy probable que venga Elena**.

VERIFICA

▶ The indicative is used in a subordinate clause when there is no doubt or uncertainty in the main clause. Here is a list of some expressions of certainty.

Expressions of certainty

no dudar	*not to doubt*	**estar seguro/a (de)**	*to be sure*
no cabe duda de	*there is no doubt*	**es cierto**	*it's true; it's certain*
no hay duda de	*there is no doubt*	**es seguro**	*it's certain*
no negar (e:ie)	*not to deny*	**es verdad**	*it's true*
creer	*to believe*	**es obvio**	*it's obvious*

No negamos que **hay** demasiados carros en las carreteras.
We don't deny that there are too many cars on the highways.

No hay duda de que el Amazonas **es** uno de los ríos más largos.
There is no doubt that the Amazon is one of the longest rivers.

Es verdad que Colombia **es** un país bonito.
It's true that Colombia is a beautiful country.

Es obvio que las ballenas **están** en peligro de extinción.
It's obvious that whales are in danger of extinction.

▶ In affirmative sentences, the verb **creer** expresses belief or certainty, so it is followed by the indicative. In negative sentences, however, when doubt is implied, **creer** is followed by the subjunctive.

Creo que **debemos** usar exclusivamente la energía solar.
I believe we should use solar energy exclusively.

No creo que **haya** vida en el planeta Marte.
I don't believe that there is life on the planet Mars.

▶ The expressions **quizás** and **tal vez** are usually followed by the subjunctive because they imply doubt about something.

Quizás haga sol mañana.
Perhaps it will be sunny tomorrow.

Tal vez veamos la luna esta noche.
Perhaps we will see the moon tonight.

¡INTÉNTALO! Completa estas oraciones con la forma correcta del verbo.

1. Dudo que ellos ___trabajen___ (trabajar).
2. Es cierto que él _____ (comer) mucho.
3. Es imposible que ellos _____ (salir).
4. Es probable que ustedes _____ (ganar).
5. No creo que ella _____ (volver).
6. Es posible que nosotros _____ (ir).
7. Dudamos que tú _____ (reciclar).
8. Creo que ellos _____ (jugar) al fútbol.
9. No niego que ustedes _____ (estudiar).
10. Es posible que ella no _____ (venir) a casa.
11. Es probable que Lucio y Carmen _____ (dormir).
12. Es posible que mi prima Marta _____ (llamar).
13. Tal vez Juan no nos _____ (oír).
14. No es cierto que Paco y Daniel nos _____ (ayudar).

Práctica

1

Escoger Escoge las respuestas correctas para completar el diálogo. Luego dramatiza el diálogo con un(a) compañero/a.

RAÚL Ustedes dudan que yo realmente (1)_____ (estudio/estudie). No niego que a veces me (2)_____ (divierto/divierta) demasiado, pero no cabe duda de que (3)_____ (tomo/tome) mis estudios en serio. Estoy seguro de que cuando me vean graduarme van a pensar de manera diferente. Creo que no (4)_____ (tienen/tengan) razón con sus críticas.

PAPÁ Es posible que tu mamá y yo no (5)_____ (tenemos/tengamos) razón. Es cierto que a veces (6)_____ (dudamos/dudemos) de ti. Pero no hay duda de que te (7)_____ (pasas/pases) toda la noche en Internet y oyendo música. No es nada seguro que (8)_____ (estás/estés) estudiando.

RAÚL Es verdad que (9)_____ (uso/use) mucho la computadora pero, ¡piensen! ¿No es posible que (10)_____ (es/sea) para buscar información para mis clases? ¡No hay duda de que Internet (11)_____ (es/sea) el mejor recurso del mundo! Es obvio que ustedes (12)_____ (piensan/piensen) que no hago nada, pero no es cierto.

PAPÁ No dudo que esta conversación nos (13)_____ (va/vaya) a ayudar. Pero tal vez esta noche (14)_____ (puedes/puedas) trabajar sin música. ¿Está bien?

2

Dudas Carolina es una chica que siempre miente. Expresa tus dudas sobre lo que Carolina está diciendo ahora. Usa las expresiones entre paréntesis para tus respuestas.

> **modelo**
>
> El próximo año Marta y yo vamos de vacaciones por diez meses. (dudar)
> *¡Ja! Dudo que vayan de vacaciones por ese tiempo. ¡Ustedes no son ricas!*

1. Estoy escribiendo una novela en español. (no creer)

2. Mi tía es la directora de *PETA*. (no ser verdad)

3. Dos profesores míos juegan para los Osos *(Bears)* de Chicago. (ser imposible)

4. Mi mejor amiga conoce al chef Bobby Flay. (no ser cierto)

5. Mi padre es dueño del Centro Rockefeller. (no ser posible)

6. Yo ya tengo un doctorado *(doctorate)* en lenguas. (ser improbable)

AYUDA

Here are some useful expressions to say that you don't believe someone.
¡Qué va!
¡Imposible!
¡No te creo!
¡Es mentira!

Comunicación

3 **Te ruego** Escucha la conversación entre un padre y su hija. Luego, indica si las conclusiones son **lógicas** o **ilógicas**, según lo que escuchaste.

	Lógico	Ilógico
1. A Juanita le interesa la ecología.	O	O
2. Juanita y su papá viven en la selva.	O	O
3. El papá de Juanita no está seguro de que ella deba ir.	O	O
4. Es improbable que Juanita se enferme de malaria.	O	O
5. Es cierto que Juanita va a llevar un abrigo, jeans y suéteres en sus maletas.	O	O

4 **El futuro** ¿Cómo piensas que va a ser el futuro del medio ambiente? Descríbelo usando verbos como **(no) dudar, (no) creer** y **(no) estar seguro/a de**, y expresiones como (no) es posible y es obvio. Comparte tus respuestas con un(a) compañero/a.

> **modelo**
>
> Creo que los gobiernos van a crear leyes más estrictas para cuidar el medio ambiente, pero dudo que el problema del calentamiento global cambie mucho...

5 **Entrevista** En parejas, piensen en un problema ecológico y preparen una entrevista de un mínimo de cinco preguntas entre un(a) periodista y un(a) ecologista.

> **modelo**
>
> **Periodista:** ¿Qué piensa de la construcción de la fábrica de Química Comercial?
> **Ecologista:** No cabe duda de que los ecosistemas del lago y del parque nacional van a estar afectados por esta fábrica.
> **Periodista:** ¿Cómo van a estar afectados?
> **Ecologista:** Es posible que...

Síntesis

6 **Escribir** Escribe una composición corta sobre los problemas del medio ambiente en tu comunidad. Incluye tus opiniones sobre esos problemas y ofrece recomendaciones prácticas para mejorar la situación. Luego, usa tu composición para elaborar un póster informativo sobre el tema que elegiste y exhibe tu póster en tu escuela o en un lugar público de tu comunidad (o en un sitio de Internet).

PUEDO participar en una entrevista sobre un problema ecológico y expresar dudas o negaciones.

PUEDO escribir una composición sobre problemas medioambientales en mi comunidad.

1.3 The subjunctive with conjunctions

ANTE TODO   Conjunctions are words or phrases that connect other words and clauses in sentences. Certain conjunctions commonly introduce adverbial clauses, which describe *how, why, when,* and *where* an action takes place.

Main clause	Conjunction	Adverbial clause
Vamos a visitar a Carlos	**antes de que**	**regrese** a California.

No olviden recogerlo todo, para que no contaminemos.

¡Toma una foto antes de que se vaya!

▶ With certain conjunctions, the subjunctive is used to express a hypothetical situation, uncertainty as to whether an action or event will take place, or a condition that may or may not be fulfilled.

Voy a dejar un recado **en caso de que Gustavo me llame.**
I'm going to leave a message in case Gustavo calls me.

Voy al supermercado **para que tengas** algo de comer.
I'm going to the store so that you'll have something to eat.

▶ Here is a list of the conjunctions that always require the subjunctive.

Conjunctions that require the subjunctive

a menos que	unless	**en caso (de) que**	in case
antes (de) que	before	**para que**	so that
con tal (de) que	provided that	**sin que**	without

Algunos animales van a morir **a menos que** haya leyes para protegerlos.
Some animals are going to die unless there are laws to protect them.

Ellos nos llevan a la selva **para que** veamos las plantas tropicales.
They are taking us to the jungle so that we may see the tropical plants.

▶ The infinitive, not **que** + [*subjunctive*], is used after the prepositions **antes de, para,** and **sin** when there is no change of subject. **¡Atención!** While you may use a present participle with the English equivalent of these phrases, in Spanish you cannot.

Te llamamos **antes de salir** de la casa.
We will call you before leaving the house.

Te llamamos mañana **antes de que salgas.**
We will call you tomorrow before you leave.

Conjunctions with subjunctive or indicative

En cuanto termine.

Cuando veo basura, la recojo.

Conjunctions used with subjunctive or indicative

cuando	when	hasta que	as soon as
después de que	after	tan pronto como	
en cuanto	as soon as until		

▶ With the conjunctions above, use the subjunctive in the subordinate clause if the main clause expresses a future action or command.

Vamos a resolver el problema **cuando desarrollemos** nuevas tecnologías.
We are going to solve the problem when we develop new technologies.

Después de que ustedes **tomen** sus refrescos, reciclen las botellas.
After you drink your soft drinks, recycle the bottles.

▶ With these conjunctions, the indicative is used in the subordinate clause if the verb in the main clause expresses an action that habitually happens, or that happened in the past.

Contaminan los ríos **cuando construyen** nuevos edificios.
They pollute the rivers when they build new buildings.

Contaminaron el río **cuando construyeron** ese edificio.
They polluted the river when they built that building.

¡INTÉNTALO! Completa las oraciones con las formas correctas de los verbos.

1. Voy a estudiar ecología cuando _____*vaya*_____ (ir) a la universidad.
2. No podemos evitar el cambio climático a menos que todos _____ (trabajar) juntos.
3. No podemos conducir sin _____ (contaminar) el aire.
4. Siempre recogemos mucha basura cuando _____ (ir) al parque.
5. Elisa habló con el presidente del Club de Ecología después de que _____ (terminar) la reunión.
6. Vamos de excursión para _____ (observar) los animales y las plantas.
7. La contaminación va a ser un problema muy serio hasta que nosotros _____ (cambiar) nuestros sistemas de producción y transporte.
8. El gobierno debe crear más parques nacionales antes de que los bosques y ríos _____ (estar) completamente contaminados.
9. La gente recicla con tal de que no _____ (ser) díficil.

Práctica

1 **Completar** La señora Montero habla de una excursión que quiere hacer con su familia. Completa las oraciones con la forma correcta de cada verbo.

1. Voy a llevar a mis hijos al parque para que _____ (aprender) sobre la naturaleza.
2. Voy a pasar todo el día allí a menos que _____ (hacer) mucho frío.
3. Podemos explorar el parque en bicicleta sin _____ (caminar) demasiado.
4. Vamos a bajar al cráter con tal de que no se _____ (prohibir).
5. Siempre llevamos al perro cuando _____ (ir) al parque.
6. No pensamos ir muy lejos en caso de que _____ (llover).
7. Vamos a almorzar a la orilla (*shore*) del río cuando nosotros _____ (terminar) de preparar la comida.
8. Mis hijos van a dejar todo limpio antes de _____ (salir) del parque.

2 **Frases** Completa estas frases de una manera lógica.

1. No podemos controlar la contaminación del aire a menos que…
2. Voy a reciclar los productos de papel y de vidrio en cuanto…
3. Debemos comprar coches eléctricos tan pronto como…
4. Protegemos los animales en peligro de extinción para que…
5. Mis amigos y yo vamos a recoger la basura de la escuela después de que…
6. No podemos desarrollar nuevas fuentes (*sources*) de energía sin…
7. Hay que eliminar la contaminación del agua para…
8. No podemos proteger la naturaleza sin que…

3 **Organizaciones colombianas** En parejas, lean las descripciones de las organizaciones de conservación. Luego expresen en sus propias (*own*) palabras las opiniones de cada organización. ◄

AYUDA

Here are some expressions you can use as you complete **Actividad 3.**

Se puede evitar… con tal de que…

Es necesario… para que…

Debemos prohibir… antes de que…

No es posible… sin que…

Vamos a… tan pronto como…

A menos que… no vamos a…

Organización:
Fundación Río Orinoco

Problema:
La destrucción de los ríos

Solución:
Programa para limpiar las orillas de los ríos y reducir la erosión y así proteger los ríos

Organización:
Oficina de Turismo Internacional

Problema:
Necesidad de mejorar la imagen del país en el mercado turístico internacional

Solución:
Plan para promover el ecoturismo en los 54 parques nacionales, usando agencias de publicidad e implementando un plan agresivo de conservación

Organización:
Asociación Nabusimake-Pico Colón

Problema:
Un lugar turístico popular en la Sierra Nevada de Santa Marta necesita mejor mantenimiento

Solución:
Programa de voluntarios para limpiar y mejorar los senderos

Comunicación

4 **Recomendaciones** Lee el mensaje electrónico que Juan Manuel envía a sus compañeros. Luego, indica si las conclusiones son **lógicas** o **ilógicas**, según lo que leíste.

> Hola, compañeros:
>
> Acabo de ver un programa de televisión muy bueno sobre el medio ambiente. Dieron recomendaciones muy simples que todos podemos seguir para ayudar un poquito a nuestro planeta. Por ejemplo, cuando cocinen poca comida (para una o dos personas), usen el horno de microondas y no el horno porque éste consume mucha más energía eléctrica. No laven la ropa con agua caliente; usen agua tibia (*warm*) o fría. Es mejor usar el lavaplatos que lavar a mano, pero no usen el lavaplatos hasta que esté completamente lleno. Después de usar la computadora por la noche, no la dejen en modo de suspensión (*sleep mode*): van a gastar menos dinero y energía si la apagan. En caso de que cambien el aceite de su auto sin ayuda de un mecánico, lleven ese aceite usado a un centro de reciclaje. Espero que puedan seguir algunas de estas recomendaciones.
>
> Juan Manuel

	Lógico	Ilógico
1. Juan Manuel se preocupa por el medio ambiente.	○	○
2. Las personas que viven solas (*by themselves*) deben usar el horno con poca frecuencia.	○	○
3. Cuando no hay muchos platos para lavar, es mejor no usar el lavaplatos todavía.	○	○
4. Una computadora en modo de suspensión no consume energía.	○	○
5. El aceite de auto usado se debe poner en la basura.	○	○

5   **Preguntas** En parejas, túrnense para hacerse estas preguntas.

1. ¿Qué haces cada noche antes de acostarte?
2. ¿Qué haces después de salir de casa?
3. ¿Qué vas a hacer cuando lleguen las vacaciones de verano?
4. ¿Qué piensas hacer tan pronto como te gradúes?
5. ¿Qué quieres hacer mañana, a menos que haga mal tiempo?

6 **Predicciones** Escoge dos problemas del medio ambiente y presenta tus predicciones para cada uno. Usa expresiones como **a menos que**, **con tal (de) que** o **hasta que**.

> **modelo**
>
> El problema de la deforestación es muy grave. Hasta que todos los gobiernos protejan intensamente sus bosques, el calentamiento global va a continuar y muchos animales van a estar en peligro de extinción...

Síntesis

7 **Escribir** Escribe un diálogo en el que un(a) amigo/a hace comentarios pesimistas sobre el medio ambiente en tu región y tú respondes con comentarios optimistas. Usa verbos y expresiones de esta lección. Presenta el diálogo ante la clase.

PUEDO expresar comentarios o predicciones sobre temas medioambientales.

Recapitulación

Completa estas actividades para repasar los conceptos de gramática que aprendiste en esta lección.

1 **Subjuntivo con conjunciones** Escoge la forma correcta del verbo para completar las oraciones. **16 pts.**

1. En cuanto (empiecen/empiezan) las vacaciones, vamos a viajar.
2. Por favor, llámeme a las siete y media en caso de que no (me despierto/me despierte).
3. Toni va a usar su bicicleta hasta que los coches híbridos (cuesten/cuestan) menos dinero.
4. Tan pronto como supe la noticia (*news*) (te llamé/te llame).
5. Debemos conservar el agua antes de que no (queda/quede) nada para beber.
6. ¿Siempre recoges la basura después de que (terminas/termines) de comer en un picnic?
7. Siempre quiero vender mi camioneta cuando (yo) (piense/pienso) en la contaminación.
8. Estudiantes, pueden entrar al parque natural con tal de que no (tocan/toquen) las plantas.

2 **Creer o no creer** Completa estos diálogos con la forma correcta del presente de indicativo o de subjuntivo, según el contexto. **16 pts.**

CAROLA Creo que (1) _____ (nosotras, deber) escribir nuestra presentación sobre el reciclaje.

MÓNICA Hmm, no estoy segura de que el reciclaje (2) _____ (ser) un buen tema. No hay duda de que la gente ya (3) _____ (saber) reciclar.

CAROLA Sí, pero dudo que todos lo (4) _____ (practicar).

• • •

PACO ¿Sabes, Néstor? El sábado voy a ir a limpiar el río con un grupo de voluntarios. ¿Quieres venir?

NÉSTOR No es seguro que (5) _____ (yo, poder) ir. El lunes hay un examen y tengo que estudiar.

PACO ¿Estás seguro de que no (6) _____ (tener) tiempo? Es imposible que (7) _____ (ir) a estudiar todo el fin de semana.

NÉSTOR Pues sí, pero es muy probable que (8) _____ (llover).

RESUMEN GRAMATICAL

1.1 **The subjunctive with verbs of emotion**
pp. 30–31

Verbs and expressions of emotion	
alegrarse (de)	tener miedo (de)
esperar	es extraño
gustar	es una lástima
molestar	es ridículo
sentir (e:ie)	es terrible
sorprender	es triste
temer	ojalá (que)

Main clause		Subordinate clause
Marta **espera** Ojalá	que	yo **vaya** al lago mañana. **comamos** en casa.

1.2 **The subjunctive with doubt, disbelief, and denial**
pp. 34–35

Expressions of doubt, disbelief, or denial (used with subjunctive)	
dudar	no es verdad
negar (e:ie)	es imposible
no creer	es improbable
no estar seguro/a (de)	(no) es posible
no es cierto	(no) es probable
no es seguro	

Expressions of certainty (used with indicative)	
no dudar	estar seguro/a (de)
no cabe duda de	es cierto
no hay duda de	es seguro
no negar (e:ie)	es verdad
creer	es obvio

► The infinitive is used after these expressions when there is no change of subject.

1.3 **The subjunctive with conjunctions**
pp. 38–39

Conjunctions that require the subjunctive	
a menos que	en caso (de) que
antes (de) que	para que
con tal (de) que	sin que

► The infinitive is used after the prepositions **antes de**, **para**, and **sin** when there is no change of subject.

Te llamamos **antes de salir** de casa.

Te llamamos mañana **antes de que salgas**.

Conjunctions used with subjunctive or indicative	
cuando después de que en cuanto	hasta que tan pronto como

3 **Reacciones** Reacciona a estas oraciones según las pistas (*clues*). Sigue el modelo. `20 pts.`

> **modelo**
>
> Tú casi nunca reciclas nada.
> (yo, molestar)
> *A mí me molesta que tú casi nunca reciclas nada.*

1. La Ciudad de México tiene un problema grave de contaminación. (ser una lástima)
2. En ese safari permiten tocar a los animales. (ser extraño)
3. Julia y Víctor no pueden ir a las montañas. (yo, sentir)
4. El nuevo programa de reciclaje es un éxito. (nosotros, esperar)
5. A María no le gustan los perros. (ser una lástima)
6. Existen leyes ecológicas en este país. (Juan, alegrarse de)
7. El gobierno no busca soluciones. (ellos, temer)
8. La mayoría de la población no cuida el medio ambiente. (ser triste)
9. Muchas personas cazan animales en esta región. (yo, sorprender)
10. La situación mejora día a día. (ojalá que)

4 **Oraciones** Forma oraciones con estos elementos. Usa el subjuntivo cuando sea necesario. `10 pts.`

1. ser ridículo / los coches / contaminar tanto
2. no caber duda de / tú y yo / poder / hacer mucho más
3. los ecologistas / temer / no conservarse / los recursos naturales
4. yo / alegrarse de / en mi ciudad / reciclarse / el plástico, el vidrio y el aluminio
5. todos (nosotros) / ir a respirar / mejor / cuando / (nosotros) llegar / a la montaña

5 **Escribir** Escribe un diálogo de al menos siete oraciones en el que un(a) amigo/a hace comentarios pesimistas sobre la situación del medio ambiente en tu región y tú respondes con comentarios optimistas. Usa verbos y expresiones de esta lección. `38 pts.`

6 **Canción** Completa estos versos de una canción de Juan Luis Guerra. `¡4 puntos EXTRA!`

❝ Ojalá que ＿＿＿＿＿＿ (llover)
café en el campo
pa'° que todos los niños
＿＿＿＿＿＿ (cantar) en el campo. ❞

pa' *short for* para

Lectura

Antes de leer

Estrategia

Recognizing the purpose of a text

When you are faced with an unfamiliar text, it is important to determine the writer's purpose. If you are reading an editorial in a newspaper, for example, you know that the journalist's objective is to persuade you of his or her point of view. Identifying the purpose of a text will help you better comprehend its meaning.

Examinar los textos

Primero, utiliza la estrategia de lectura para familiarizarte con los textos. Después contesta estas preguntas y compara tus respuestas con las de un(a) compañero/a.

- ¿De qué tratan los textos?°
- ¿Son fábulas°, poemas, artículos de periódico…?
- ¿Cómo lo sabes?

Predicciones

Lee estas predicciones sobre la lectura e indica si estás de acuerdo° con ellas. Después compara tus opiniones con las de un(a) compañero/a.

1. Los textos son del género° de ficción.
2. Los personajes son animales.
3. La acción de los textos tiene lugar en un zoológico.
4. Hay alguna moraleja°.

Determinar el propósito

Con un(a) compañero/a, hablen de los posibles propósitos° de los textos. Consideren estas preguntas:

- ¿Qué te dice el género de los textos sobre los posibles propósitos de los textos?
- ¿Piensas que los textos pueden tener más de un propósito? ¿Por qué?

¿De qué tratan los textos? *What are the texts about?* fábulas *fables*
estás de acuerdo *you agree* género *genre* moraleja *moral*
propósitos *purposes*

Sobre los autores

Félix María Samaniego (1745–1801) nació en España y escribió las *Fábulas morales* que ilustran de manera humorística el carácter humano. Los protagonistas de muchas de sus fábulas son animales que hablan.

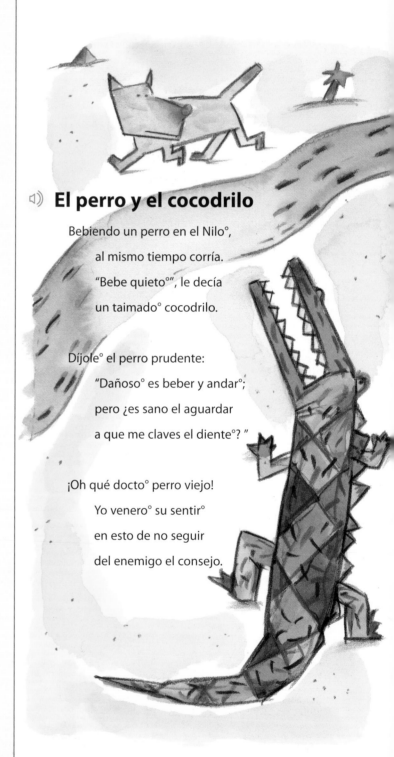

🔊 El perro y el cocodrilo

Bebiendo un perro en el Nilo°,
al mismo tiempo corría.
"Bebe quieto°", le decía
un taimado° cocodrilo.

Díjole° el perro prudente:
"Dañoso° es beber y andar°;
pero ¿es sano el aguardar
a que me claves el diente°? "

¡Oh qué docto° perro viejo!
Yo venero° su sentir°
en esto de no seguir
del enemigo el consejo.

Tomás de Iriarte (1750–1791) nació en las islas Canarias y tuvo gran éxito° con su libro *Fábulas literarias.* Su tendencia a representar la lógica a través de° símbolos de la naturaleza fue de gran influencia para muchos autores de su época°.

El pato° y la serpiente

A orillas° de un estanque°,

diciendo estaba un pato:

"¿A qué animal dio el cielo°

los dones que me ha dado°?

"Soy de agua, tierra y aire:

cuando de andar me canso°,

si se me antoja, vuelo°;

si se me antoja, nado".

Una serpiente astuta

que le estaba escuchando,

le llamó con un silbo°,

y le dijo "¡Seo° guapo!

"No hay que echar tantas plantas°;

pues ni anda como el gamo°,

ni vuela como el sacre°,

ni nada como el barbo°;

"y así tenga sabido

que lo importante y raro°

no es entender de todo,

sino ser diestro° en algo".

Nilo *Nile* quieto *in peace* taimado *sly* Díjole *Said to him* Dañoso *Harmful* andar *to walk* ¿es sano... diente? *Is it good for me to wait for you to sink your teeth into me?* docto *wise* venero *revere* sentir *wisdom* éxito *success* a través de *through* época *time* pato *duck* orillas *banks* estanque *pond* cielo *heaven* los dones... dado *the gifts that it has given me* me canso *I get tired* si se... vuelo *if I feel like it, I fly* silbo *hiss* Seo *Señor* No hay... plantas *There's no reason to boast* gamo *deer* sacre *falcon* barbo *barbel (a type of fish)* raro *rare* diestro *skillful*

Después de leer

Comprensión

Escoge la mejor opción para completar cada oración.

1. El cocodrilo _____ perro.
   a. está preocupado por el   b. quiere comerse al
   c. tiene miedo del
2. El perro _____ cocodrilo.
   a. tiene miedo del   b. es amigo del
   c. quiere quedarse con el
3. El pato cree que es un animal _____.
   a. muy famoso   b. muy hermoso
   c. de muchos talentos
4. La serpiente cree que el pato es _____.
   a. muy inteligente   b. muy tonto   c. muy feo

Preguntas

Contesta las preguntas.

1. ¿Qué representa el cocodrilo?
   _____
2. ¿Qué representa el pato?
   _____
3. ¿Cuál es la moraleja (*moral*) de "El perro y el cocodrilo"?
   _____
4. ¿Cuál es la moraleja de "El pato y la serpiente"?
   _____

Coméntalo 👥

En parejas, túrnense para hacerse estas preguntas.

¿Estás de acuerdo con las moralejas de estas fábulas? ¿Por qué? ¿Cuál de estas fábulas te gusta más? ¿Por qué? ¿Conoces otras fábulas? ¿Cuál es su propósito?

Escribir

Escribe una fábula para compartir con la clase. Puedes escoger algunos animales de la lista o escoger otros. ¿Qué características deben tener estos animales?

- una abeja (*bee*)
- un gato
- un burro
- un perro
- un águila (*eagle*)
- un pavo real (*peacock*)

PUEDO identificar el propósito del autor de un texto.

Escritura

Estrategia
Considering audience and purpose

Writing always has a specific purpose. During the planning stages, a writer must determine to whom he or she is addressing the piece, and what he or she wants to express to the reader. Once you have defined both your audience and your purpose, you will be able to decide which genre, vocabulary, and grammatical structures will best serve your literary composition.

Let's say you want to share your thoughts on local traffic problems. Your audience can be either the local government or the community. You could choose to write a newspaper article, a letter to the editor, or a letter to the city's governing board. But first you should ask yourself these questions:

1. Are you going to comment on traffic problems in general, or are you going to point out several specific problems?

2. Are you simply intending to register a complaint?

3. Are you simply intending to inform others and increase public awareness of the problems?

4. Are you hoping to persuade others to adopt your point of view?

5. Are you hoping to inspire others to take concrete actions?

The answers to these questions will help you establish the purpose of your writing and determine your audience. Of course, your writing can have more than one purpose. For example, you may intend for your writing to both inform others of a problem and inspire them to take action.

Tema
Escribir una carta o un artículo

Escoge uno de estos temas. Luego decide si vas a escribir una carta a un(a) amigo/a, una carta a un periódico, un artículo de periódico o de revista, etc.

1. Escribe sobre los programas que existen para proteger la naturaleza en tu comunidad. ¿Funcionan bien? ¿Participan todos los vecinos de tu comunidad en los programas? ¿Tienes dudas sobre el futuro del medio ambiente en tu comunidad?

2. Describe uno de los atractivos naturales de tu región. ¿Te sientes optimista sobre el futuro del medio ambiente en tu región? ¿Qué están haciendo el gobierno y los ciudadanos° de tu región para proteger la naturaleza? ¿Es necesario hacer más?

3. Escribe sobre algún programa para proteger el medio ambiente a nivel° nacional. ¿Es un programa del gobierno o de una empresa° privada°? ¿Cómo funciona? ¿Quiénes participan? ¿Tienes dudas sobre el programa? ¿Crees que debe cambiarse o mejorarse? ¿Cómo?

ciudadanos *citizens* nivel *level* empresa *company* privada *private*

PUEDO escribir una carta o un artículo sobre un tema medioambiental.

Escuchar

Estrategia

Using background knowledge/ Guessing meaning from context

Listening for the general idea, or gist, can help you follow what someone is saying even if you can't hear or understand some of the words. When you listen for the gist, you simply try to capture the essence of what you hear without focusing on individual words.

🔊 To practice these strategies, you will listen to a paragraph written by Jaime Urbinas, an urban planner. Before listening to the paragraph, write down what you think it will be about, based on Jaime Urbinas' profession. As you listen to the paragraph, jot down any words or expressions you don't know and use context clues to guess their meanings.

Preparación

Mira el dibujo. ¿Qué pistas° te da sobre el tema del discurso° de Soledad Morales?

Ahora escucha 🔊

Vas a escuchar un discurso de Soledad Morales, una activista preocupada por el medio ambiente. Antes de escuchar, marca las palabras y frases que tú crees que ella va a usar en su discurso. Después marca las palabras y frases que escuchaste.

Palabras	Antes de escuchar	Después de escuchar
el futuro	_____	_____
el cine	_____	_____
los recursos naturales	_____	_____
el aire	_____	_____
los ríos	_____	_____
la contaminación	_____	_____
las diversiones	_____	_____
el reciclaje	_____	_____

¡PROTEJAMOS LA TIERRA!

Nuestro patrimonio

Comprensión

Escoger

Subraya° el equivalente correcto de cada palabra.
1. patrimonio (fatherland, heritage, acrimony)
2. ancianos (elderly, ancient, antiques)
3. entrelazadas (destined, interrupted, intertwined)
4. aguantar (to hold back, to destroy, to pollute)
5. apreciar (to value, to imitate, to consider)
6. tala (planting, cutting, watering)

Ahora ustedes 👥

Trabaja con un(a) compañero/a. Escriban seis recomendaciones que creen que la señora Morales va a darle al gobierno colombiano para mejorar los problemas del medio ambiente.

1. _____
2. _____
3. _____
4. _____
5. _____
6. _____

PUEDO entender el contenido de un discurso apoyándome en predicciones e información del contexto.

pistas *clues* discurso *speech* Subraya *Underline*

Preparación

¿Qué tipos de energía conoces? ¿Cuáles son más
limpios? ¿Cuáles son renovables?

Anuncio de IDAE

¿Qué es la energía geotérmica?

La energía goetérmica

¿Viste alguna vez de cerca un pozo termal° como los que
hay en Costa Rica, Perú o España? ¿Y los géiseres? ¿Sabes
de dónde provienen y por qué las aguas termales se
consideran beneficiosas para la salud y el bienestar? Imagina
poder climatizar tu hogar y obtener agua caliente sanitaria
ecológicamente usando la misma fuente° de energía: el
calor natural del subsuelo°. Hay quienes creen que el uso
de la energía geotérmica no sólo contribuye a solucionar los
problemas del medio ambiente, sino que resulta en ahorros
significativos para llevar una vida moderna.

pozo termal *hot springs* fuente *source* subsuelo *subsoil*
te gustaría que tuviera *you would like it if it had*

Vocabulario útil

calefacción	*heating*
dañino	*harmful*
geotérmica	*geothermal*
madalena	*cupcake*

Comprensión

Selecciona las expresiones que se relacionan con
la energía geotérmica.

a. recurso natural

b. contaminante

c. peligrosa

d. en el interior de la tierra

e. dulce

f. ecológica

g. afuera de la tierra

h. limpia

Conversación

Discute estas preguntas con un(a) compañero/a.

1. ¿Qué opinas del anuncio? ¿Crees que es
   creativo? ¿Es fácil de entender?

2. ¿Por qué crees que la niña le pide a su padre
   que le repita la explicación?

Aplicación

¿De qué otras formas creativas se puede explicar
el mismo concepto? En parejas, escriban su propio
anuncio que promueva la energía geotérmica.
Utilicen el subjuntivo.

PUEDO explicar un concepto técnico de una manera creativa.

Naturaleza en Costa Rica

1

Aquí existen más de cien
volcanes. Hoy visitaremos el
Parque Nacional Volcán Arenal.

2

En los alrededores del volcán [...]
nacen aguas termales de origen
volcánico...

3

Puedes escuchar cada rugido°
del volcán Arenal...

Preparación

¿Qué sabes de los volcanes de Costa Rica? ¿Y de
sus aguas termales? Si no sabes nada, escribe tres
predicciones sobre cada tema.

Un país ecológico por tradición

Centroamérica es una región con un gran crecimiento° en el
turismo, especialmente ecológico, y no por pocas razones°.
Con solamente el uno por ciento° de la superficie terrestre°,
esta zona tiene el ocho por ciento de las reservas naturales
del planeta. Algunas de estas maravillas son la isla Coiba en
Panamá, la Reserva de la Biosfera Maya en Guatemala, el
volcán Mombacho en Nicaragua, el parque El Imposible en
El Salvador y Pico Bonito en Honduras. En este episodio de
Flash cultura vas a conocer más tesoros° naturales en un país
ecológico por tradición: Costa Rica.

Vocabulario útil	
aguas termales	*hot springs*
hace erupción	*erupts*
los poderes curativos	*healing powers*
rocas incandescentes	*incandescent rocks*

Conversación

Mira el video y responde a estas preguntas individualmente.
Después, discute las respuestas con un(a) compañero/a.

1. ¿Qué es lo que más te sorprendió del episodio de
   Flash cultura?
2. ¿En tu país hay parques naturales parecidos a los
   que se muestran en el video? ¿Cómo son? ¿Has estado
   en alguno de ellos? ¿Cómo fue tu experiencia allá?
3. Según lo que viste en el video, ¿por qué crees que
   se dice que Costa Rica es "un país ecológico
   por tradición"?

Aplicación

En grupos pequeños, elaboren un folleto informativo
(un *brochure*) sobre una atracción natural de su región
o país y describan lo que los turistas pueden hacer allí.
Utilizando el video de *Flash cultura* como modelo,
incluyan en su folleto una descripción del lugar y de las
actividades que los turistas pueden hacer allí; no olviden
ilustrarlo con fotos. Intercambien el folleto con otro grupo
para que se ayuden a hacer correcciones, y cuando tengan
una versión final, llévenlo a la oficina de turismo local
para que la comunidad hispana pueda conocer ese lugar.

PUEDO identificar los tesoros naturales de Costa Rica.

PUEDO elaborar un folleto informativo sobre una atracción natural.

crecimiento *growth* razones *reasons* por ciento *percent* superficie terrestre
earth's surface tesoros *treasures* rugido *roar*

Colombia

Bandera de Colombia

El país en cifras

▶ **Área:** 1.138.910 km² (439.734 millas²),
tres veces el área de Montana

▶ **Capital:** Bogotá

▶ **Ciudades principales:** Medellín, Cali,
Barranquilla, Cartagena

▶ **Población:** *De todos los países de habla*
hispana, sólo México tiene más habitantes que
Colombia. Casi toda la población colombiana
vive en las áreas montañosas y la costa
occidental° del país. Aproximadamente el 55%
de la superficie° del país está sin poblar°.

Medellín

▶ **Moneda:** peso colombiano

▶ **Idiomas:** español (oficial); lenguas indígenas,
criollas y gitanas

occidental *western* superficie *surface* sin poblar *unpopulated*

Cultivo de caña de
azúcar cerca de Cali

Baile típico de
Cartagena

Mar
Caribe

Barranquilla

Cartagena

Sierra Nevada
de Santa Marta

PANAMÁ

VENEZUELA

Río Magdalena

Medellín

Río Meta

Océano
Pacífico

Cordillera Occidental de los Andes

Cordillera Central de los Andes

Bogotá

Cali

Volcán
Nevado
del Huila

Cordillera Oriental
de los Andes

BRASIL

ECUADOR

PERÚ

Palacio de
San Francisco, Bogotá

ESTADOS UNIDOS

OCÉANO
ATLÁNTICO

COLOMBIA

OCÉANO
PACÍFICO

AMÉRICA DEL SUR

⊳ Lugares • El Museo del Oro

El iifamoso Museo del Oro del Banco de la República fue fundado° en Bogotá en 1939 para preservar las piezas de orfebrería° de la época precolombina. Tiene más de 30.000 piezas de oro y otros materiales; en él se pueden ver joyas°, ornamentos religiosos y figuras que representaban ídolos. El cuidado con el que se hicieron los objetos de oro refleja la creencia° de las tribus indígenas de que el oro era la expresión física de la energía creadora° de los dioses.

Literatura • Gabriel García Márquez (1927–2014)

Gabriel García Márquez, ganador del Premio Nobel de Literatura en 1982, es considerado uno de los escritores más importantes de la literatura universal. García Márquez publicó su primer cuento° en 1947, cuando era estudiante universitario. Su libro más conocido, *Cien años de soledad,* está escrito en el estilo° literario llamado "realismo mágico", un estilo que mezcla° la realidad con lo irreal y lo mítico°.

Historia • Cartagena de Indias

Los españoles fundaron la ciudad de Cartagena de Indias en 1533 y construyeron a su lado la fortaleza° más grande de las Américas, el Castillo de San Felipe de Barajas. En la ciudad de Cartagena se conservan muchos edificios de la época colonial, como iglesias, monasterios, palacios y mansiones. Cartagena es conocida también por el Festival Internacional de Música y su prestigioso Festival Internacional de Cine.

⊳ Costumbres • El Carnaval

Durante el Carnaval de Barranquilla, la ciudad vive casi exclusivamente para esta fiesta. Este festival es una fusión de las culturas que han llegado° a las costas caribeñas de Colombia y de sus grupos autóctonos°. El evento más importante es la Batalla° de Flores, un desfile° de carrozas° decoradas con flores. En 2003, la UNESCO declaró este carnaval como Patrimonio de la Humanidad°.

CON RITMO HISPANO

ChocQuibTown (2000–)

Lugar de nacimiento: Quibdó y Condoto, Colombia

El nombre de este trío de hip hop y música alternativa significa "Chocó Quibdó nuestro pueblo", y es un homenaje a esta región del Pacífico colombiano.

Go to vhlcentral.com to find out more about ChocQuibTown and their music.

---

fundado *founded* orfebrería *goldsmithing* joyas *jewels* creencia *belief* creadora *creative* cuento *story* estilo *style* mezcla *mixes* mítico *mythical* fortaleza *fortress* han llegado *have arrived* autóctonos *indigenous* Batalla *Battle* desfile *parade* carrozas *floats* Patrimonio de la Humanidad *World Heritage*

¿Qué aprendiste?

1   **Responder**   Responde a cada pregunta con una oración completa.

1. ¿Cuáles son las principales ciudades de Colombia?
2. ¿Qué país de habla hispana tiene más habitantes que Colombia?
3. ¿Cuál río de Colombia desemboca (*flows into*) en la ciudad de Barranquilla?
4. ¿Para qué fue fundado el Museo del Oro?
5. ¿Quién ganó el Premio Nobel de Literatura en 1982?
6. ¿Qué construyeron los españoles al lado de la ciudad de Cartagena de Indias?
7. ¿Cuál es el evento más importante del Carnaval de Barranquilla?
8. ¿Qué significa el nombre del grupo colombiano ChocQuibTown?

2   **Impresiones**   En parejas, túrnense para formar oraciones sobre Colombia. Utilicen expresiones como **es extraño que**, **me alegro de que**, **me sorprende que** y **ojalá que**.

> **modelo**
>
> Es obvio que Gabriel García Márquez es el escritor
> más importante de Colombia.

3   **Ensayo**   Escribe un ensayo de 12 oraciones o más para contestar esta pregunta:
¿Qué hace de Colombia un país rico culturalmente? ¿Qué aspectos históricos,
geográficos y culturales contribuyen a su riqueza cultural?

Contesta citando (*citing*) evidencia de la lectura de *Panorama*, así como las cifras, categorías e
imágenes de la lectura y el mapa. Escribe con tus propias palabras en vez de (*instead of*) copiar
directamente del texto. En tu ensayo, usa expresiones de emoción y conjunciones para dar tus
opiniones sobre los sitios y las maravillas de Colombia. Ej.: *No hay duda de que los turistas que
visitan Colombia pueden apreciar increíbles piezas de oro del período precolombino.*

Utiliza la siguiente estructura para organizar tu ensayo:

- un párrafo de introducción con tu tesis
- 2-3 párrafos con con la información para apoyar tu tesis de que Colombia
  es un país de gran riqueza cultural
- un párrafo para resumir y presentar tu conclusión

ENTRE CULTURAS

Investiga estos temas en **vhlcentral.com**.

1. Busca información sobre las ciudades más grandes de Colombia. ¿Qué lugares de interés hay en estas ciudades?
   ¿Qué puede hacer un(a) turista en estas ciudades?

2. Busca información sobre pintores y escultores colombianos como Edgar Negret, Débora Arango o
   Fernando Botero. ¿Cuáles son algunas de sus obras más conocidas? ¿Cuáles son sus temas?

PUEDO leer textos informativos para conocer datos sobre la cultura y geografía de Colombia.

PUEDO escribir un ensayo corto sobre la riqueza cultural de Colombia.

La naturaleza

el árbol	tree
el bosque (tropical)	(tropical; rain) forest
el cielo	sky
el cráter	crater
el desierto	desert
la estrella	star
la flor	flower
la hierba	grass
el lago	lake
la luna	moon
la naturaleza	nature
la nube	cloud
la piedra	stone
la planta	plant
el río	river
la selva, la jungla	jungle
el sendero	trail; path
el sol	sun
la tierra	land; soil
el valle	valley
el volcán	volcano

Los animales

el animal	animal
el ave, el pájaro	bird
el gato	cat
el perro	dog
el pez (sing.), los peces (pl.)	fish
la vaca	cow

El medio ambiente

el calentamiento global	global warming
el cambio climático	climate change
la conservación	conservation
la contaminación (del aire; del agua)	(air; water) pollution
la deforestación	deforestation
la ecología	ecology
el/la ecologista	ecologist
el ecoturismo	ecotourism
la energía (nuclear, solar)	(nuclear, solar) energy
el envase	container
la extinción	extinction
la fábrica	factory
el gobierno	government
la lata	(tin) can
la ley	law
el medio ambiente	environment
el peligro	danger
la (sobre)población	(over)population
el reciclaje	recycling
el recurso natural	natural resource
la solución	solution
cazar	to hunt
conservar	to conserve
contaminar	to pollute
controlar	to control
cuidar	to take care of
dejar de (+ inf.)	to stop (doing something)
desarrollar	to develop
descubrir	to discover
destruir	to destroy
estar afectado/a (por)	to be affected (by)
estar contaminado/a	to be polluted
evitar	to avoid
mejorar	to improve
proteger	to protect
reciclar	to recycle
recoger	to pick up
reducir	to reduce
resolver (o:ue)	to resolve; to solve
respirar	to breathe
de aluminio	(made) of aluminum
de plástico	(made) of plastic
de vidrio	(made) of glass
ecologista	ecological
puro/a	pure
renovable	renewable

Las emociones

alegrarse (de)	to be happy
esperar	to hope; to wish
sentir (e:ie)	to be sorry; to regret
temer	to fear; to be afraid
es extraño	it's strange
es una lástima	it's a shame
es ridículo	it's ridiculous
es terrible	it's terrible
es triste	it's sad
ojalá (que)	I hope (that); I wish (that)

Las dudas y certezas

(no) creer	(not) to believe
(no) dudar	(not) to doubt
(no) negar (e:ie)	(not) to deny
es imposible	it's impossible
es improbable	it's improbable
es obvio	it's obvious
no cabe duda de	there is no doubt that
no hay duda de	there is no doubt that
(no) es cierto	it's (not) certain
(no) es posible	it's (not) possible
(no) es probable	it's (not) probable
(no) es seguro	it's (not) certain
(no) es verdad	it's (not) true

Conjunciones

a menos que	unless
antes (de) que	before
con tal (de) que	provided (that)
cuando	when
después de que	after
en caso (de) que	in case (that)
en cuanto	as soon as
hasta que	until
para que	so that
sin que	without
tan pronto como	as soon as

Expresiones útiles	See page 25.

A primera vista

- ¿Es este lugar un pueblo o una ciudad? ¿Cómo lo sabes?
- ¿Está este lugar sucio o limpio?
- ¿Qué medios de transporte puedes observar?
- ¿Qué otros objetos y lugares puedes nombrar en la foto?

Essential Questions

1. How are cities and communities organized?
2. How do people in different cultures plan errands and travel around a city?
3. How does where we live impact how we live?

2 En la ciudad

Can Do Goals

By the end of this lesson I will be able to:

- Ask and give directions in a city
- Plan errands with another person
- Describe my ideal city
- Give and receive commands and propose solutions for a problem
- Describe a situation or problem with sufficient details

Also, I will learn about:

Culture
- The use of bicycles in Latin American cities
- Outstanding architects of the Hispanic world
- The culture and geography of Venezuela

Skills
- Reading: Identifying point of view
- Writing: Avoiding redundancies
- Listening: Listening for specific information/Listening for linguistic cues

Lesson 2 Integrated Performance Assessment

Context: You meet a small group of tourists from a Spanish-speaking country outside your favorite coffee house. They ask you for ideas about what to do for fun in your area over the weekend. You come up with a short list of things they could do or places they could go.

Producto:
América Latina tiene algunas de las ciudades más pobladas del continente.

¿Cuáles son las principales ciudades de tu país?

Avenida 9 de Julio. Buenos Aires, Argentina

En la ciudad 🔊

Más vocabulario

la carnicería	*butcher shop*
la heladería	*ice cream shop*
la panadería	*bakery*
el supermercado	*supermarket*
la cuadra	*(city) block*
la dirección	*address*
la esquina	*corner*
el estacionamiento	*parking lot*
derecho	*straight (ahead)*
enfrente de	*opposite; facing*
hacia	*toward*
cruzar	*to cross*
doblar	*to turn*
hacer diligencias	*to run errands*
quedar	*to be located*
el cheque (de viajero)	*(traveler's) check*
la cuenta corriente	*checking account*
la cuenta de ahorros	*savings account*
ahorrar	*to save (money)*
cobrar	*to cash (a check)*
depositar	*to deposit*
firmar	*to sign*
llenar (un formulario)	*to fill out (a form)*
pagar a plazos	*to pay in installments*
pagar al contado/ en efectivo	*to pay in cash*
pedir prestado/a	*to borrow*
pedir un préstamo	*to apply for a loan*
ser gratis	*to be free of charge*

Variación léxica

cuadra	⟷	manzana (*Esp.*)
estacionamiento	⟷	aparcamiento (*Esp.*)
doblar	⟷	girar; virar; dar vuelta
hacer diligencias	⟷	hacer mandados

la joyería

BANCAJA

Todo Brillo

el banco

la peluquería, el
salón de belleza

Corto y Cambio

ABIERTO

LA VUELTA
DEL CALCETÍN

la lavandería

DON
MELÓN

el letrero

¡68!

la pastelería

Diente Dulce

Indica cómo llegar.
(indicar)

Está perdida.
(estar)

la frutería

el cajero automático

la zapatería

la pescadería

Práctica

1 **Emparejar** Empareja las oraciones con las tiendas apropiadas.

1. ____   a. la joyería
2. ____   b. la pastelería
3. ____   c. la carnicería
4. ____   d. la frutería
5. ____   e. la zapatería
6. ____   f. la pescadería
7. ____   g. la panadería
8. ____   h. el banco

2 **¿Quién la hizo?** Escucha la conversación entre Telma y Armando. Escribe el nombre de la persona que hizo cada diligencia o una X si nadie la hizo. Una diligencia la hicieron los dos.

1. abrir una cuenta corriente
2. abrir una cuenta de ahorros
3. ir al banco
4. ir a la panadería
5. ir a la peluquería
6. ir al supermercado

3 **Seleccionar** Indica dónde haces estas diligencias.

banco	joyería	pescadería
carnicería	lavandería	salón de belleza
frutería	pastelería	zapatería

1. comprar galletas   4. comprar mariscos
2. comprar manzanas   5. comprar pollo
3. lavar la ropa   6. comprar sandalias

4 **Completar** Completa las oraciones con las palabras más adecuadas.

1. El banco me regaló un reloj. Fue _____.
2. Me gusta _____ dinero, pero no me molesta gastarlo.
3. La cajera me dijo que tenía que _____ el cheque en el dorso (*on the back*) para cobrarlo.
4. Para pagar con un cheque, necesito tener dinero en mi _____.
5. Mi madre va a un _____ para obtener dinero en efectivo cuando el banco está cerrado.
6. Cada viernes, Julio lleva su cheque al banco y lo _____ para tener dinero en efectivo.
7. Ana _____ su cheque en su cuenta de ahorros.
8. Cuando viajas, es buena idea llevar cheques _____.

En el correo

Manda/Envía un paquete.
(mandar, enviar)

el cartero

el correo

la estampilla,
el sello

Hacen cola.
(hacer)

Echa una carta al
buzón. (echar)

el sobre

¡LENGUA VIVA!

Note that **correo** can mean either *mail* or *post office*. Other ways to say *post office* are **la oficina de correos** and **correos**.

---

5 **Conversación** Completa la conversación entre Juanita y el cartero con las palabras más adecuadas.

CARTERO   Buenas tardes, ¿es usted la señorita Ramírez? Le traigo un (1) _____.

JUANITA   Sí, soy yo. ¿Quién lo envía?

CARTERO   La señora Brito. Y también tiene dos (2) _____.

JUANITA   Ay, pero ¡ninguna es de mi novio! ¿No llegó nada de Manuel Fuentes?

CARTERO   Sí, pero él echó la carta al (3) _____ sin poner un (4) _____ en el sobre.

JUANITA   Entonces, ¿qué recomienda usted que haga?

CARTERO   Sugiero que vaya al (5) _____. Con tal de que pague el costo del sello, se le puede dar la carta sin ningún problema.

JUANITA   Uy, otra diligencia, y no tengo mucho tiempo esta tarde para (6) _____ cola en el correo, pero voy enseguida. ¡Ojalá que sea una carta de amor!

¡LENGUA VIVA!

In Spanish, **Soy yo** means *That's me* or *It's me*. ¿**Eres tú?**/ ¿**Es usted?** means *Is that you?*

---

6 **En el banco** Tú eres un(a) empleado/a de banco y tu compañero/a es un(a) estudiante que necesita abrir una cuenta corriente. En parejas, hagan una lista de las palabras que pueden necesitar para la conversación. Después lean estas situaciones y modifiquen su lista original según la situación.

- una pareja de recién casados quiere pedir un préstamo para comprar una casa
- una persona quiere información de los servicios que ofrece el banco
- un(a) estudiante va a estudiar al extranjero (*abroad*) y quiere saber qué tiene que hacer para llevar su dinero de una forma segura
- una persona acaba de ganar 50 millones de dólares en la lotería y quiere saber cómo invertirlos (*invest it*)

Ahora, escojan una de las cuatro situaciones y represéntenla para la clase.

Comunicación

7

Conversación Escucha la conversación entre María y Daniel. Luego, indica a quién se refiere cada una de las afirmaciones, según lo que escuchaste.

AYUDA

Note these different meanings:

quedar to be located; to be left over; to fit

quedarse to stay, to remain

	María	Daniel
1. Tiene que ir al banco.	○	○
2. Su carro está en el estacionamiento.	○	○
3. Cambió de pelo.	○	○
4. Va a comer algo dulce.	○	○
5. Tiene mucha ropa sucia.	○	○
6. No sabe la dirección de la otra persona.	○	○

8

El Hatillo Trabajen en parejas para representar los papeles de un(a) turista que está perdido/a en El Hatillo y de un(a) residente de la ciudad que quiere ayudarlo/la.

NOTA CULTURAL

El Hatillo es un municipio del área metropolitana de Caracas. Forma parte del Patrimonio Cultural de Venezuela y es muy popular por su arquitectura pintoresca, sus restaurantes y sus tiendas de artesanía.

modelo

Plaza Sucre, café Primavera

Estudiante 1: Perdón, ¿por dónde queda la Plaza Sucre?

Estudiante 2: Del café Primavera, camine derecho por la calle Sucre hasta cruzar la calle Comercio...

1. Plaza Bolívar, farmacia
2. Casa de la Cultura, Plaza Sucre
3. banco, terminal
4. estacionamiento (este), escuela

5. Plaza Sucre, estacionamiento (oeste)
6. joyería, banco
7. farmacia, joyería
8. zapatería, iglesia

9

Cómo llegar En grupos, escriban un minidrama en el que unos/as turistas están preguntando cómo llegar a diferentes sitios de la comunidad en la que ustedes viven.

PUEDO dar y pedir direcciones en una ciudad.

Por las calles de Madrid

Los chicos tienen que hacer diligencias antes de ir a la presentación de flamenco de Sara.

ANTES DE VER
Lee la primera oración de cada pie de foto (*caption*) y adivina lo que pasa en el video.

DANIEL (*a Manuel*) ¡Por fin llegaste! ¡Sara es la primera que baila!

MANUEL ¡Lo siento!

OLGA LUCÍA ¡Es tarde!

VALENTINA ¡No llegaremos a tiempo al teatro!

JUANJO ¡Calma, calma! Olga Lucía, tú y yo compremos las flores.

DANIEL (*a Valentina*) Tú y yo vamos a recoger las entradas.

JUANJO ¡Hay demasiada gente! Vamos a otra floristería.

OLGA LUCÍA ¡Sólo necesitamos a alguien que nos deje pasar!

DANIEL Buenas tardes. Sara Sánchez nos reservó cinco entradas para la presentación de flamenco.

EMPLEADA Aquí están. Son cincuenta euros.

DANIEL ¡¿Qué?!

EMPLEADA Están reservadas, pero tenéis que pagarlas. Y no aceptamos tarjeta de crédito. Sólo efectivo.

VALENTINA ¡No tenemos suficiente dinero!

DANIEL ¡Estamos perdidos!

VALENTINA Espera. ¡Encontré uno, vamos, crucemos la calle!

DANIEL ¡Ahí está!

VALENTINA ¡Está dañado!

DANIEL ¡Rápido! ¡Necesitamos uno que funcione! ¡Busca en el móvil!

PERSONAJES

OLGA LUCÍA

VALENTINA

DANIEL

MANUEL

JUANJO

ANCIANA

EMPLEADA

SEÑORA

3

OLGA LUCÍA Disculpe, señora.

JUANJO ¿Nos permite pasar?

ANCIANA Y eso, ¿por qué?

JUANJO Es que hoy una amiga nuestra...

OLGA LUCÍA ...murió.

ANCIANA ¡Ay!, pues lo siento mucho. Pasen, pasen.

OLGA LUCÍA Con permiso...

Expresiones útiles

¡Auxilio! *Help!*
la caja *box*
Con permiso. *Excuse me. (to request permission)*
la floristería *florist's shop*
Perdón. *Excuse me. (to get someone's attention or excuse oneself)*
respetar *to respect*
tardar *to be late*
el teatro *theater*
tener vergüenza *to be ashamed*

---

la ventanilla *ticket window*

6

SEÑORA ¡¿No tenéis vergüenza?!

VALENTINA Perdón, es que tenemos prisa.

SEÑORA ¡¿No os enseñaron a respetar a los mayores?!

DANIEL Señora, es que...

VALENTINA *(a Daniel)* ¿Qué haces?

SEÑORA ¡Auxilio, auxilio!

El flamenco en España

El flamenco es uno de los elementos más característicos de la cultura española, en especial en el sur del país. En Madrid, como en muchas otras ciudades de España, abundan las escuelas de flamenco. Sus alumnos suelen hacer presentaciones prácticamente todo el año en los teatros que hay en muchas partes de la ciudad. El más famoso es el Teatro Flamenco.

¿Hay escuelas de bailes tradicionales en tu comunidad?

¿Qué pasó?

1 **Escoger** Escoge la opción correcta para completar cada oración.

1. Los chicos tienen que pagar las entradas _____.
   a. a plazos   b. al contado   c. con cheque
2. La empleada del teatro les indica a Daniel y Valentina cómo encontrar _____.
   a. una panadería   b. una floristería   c. un cajero automático
3. Olga Lucía y Juanjo dicen que una amiga suya murió para _____ en la floristería.
   a. no hacer cola   b. pagar menos   c. recibir mejor servicio
4. Manuel _____ para hacer su diligencia.
   a. va en autobús   b. camina   c. va en coche
5. Daniel le da _____ a Sara.
   a. los chocolates   b. un beso   c. las flores

2 **Identificar** Identifica quién(es) hace(n) las diligencias y otras acciones.

1. comprar los chocolates
2. ir a recoger las entradas
3. comprar las flores
4. ir al cajero automático
5. estacionar el coche
6. Hablar con la anciana para que los deje pasar en la cola.

DANIEL   JUANJO   MANUEL

OLGA LUCÍA   VALENTINA

3 **Preguntas** Contesta las preguntas con oraciones completas.

1. ¿Por qué llegó tarde Manuel?
2. ¿Cuál es el problema con las entradas?
3. ¿Por qué es un problema que Daniel y Valentina no tienen suficiente dinero?
4. ¿Qué problema tienen Juanjo y Olga Lucía en la floristería?
5. ¿Cuántos de los chicos ven la presentación de flamenco de Sara?

4 **Conversación** Un(a) compañero/a y tú son vecinos/as. Uno/a de ustedes acaba de mudarse y necesita ayuda porque no conoce la ciudad. Los/Las dos tienen que hacer algunas diligencias y deciden hacerlas juntos/as. Preparen una conversación breve incluyendo planes para ir a estos lugares.

> **modelo**
>
> **Estudiante 1:** Necesito lavar mi ropa. ¿Sabes dónde queda una lavandería?
> **Estudiante 2:** Sí. Aquí a dos cuadras hay una. También tengo que lavar mi ropa. ¿Qué te parece si vamos juntos?

▶ un banco   ▶ una heladería
▶ una lavandería   ▶ una panadería
▶ un supermercado   ▶ una peluquería

PUEDO sostener una conversación para planear varias diligencias con otra persona.

AYUDA

primero *first*
luego *then*
¿Sabes dónde queda…?
Do you know where…is?
¿Qué te parece?
What do you think?
¡Cómo no!
But of course!

Ortografía y pronunciación 🔊

Las abreviaturas

In Spanish, as in English, abbreviations are often used in
order to save space and time while writing. Here are some
of the most commonly used abbreviations in Spanish.

usted ⟶ Ud.   ustedes ⟶ Uds.

As you have already learned, the subject pronouns **usted** and **ustedes** are often abbreviated.

---

don ⟶ D.   doña ⟶ Dña.   doctor(a) ⟶ Dr(a).

señor ⟶ Sr.   señora ⟶ Sra.   señorita ⟶ Srta.

These titles are frequently abbreviated.

---

centímetro ⟶ cm   metro ⟶ m   kilómetro ⟶ km

litro ⟶ l   gramo ⟶ g, gr   kilogramo ⟶ kg

The abbreviations for these units of measurement are often used, but without periods.

---

por ejemplo ⟶ p. ej.   página(s) ⟶ pág(s).

These abbreviations are often seen in books.

---

derecha ⟶ dcha.   izquierda ⟶ izq., izqda.

código postal ⟶ C.P.   número ⟶ n.°

These abbreviations are often used in mailing addresses.

Sra. Emilia F. Bazán
Cía. Romero, S.A.
3336
Calle Lozano, n.° 37
Caracas, Venezuela

Banco ⟶ Bco.   Compañía ⟶ Cía.

cuenta corriente ⟶ c/c.   Sociedad Anónima (*Inc.*) ⟶ S.A.

These abbreviations are frequently used in the business world.

Práctica Escribe otra vez esta información usando las abreviaturas adecuadas.

1. doña María
2. señora Pérez
3. Compañía Mexicana de Inversiones
4. usted

5. Banco de Santander
6. doctor Medina
7. Código Postal 03697
8. cuenta corriente número 20-453

Emparejar En la tabla hay nueve abreviaturas. Empareja los cuadros necesarios
para formarlas.

S.	c.	C.	c	co.	U
B	c/	Sr	A.	D	dc
ta.	P.	ña.	ha.	m	d.

EN DETALLE

Las bicicletas en la ciudad

La bicicleta es un medio de transporte que tiene múltiples beneficios. Es ideal a la hora de recorrer la ciudad si se quieren evitar los atascos° y, además, su uso no sólo evita la contaminación ambiental, también es una forma de cuidar la salud.

En este sentido°, las ciudades de Latinoamérica están desarrollando políticas para la promoción del uso de las bicicletas en la vida urbana. El objetivo es lograr° que las calles se conviertan en un espacio seguro y respetuoso° para todos.

Desde hace años, Bogotá, Colombia, está a la cabeza de la iniciativa que propone el uso de la bicicleta como medio de transporte alternativo y

amigable° con el medio ambiente. De esta manera, todos los domingos y días festivos, desde las siete de la mañana hasta las dos de la tarde, se prohíbe la circulación de carros por las principales calles de esta ciudad de nueve millones de habitantes: sólo pueden pasear por estas calles los peatones° y las bicicletas. Se calcula que cerca de un millón y medio de bicicletas llenan la ciudad en esos días. Hay también ciclovías° nocturnas, es decir, vías vehiculares que, por unas horas en las noches, permiten el uso exclusivo de bicicletas, y ciclopaseos, que son visitas programadas a lugares históricos de la ciudad. Además, desde el año 2000, el primer jueves de febrero se celebra en la ciudad el Día sin carro.

En otras ciudades la gran novedad es el sistema de bicicletas compartidas. En Buenos

Aires, el programa Ecobici nació en 2010 y funciona todos los días del año durante las 24 horas. Cualquier persona (incluso los turistas) puede buscar una bicicleta en una estación automática cercana, pasear en ella por la ciudad y devolverla° en otra estación. ¡Y es totalmente gratis! La ciudad tiene 190 kilómetros de ciclovías y 200 estaciones con 2.450 bicicletas públicas. Y el programa sigue aumentando.

atascos *traffic jams* sentido *regard* lograr *to achieve* respetuoso *respectful* amigable *friendly* peatones *pedestrians* ciclovías *bikeways* devolverla *return it*

ASÍ SE DICE

En la ciudad

el aparcamiento (Esp.); el parqueadero (Col., Pan.); el parqueo (Bol., Cuba, Amér. C.)	el estacionamiento
dar un aventón (Méx.); dar botella (Cuba)	*to give (someone) a ride*
el subterráneo, el subte (Arg.)	el metro

ACTIVIDADES

1 **¿Cierto o falso?** Indica si lo que dicen las oraciones es **cierto** o **falso**. Corrige las falsas.

1. Todos los domingos y días festivos, sólo los peatones y las bicicletas pueden pasear por las principales calles de Bogotá.

2. Los domingos y festivos, en Bogotá se prohíbe la circulación de los carros desde las siete de la mañana hasta las seis de la tarde.

3. Los ciclopaseos son calles sólo para bicicletas.

4. En Bogotá está prohibido usar carros durante todo el mes de febrero.

5. Ecobici es un sistema de bicicletas compartidas en Buenos Aires.

6. Puedes usar bicicletas de Ecobici sólo de lunes a viernes.

7. Los ciclistas pagan para usar Ecobici.

8. La ciudad de Buenos Aires cuenta con 190 kilómetros de ciclovías.

2 **Preguntas** Responde a las preguntas con oraciones completas

1. ¿Qué beneficios tiene el uso de la bicicleta?

2. ¿Cuál es la ciudad líder en América Latina en el uso de bicicletas como medio de transporte alternativo?

3. ¿Cuántos habitantes tiene la ciudad de Bogotá?

4. ¿Cuántas horas al día funciona Ecobici en Buenos Aires?

5. ¿Quiénes pueden utilizar Ecobici?

6. ¿Dónde y cuándo se celebra el Día sin carro? ¿Desde cuándo se celebra?

3 **¿Qué opinas?** Responde a las preguntas y coméntalas con un(a) compañero/a.

1. ¿Qué opinas de las iniciativas del uso de bicicletas en ciudades como Bogotá y Buenos Aires?

2. ¿Conoces alguna ciudad de tu país que tenga una iniciativa similar? ¿Cómo es?

3. ¿Crees que en tu comunidad se puede implementar una iniciativa como estas? ¿Por qué?

PUEDO hablar sobre el uso de las bicicletas como un sistema de transporte urbano.

PERFIL

Tatiana Bilbao: Empatía humanista

La obra° de la arquitecta mexicana Tatiana Bilbao (de ascendencia vasca y alemana) es descrita como una "empatía humanista" porque ella considera la arquitectura como una plataforma que las personas pueden usar para mejorar su calidad de vida según sus necesidades. En su carrera, Bilbao siempre ha buscado° la relación entre arquitectura y usos sociales, defendiendo una arquitectura con valores y que tenga en cuenta° a las personas más vulnerables.

Además de su trabajo como arquitecta, Tatiana Bilbao ha promovido proyectos culturales que buscan impulsar el conocimiento de la cultura contemporánea en general. En su trabajo se puede apreciar° que la cultura y las tradiciones mexicanas juegan un papel esencial. Entre sus obras más importantes se encuentran: el Jardín Botánico de Culiacán, el Pabellón del Museo Tamayo y el Parque Biotecnológico del TEC de Monterrey.

obra *work* **ha buscado** *has sought* **tenga en cuenta** *has into account* **apreciar** *observe*

Comprensión Responde a estas preguntas con base en la lectura.

1. ¿Por qué la obra de la arquitecta Tatiana Bilbao se considera "empatía humanista"?

2. ¿Qué ha hecho Tatiana Bilbao además de su trabajo como arquitecta?

3. ¿Qué palabras usarías para describir el trabajo arquitectónico de Bilbao?

ENTRE CULTURAS

¿Qué otros arquitectos hispanos se preocupan por el aspecto social?

Go to **vhlcentral.com** *to find out more cultural information related to this* **Cultura** *section.*

2.1 The subjunctive in adjective clauses

ANTE TODO   In **Lección 1**, you learned that the subjunctive is used in adverbial clauses after certain conjunctions. You will now learn how the subjunctive can be used in adjective clauses (**cláusulas adjetivas**) to express that the existence of someone or something is uncertain or indefinite.

¡Sólo necesitamos a alguien que nos deje pasar!

¿Hay algún cajero automático que esté cerca?

▶ The subjunctive is used in an adjective (or subordinate) clause that refers to a person, place, thing, or idea that either does not exist or whose existence is uncertain or indefinite. In the examples below, compare the differences in meaning between the statements using the indicative and those using the subjunctive.

¡ATENCIÓN!

Adjective clauses are subordinate clauses that modify a noun or pronoun in the main clause of a sentence. That noun or pronoun is called the *antecedent*.

Indicative	Subjunctive
Necesito **el libro** que **tiene** información sobre Venezuela. *I need **the book** that has information about Venezuela.*	Necesito **un libro** que **tenga** información sobre Venezuela. *I need **a book** that has information about Venezuela.*
Quiero vivir en **esta casa** que **tiene** jardín. *I want to live in **this house** that has a garden.*	Quiero vivir en **una casa** que **tenga** jardín. *I want to live in **a house** that has a garden.*
En mi barrio, hay **una heladería** que **vende** helado de mango. *In my neighborhood, **there's an ice cream shop** that sells mango ice cream.*	En mi barrio no hay **ninguna heladería** que **venda** helado de mango. *In my neighborhood, **there is no ice cream shop** that sells mango ice cream.*

▶ When the adjective clause refers to a person, place, thing, or idea that is clearly known, certain, or definite, the indicative is used.

Quiero ir **al supermercado** que **vende** productos venezolanos.
I want to go to the supermarket that sells Venezuelan products.

Busco **al profesor** que **enseña** japonés.
I'm looking for the professor who teaches Japanese.

Conozco **a alguien** que **va** a esa peluquería.
I know someone who goes to that beauty salon.

Tengo **un amigo** que **vive** cerca de mi casa.
I have a friend who lives near my house.

¡ATENCIÓN!

Observe the important role that the indefinite article vs. the definite article plays in determining the use of the subjunctive in adjective clauses. Read the following sentences and notice why they are different:

¿Conoces *un* restaurante italiano que *esté* cerca de mi casa?

¿Conoces *el* restaurante italiano que *está* cerca de mi casa?

▶ The personal **a** is not used with direct objects that are hypothetical people. However, as you learned in **Senderos, nivel 2 alguien** and **nadie** are always preceded by the personal **a** when they function as direct objects.

Necesitamos **un empleado** que
sepa usar computadoras.
*We need an employee who knows
how to use computers.*

Necesitamos **al empleado** que
sabe usar computadoras.
*We need the employee who knows how
to use computers.*

Buscamos **a alguien** que
pueda cocinar.
*We're looking for someone who
can cook.*

No conocemos **a nadie** que
pueda cocinar.
*We don't know anyone who
can cook.*

▶ The subjunctive is commonly used in questions with adjective clauses when the speaker is trying to find out information about which he or she is uncertain. However, if the person who responds to the question knows the information, the indicative is used.

—¿Hay un parque que **esté** cerca de
nuestro hotel?
Is there a park that's near our hotel?

—Sí, hay un parque que **está** muy
cerca del hotel.
Yes, there's a park that's very near the hotel.

▶ **¡Atención!** Here are some verbs that are commonly followed by adjective clauses in the subjunctive:

Verbs commonly used with subjunctive

buscar	haber
conocer	necesitar
no encontrar	querer

¡INTÉNTALO! Escoge entre el subjuntivo y el indicativo para completar cada oración.

1. Necesito una persona que ___pueda___ (puede/pueda) cantar bien.
2. Buscamos a alguien que ___tenga___ (tiene/tenga) paciencia.
3. ¿Hay restaurantes aquí que ___sirvan___ (sirven/sirvan) comida japonesa?
4. Tengo una amiga que ___saca___ (saca/saque) fotografías muy bonitas.
5. Hay una carnicería que ___esta___ (está/esté) cerca de aquí.
6. No vemos ningún apartamento que nos ___interese___ (interesa/interese).
7. Conozco a un estudiante que ___come___ (come/coma) hamburguesas todos los días.
8. ¿Hay alguien que ___diga___ (dice/diga) la verdad?

Práctica

1 **Completar** Completa estas oraciones con la forma correcta del indicativo o del subjuntivo de los verbos entre paréntesis.

1. Buscamos un hotel que _____ (tener) piscina.
2. ¿Sabe usted dónde _____ (quedar) el Correo Central?
3. ¿Hay algún buzón por aquí donde yo _____ (poder) echar una carta?
4. Ana quiere ir a la carnicería que _____ (estar) en la avenida Lecuna.
5. Encontramos un restaurante que _____ (servir) comida típica venezolana.
6. ¿Conoces a alguien que _____ (saber) mandar un *fax* por computadora?
7. Necesitas al empleado que _____ (entender) este nuevo programa de computación.
8. No hay nada en este mundo que _____ (ser) gratis.

2 **Oraciones** Marta está haciendo diligencias en Caracas con una amiga. Forma oraciones con estos elementos, usando el presente de indicativo o de subjuntivo. Haz los cambios que sean necesarios.

1. yo / conocer / un / panadería / que / vender / pan / cubano
2. ¿hay / alguien / que / saber / dirección / de / un / buen / carnicería?
3. yo / querer / comprarle / mi / hermana / un / zapatos / que / gustar
4. ella / no / encontrar / nada / que / gustar / en / ese / zapatería
5. ¿tener / dependientas / algo / que / ser / más / barato?
6. ¿conocer / tú / alguno / banco / que / ofrecer / cuentas / corrientes / gratis?
7. nosotras / no / conocer / nadie / que / hacer / tanto / diligencias / como / nosotras
8. nosotras / necesitar / un / línea / de / metro / que / nos / llevar / a / casa

NOTA CULTURAL

El **metro** de Caracas empezó a funcionar en 1983, después de varios años de intensa publicidad para promoverlo (*promote it*). El arte fue un recurso importante en la promoción del metro. En las estaciones se pueden admirar obras (*works*) de famosos escultores venezolanos como Carlos Cruz-Diez y Jesús Rafael Soto.

3 **Anuncios clasificados** En parejas, lean estos anuncios y luego describan el tipo de persona u objeto que se busca.

CLASIFICADOS

CLASES DE INGLÉS Profesor de Inglaterra con diez años de experiencia ofrece clases para grupos o instrucción privada para individuos. Llamar al 933-4110 de 16:30 a 18:30.

SE BUSCA CONDOMINIO Se busca condominio en Sabana Grande con 3 dormitorios, 2 baños, sala, comedor y aire acondicionado. Tel: 977-2018.

EJECUTIVO DE CUENTAS Se requiere joven profesional con al menos dos años de experiencia en el sector financiero. Se ofrecen beneficios excelentes. Enviar currículum vitae al Banco Unión, Avda. Urdaneta 263, Caracas.

VENDEDOR(A) Se necesita persona dinámica y responsable con buena presencia. Experiencia mínima de un año. Horario de trabajo flexible. Llamar a Joyería Aurora de 10 a 13h y de 16 a 18h. Tel: 263-7553

PELUQUERÍA UNISEX Se busca persona con experiencia en peluquería y maquillaje para trabajar tiempo completo. Llamar de 9 a 13: 30h. Tel: 261-3548

COMPARTIR APARTAMENTO Se necesita compañera para compartir apartamento de 2 dormitorios en el Chaco. Alquiler $500 por mes. No fumar. Llamar al 951-3642 entre 19 y 22h.

Comunicación

4 **Un apartamento** Luis es un estudiante de último año de secundaria. El próximo otoño comenzará la universidad y actualmente (*currently*) está buscando un apartamento. Lee la nota que Luis le escribe a un agente inmobiliario (*real estate agent*). Luego, indica si las conclusiones sobre Luis son **lógicas** o **ilógicas**, según lo que leíste.

> Necesito vivir en un barrio que tenga transporte público para poder ir a la universidad, porque no tengo carro. También necesito vivir cerca de una biblioteca que tenga libros en varias lenguas. Busco un apartamento que esté cerca del supermercado y del banco. También necesito que quede cerca de la lavandería. Prefiero vivir solo, pero también puedo buscar a un estudiante que necesite un cuarto para alquilar.
>
> Luis Herrera

	Lógico	Ilógico
1. Quiere vivir en la ciudad.	○	○
2. Va a estudiar lenguas extranjeras en la universidad.	○	○
3. Busca un edificio de apartamentos que tenga estacionamiento.	○	○
4. Necesita un apartamento que tenga lavadora y secadora.	○	○

5 **Preguntas** Contesta las preguntas de tu compañero/a. Usa el presente de indicativo o de subjuntivo, según corresponda.

> **modelo**
>
> hablar ruso
> **Estudiante 1:** ¿Conoces a alguien que hable ruso?
> **Estudiante 2:** No, no conozco a nadie que hable ruso./Sí, conozco a alguien que habla ruso.

1. vivir en Puerto Rico
2. ser alérgico/a a los mariscos
3. levantarse a las cinco
4. saber bailar tango

6 **¿Compatibles?** Entrevista a un(a) compañero/a para saber si es compatible contigo y eventualmente podrían compartir un apartamento. Puedes usar estas opciones u otras y no olvides usar el subjuntivo.

- cocinar
- escuchar hip-hop
- gustarle la política/el arte/los deportes
- llevarse bien con los animales
- ser vegetariano/a / limpio/a / optimista
- tener paciencia

Síntesis

7 **La ciudad ideal** Escribe una pequeña composición en la que describas cómo es la comunidad ideal donde te gustaría (*you would like*) vivir en el futuro y compárala con la comunidad donde vives ahora. Usa cláusulas adjetivas y el vocabulario de esta lección.

PUEDO describir mi ciudad ideal.

2.2 Nosotros/as commands

ANTE TODO You have already learned familiar (**tú**) commands and formal (**usted/ustedes**) commands. You will now learn **nosotros/as** commands, which are used to give orders or suggestions that include yourself and other people.

▶ **Nosotros/as** commands correspond to the English *Let's*.

▶ Both affirmative and negative **nosotros/as** commands are generally formed by using the first-person plural form of the present subjunctive.

CONSULTA

Remember that stem-changing **-ir** verbs have an additional stem change in the **nosotros/as** and **vosotros/as** forms of the present subjunctive. To review these forms, see **Senderos 2, Estructura 6.3**, p. 223.

Crucemos la calle.
Let's cross the street.

No crucemos la calle.
Let's not cross the street.

▶ The affirmative *Let's* + [*verb*] command may also be expressed with **vamos a** + [*infinitive*]. However, remember that **vamos a** + [*infinitive*] can also mean *we are going to (do something)*. Context and tone of voice determine which meaning is being expressed.

Vamos a cruzar la calle.
Let's cross the street.

Vamos a trabajar mucho.
We're going to work a lot.

▶ To express *Let's go*, the present indicative form of **ir** (**vamos**) is used, not the subjunctive. For the negative command, however, the subjunctive is used.

Vamos a la pescadería.

No **vayamos** a la pescadería.

Olga Lucía, tú y yo compremos las flores.

¡Encontré uno, vamos, crucemos la calle!

¡ATENCIÓN!

When **nos** or **se** is attached to an affirmative **nosotros/as** command, the final **-s** is dropped from the verb ending.

Sentémonos allí.
Démoselo a ella.
Mandémoselo a ellos.

• • •

The **nosotros/as** command form of **irse** is **vámonos**. Its negative form is **no nos vayamos**.

▶ Object pronouns are always attached to affirmative **nosotros/as** commands. A written accent is added to maintain the original stress.

Firmemos el cheque.
Firmémoslo.

Escribamos a Ana y Raúl.
Escribámosles.

▶ Object pronouns are placed in front of negative **nosotros/as** commands.

No **les paguemos** el préstamo.

No **se lo digamos** a ellos.

¡INTÉNTALO! Indica los mandatos afirmativos y negativos de la primera persona del plural (**nosotros/as**) de estos verbos.

1. estudiar <u>estudiemos, no estudiemos</u>
2. cenar _____
3. leer _____
4. decidir _____
5. decir _____
6. cerrar _____
7. levantarse _____
8. irse _____

Práctica

1 **Completar** Completa esta conversación con mandatos de **nosotros/as.** Luego, representa la conversación con un(a) compañero/a.

MARÍA Sergio, ¿quieres hacer diligencias ahora o por la tarde?

SERGIO No (1)_____ (dejarlas) para más tarde. (2)_____ (Hacerlas) ahora. ¿Qué tenemos que hacer?

MARÍA Necesito comprar sellos.

SERGIO Yo también. (3)_____ (Ir) al correo.

MARÍA Pues, antes de ir al correo, necesito sacar dinero de mi cuenta corriente.

SERGIO Bueno, (4)_____ (buscar) un cajero automático.

MARÍA ¿Tienes hambre?

SERGIO Sí. (5)_____ (Cruzar) la calle y (6)_____ (entrar) en ese café.

MARÍA Buena idea.

SERGIO ¿Nos sentamos aquí?

MARÍA No, no (7)_____ (sentarse) aquí; (8)_____ (sentarse) enfrente de la ventana.

SERGIO ¿Qué pedimos?

MARÍA (9)_____ (Pedir) café y pan dulce.

2 **Responder** Responde a cada mandato de **nosotros/as** según las indicaciones que están entre paréntesis. Sustituye los sustantivos por los objetos directos e indirectos.

> **modelo**
>
> Vamos a vender el carro. (sí)
> Sí, vendámoslo.
> Vamos a buscar un cajero.
> No, no lo busquemos.

1. Vamos a levantarnos a las seis. (sí)
2. Vamos a enviar los paquetes. (no)
3. Vamos a depositar el cheque. (sí)
4. Vamos al supermercado. (no)
5. Vamos a mandar esta postal a nuestros amigos. (no)
6. Vamos a limpiar la habitación. (sí)
7. Vamos a mirar la televisión. (no)
8. Vamos a bailar. (sí)
9. Vamos a pintar la sala. (no)
10. Vamos a comprar estampillas. (sí)

Comunicación

3

Preguntar Tú y tu compañero/a están de vacaciones en Caracas con un grupo de la escuela y se hacen sugerencias para resolver las situaciones que se presentan. Inventen mandatos afirmativos o negativos de **nosotros/as.**

> **modelo**
>
> Se nos olvidaron las tarjetas de crédito.
>
> *Paguemos en efectivo./No compremos más regalos.*

A

1. El museo está a sólo una cuadra de aquí.
2. Tenemos hambre.
3. Hay una cola larga en el cine.

B

1. Tenemos muchos cheques de viajero.
2. Tenemos prisa para llegar al cine.
3. Estamos cansados y queremos dormir.

4

Decisiones Trabajen en grupos pequeños. Ustedes están en Caracas por dos días. Lean esta página de una guía turística sobre la ciudad y decidan qué van a hacer hoy por la mañana, por la tarde y por la noche. Hagan oraciones con mandatos afirmativos o negativos de **nosotros/as.**

> **modelo**
>
> *Visitemos el Museo de Arte Contemporáneo Sofía Imber*
>
> *esta tarde. Quiero ver las esculturas de Jesús Rafael Soto.*

◀ **NOTA CULTURAL**

Jesús Rafael Soto (1923–2005) fue un escultor y pintor venezolano. Sus obras cinéticas (*kinetic works*) frecuentemente incluyen formas que brillan (*shimmer*) y vibran. En muchas de ellas el espectador se puede integrar a la obra.

Síntesis

5

Situación Tú y un(a) compañero/a tienen problemas económicos. Cada uno/a quiere ahorrar más dinero. Describan cómo gastan el dinero y sugieran algunas ideas para ahorrarlo. Hagan oraciones con mandatos afirmativos o negativos de **nosotros/as.**

> **modelo**
>
> —*Pago mucho por mi servicio de video en línea.*
>
> —*Yo también. Saquemos DVDs de la biblioteca para ahorrar dinero.*

PUEDO dar y recibir mandatos o proponer soluciones para un problema.

2.3   Past participles used as adjectives

ANTE TODO   In **Senderos, nivel 1**, you learned about present participles (**estudiando**). Both Spanish and English have past participles (**participios pasados**). The past participles of English verbs often end in **-ed** (*to turn* → *turned*), but many are also irregular (*to buy* → *bought; to drive* → *driven*).

▶ In Spanish, regular **-ar** verbs form the past participle with **-ado**. Regular **-er** and **-ir** verbs form the past participle with **-ido**.

INFINITIVE	STEM	PAST PARTICIPLE
bailar	bail-	**bailado**
comer	com-	**comido**
vivir	viv-	**vivido**

▶ **¡Atención!** The past participles of **-er** and **-ir** verbs whose stems end in **-a, -e,** or **-o** carry a written accent mark on the **i** of the **-ido** ending.

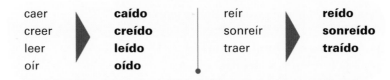

caer	**caído**		reír	**reído**
creer	**creído**		sonreír	**sonreído**
leer	**leído**		traer	**traído**
oír	**oído**			

AYUDA

You already know several past participles used as adjectives: **aburrido, interesado, nublado, perdido,** etc.

• • •

Note that all irregular past participles except **dicho** and **hecho** end in **-to**.

Irregular past participles

abrir	**abierto**		morir	**muerto**
decir	**dicho**		poner	**puesto**
describir	**descrito**		resolver	**resuelto**
descubrir	**descubierto**		romper	**roto**
escribir	**escrito**		ver	**visto**
hacer	**hecho**		volver	**vuelto**

▶ In Spanish, as in English, past participles can be used as adjectives. They are often used with the verb **estar** to describe a condition or state that results from an action. Like other Spanish adjectives, they must agree in gender and number with the nouns they modify.

En la entrada hay algunos letreros **escritos** en español.
In the entrance, there are some signs written in Spanish.

Tenemos la mesa **puesta** y la cena **hecha.**
We have the table set and dinner made.

¡INTÉNTALO!   Indica la forma correcta del participio pasado de estos verbos.

1. hablar   hablado
2. beber _____
3. decidir _____
4. romper _____
5. escribir _____
6. cantar _____
7. oír _____
8. traer _____
9. correr _____
10. leer _____
11. ver _____
12. hacer _____

Práctica

1   **Completar** Completa las oraciones con la forma adecuada del participio pasado del verbo que está entre paréntesis.

1. Hoy mi peluquería favorita está _____ (cerrar).
2. Por eso, voy a otro salón de belleza que está _____ (abrir) todos los días.
3. Queda en la Plaza Bolívar, una plaza muy _____ (conocer).
4. Todos los productos y servicios de esta tienda están _____ (describir) en un catálogo.
5. El nombre del salón está _____ (escribir) en el letrero y en la acera (*sidewalk*).
6. Cuando esta diligencia esté _____ (hacer), necesito pasar por el banco.
7. Espero que mi dinero ya esté _____ (depositar).

◀ **NOTA CULTURAL**

Simón Bolívar (1783–1830) es considerado el "libertador" de cinco países de Suramérica: Venezuela, Perú, Bolivia, Colombia y Ecuador. Su apellido se ve en nombres como Bolivia, Ciudad Bolívar, la Universidad Simón Bolívar, el bolívar (la moneda venezolana) y en los nombres de muchas plazas y calles.

¿Cuál es el personaje histórico más representativo de tu país? ¿En dónde se puede ver su imagen?

2   **Preparativos** Tú y tu compañero/a van a hacer un viaje. Túrnense para hacerse estas preguntas sobre los preparativos (*preparations*). Respondan afirmativamente y usen el participio pasado en sus respuestas.

> **modelo**
>
> **Estudiante 1:** ¿Firmaste el cheque de viajero?
> **Estudiante 2:** Sí, el cheque de viajero ya está firmado.

1. ¿Compraste los pasajes para el avión?
2. ¿Confirmaste las reservaciones para el hotel?
3. ¿Firmaste tu pasaporte?
4. ¿Lavaste la ropa?
5. ¿Resolviste el problema con el banco?
6. ¿Pagaste todas las cuentas?
7. ¿Hiciste todas las diligencias?
8. ¿Hiciste las maletas?

3   **El estudiante competitivo** En parejas, túrnense para hacer el papel de un(a) estudiante que es muy competitivo/a y siempre quiere ser mejor que los demás. Usen los participios pasados de los verbos subrayados.

> **modelo**
>
> **Estudiante 1:** A veces se me daña la computadora.
> **Estudiante 2:** Yo sé mucho de computadoras. Mi computadora nunca está dañada.

1. Yo no hago la cama todos los días.
2. Casi nunca resuelvo mis problemas.
3. Nunca guardo mis documentos importantes.
4. Es difícil para mí terminar mis tareas.
5. Siempre se me olvida preparar mi almuerzo.
6. Nunca pongo la mesa cuando ceno.
7. No quiero escribir la composición para mañana.
8. Casi nunca lavo mi carro.

Comunicación

4

🔊

Correo de voz Escucha este correo de voz que Camila le deja a su madre. Luego, indica si las conclusiones son **lógicas** o **ilógicas**, según lo que escuchaste.

	Lógico	Ilógico
1. Camila es irresponsable.	○	○
2. Camila vive con sus padres.	○	○
3. El papá de Camila está muerto.	○	○
4. La familia de Camila se mudó recientemente.	○	○

5

Preguntas Contesta las preguntas de tu compañero/a.

1. ¿Dejas alguna luz prendida en tu casa por la noche?
2. ¿Está ordenado tu cuarto?
3. ¿Prefieres comprar libros usados o nuevos? ¿Por qué?

6

Describir Eres agente de policía y tienes que investigar un crimen. Mira el dibujo y describe lo que encontraste en la habitación del señor Villalonga. Usa el participio pasado en la descripción.

AYUDA

You may want to use the past participles of these verbs to describe the illustration: **abrir, desordenar, hacer, poner, romper, tirar** (*to throw*).

▶

Síntesis

7

Entre líneas En parejas, representen una conversación entre un(a) empleado/a de banco y un(a) cliente/a. Usen las primeras dos líneas del diálogo para empezar y la última para terminar, pero inventen las líneas del medio (*middle*). Usen participios pasados.

EMPLEADO Buenos días, señora Ibáñez. ¿En qué la puedo ayudar?

CLIENTA Tengo un problema con este banco. ¡Todavía no está resuelto!...

CLIENTA ¡No vuelvo nunca a este banco!

PUEDO describir una situación o un problema con suficientes detalles.

Recapitulación

Completa estas actividades para repasar los conceptos de gramática que aprendiste en esta lección.

1 **Completar** Completa la tabla con la forma correcta de los verbos. **16 pts.**

Infinitivo	Participio (f.)	Infinitivo	Participio (m.)
completar	completada	hacer	
corregir		pagar	pagado
creer		pedir	
decir		perder	
escribir		poner	

2 **Los novios** Completa este diálogo entre dos novios con mandatos en la forma de **nosotros/as**. **20 pts.**

SIMÓN ¿Quieres ir al cine mañana?

CARLA Sí, ¡qué buena idea! (1) _____ (Comprar) los boletos (*tickets*) por Internet.

SIMÓN No, mejor (2) _____ (pedírselos) a mi prima, quien trabaja en el cine y los consigue gratis.

CARLA ¡Fantástico!

SIMÓN Y también quiero visitar la nueva galería de arte el fin de semana que viene.

CARLA ¿Por qué esperar? (3) _____ (Visitarla) esta tarde.

SIMÓN Bueno, pero primero tengo que limpiar mi apartamento.

CARLA No hay problema. (4) _____ (Limpiarlo) juntos.

SIMÓN Muy bien. ¿Y tú no tienes que hacer diligencias hoy? (5) _____ (Hacerlas) también.

CARLA Sí, tengo que ir al correo y al banco. (6) _____ (Ir) al banco hoy, pero no (7) _____ (ir) al correo todavía. Antes tengo que escribir una carta.

SIMÓN (8) _____ (Escribirla) ahora.

CARLA No, mejor no (9) _____ (escribirla) hasta que regresemos de la galería donde venden un papel reciclado muy lindo (*cute*).

SIMÓN ¿Papel lindo? Pues, ¿para quién es la carta?

CARLA No importa. (10) _____ (Empezar) a limpiar.

RESUMEN GRAMATICAL

2.1 The subjunctive in adjective clauses pp. 66–67

▶ When adjective clauses refer to something that is known, certain, or definite, the indicative is used.

Necesito **el libro** que **tiene** fotos.

▶ When adjective clauses refer to something that is uncertain or indefinite, the subjunctive is used.

Necesito **un libro** que **tenga** fotos.

2.2 Nosotros/as commands p. 70

▶ Same as **nosotros/as** form of present subjunctive.

Affirmative	Negative
Démosle un libro a Lola.	No le demos un libro a Lola.
Démoselo.	No se lo demos.

▶ While the subjunctive form of the verb **ir** is used for the negative **nosotros/as** command, the indicative is used for the affirmative command.

No **vayamos** a la plaza.   **Vamos** a la plaza.

2.3 Past participles used as adjectives p. 73

Past participles		
Infinitive	Stem	Past participle
bailar	bail-	**bail**ado
comer	com-	**com**ido
vivir	viv-	**viv**ido

Irregular past participles			
abrir	**abierto**	morir	**muerto**
decir	**dicho**	poner	**puesto**
describir	**descrito**	resolver	**resuelto**
descubrir	**descubierto**	romper	**roto**
escribir	**escrito**	ver	**visto**
hacer	**hecho**	volver	**vuelto**

▶ Like common adjectives, past participles must agree with the noun they modify.

Hay unos letreros **escritos** en español.

3 **Verbos** Escribe los verbos en el presente del indicativo o del subjuntivo. **20 pts.**

1. —¿Sabes dónde hay un restaurante donde nosotros (1) _____ (poder) comer paella valenciana? —No, no conozco ninguno que (2) _____ (servir) paella, pero conozco uno que (3) _____ (especializarse) en tapas españolas.

2. Busco vendedores que (4) _____ (ser) bilingües. No estoy seguro de conocer a alguien que (5) _____ (tener) esa característica. Pero ahora que lo pienso, ¡sí! Tengo dos amigos que (6) _____ (trabajar) en el almacén Excelencia. Los voy a llamar. Debo decirles que necesitamos que (ellos) (7) _____ (saber) hablar inglés.

3. Se busca apartamento que (8) _____ (estar) bien situado, que (9) _____ (costar) menos de $800 al mes y que (10) _____ (permitir) tener perros.

4 **La mamá de Pedro** Completa las respuestas de Pedro a las preguntas de su mamá. **10 pts.**

> **modelo**
>
> **MAMÁ:** ¿Te ayudo a guardar la ropa?
>
> **PEDRO:** La ropa ya *está guardada.*

1. **MAMÁ** ¿Cuándo se van a vestir tú y tu hermano para la fiesta?

   PEDRO Nosotros ya _____ _____.

2. **MAMÁ** Hijo, ¿puedes ordenar tu habitación?

   PEDRO La habitación ya _____ _____.

3. **MAMÁ** ¿Ya se murieron tus peces?

   PEDRO No, todavía no _____ _____.

4. **MAMÁ** ¿Te ayudo a hacer tus diligencias?

   PEDRO Gracias, mamá, pero las diligencias ya _____ _____.

5. **MAMÁ** ¿Cuándo terminas tu proyecto?

   PEDRO El proyecto ya _____ _____.

5 **Compañero/a ideal** Escribe un párrafo de al menos seis oraciones en el que describas cómo es tu compañero/a de cuarto (*roommate*) ideal. Usa cláusulas adjetivas y el vocabulario de esta lección. **34 pts.**

> **modelo**
>
> *"Quiero una compañera de cuarto que ame los gatos".*

6 **Adivinanza** Completa la adivinanza y adivina la respuesta. **¡4 puntos EXTRA!**

❝ Me llegan las cartas
y no sé _____ (*to read*)
y, aunque° me las como,
no mancho° el papel. **❞**
¿Quién soy? _____

aunque *although* no mancho *I don't stain*

Lectura

Antes de leer

Estrategia

Identifying point of view

You can understand a narrative more
completely if you identify the point of view
of the narrator. You can do this by simply
asking yourself from whose perspective the
story is being told. Some stories are narrated
in the first person. That is, the narrator
is a character in the story, and everything
you read is filtered through that person's
thoughts, emotions, and opinions. Other
stories have an omniscient narrator who
is not one of the story's characters and
reports the thoughts and actions of all
the characters.

Examinar el texto

Lee brevemente este cuento escrito por Abilio
Estévez. ¿Crees que se narra en primera persona o
tiene un narrador omnisciente? ¿Cómo lo sabes?

Punto de vista

Éstas son oraciones de *Inventario secreto de
La Habana* (**fragmento**). Reescríbelas desde el
punto de vista (*point of view*) de un narrador
omnisciente.

modelo

La primera impresión intensa la tenía yo
cuando pasábamos ese puente.
*La primera impresión intensa la tenía él
cuando pasaban ese puente.*

1. Siempre me llamó la atención no sólo el modo
   en que la frase de mis padres nos excluía de la
   ciudad, sino además los límites imprecisos que
   la ciudad misma parecía poseer.
2. En cuanto divisaba el Castillo, sabía que me
   hallaría de inmediato frente a la Quinta de los
   Molinos, antigua residencia de verano de los
   capitanes generales.

Inventario secreto de La Habana 🔊

Abilio Estévez

Mis padres decían «La Habana» y parecían referirse a un lugar
remoto. Fuera de nuestra geografía habitual. «Prepárate, niño, hoy
vamos a La Habana», decía mi madre. Casi todos los jueves iba
de compras a Los Precios Fijos, un gran almacén, una tienda de
la calle Reina, sin mucho glamour, junto al palacio Aldama, que
tenía la ventaja° de que vendía a crédito. «Si vamos a La Habana»,
preguntaba yo, «¿dónde estamos ahora?» Nadie parecía interesado
en aclarar° semejante contrasentido. Siempre me llamó la atención
no sólo el modo en que la frase de mis padres nos excluía de la
ciudad, sino además los límites imprecisos que la ciudad misma
parecía poseer. «Vamos a La Habana», decía mi madre, como quien
dice «Vamos a París» o «Vamos a Munich».

«Vamos a La Habana.» La frase significaba muchas cosas.
Había que prepararse desde el día anterior, levantarse temprano,
bañarse bien (sobre todo las orejas: mi madre vigilaba las orejas,
los dientes, las uñas), vestirse lo mejor posible (a veces me hacían
llevar camisa almidonada° y corbata o lazo), perfumarse de modo
especial, tomar una guagua° en el Obelisco, una Ruta 22 que,
aunque polvorienta°, no iba atestada° en aquellos años· y solía
llegar más o menos a su hora. Y atravesar el puente sobre
el Almendares.

La primera impresión intensa la tenía yo cuando pasábamos
ese puente. Paisaje de mástiles°, de banderas, de velas°, de
pequeños yates blancos en cantidad abrumadora°: promesa del
viaje, el viaje como placer. Se franqueaba luego el Cementerio de
Colón, con su pared amarilla de cruces blancas y tumbas suntuosas,
bajo la sombra de los árboles. El Castillo de la Cabaña dominando
la ciudad desde una colina° (fortaleza° inútil, levantada después
de la toma de La Habana por los ingleses, cuando comenzaban los
tiempos en que a una ciudad ya no se precisaba conquistarla con
cañones°). En cuanto divisaba el Castillo, sabía que me hallaría de

Después de leer

¿Cierto o falso?

Indica si las oraciones son ciertas o falsas. Corrige las falsas.

Cierto	Falso	
_____	_____	1. El autor iba con su madre a La Habana casi todos los sábados.
_____	_____	2. La madre del autor lo hacía bañarse, vestirse bien y perfumarse cuando iban a La Habana.
_____	_____	3. La Ruta 22 atravesaba el puente sobre el río Almendares.
_____	_____	4. El Castillo de Cabaña había sido construido por los ingleses.

(*Activity continues on page 79*)

inmediato frente a la Quinta de los Molinos, antigua residencia de verano de los capitanes generales. Y entrábamos después en la calzada° de Carlos III, con sus espantosas° estatuas de caras borradas, estatuas ciegas°, inexpresivas, fatigadas de tanto sol, de tanta lluvia, que indicaban que ya habíamos llegado, que estábamos por fin en la ciudad. También nos avisaba° de la llegada el inmenso mapamundi° de la Gran Logia Masónica°.

Muchas veces he considerado el hecho de que fueran esas estatuas tan feas, y el globo terráqueo° de los masones, los que me dieran la idea de que estábamos en La Habana. Después, seguir la calle Reina, descender en Los Precios Fijos, frente a la Sears, es decir, junto a uno de los edificios más bellos del mundo, el palacio Aldama, donde, para colmo° de grandezas, comenzaba el Parque

de la Fraternidad, y seguíamos de compras, visitábamos los grandes almacenes, paseábamos por las calles Monte, Galiano, San Rafael, incluso por la calle Muralla, vieja, oscura, repleta° de transeúntes°.

El viaje a La Habana contenía toda la carga de excitación y aventura que puede llevar implícita esa palabra maravillosa, «viaje». En el pequeño atlas de nuestra geografía familiar, La Habana era aquel paraje° no solo lejano, sino además extraño, ajeno°, incomprensible, o lo que es lo mismo: peligroso.

ventaja *advantage* **aclarar** *clarify* **almidonada** *starched* **guagua** *bus (Canary Islands and Cuba)* **polvorienta** *dusty* **atestada** *packed* **mástiles** *masts* **velas** *sails n.* **abrumadora** *overwhelming* **colina** *hill* **fortaleza** *fortress* **cañones** *cannons* **calzada** *avenue* **espantosas** *atrocious* **ciegas** *blind* **avisaba** *notified* **mapamundi** *world map* **Logia Masónica** *Masonic lodge* **terráqueo** *terrestrial* **para colmo** *to top it all* **repleta** *filled* **transeúntes** *pedestrians* **paraje** *place* **ajeno** *foreign*

Cierto   Falso

_____   _____   5. El edificio de la Sears indicaba al autor que ya se encontraba en La Habana.

_____   _____   6. El viaje a La Habana era una actividad aburrida para el autor.

Comprensión

Contesta estas preguntas con oraciones completas.

1. ¿Qué es Los Precios Fijos y dónde se encuentra?
   _____
   _____

2. ¿Qué representaba para el autor el paisaje de yates blancos al cruzar el puente sobre el Almendares?
   _____
   _____

3. ¿Cuáles dos elementos le indicaban al autor que ya se encontraba en La Habana?
   _____
   _____

Coméntalo

En parejas, discutan las siguientes preguntas. Compartan sus respuestas con la clase.

1. ¿Por qué al referirse a La Habana los padres del autor parecían referirse a un lugar remoto?

2. ¿Qué significa la expresión "Vamos a La Habana" para el autor? ¿Qué sentimientos e ideas le genera?

3. ¿Cuál es tu opinión sobre esta historia? ¿Por qué?

PUEDO leer una historia e identificar el punto de vista del narrador.

Escritura

Estrategia

Avoiding redundancies

Redundancy is the needless repetition of words or ideas. To avoid redundancy with verbs and nouns, consult a Spanish language thesaurus (**Diccionario de sinónimos**). You can also avoid redundancy by using object pronouns, possessive adjectives, demonstrative adjectives and pronouns, and relative pronouns. Remember that, in Spanish, subject pronouns are generally used only for clarification, emphasis, or contrast. Study the example below:

Redundant:

Susana quería visitar a su amiga. Susana estaba en la ciudad. Susana tomó el tren y perdió el mapa de la ciudad. Susana estaba perdida en la ciudad. Susana estaba nerviosa. Por fin, la amiga de Susana la llamó a Susana y le indicó cómo llegar.

Improved:

Susana, quien estaba en la ciudad, quería visitar a su amiga. Tomó el tren y perdió el mapa. Estaba perdida y nerviosa. Por fin, su amiga la llamó y le indicó cómo llegar.

Tema

Escribir un mensaje electrónico

Vas a visitar a un(a) amigo/a que vive con su familia en una ciudad que no conoces. Vas a pasar allí una semana. Quieres conocer la ciudad, pero también debes hacer un proyecto para tu clase de literatura.

Escríbele a tu amigo/a un mensaje electrónico describiendo lo que te interesa hacer allí y dale sugerencias de actividades que pueden hacer juntos/as. Menciona lo que necesitas para hacer tu trabajo. Puedes basarte en una visita real o imaginaria.

Considera esta lista de datos que puedes incluir:

▶ El nombre de la ciudad que vas a visitar

▶ Los lugares que más te interesa visitar

▶ Lo que necesitas para hacer tu trabajo:

    acceso a Internet

    saber cómo llegar a la biblioteca pública

    tiempo para estar solo/a

    libros para consultar

▶ Mandatos para las actividades que van a compartir

PUEDO escribir un mensaje electrónico describiendo detalles específicos y claros.

Escuchar

Estrategia
Listening for specific information/ Listening for linguistic cues

As you already know, you don't have to hear or understand every word when listening to Spanish. You can often get the facts you need by listening for specific pieces of information. You should also be aware of the linguistic structures you hear. For example, by listening for verb endings, you can ascertain whether the verbs describe past, present, or future actions, and they can also indicate who is performing the action.

◁)) To practice these strategies, you will listen to a short paragraph about an environmental issue. What environmental problem is being discussed? What is the cause of the problem? Has the problem been solved, or is the solution under development?

Preparación

Describe la foto. Según la foto, ¿qué información específica piensas que vas a oír en el diálogo?

Ahora escucha ◁))

Lee estas frases y luego escucha la conversación entre Alberto y Eduardo. Indica si cada verbo se refiere a algo en el pasado, en el presente o en el futuro.

Acciones

1. Demetrio / comprar en Macro _____
2. Alberto / comprar en Macro _____
3. Alberto / estudiar psicología _____
4. carro / tener frenos malos _____
5. Eduardo / comprar un anillo para Rebeca _____
6. Eduardo / estudiar _____

Comprensión

Descripciones

Marca las oraciones que describen correctamente a Alberto.

1. _____ Es organizado en sus estudios.
2. _____ Compró unas flores para su novia.
3. _____ No le gusta tomar el metro.
4. _____ No conoce bien la zona de Sabana Grande y Chacaíto.
5. _____ No tiene buen sentido de la orientación°.
6. _____ Le gusta ir a los lugares que están de moda.

Preguntas

1. ¿Por qué Alberto prefiere ir en metro a Macro?

2. ¿Crees que Alberto y Eduardo viven en una ciudad grande o en un pueblo? ¿Cómo lo sabes?

3. ¿Va Eduardo a acompañar a Alberto? ¿Por qué?

Conversación 👥

En grupos pequeños, hablen de sus tiendas favoritas y de cómo llegar a ellas desde su escuela. ¿En qué lugares tienen la última moda? ¿Los mejores precios? ¿Hay buenas tiendas cerca de su escuela?

sentido de la orientación *sense of direction*

PUEDO participar en una conversación describiendo detalles específicos.

Preparación

Contesta las preguntas. Después, comparte tus
respuestas con un(a) compañero/a.

1. ¿Cómo afectan las "urgencias de la vida moderna" la
   comunicación entre las personas?
2. ¿Puedes pasar el tiempo que quieres con tu familia
   y tus amigos? ¿Por qué?

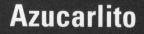

Azucarlito

**Dice Marcos que cada día
te quiere más.**

Hacerse el tiempo...

El ritmo de las ciudades latinoamericanas ha venido cambiando°
especialmente en las ciudades medianas y grandes, como la
Ciudad de México, Bogotá o Buenos Aires. Antes, las personas
dedicaban tiempo para compartir con sus amigos y familiares y
para hablar con ellos (todavía en los pueblos pequeños lo hacen).
Pero ahora las múltiples ocupaciones, las largas distancias y
las urgencias de la vida moderna hacen que las personas ya no
tengan tiempo para hablar con sus seres queridos°, expresar sus
sentimientos o simplemente compartir un momento juntos.

ha venido cambiando *has been changing* seres queridos *loved ones*

Vocabulario útil

al igual que...	*just like...*
dulzura	*sweetness*
gesto	*gesture, expression*
mensajero	*messenger*
provocar	*to bring on*
sentimientos	*feelings*
sonrisa	*smile*

Comprensión

Empareja las frases según el video.

1. Un gesto...
2. Los mejores regalos...
3. Una sonrisa...
4. Un "te quiero"...

a. ___ ...no se compran.
b. ___ ...nunca viene solo.
c. ___ ...provoca otra.
d. ___ ...dice mucho sin
   decir nada.

Conversación

Discute las preguntas con toda la clase.

En la comunidad que se presenta en el video hubo
una transformación ¿Cómo y cuándo ocurrió? ¿Cómo
cambió la vida de las personas? ¿Cómo mejoró?

Aplicación

Este anuncio usa un aspecto de su producto (la
dulzura) de una manera imaginativa, y hace una
conexión con el tema de las relaciones entre
las personas. Trabaja con un grupo pequeño
para escoger un producto y crear un anuncio.
Usen un aspecto del producto para capturar
la imaginación y dar un mensaje inolvidable.
Presenten el producto a la clase.

PUEDO crear un anuncio que deje un mensaje inolvidable

El Metro de la Ciudad de México

1

Viajando en el Metro... puedes
conocer más acerca de la
cultura de este país.

2

Para la gente... mayor de
60 años, este transporte es
totalmente gratuito.

3

...el Metro [...] está conectado
con los demás sistemas de
transporte...

Preparación

Imagina que estás en la Ciudad de México, una de
las ciudades más grandes del mundo. ¿Qué transporte
usas para ir de un lugar a otro? ¿Por qué?

En una ciudad tan grande como la Ciudad de México, la vida
es más fácil gracias al Sistema de Transporte Colectivo Metro y
los viajes muchas veces pueden ser interesantes: en el metro
se promueve° la cultura. Allí se construyó el primer museo del
mundo en un transporte colectivo. También hay programas
de préstamo de libros para motivar a los usuarios a leer en el
tiempo muerto° que pasan dentro° del sistema. ¿Quieres saber
más? Descubre qué hace tan especial al Metro de la Ciudad de
México en este episodio de *Flash cultura*.

Vocabulario útil	
concurrido	*busy, crowded*
se esconde	*is hidden*
transbordo	*transfer, change*
tranvía	*streetcar*

se promueve *is promoted* tiempo muerto *down time* dentro *inside*

Conversación

Responde a estas preguntas con un(a) compañero/a.

1. ¿Qué es lo que más te llamó la atención del
   sistema de transporte de la Ciudad de México?
2. ¿Cuáles de los lugares descritos en el episodio de
   Flash cultura te gustaría visitar? ¿Por qué?
3. ¿Qué ventajas les ofrece a los ciudadanos un sistema
   de transporte como el de la Ciudad de México?
4. ¿Qué semejanzas y diferencias encuentras entre la
   Ciudad de México y el lugar donde tú vives?

Aplicación

En grupos pequeños, hagan una investigación sobre
alguno de los siguientes sitios de la Ciudad de México
mencionados en el episodio de *Flash cultura* y a los
cuales se puede llegar en el sistema de transporte del
Metro. Preparen una presentación para la clase.

- el castillo de Chapultepec
- el Museo Nacional de Antropología
- el zoológico de Chapultepec
- el zócalo de la Ciudad de México
- el Templo Mayor
- la Catedral Metropolitana

PUEDO identificar algunas características del Metro
de la Ciudad de México.

Venezuela

Bandera de Venezuela

El país en cifras

▶ **Área:** 916.445 km^2 (353.841 millas^2), *aproximadamente dos veces el área de California*

▶ **Capital:** Caracas

▶ **Ciudades principales:** Maracaibo, Valencia, Maracay, Barquisimeto

▶ **Moneda:** bolívar

▶ **Idiomas:** español (oficial), lenguas indígenas (oficiales)

El yanomami es uno de los idiomas indígenas que se habla en Venezuela. La cultura de los yanomami tiene su centro en el sur de Venezuela, en el bosque tropical. Son cazadores (hunters) y agricultores y viven en comunidades de hasta 400 miembros.

Isla Margarita

Maracaibo
Valencia
★ Caracas
Cordillera de la Costa
Río Orinoco
Lago de Maracaibo
COLOMBIA
Macizo de las Guayanas
Río Orinoco
BRASIL
GUYANA

ESTADOS UNIDOS
OCÉANO ATLÁNTICO
OCÉANO PACÍFICO
VENEZUELA

Vista de Caracas

Una piragua

⊳ Economía • **El petróleo**

La industria petrolera° es muy importante para la economía venezolana. La mayor concentración de petróleo del país se encuentra debajo del Lago de Maracaibo. En 1976 se nacionalizaron las empresas° petroleras y pasaron a ser propiedad° del Estado con el nombre de *Petróleos de Venezuela*. Este producto representa más del 90% de las exportaciones del país.

Música y Danza • **El joropo**

El joropo venezolano es un género musical y también una danza popular de origen europeo, árabe, africano e indígena. Sus instrumentos más comunes son el arpa, las maracas y distintos tipos de guitarras. Las personas bailan joropo zapateando°, tomadas de la mano o separadas, y realizando diferentes figuras. Fue declarado patrimonio cultural de Venezuela en 2014.

Historia • **Simón Bolívar (1783–1830)**

A principios del siglo° XIX, el territorio de la actual Venezuela, al igual que gran parte de América, todavía estaba bajo el dominio de la Corona° española. El general Simón Bolívar, nacido en Caracas, es llamado "El Libertador" porque fue el líder del movimiento independentista suramericano en el área que hoy es Venezuela, Colombia, Ecuador, Perú y Bolivia.

⊳ Comida • **La arepa**

La arepa es una de las comidas más representativas de Venezuela. Es de origen indígena y está hecha de maíz cocido° y molido°. Se prepara frita o a la plancha°, y se come con queso, verduras y carnes como el jamón, el pollo o el solomillo°. La palabra **arepa** viene de **aripo**, que era una base de arcilla° donde se cocinaban las arepas.

CON RITMO HISPANO

Oscar D'León (1943–)

Lugar de nacimiento:

Caracas, Venezuela

Oscar D'León es uno de los grandes cantantes de salsa de América Latina. Fue mecánico y taxista antes de ser músico.

Naturaleza • **Salto Ángel**

Con una caída° de 979 metros (3.212 pies), Salto Ángel°, en Venezuela, es la catarata° más alta del mundo, ¡17 veces más alta que las cataratas del Niágara! James C. Angel la dio a conocer° en 1935.

industria petrolera *oil industry* empresas *companies* propiedad *property* zapateando *stomping* siglo *century* Corona *Crown* cocido *cooked* molido *ground* a la plancha *grilled* solomillo *sirloin* arcilla *clay* caída *drop* Salto Ángel *Angel Falls* catarata *waterfall* la dio a conocer *made it known*

Go to vhlcentral.com to find out more about Oscar D'León and his music.

¿Qué aprendiste?

1 **¿Cierto o falso?** Indica si lo que dicen las oraciones es **cierto** o **falso**. Corrige la información falsa.

1. El yanomami es una lengua indígena que se habla en Venezuela.
2. La mayor concentración de petróleo de Venezuela se encuentra en la Isla Margarita.
3. Maracaibo queda al norte de Venezuela.
4. Gran parte del continente americano estuvo bajo el dominio de la Corona española hasta el siglo xx.
5. El arpa, las maracas y las guitarras son los instrumentos más comunes del joropo venezolano.
6. La arepa está hecha de maíz cocido y molido.

2 **Responder** Responde a cada pregunta con una oración completa.

1. ¿Cuál es la moneda de Venezuela?
2. ¿Qué ocurrió en 1976 con las empresas petroleras de Venezuela?
3. ¿Cómo se llama la capital de Venezuela?
4. ¿Por qué es conocido Simón Bolívar como "El Libertador"?
5. ¿Cuándo se dio a conocer el Santo Ángel?
6. ¿Cuáles eran las ocupaciones de Oscar D'León antes de ser músico?

3 **Ensayo** Escribe un ensayo de 12 oraciones o más para contestar esta pregunta:
¿Qué personas, hechos históricos, elementos culturales y otros factores hacen parte de la indentidad de Venezuela?

Contesta citando evidencia de la lectura de *Panorama*, así como las cifras, categorías e imágenes de la lectura y el mapa. Escribe con tus propias palabras en vez de (*instead of*) copiar directamente del texto. En tu ensayo, intenta usar participios pasados como adjetivos. *Ej.: Simón Bolívar, nacido en Caracas, es la figura histórica más celebrada de Venezuela.*

Utiliza la siguiente estructura para organizar tu ensayo:

- un párrafo de introducción con tu tesis
- 2-3 párrafos con con la información para apoyar tus afirmaciones sobre la indentidad de Venezuela
- un párrafo para resumir y presentar tu conclusión

ENTRE CULTURAS

Investiga sobre estos temas en vhlcentral.com

1. Busca información sobre Simón Bolívar. ¿Cuáles son algunos de los episodios más importantes de su vida?

2. Prepara un plan para un viaje de ecoturismo por el Orinoco. ¿Qué quieres ver y hacer durante la excursión?

PUEDO leer textos informativos para conocer datos sobre la cultura y geografía de Venezuela.

En la ciudad

el banco	bank
la carnicería	butcher shop
el correo	post office
el estacionamiento	parking lot
la frutería	fruit store
la heladería	ice cream shop
la joyería	jewelry store
la lavandería	laundromat
la panadería	bakery
la pastelería	pastry shop
la peluquería, el salón de belleza	beauty salon
la pescadería	fish market
el supermercado	supermarket
la zapatería	shoe store
hacer cola	to stand in line
hacer diligencias	to run errands

En el banco

el cajero automático	ATM
el cheque (de viajero)	(traveler's) check
la cuenta corriente	checking account
la cuenta de ahorros	savings account
ahorrar	to save (money)
cobrar	to cash (a check)
depositar	to deposit
firmar	to sign
llenar (un formulario)	to fill out (a form)
pagar a plazos	to pay in installments
pagar al contado/ en efectivo	to pay in cash
pedir prestado/a	to borrow
pedir un préstamo	to apply for a loan
ser gratis	to be free of charge

Cómo llegar

la cuadra	(city) block
la dirección	address
la esquina	corner
el letrero	sign
cruzar	to cross
indicar cómo llegar	to give directions
doblar	to turn
estar perdido/a	to be lost
quedar	to be located
(al) este	(to the) east
(al) norte	(to the) north
(al) oeste	(to the) west
(al) sur	(to the) south
derecho	straight (ahead)
enfrente de	opposite; facing
hacia	toward

Past participles used as adjectives	See page 73.
Expresiones útiles	See page 61.

En el correo

el cartero	mail carrier
el correo	mail; post office
el paquete	package
la estampilla, el sello	stamp
el sobre	envelope
echar (una carta) al buzón	to put (a letter) in the mailbox; to mail
enviar, mandar	to send; to mail

A primera vista

- ¿Dónde está la chica? ¿Qué está haciendo?
- ¿Cómo crees que es su estilo de vida? ¿Es activa o sedentaria?
- ¿Cómo cuidas tu salud física y mental?

Essential Questions

1. What does it mean to be mentally and emotionally healthy?
2. What factors in my life affect my mental and emotional well-being?
3. What are some ways people stay healthy in the Spanish-speaking world?

3 El bienestar

Can Do Goals

By the end of this lesson I will be able to:
- Talk about my habits for nutrition and physical activity
- Describe the healthy habits of others
- Talk about my recent health problems
- Compare my current situations and activities with those of the past
- Talk about recent changes in my lifestyle

Also, I will learn about:

Culture
- Health practices in Spanish-speaking countries
- Ways to relax in Madrid, Spain
- The culture and geography of Bolivia

Skills
- Reading: Making inferences
- Writing: Organizing information logically
- Listening: Listening for the gist/ Listening for cognates

Lesson 3 Integrated Performance Assessment
Context: You will talk with your classmates about different places that people go to relax. You will then create a flyer or online post about a place in your community or state where people go to unwind and relieve stress.

Baños termales en Potosí, Bolivia

Producto:
Las aguas termales son muy comunes en países latinoamericanos.

¿Qué recursos naturales se usan en tu comunidad para mejorar el bienestar de las personas?

El bienestar 🔊

Más vocabulario

adelgazar	to lose weight; to slim down
aliviar el estrés	to reduce stress
aliviar la tensión	to reduce tension
apurarse, darse prisa	to hurry; to rush
aumentar de peso, engordar	to gain weight
calentarse (e:ie)	to warm up
disfrutar (de)	to enjoy; to reap the benefits (of)
entrenarse	to train
estar a dieta	to be on a diet
estar en buena forma	to be in good shape
hacer gimnasia	to work out
llevar una vida sana	to lead a healthy lifestyle
mantenerse en forma	to stay in shape
sufrir muchas presiones	to be under a lot of pressure
tratar de (+ *inf.*)	to try (to do something)
la droga	drug
el/la drogadicto/a	drug addict
activo/a	active
débil	weak
en exceso	in excess
flexible	flexible
fuerte	strong
sedentario/a	sedentary
tranquilo/a	calm; quiet
el bienestar	well-being

Variación léxica

hacer ejercicios aeróbicos ⟷ hacer aeróbic (*Esp.*)

el/la entrenador(a) ⟷ el/la monitor(a)

la cinta caminadora

el masaje

No fumar.

Hace ejercicio. (hacer)

Hace ejercicios de estiramiento. (hacer)

el teleadicto

la entrenadora

Levanta pesas.
(levantar)

el entrenador

Suda.
(sudar)

Hacen ejercicios aeróbicos.
(hacer)

la clase de ejercicios
aeróbicos

Práctica

1 **Emparejar** Empareja las oraciones que vas a escuchar con las palabras más apropiadas.

a. débil   1.
b. fuerte   2.
c. activo   3.
d. masaje   4.
e. flexible   5.
f. sedentario 6.
g. engordar   7.
h. apurarse   8.

2 **¿Cierto o falso?** Indica si lo que dice cada oración sobre el anuncio es **cierto** o **falso**.

1. El gimnasio sólo ofrece un servicio para las personas que quieren estar en buena forma.
2. El gimnasio tiene un equipo de entrenadores.
3. El gimnasio tiene entrenadores personales.
4. Hay programas privados de pesas y masajes.
5. El gimnasio no abre los domingos.
6. Puedes ir al gimnasio desde las siete de la mañana hasta las nueve de la noche.

3 **Identificar** Identifica el antónimo (*antonym*) de cada palabra.

apurarse	fuerte
disfrutar	mantenerse en forma
engordar	sedentario
estar enfermo	sufrir muchas presiones
flexible	tranquilo

1. activo   5. ir despacio
2. adelgazar   6. estar sano
3. aliviar el estrés 7. nervioso
4. débil   8. ser teleadicto

4 **Combinar** Combina elementos de cada columna para formar ocho oraciones lógicas sobre el bienestar.

1. David levanta pesas   a. aumentó de peso.
2. Estás en buena forma   b. estiramiento.
3. Felipe se lastimó   c. porque quieren adelgazar.
4. José y Rafael   d. porque haces ejercicio.
5. Mi hermano   e. sudan mucho en el gimnasio.
6. Sara hace ejercicios de   f. un músculo de la pierna.
7. Mis primas están a dieta   g. no se debe fumar.
8. Para llevar una vida sana, h. y corre mucho.

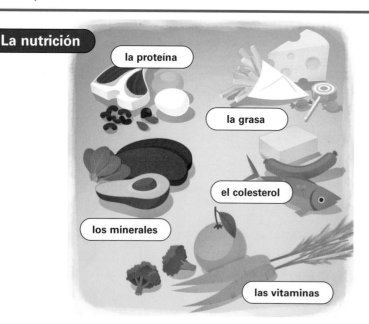

La nutrición

- la proteína
- la grasa
- el colesterol
- los minerales
- las vitaminas

Más vocabulario

la cafeína	*caffeine*
la caloría	*calorie*
la merienda	*afternoon snack*
la nutrición	*nutrition*
el/la nutricionista	*nutritionist*
comer una dieta equilibrada	*to eat a balanced diet*
descafeinado/a	*decaffeinated*

---

5 **Completar** Completa cada oración con la palabra adecuada.

1. Después de hacer ejercicio, como pollo o bistec porque contienen _____.
   a. drogas   b. proteínas   c. grasa
2. Para _____, es necesario consumir comidas de todos los grupos alimenticios (*nutrition groups*).
   a. aliviar el estrés   b. correr   c. comer una dieta equilibrada
3. Mis primas _____ una buena comida.
   a. disfrutan de   b. tratan de   c. sudan
4. Mi entrenador no come queso ni papas fritas porque contienen _____.
   a. dietas   b. vitaminas   c. mucha grasa
5. Mi padre no come mantequilla porque él necesita reducir _____.
   a. la nutrición   b. el colesterol   c. el bienestar
6. Mi novio cuenta _____ porque está a dieta.
   a. las pesas   b. los músculos   c. las calorías

---

6 **La nutrición** En parejas, hablen de los tipos de comida que comen y las consecuencias que tienen para su salud. Luego compartan la información con la clase.

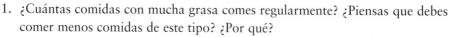

1. ¿Cuántas comidas con mucha grasa comes regularmente? ¿Piensas que debes comer menos comidas de este tipo? ¿Por qué?
2. ¿Comes comidas con muchos minerales y vitaminas? ¿Necesitas consumir más comidas que los contienen? ¿Por qué?
3. ¿Algún miembro de tu familia tiene problemas con el colesterol? ¿Qué haces para evitar problemas con el colesterol?
4. ¿Eres vegetariano/a? ¿Conoces a alguien que sea vegetariano/a? ¿Qué piensas de la idea de no comer carne u otros productos animales? ¿Es posible comer una dieta equilibrada sin comer carne? Explica.
5. ¿Tomas cafeína en exceso? ¿Qué ventajas (*advantages*) y desventajas tiene la cafeína? Da ejemplos de productos que contienen cafeína y de productos descafeinados.
6. ¿Llevas una vida sana? ¿Y tus amigos? ¿Crees que, en general, los estudiantes llevan una vida sana? ¿Por qué?

AYUDA

Some useful words:

sano = saludable

en general = por lo general

estricto

normalmente

muchas veces

a veces

de vez en cuando

Comunicación

7 **El colesterol** Lee este párrafo sobre el colesterol. Luego, indica si las conclusiones son **lógicas** o **ilógicas**.

El colesterol es una sustancia que el cuerpo necesita para funcionar apropiadamente, pero es necesario mantener un nivel (*level*) de colesterol adecuado. El nivel deseable es menos de 200. El colesterol alto puede provocar ataques al corazón y enfermedades cardíacas, entre otras. Para evitar el colesterol alto, es importante llevar una vida sana. Es esencial comer una dieta equilibrada; los productos derivados de los animales son una buena fuente (*source*) de proteínas, pero es importante limitar su consumo si se tiene el colesterol alto. Además de cuidar la dieta, es importante mantenerse en forma. La falta de ejercicio y el exceso de peso también contribuyen a que las personas sufran de colesterol alto. Por último, es recomendable dedicar un mínimo de 120 minutos semanales (*weekly*) al ejercicio.

	Lógico	Ilógico
1. El colesterol es necesario.	○	○
2. Se debe hacer algo si el nivel de colesterol es de 250.	○	○
3. Para evitar el colesterol alto, se debe consumir mucha carne.	○	○
4. Ser sedentario ayuda a mantener un nivel adecuado de colesterol.	○	○
5. El nivel de colesterol se puede elevar cuando se adelgaza.	○	○

8 **Recomendaciones para la salud** Imagina que estás preocupado/a por los malos hábitos de un(a) amigo/a que no está bien últimamente (*lately*). Habla con él/ella de lo que está pasando en su vida y de los cambios que necesita hacer para llevar una vida sana.

9 **Un anuncio** Imagina que eres dueño/a de un gimnasio con un equipo (*equipment*) moderno, entrenadores cualificados y un(a) nutricionista. Escribe un anuncio para la televisión que hable del gimnasio y atraiga (*attracts*) a una gran variedad de nuevos clientes. Incluye esta información en el anuncio y preséntalo a la clase.

▶ las ventajas de estar en buena forma
▶ el equipo que tienes
▶ los servicios y clases que ofreces
▶ las características únicas
▶ la dirección y el teléfono
▶ el precio para los socios (*members*)

10 **El teleadicto** Con un(a) compañero/a, representen los papeles de un(a) nutricionista y un(a) teleadicto/a. La persona sedentaria habla de sus malos hábitos para la comida y de que no hace ejercicio. También dice que toma demasiado café y que siente mucho estrés. El/La nutricionista le sugiere una dieta equilibrada con bebidas descafeinadas y una rutina para mantenerse en forma. El/La teleadicto/a le da las gracias por su ayuda.

PUEDO hablar sobre mis hábitos nutricionales y de actividad física.

La clase de yoga

Los chicos asisten a una clase de yoga en Madrid Río.

ANTES DE VER
Ojea los pies de foto y busca vocabulario relacionado con el ejercicio, la nutrición y el bienestar.

SARA ¿Has ido a clase de yoga alguna vez?

MANUEL No, pero Valentina dijo que para hacer yoga es mejor ser flexible.

JUANJO Nunca he sido flexible. Yo prefiero levantar pesas.

SARA (*a Olga Lucía y Valentina*) ¡Hola!

OLGA LUCÍA ¿Qué hacen aquí tan temprano?

MANUEL ¿No nos habíais invitado a ir a la clase de yoga por la mañana?

JUANJO ¡Ey, la entrada al metro es por aquí!

VALENTINA Siempre vamos corriendo para calentar.

SARA ¡Así también hacemos ejercicios aeróbicos y nos mantenemos en forma!

MANUEL ¡¿En serio?!

OLGA LUCÍA (*a Juanjo y Manuel*) Espero que hayan desayunado algo ligero.

INSTRUCTORA Repitamos el saludo al sol: inhalamos, brazos al cielo, exhalamos. Pie derecho atrás.

JUANJO (*a Valentina*) ¡¿No decías que el yoga servía para relajarse?!

VALENTINA (*a Juanjo*) Sí, el yoga te ayuda a aliviar la tensión y el estrés.

JUANJO ¡Pues yo no me siento nada aliviado!

SARA Tienes que respirar, Juanjo.

OLGA LUCÍA ¡Shh! ¡No se puede hablar!

INSTRUCTORA Y ahora levantamos la pierna. No importa que se caigan, lo importante es que traten de hacerlo.

INSTRUCTORA (*a Manuel*) ¿Quieres que te ayude a hacer la pose una vez más?

INSTRUCTORA Estiramos. Levantamos la pierna.

INSTRUCTORA (*a Manuel*) Lo has hecho muy bien.

MANUEL ¡Namasté!

PERSONAJES

JUANJO **MANUEL** **SARA** **OLGA LUCÍA** **VALENTINA** **INSTRUCTORA**

SARA ¿Y los chicos?

OLGA LUCÍA Allá los veo, vienen lentísimo.

VALENTINA Cuando llegaron, ni siquiera nos habíamos vestido, y ahora los tenemos que esperar.

OLGA LUCÍA ¡Pude haber dormido más!

SARA (a Manuel y Juanjo) ¡Daos prisa, que va a empezar la clase!

OLGA LUCÍA Espero que hayan disfrutado de la clase.

JUANJO ¡Nunca he sudado tanto en mi vida!

MANUEL Yo estoy muy relajado. Ummm...

SARA ¿Queréis ir a comer algo?

MANUEL ¡Claro!

Expresiones útiles

la chistorra *type of cured pork sausage*
estirar *to stretch*
exhalar *to exhale*
inhalar *to inhale*
ligero/a *light*
ni siquiera *not even*
la sobrasada *spicy pork sausage*
el zumo *juice (in Spain)*

─────

la estera *mat*

Madrid Río

Los madrileños disfrutan de un nuevo pulmón verde (*green area*): Madrid Río. Situado al lado de la ribera (*riverbank*) del río Manzanares, el parque ofrece casi veinte áreas de juegos infantiles (*playgrounds*), espacios para jugar al fútbol, baloncesto, tenis y pasear en bicicleta, ¡y hasta una playa! Gracias a Madrid Río, los madrileños ya no tienen excusas para no mantenerse en forma.

¿Haces ejercicio al aire libre? ¿Qué pulmones verdes ofrece el lugar donde vives?

¿Qué pasó?

1   **¿Cierto o falso?** Indica si lo que dicen las oraciones es **cierto** o **falso**. Corrige las oraciones falsas.

1. Manuel y Juanjo se despiertan temprano.
2. Juanjo quiere ir en autobús a la clase de yoga.
3. Las chicas siempre hacen ejercicios aeróbicos antes de la clase de yoga.
4. Juanjo y Manuel desayunan algo ligero antes de la clase.
5. Manuel y Juanjo corren lentamente porque no están en buena forma.
6. Manuel se siente muy relajado después de la clase de yoga.

2   **Asociar** Identifica con quién(es) asocias estas comidas y bebidas.

JUANJO   **MANUEL**   **OLGA LUCÍA**   **SARA**

1. huevos
2. gazpacho
3. jamón
4. ensalada de atún
5. café

3   **Seleccionar** Selecciona la respuesta que completa mejor cada oración.

1. Manuel trata de _____ antes de la clase de yoga.
   a. levantar pesas   b. hacer ejercicios aeróbicos   c. hacer ejercicios de estiramiento
2. Las chicas prefieren ir corriendo _____.
   a. para adelgazar   b. para calentar   c. para darse prisa
3. A menos que _____, los chicos van a llegar tarde a la clase.
   a. se apuren   b. vayan en metro   c. corran muy lentamente
4. Juanjo _____ el día de la clase.
   a. está a dieta   b. toma vitaminas   c. suda mucho
5. Manuel y Juanjo _____.
   a. están en buena forma   b. llevan una vida sana   c. son sedentarios

4   **Preguntas personales** En parejas, háganse estas preguntas. ¿Tienen respuestas en común?

1. ¿Qué ejercicios haces?
2. ¿Te gusta correr? ¿Por qué?
3. ¿Qué haces para aliviar la tensión y el estrés?
4. ¿Asistes a clases de yoga? ¿Por qué?
5. ¿Tomas alguna otra clase para mantenerte en forma? ¿Cuál?
6. ¿Qué desayunaste hoy?
7. ¿Qué te gusta comer después de hacer ejercicio?

PUEDO hablar de los hábitos de salud míos y de los personajes de la Fotonovela.

Ortografía y pronunciación 🔊

Las letras **b** y **v**

Since there is no difference in pronunciation between the Spanish letters **b** and **v**, spelling words that contain these letters can be tricky. Here are some tips.

nombre	**blusa**	**absoluto**	**descubrir**

The letter **b** is always used before consonants.

---

bonita	**botella**	**buscar**	**bienestar**

At the beginning of words, the letter **b** is usually used when it is followed by the letter combinations **-on**, **-or**, **-ot**, **-u**, **-ur**, **-us**, **-ien**, and **-ene**.

---

adelgazaba	**disfrutaban**	**ibas**	**íbamos**

The letter **b** is used in the verb endings of the imperfect tense for **-ar** verbs and the verb **ir**.

---

voy	**vamos**	**estuvo**	**tuvieron**

The letter **v** is used in the present tense forms of **ir** and in the preterite forms of **estar** and **tener**.

---

octavo	**huevo**	**activa**	**grave**

The letter **v** is used in these noun and adjective endings: **-avo/a**, **-evo/a**, **-ivo/a**, **-ave**, **-eve**.

Práctica Completa las palabras con las letras **b** o **v**.

1. Una __ez me lastimé el __razo cuando esta__a __uceando.
2. Manuela se ol__idó sus li__ros en el auto__ús.
3. El nue__o gimnasio tiene clases educati__as.
4. Para tener una __ida sana y saluda__le, necesitas tomar __itaminas.
5. En mi pue__lo hay un __ule__ar que tiene muchos ár__oles.

El ahorcado (*Hangman*) Juega al ahorcado para adivinar las palabras.

1. __ _u_ __ __ _s_   Están en el cielo.

2. __ _u_ __ __ _n_   Relacionado con el correo

3. __ _o_ __ _e_ __ __ _a_   Está llena de líquido.

4. __ _i_ __ __ _e_   Fenómeno meteorológico

5. __ _e_ __ __ __ __ __ _s_ Los "ojos" de la casa

Espacios públicos
saludables

Los médicos de todo el mundo insisten en la importancia de la actividad física y el deporte para el bienestar físico y mental de todos. Aun así, los niveles° de actividad física siguen siendo° bajos. Según la Organización Mundial de la Salud (OMS), el 39% de la población latinoamericana no practica ningún tipo de actividad física. Y en España el valor es del 46%.

Con el fin de aumentar° la actividad física entre la población, varias ciudades del mundo hispano promueven la creación de espacios públicos para que los ciudadanos se ejerciten. En Madrid, España, por ejemplo, se han instalado los llamados "parques calistenia" en diferentes partes de la ciudad, donde las personas se pueden ejercitar al aire libre a cualquier hora del día y sin tener que pagar un gimnasio caro. Estos parques también se están volviendo muy populares en América Latina, no solo porque son gratuitos y permiten hacer ejercicio al aire libre, sino también porque favorecen la conformación de grupos de amigos que comparten el interés por el ejercicio.

En Lima, Perú, se encuentra uno de los espacios públicos más amplios y agradables para la práctica de la actividad física: el Malecón° de

Miraflores. Por su gran extensión, su hermosa vista y el fresco aire marino que se respira, el malecón es el lugar preferido por los limeños° para hacer ejercicio. Todos los días, desde muy temprano en la mañana hasta las horas de la noche, y durante todo el año, es posible ver personas practicando todo tipo de actividades físicas, como caminar, trotar, patinar o montar en bicicleta, pero también hay quienes levantan pesas y practican yoga.

Para los más aventureros y que prefieren más adrenalina, la ciudad de Buenos Aires, Argentina, ofrece muchos espacios públicos para la práctica de actividades como el *skate* y el *parkour,* maneras diferentes y divertidas de hacer ejercicio que se han extendido por muchos países hispanos. En 2015, Buenos Aires inauguró el primer parkour público de Latinoamérica: el Parque Alberdi de Mataderos. Se trata de un amplio espacio con una variedad de volúmenes y estructuras tubulares donde se pueden practicar estas disciplinas.

niveles *levels* siguen siendo *remain* aumentar *increase* malecón *coastal walkway* limeños *residents of Lima*

ASÍ SE DICE
El ejercicio

los abdominales	*sit-ups*
la bicicleta estática	*stationary bicycle*
el calambre muscular	*(muscular) cramp*
el (fisi)culturismo; la musculación (Esp.)	*bodybuilding*
las flexiones de pecho; las lagartijas (Méx.; Col.); las planchas (Esp.)	*push-ups*
la cinta (trotadora) (Arg.; Chile)	la cinta caminadora

ACTIVIDADES

1 **¿Cierto o falso?** Indica si lo que dicen las oraciones es **cierto** o **falso**. Corrige las oraciones falsas.

1. Los niveles de actividad física entre la población son todavía bajos.
2. Según los porcentajes, la mitad (*half*) de la población latinoamericana no practica actividad física.
3. Los "parques calistenia" de Madrid son muy caros.
4. En el Malecón de Miraflores sólo se puede hacer ejercicio durante el verano.
5. En el Malecón de Miraflores se puede trotar y practicar yoga.
6. El primer parque público de Latinoamérica para la práctica de parkour se encuentra en Lima, Perú.
7. A los habitantes de Lima se les llama limeños.
8. El primer *parkour* público latinoamericano se inauguró en el año 2000.

2 **Conversación** Discute estas preguntas con un(a) compañero/a. Luego, compartan sus respuestas con toda la clase.

1. ¿En qué lugares de tu comunidad se puede realizar actividad física al aire libre?
2. ¿En qué horarios y épocas del año se puede utilizar estos espacios?
3. ¿Estos espacios se parecen a los que hay en algunos países hispanos?
4. ¿Crees que en nuestra comunidad se necesitan más espacios al aire libre para practicar actividad física?

3 **Carta abierta** Escribe una carta abierta dirigida al periódico local para proponer la creación de más espacios públicos para realizar actividad física y deporte en tu comunidad; por ejemplo, construir y adecuar más parques o calles para hacer ejercicio, o promover el uso de las bicicletas como medio de transporte. En tu carta, menciona la importancia que tiene este tipo de actividades y presenta soluciones como las que se describen en la lectura. Envía tu carta al periódico.

PUEDO hablar de los espacios públicos para practicar ejercicio en mi cultura y en otras.

PERFIL

La quinua

La quinua es una semilla° de gran valor° nutricional. Se produce en los Andes de Bolivia, Perú, Argentina, Colombia, Chile y Ecuador, y también en los Estados Unidos. Forma parte de la dieta básica de esos países andinos desde hace más de 5.000 años.

La quinua es rica en proteínas, hierro° y magnesio. Contiene los ocho aminoácidos básicos para el ser humano; por esto es un alimento muy completo, ideal para vegetarianos y veganos. Otra de las ventajas de la quinua es que no contiene gluten, por lo que la pueden consumir personas con alergias e intolerancia a esta proteína.

Aunque es técnicamente una semilla, la quinua es considerada un cereal por su composición y por su uso. Los granos° de la quinua pueden ser tostados para hacer harina° o se pueden cocinar de múltiples maneras. Se utiliza como reemplazo° del arroz o de la pasta, con verduras, carnes,

etc., en ensaladas, o como reemplazo de la avena° en el desayuno

semilla *seed* valor *value* hierro *iron* granos *grains* harina *flour* reemplazo *replacement* avena *oats*

Comprensión Responde a estas preguntas con base en la lectura.

1. ¿En qué regiones se produce la quinua?
2. ¿Qué elementos nutritivos contiene la quinua?
3. ¿Qué alimentos se pueden reemplazar con la quinua?

ENTRE CULTURAS

¿Qué otros alimentos son originarios de los países latinoamericanos?

Go to **vhlcentral.com** *to find out more cultural information related to this* **Cultura** *section.*

3.1 The present perfect

ANTE TODO In **Lección 2**, you learned how to form past participles. You will now learn how to form the present perfect indicative (**el pretérito perfecto del indicativo**), a compound tense that uses the past participle. The present perfect is used to talk about what someone *has done*. In Spanish, it is formed with the present tense of the auxiliary verb **haber** and a past participle.

Nunca he sido flexible.

Lo has hecho muy bien.

Present indicative of **haber**

Singular forms		Plural forms	
yo	**he**	nosotros/as	**hemos**
tú	**has**	vosotros/as	**habéis**
Ud./él/ella	**ha**	Uds./ellos/ellas	**han**

Tú no **has aumentado** de peso.
You haven't gained weight.

Yo ya **he leído** esos libros.
I've already read those books.

¿**Ha asistido** Juanjo a la clase de yoga?
Has Juanjo attended the yoga class?

Hemos conocido a la instructora.
We have met the trainer.

CONSULTA

To review what you have learned about past participles, see **Estructura 2.3**, p. 73.

▶ The past participle does not change in form when it is part of the present perfect tense; it only changes in form when it is used as an adjective.

Clara **ha abierto** las ventanas.
Clara has opened the windows.

Yo **he cerrado** la puerta del gimnasio.
I've closed the door to the gym.

Las ventanas están **abiertas.**
The windows are open.

La puerta del gimnasio está **cerrada.**
The door to the gym is closed.

▶ In Spanish, the present perfect indicative generally is used just as in English: to talk about what someone has done or what has occurred. It usually refers to the recent past.

He trabajado cuarenta horas esta semana.
I have worked forty hours this week.

¿Cuál es el último libro que **has leído**?
What is the last book that you have read?

CONSULTA

Remember that the Spanish equivalent of the English *to have just* (*done something*) is **acabar de** + [*infinitive*]. Do not use the present perfect to express that English structure.

Juan acaba de llegar.
Juan has just arrived.

VERIFICA

▶ In English, the auxiliary verb and the past participle are often separated. In Spanish, however, these two elements—**haber** and the past participle—cannot be separated by any word.

Siempre **hemos vivido** en Bolivia.
We have always lived in Bolivia.

Usted nunca **ha venido** a mi oficina.
You have never come to my office.

¿Has ido a clase de yoga alguna vez?

¡Nunca he sudado tanto en mi vida!

▶ The word **no** and any object or reflexive pronouns are placed immediately before **haber.**

Yo **no he comido** la merienda.
I haven't eaten the snack.

¿Por qué **no la has comido**?
Why haven't you eaten it?

Susana ya **se ha entrenado**.
Susana has already practiced.

Ellos **no lo han terminado**.
They haven't finished it.

▶ Note that *to have* can be either a main verb or an auxiliary verb in English. As a main verb, it corresponds to **tener,** while as an auxiliary, it corresponds to **haber.**

Tengo muchos amigos.
I have a lot of friends.

He tenido mucho éxito.
I have had a lot of success.

▶ To form the present perfect of **hay,** use the third-person singular of **haber (ha) + habido.**

Ha habido muchos problemas
con el nuevo profesor.
*There have been a lot of problems
with the new professor.*

Ha habido un accidente en
la calle Central.
*There has been an accident
on Central Street.*

¡INTÉNTALO! Indica el pretérito perfecto del indicativo de estos verbos.

1. (disfrutar, comer, vivir) yo _he disfrutado, he comido, he vivido_
2. (traer, adelgazar, compartir) tú _____
3. (venir, estar, correr) usted _____
4. (leer, resolver, poner) ella _____
5. (decir, romper, hacer) ellos _____
6. (mantenerse, dormirse) nosotros _____
7. (estar, escribir, ver) yo _____
8. (vivir, correr, morir) él _____

Práctica

1   **Completar** Estas oraciones describen el bienestar o los problemas de unos estudiantes. Completa las oraciones con el pretérito perfecto del indicativo de los verbos de la lista. No vas a usar uno de los verbos.

adelgazar	comer	llevar
aumentar	hacer	sufrir

1. Luisa _____ muchas presiones este año.
2. Juan y Raúl _____ de peso porque no hacen ejercicio.
3. Pero María y yo _____ porque trabajamos en exceso y nos olvidamos de comer.
4. Desde siempre, yo _____ una vida muy sana.
5. Pero tú y yo no _____ gimnasia este semestre.

2   **¿Qué has hecho?** Indica si has hecho lo siguiente.

> **modelo**
> escalar una montaña
> *Sí, he escalado varias montañas./No, no he escalado nunca una montaña.*

1. jugar al baloncesto
2. viajar a Bolivia
3. conocer a una persona famosa
4. levantar pesas
5. comer un insecto
6. recibir un masaje
7. aprender varios idiomas
8. bailar salsa
9. ver una película en español
10. escuchar música latina
11. estar despierto/a 24 horas
12. bucear

AYUDA

You may use some of these expressions in your answers:

una vez *once*

un par de veces *a couple of times*

algunas veces *a few times*

varias veces *several times*

muchas veces *many times, often*

3   **La vida sana** En parejas, túrnense para hacer preguntas sobre el tema de la vida sana. Sean creativos.

> **modelo**
> encontrar un gimnasio
> **Estudiante 1:** *¿Has encontrado un buen gimnasio cerca de tu casa?*
> **Estudiante 2:** *Yo no he encontrado un gimnasio, pero sé que debo buscar uno.*

1. tratar de estar en forma
2. estar a dieta los últimos dos meses
3. dejar de tomar refrescos
4. hacerse una prueba del colesterol
5. entrenarse cinco días a la semana
6. cambiar de una vida sedentaria a una vida activa
7. tomar vitaminas por las noches y por las mañanas
8. hacer ejercicio para aliviar la tensión
9. consumir mucha proteína
10. dejar de comer comidas grasosas

Comunicación

4 🙎‍♂️

Descripción En parejas, describan lo que han hecho y no han hecho estas personas. Usen la imaginación.

1. Jorge y Raúl

2. Luisa

3. Jacobo

4. Natalia y Diego

5. Ricardo

6. Carmen

5 🙎‍♂️

Describir En parejas, identifiquen a una persona que lleva una vida muy sana. Puede ser una persona que conocen o un personaje que aparece en una película o programa de televisión. Entre los dos, escriban una descripción de lo que esta persona ha hecho para llevar una vida sana.

NOTA CULTURAL

Nacido en San Diego e hijo de padres mexicanos, el actor **Mario López** se mantiene en forma haciendo ejercicio todos los días.

> **modelo**
>
> Mario López siempre ha hecho todo lo
> posible para mantenerse en forma. Él...

Síntesis

6

Situación Trabajen en parejas para representar una conversación entre un(a) enfermero/a de la escuela y un(a) estudiante.

- El/La estudiante no se siente nada bien.
- El/La enfermero/a debe averiguar de dónde viene el problema e investigar los hábitos del/de la estudiante.
- El/La estudiante le explica lo que ha hecho en los últimos meses y cómo se ha sentido.
- El/La enfermero/a le da recomendaciones de cómo llevar una vida más sana.

PUEDO hablar sobre mis problemas de salud recientes.

3.2 The past perfect

ANTE TODO   The past perfect indicative (**el pretérito pluscuamperfecto del indicativo**) is used to talk about what someone *had done* or what *had occurred* before another past action, event, or state. Like the present perfect, the past perfect uses a form of **haber**—in this case, the imperfect—plus the past participle.

Past perfect indicative

		cerrar	perder	asistir
SINGULAR FORMS	yo	**había** cerrado	**había** perdido	**había** asistido
	tú	**habías** cerrado	**habías** perdido	**habías** asistido
	Ud./él/ella	**había** cerrado	**había** perdido	**había** asistido
PLURAL FORMS	nosotros/as	**habíamos** cerrado	**habíamos** perdido	**habíamos** asistido
	vosotros/as	**habíais** cerrado	**habíais** perdido	**habíais** asistido
	Uds./ellos/ellas	**habían** cerrado	**habían** perdido	**habían** asistido

Antes de 2012, **había vivido** en La Paz.
Before 2012, I had lived in La Paz.

Cuando llegamos, Luis ya **había salido.**
When we arrived, Luis had already left.

▶ The past perfect is often used with the word **ya** (*already*) to indicate that an action, event, or state had already occurred before another. Remember that, unlike its English equivalent, **ya** cannot be placed between **haber** and the past participle.

Ella **ya había salido** cuando llamaron.
She had already left when they called.

Cuando llegué, Raúl **ya se había acostado.**
When I arrived, Raúl had already gone to bed.

▶ **¡Atención!** The past perfect is often used in conjunction with **antes de** + [*noun*] or **antes de** + [*infinitive*] to describe when the action(s) occurred.

Antes de este año, nunca **había estudiado** química.
Before this year, I had never studied chemistry.

Luis **me había llamado antes de venir.**
Luis had called me before he came.

¡INTÉNTALO!   Indica el pretérito pluscuamperfecto del indicativo de cada verbo.

1. Nosotros ya ____habíamos cenado____ (cenar) cuando nos llamaron.
2. Antes de tomar esta clase, yo no _____ (estudiar) nunca el español.
3. Antes de ir a México, ellos nunca _____ (ir) a otro país.
4. Eduardo nunca _____ (entrenarse) tanto en el invierno.
5. Tú siempre _____ (llevar) una vida sana antes del año pasado.
6. Antes de conocerte, yo ya te _____ (ver) muchas veces.

Práctica

NOTA CULTURAL

El mate, una bebida similar al té, es muy popular en Argentina, Uruguay y Paraguay. Se dice que controla el estrés y la obesidad, y que estimula el sistema inmunológico.

¿Cuál es la bebida más popular de tu país?

1 **Completar** Completa los minidiálogos con las formas correctas del pretérito pluscuamperfecto del indicativo.

1. **SARA** Antes de cumplir los 13 años, ¿_____ (estudiar) tú otra lengua?
    JOSÉ Sí, _____ (tomar) clases de inglés y de italiano.

▶ 2. **DOLORES** Antes de ir a Argentina, ¿_____ (probar) tú y tu familia el mate?
    TOMÁS Sí, ya _____ (tomar) mate muchas veces.

3. **ANTONIO** Antes de este año, ¿_____ (correr) usted en un maratón?
    SRA. VERA No, nunca lo _____ (hacer).

4. **SOFÍA** Antes de su enfermedad, ¿_____ (sufrir) muchas presiones tu tío?
    IRENE Sí... y él nunca _____ (mantenerse) en forma.

2 **Quehaceres** Indica lo que ya había hecho cada miembro de la familia antes de la llegada de la madre, la señora Ferrer.

su suegra

el señor Ferrer

Tomás

Teresa

Armando

Carmen

3 **Tu vida** Indica si ya habías hecho estas cosas antes de cumplir los doce años.

1. hacer un viaje en avión
2. escalar una montaña
3. escribir un poema
4. filmar un video
5. enamorarte
6. tomar clases de ejercicios aeróbicos
7. montar a caballo
8. ir de pesca
9. tomar café
10. cantar frente a más de cincuenta personas

Comunicación

4   **Gimnasio Olímpico** Lee el anuncio. Luego, indica si las conclusiones son **lógicas** o **ilógicas**.

¡Acabo de descubrir una nueva vida!

Hasta el año pasado, siempre había mirado la tele sentado en el sofá durante mis ratos libres. ¡Era sedentario y teleadicto! Jamás había practicado ningún deporte y había aumentado mucho de peso.

Este año, he empezado a comer una dieta equilibrada y voy al gimnasio todos los días. He comenzado a ser una persona muy activa y he adelgazado. Disfruto de una vida sana. ¡Me siento muy feliz!

Manténgase en forma.

¡Venga al Gimnasio Olímpico hoy mismo!

		Lógico	Ilógico
1.	Hasta el año pasado, el chico del anuncio no había estado en buena forma.	○	○
2.	El chico del anuncio todavía es sedentario.	○	○
3.	El chico del anuncio come mucha grasa.	○	○
4.	Ahora el chico del anuncio mira menos la televisión.	○	○
5.	El chico del anuncio disfruta de salud física y mental.	○	○

5   **Preguntas** En parejas, túrnense para preguntarse si ya habían hecho actividades a ciertas edades: cinco, diez, quince años, etc. Pueden usar las sugerencias de la lista o incluir otras actividades.

> **modelo**
>
> levantar pesas
>
> **Estudiante 1:** Cuando tenías quince años, ¿habías levantado pesas?
>
> **Estudiante 2:** No, todavía no había levantado pesas. ¿Y tú?

- esquiar
- cocinar
- ir en barco

- probar sushi
- abrir una cuenta de ahorros
- ser paciente en un hospital

Síntesis

6   **Manteniéndote en forma** Escribe una breve composición para describir cómo te has mantenido en forma este año. Di qué cosas han cambiado este año en relación con el año pasado.

PUEDO comparar mis situaciones y actividades actuales con las del pasado.

3.3 The present perfect subjunctive

ANTE TODO The present perfect subjunctive (**el pretérito perfecto del subjuntivo**), like the present perfect indicative, is used to talk about what *has happened*. The present perfect subjunctive is formed using the present subjunctive of the auxiliary verb **haber** and a past participle.

Present perfect indicative		Present perfect subjunctive	
PRESENT INDICATIVE OF **HABER**	PAST PARTICIPLE	PRESENT SUBJUNCTIVE OF **HABER**	PAST PARTICIPLE
yo he	hablado	yo haya	hablado

Present perfect subjunctive

		cerrar	perder	asistir
SINGULAR FORMS	yo	**haya** cerrado	**haya** perdido	**haya** asistido
	tú	**hayas** cerrado	**hayas** perdido	**hayas** asistido
	Ud./él/ella	**haya** cerrado	**haya** perdido	**haya** asistido
PLURAL FORMS	nosotros/as	**hayamos** cerrado	**hayamos** perdido	**hayamos** asistido
	vosotros/as	**hayáis** cerrado	**hayáis** perdido	**hayáis** asistido
	Uds./ellos/ellas	**hayan** cerrado	**hayan** perdido	**hayan** asistido

▶ The same conditions that trigger the use of the present subjunctive apply to the present perfect subjunctive.

Present subjunctive	Present perfect subjunctive
Espero que **duermas** bien. *I hope that you sleep well.*	Espero que **hayas dormido** bien. *I hope that you have slept well.*
No creo que **aumente** de peso. *I don't think he will gain weight.*	No creo que **haya aumentado** de peso. *I don't think he has gained weight.*

▶ The action expressed by the present perfect subjunctive is seen as occurring before the action expressed in the main clause.

Me alegro de que ustedes **se hayan reído** tanto esta tarde.
I'm glad that you have laughed so much this afternoon.

Dudo que tú **te hayas divertido** mucho con tu suegra.
I doubt that you have enjoyed yourself much with your mother-in-law.

¡ATENCIÓN!

In Spanish the present perfect subjunctive is used to express a recent action.

No creo que lo **hayas dicho** bien.
I don't think that you have said it right.

Espero que él **haya llegado**.
I hope that he has arrived.

¡INTÉNTALO! Indica el pretérito perfecto del subjuntivo de los verbos entre paréntesis.

1. Me gusta que ustedes ___hayan dicho___ (decir) la verdad.
2. No creo que tú _____ (comer) tanto.
3. Es imposible que usted _____ (poder) hacer tal (*such a*) cosa.
4. Me alegro de que tú y yo _____ (merendar) juntas.
5. Es posible que yo _____ (adelgazar) un poco esta semana.
6. Espero que ellas _____ (sentirse) mejor después de la clase.

Práctica

1 **Completar** Laura está preocupada por su familia y sus amigos/as. Completa las oraciones con la forma correcta del pretérito perfecto del subjuntivo de los verbos entre paréntesis.

1. ¡Qué lástima que Julio _____ (sentirse) tan mal en la competencia! Dudo que _____ (entrenarse) lo suficiente.
2. No creo que Lourdes y su amiga _____ (irse) de ese trabajo donde siempre tienen tantos problemas. Espero que Lourdes _____ (aprender) a aliviar el estrés.
3. Es triste que Nuria y yo _____ (perder) el partido. Esperamos que los entrenadores del gimnasio nos _____ (preparar) un buen programa para ponernos en forma.
4. No estoy segura de que Samuel _____ (llevar) una vida sana. Es bueno que él _____ (decidir) mejorar su dieta.
5. Me preocupa mucho que Ana y Rosa _____ (fumar) tanto de jóvenes. Es increíble que ellas todavía no _____ (enfermarse).
6. Me alegro de que mi abuela _____ (disfrutar) de buena salud toda su vida. Es maravilloso que ella _____ (cumplir) noventa años.

2 **Describir** Usa el pretérito perfecto del subjuntivo para hacer dos comentarios sobre la(s) persona(s) que hay en cada dibujo. Usa expresiones como **no creo que, dudo que, es probable que, me alegro de que, espero que** y **siento que.**

CONSULTA

To review verbs of will and influence, see **Senderos 2, Estructura 6.4,** p. 226. To review expressions of doubt, disbelief, and denial, see **Estructura 1.2,** p. 34.

> **modelo**
>
> Es probable que Javier haya levantado pesas durante muchos años.
>
> Me alegro de que Javier se haya mantenido en forma.

Javier

1. Rosa y Carlos

2. Roberto

3. Mariela

4. Lorena y su amigo

5. la señora Matos

6. Sonia y René

Comunicación

3

En el gimnasio Escucha la conversación entre Mariana y un entrenador. Luego, indica si las conclusiones son **lógicas** o **ilógicas.**

	Lógico	Ilógico
1. A Mariana no le gusta hacer ejercicio.	○	○
2. Mariana come frutas y verduras.	○	○
3. Mariana va al gimnasio porque quiere adelgazar.	○	○
4. Mariana estudia a las tres de la mañana.	○	○
5. Mariana va a sudar hoy.	○	○

4

¿Sí o no? En parejas, comenten estas afirmaciones (*statements*) usando las expresiones de la lista.

> Dudo que...   Es imposible que...   Me alegro de que (no)...
> Es bueno que (no)...   Espero que (no)...   No creo que...

modelo

Estudiante 1: Ya llegó el fin del año escolar.
Estudiante 2: Es imposible que haya llegado el fin del año escolar.

1. Recibí una A en la clase de español.
2. Tu mejor amigo/a aumentó de peso recientemente.
3. Beyoncé dio un concierto ayer con Jay-Z.
4. Mis padres ganaron un millón de dólares.
5. He aprendido a hablar japonés.
6. Nuestro/a profesor(a) nació en Bolivia.
7. Salí anoche con...
8. El año pasado mi familia y yo fuimos de excursión a...

5

Acontecimientos Piensa en seis acontecimientos (*events*) que hayas escuchado o leído recientemente en las noticias (*news*), o que te hayan ocurrido a ti. Describe tus opiniones e ideas acerca de cada uno de ellos. Utiliza el pretérito perfecto de subjuntivo.

modelo

Leí que la economía española mejoraba, pero dudo
que haya mejorado.

6

Dieta En parejas, representen una conversación entre un(a) nutricionista y su cliente/a. El/La cliente/a explica qué ha hecho para mejorar su dieta. El/La nutricionista le expresa su opinión y le propone un plan para cumplir sus metas. Usen el pretérito perfecto de subjuntivo.

modelo

Cliente/a: He limitado mi dieta a 2000 calorías diarias.
Nutricionista: Espero que hayas llevado una vida sana y que hayas
comido una dieta equilibrada. El número de calorías no
es tan importante como la gente piensa...

PUEDO hablar sobre cambios recientes en mi estilo de vida.

Recapitulación

Completa estas actividades para repasar los conceptos de gramática que aprendiste en esta lección.

1 **Completar** Completa cada tabla con el pretérito pluscuamperfecto del indicativo y el pretérito perfecto del subjuntivo de los verbos. **24 pts.**

PRETÉRITO PLUSCUAMPERFECTO

Infinitivo	tú	nosotros	ustedes
disfrutar			
apurarse			

PRETÉRITO PERFECTO DEL SUBJUNTIVO

Infinitivo	yo	él	ellas
tratar			
entrenarse			

2 **Preguntas** Completa las preguntas usando el pretérito perfecto del indicativo. **16 pts.**

> **modelo**
>
> —¿Has llamado a tus padres? —Sí, los <u>llamé</u> ayer.

1. —¿Tú _____ ejercicio esta mañana en el gimnasio?
   —No, <u>hice</u> ejercicio en el parque.

2. —Y ustedes, ¿_____ ya? —Sí, <u>desayunamos</u> en el hotel.

3. —Y Juan y Felipe, ¿adónde _____ ? —<u>Fueron</u> al cine.

4. —Paco, ¿(nosotros) _____ la cuenta del gimnasio?
   —Sí, la <u>recibimos</u> la semana pasada.

5. —Señor Martín, ¿_____ algo ya? —Sí, <u>pesqué</u> uno grande. Ya me puedo ir a casa contento.

6. —Inés, ¿_____ mi pelota de fútbol? —Sí, la <u>vi</u> esta mañana en el coche.

7. —Yo no _____ café todavía. ¿Alguien quiere acompañarme? —No, gracias. Yo ya <u>tomé</u> mi café en casa.

8. —¿Ya te _____ el doctor que puedes comer chocolate?
   —Sí, me lo <u>dijo</u> ayer.

3.1 **The present perfect** *pp. 100–101*

Present indicative of **haber**	
he	hemos
has	habéis
ha	han

Present perfect: present tense of **haber** + past participle

Present perfect indicative	
he empezado	**hemos** empezado
has empezado	**habéis** empezado
ha empezado	**han** empezado

He empezado a ir al gimnasio con regularidad.
I have begun to go to the gym regularly.

3.2 **The past perfect** *p. 104*

Past perfect: imperfect tense of **haber** + past participle

Past perfect indicative	
había vivido	**habíamos** vivido
habías vivido	**habíais** vivido
había vivido	**habían** vivido

Antes de 2012, yo ya **había vivido** en tres países diferentes.
Before 2012, I had already lived in three different countries.

3.3 **The present perfect subjunctive** *p. 107*

Present perfect subjunctive: present subjunctive of **haber** + past participle

Present perfect subjunctive	
haya comido	**hayamos** comido
hayas comido	**hayáis** comido
haya comido	**hayan** comido

Espero que **hayas comido** bien.
I hope that you have eaten well.

3 **Oraciones** Forma oraciones completas con los elementos dados. Usa el pretérito pluscuamperfecto del indicativo y haz todos los cambios necesarios. Sigue el modelo. **8 pts.**

> **modelo**
>
> yo / ya / conocer / muchos amigos *Yo ya había conocido a muchos amigos.*

1. tú / todavía no / aprender / mantenerse en forma
2. los hermanos Falcón / todavía no / perder / partido de vóleibol
3. Elías / ya / entrenarse / para / maratón
4. nosotros / siempre / sufrir / muchas presiones

4 **Una carta** Completa esta carta con el pretérito perfecto del indicativo o del subjuntivo. **24 pts.**

Queridos papá y mamá:

¿Cómo (1) _____ (estar)? Mamá, espero que no (2) _____ (tú, enfermarse) otra vez. Yo sé que (3) _____ (tú, seguir) los consejos del doctor, pero estoy preocupada.

Y en mi vida, ¿qué (4) _____ (pasar) últimamente (*lately*)? Pues, nada nuevo, sólo trabajo. Los problemas en la compañía, yo los (5) _____ (resolver) casi todos. Pero estoy bien. Es verdad que (6) _____ (yo, adelgazar) un poco, pero no creo que (7) _____ (ser) a causa del estrés. Espero que no (8) _____ (ustedes, sentirse) mal porque no pude visitarlos. Es extraño que no (9) _____ (recibir) mis cartas. Tengo miedo de que (10) _____ (las cartas, perderse).

Me alegro de que papá (11) _____ (tomar) vacaciones para venir a visitarme. ¡Es increíble que nosotros no (12) _____ (verse) en casi un año!

Un abrazo y hasta muy pronto,

Belén

5 **Cambios** Escribe al menos cinco oraciones para describir las cosas que han cambiado este año en relación con el año pasado. Usa las formas verbales que aprendiste en esta lección. **28 pts.**

6 **Poema** Completa este fragmento de un poema de Nezahualcóyotl con el pretérito perfecto del indicativo de los verbos. **¡4 puntos EXTRA!**

“ _____ (Llegar) aquí,
soy Yoyontzin.
Sólo busco las flores
sobre la tierra, _____ (venir)
a cortarlas. ”

Lectura

Antes de leer

Estrategia
Making inferences

For dramatic effect and to achieve a smoother writing style, authors often do not explicitly supply the reader with all the details of a story or poem. Clues in the text can help you infer those things the writer chooses not to state in a direct manner. You simply "read between the lines" to fill in the missing information and draw conclusions. To practice making inferences, read these statements:

A Liliana le encanta ir al gimnasio. Hace años que empezó a levantar pesas.

Based on this statement alone, what inferences can you draw about Liliana?

El autor
Ve a la página 51 de tu libro y lee la biografía de Gabriel García Márquez.

El título
Sin leer el texto del cuento (*story*), lee el título. Escribe cinco oraciones que empiecen con la frase "Un día de éstos".

El cuento
Éstas son algunas palabras que vas a encontrar al leer *Un día de éstos*. Busca su significado en el diccionario. Según estas palabras, ¿de qué piensas que trata (*is about*) el cuento?

alcalde	lágrimas
dentadura postiza	muela
displicente	pañuelo
enjuto	rencor
guerrera	teniente

Un día de éstos
Gabriel García Márquez

El lunes amaneció tibio° y sin lluvia. Don Aurelio Escovar, dentista sin título y buen madrugador°, abrió su gabinete° a las seis. Sacó de la vidriera° una dentadura postiza° montada aún° en el molde de yeso° y puso sobre la mesa un puñado° de instrumentos que ordenó de mayor a menor, como en una exposición. Llevaba una camisa a rayas, sin cuello, cerrada arriba con un botón dorado°, y los pantalones sostenidos con cargadores° elásticos. Era rígido, enjuto, con una mirada que raras veces correspondía a la situación, como la mirada de los sordos°.

Cuando tuvo las cosas dispuestas sobre la mesa rodó la fresa° hacia el sillón de resortes y se sentó a pulir° la dentadura postiza. Parecía no pensar en lo que hacía, pero trabajaba con obstinación, pedaleando en la fresa incluso cuando no se servía de ella.

Después de las ocho hizo una pausa para mirar el cielo por la ventana y vio dos gallinazos° pensativos que se secaban al sol en el caballete° de la casa vecina. Siguió trabajando con la idea de que antes del almuerzo volvería a llover°. La voz destemplada° de su hijo de once años lo sacó de su abstracción.

—Papá.

—Qué.

—Dice el alcalde que si le sacas una muela.

—Dile que no estoy aquí.

Estaba puliendo un diente de oro°. Lo retiró a la distancia del brazo y lo examinó con los ojos a medio cerrar. En la salita de espera volvió a gritar su hijo.

—Dice que sí estás porque te está oyendo.

El dentista siguió examinando el diente. Sólo cuando lo puso en la mesa con los trabajos terminados, dijo:

amaneció tibio *dawn broke warm* madrugador *early riser* gabinete *office*
vidriera *glass cabinet* dentadura postiza *dentures* montada aún *still set* yeso
plaster puñado *handful* dorado *gold* sostenidos con cargadores *held up
by suspenders* sordos *deaf* rodó la fresa *he turned the drill* pulir *to polish*
gallinazos *vultures* caballete *ridge* volvería a llover *it would rain again* voz
destemplada *harsh voice* oro *gold* cajita de cartón *cardboard box* puente *bridge*
te pega un tiro *he will shoot you* Sin apresurarse *Without haste* gaveta *drawer*
Hizo girar *He turned* apoyada *resting* umbral *threshold* mejilla *cheek* hinchada
swollen barba *beard* marchitos *weary* hervían *were boiling* pomos de loza
ceramic bottles cancel de tela *cloth screen* se acercaba *was approaching* talones
heels mandíbula *jaw* cautelosa *cautious* cacerola *saucepan* pinzas *pliers*
escupidera *spittoon* aguamanil *washstand* cordal *wisdom tooth* gatillo *pliers*
se aferró *clung* barras *arms* descargó *unloaded* vacío helado *icy hollowness*
riñones *kidneys* no soltó un suspiro *he didn't let out a breath* muñeca *wrist*
amarga ternura *bitter tenderness* teniente *lieutenant* crujido *crunch* a través
de *through* sudoroso *sweaty* jadeante *panting* se desabotonó *he unbuttoned* a
tientas *blindly* bolsillo *pocket* trapo *cloth* cielorraso desfondado *ceiling with the
paint sagging* telaraña polvorienta *dusty spiderweb* haga buches de *rinse your
mouth out with* vaina *thing*

—Mejor.

Volvió a operar la fresa. De una cajita de cartón° donde guardaba las cosas por hacer, sacó un puente° de varias piezas y empezó a pulir el oro.

—Papá.

—Qué.

Aún no había cambiado de expresión.

—Dice que si no le sacas la muela te pega un tiro°.

Sin apresurarse°, con un movimiento extremadamente tranquilo, dejó de pedalear en la fresa, la retiró del sillón y abrió por completo la gaveta° inferior de la mesa. Allí estaba el revólver.

—Bueno —dijo—. Dile que venga a pegármelo.

Hizo girar° el sillón hasta quedar de frente a la puerta, la mano apoyada° en el borde de la gaveta. El alcalde apareció en el umbral°. Se había afeitado la mejilla° izquierda, pero en la otra, hinchada° y dolorida, tenía una barba° de cinco días. El dentista vio en sus ojos marchitos° muchas noches de desesperación. Cerró la gaveta con la punta de los dedos y dijo suavemente:

—Siéntese.

—Buenos días —dijo el alcalde.

—Buenos —dijo el dentista.

Mientras hervían° los instrumentos, el alcalde apoyó el cráneo en el cabezal de la silla y se sintió mejor. Respiraba un olor glacial. Era un gabinete pobre: una vieja silla de madera, la fresa de pedal y una vidriera con pomos de loza°. Frente a la silla, una ventana con un cancel de tela° hasta la altura de un hombre. Cuando sintió que el dentista se acercaba°, el alcalde afirmó los talones° y abrió la boca.

Don Aurelio Escovar le movió la cabeza hacia la luz. Después de observar la muela dañada, ajustó la mandíbula° con una presión cautelosa° de los dedos.

—Tiene que ser sin anestesia —dijo.

—¿Por qué?

—Porque tiene un absceso.

El alcalde lo miró en los ojos.

—Está bien —dijo, y trató de sonreír. El dentista no le correspondió. Llevó a la mesa de trabajo la cacerola° con los instrumentos hervidos y los sacó del agua con unas pinzas° frías, todavía sin apresurarse. Después rodó la escupidera° con la punta del zapato y fue a lavarse las manos en el aguamanil°. Hizo todo sin mirar al alcalde. Pero el alcalde no lo perdió de vista.

Era una cordal° inferior. El dentista abrió las piernas y apretó la muela con el gatillo° caliente. El alcalde se aferró° a las barras° de la silla, descargó° toda su fuerza en los pies y sintió un vacío helado° en los riñones°, pero no soltó un suspiro°. El dentista sólo movió la muñeca°. Sin rencor, más bien con una amarga ternura°, dijo:

—Aquí nos paga veinte muertos, teniente°.

El alcalde sintió un crujido° de huesos en la mandíbula y sus ojos se llenaron de lágrimas. Pero no suspiró hasta que no sintió salir la muela. Entonces la vio a través de° las lágrimas. Le pareció tan extraña a su dolor, que no pudo entender la tortura de sus cinco noches anteriores. Inclinado sobre la escupidera, sudoroso°, jadeante°, se desabotonó° la guerrera y buscó a tientas° el pañuelo en el bolsillo° del pantalón. El dentista le dio un trapo° limpio.

—Séquese las lágrimas —dijo.

El alcalde lo hizo. Estaba temblando. Mientras el dentista se lavaba las manos, vio el cielorraso desfondado° y una telaraña polvorienta° con huevos de araña e insectos muertos. El dentista regresó secándose. "Acuéstese —dijo— y haga buches de° agua de sal." El alcalde se puso de pie, se despidió con un displicente saludo militar, y se dirigió a la puerta estirando las piernas, sin abotonarse la guerrera.

—Me pasa la cuenta —dijo.

—¿A usted o al municipio?

El alcalde no lo miró. Cerró la puerta, y dijo, a través de la red metálica:

—Es la misma vaina°.

Después de leer

Comprensión

Completa las oraciones con la palabra o expresión correcta.

1. Don Aurelio Escovar es _____ sin título.
2. Al alcalde le duele _____.
3. Aurelio Escovar y el alcalde se llevan _____.
4. El alcalde amenaza (*threatens*) al dentista con pegarle un _____.
5. Finalmente, Aurelio Escovar _____ la muela al alcalde.
6. El alcalde llevaba varias noches sin _____.

Interpretación

En parejas, respondan a estas preguntas. Luego comparen sus respuestas con las de otra pareja.

1. ¿Cómo reacciona don Aurelio cuando escucha que el alcalde amenaza con pegarle un tiro? ¿Qué les dice esta actitud sobre las personalidades del dentista y del alcalde?
2. ¿Por qué creen que don Aurelio y el alcalde no se llevan bien?
3. ¿Creen que era realmente necesario no usar anestesia?
4. ¿Qué piensan que significa el comentario "aquí nos paga veinte muertos, teniente"? ¿Qué les dice esto del alcalde y su autoridad en el pueblo?
5. ¿Cómo se puede interpretar el saludo militar y la frase final del alcalde "es la misma vaina"?

PUEDO leer un texto literario y hacer inferencias sobre el mismo.

Escritura

Estrategia
Organizing information logically

Many times a written piece may require you to include a great deal of information. You might want to organize your information in one of three different ways:

▶ chronologically (e.g., events in the history of a country)

▶ sequentially (e.g., steps in a recipe)

▶ in order of importance

Organizing your information beforehand will make both your writing and your message clearer to your readers. If you were writing a piece on weight reduction, for example, you would need to organize your ideas about two general areas: eating right and exercise. You would need to decide which of the two is more important according to your purpose in writing the piece. If your main idea is that eating right is the key to losing weight, you might want to start your piece with a discussion of good eating habits. You might want to discuss the following aspects of eating right in order of their importance:

▶ quantities of food

▶ selecting appropriate foods

▶ healthy recipes

▶ percentage of fat in each meal

▶ calorie count

▶ percentage of carbohydrates in each meal

▶ frequency of meals

You would then complete the piece by following the same process to discuss the various aspects of the importance of getting exercise.

PUEDO escribir un plan personal organizado para mejorar mi bienestar físico y emocional.

Tema

Escribir un plan personal de bienestar

Desarrolla un plan personal para mejorar tu bienestar, tanto físico como emocional. Tu plan debe describir:

1. lo que has hecho para mejorar tu bienestar y llevar una vida sana
2. lo que no has podido hacer todavía
3. las actividades que debes hacer en los próximos meses

Considera también estas preguntas:

La nutrición

▶ ¿Comes una dieta equilibrada?

▶ ¿Consumes suficientes vitaminas y minerales?

▶ ¿Consumes demasiada grasa?

▶ ¿Quieres aumentar de peso o adelgazar?

▶ ¿Qué puedes hacer para mejorar tu dieta?

El ejercicio

▶ ¿Haces ejercicio? ¿Con qué frecuencia?

▶ ¿Vas al gimnasio? ¿Qué tipo de ejercicios haces allí?

▶ ¿Practicas algún deporte?

▶ ¿Qué puedes hacer para mejorar tu bienestar físico?

El estrés

▶ ¿Sufres muchas presiones?

▶ ¿Qué actividades o problemas te causan estrés?

▶ ¿Qué haces (o debes hacer) para aliviar el estrés y sentirte más tranquilo/a?

▶ ¿Qué puedes hacer para mejorar tu bienestar emocional?

Escuchar

Estrategia

Listening for the gist/
Listening for cognates

Combining these two strategies is an easy
way to get a good sense of what you hear.
When you listen for the gist, you get the
general idea of what you're hearing, which
allows you to interpret cognates and other
words in a meaningful context. Similarly,
the cognates give you information about the
details of the story that you might not have
understood when listening for the gist.

To practice these strategies, you will listen to
a short paragraph. Write down the gist of what
you hear and jot down a few cognates. Based
on the gist and the cognates, what conclusions
can you draw about what you heard?

Preparación

Mira la foto. ¿Qué pistas° te da de lo que
vas a oír?

Ahora escucha

Escucha lo que dice Ofelia Cortez de Bauer. Anota
algunos de los cognados que escuchas y también la
idea general del discurso°.

_____

_____

_____

_____

Idea general: _____

Ahora contesta las siguientes preguntas.

1. ¿Cuál es el género° del discurso?
2. ¿Cuál es el tema?
3. ¿Cuál es el propósito°?

pistas *clues* discurso *speech* género *genre*
propósito *purpose* público *audience*
debería haber incluido *should have included*

Comprensión

¿Cierto o falso?

Indica si lo que dicen estas oraciones es **cierto** o **falso**.
Corrige las oraciones que son falsas.

	Cierto	Falso
1. La señora Bauer habla de la importancia de estar en buena forma.	○	○
2. Según ella, lo más importante es que lleves el programa sugerido por los expertos.	○	○
3. La señora Bauer participa en actividades individuales y de grupo.	○	○
4. El único objetivo del tipo de programa que ella sugiere es adelgazar.	○	○

Preguntas

Responde a las preguntas.

1. Imagina que el programa de radio sigue. Según las
   pistas que ella dio, ¿qué vas a oír en la segunda parte?
2. ¿A qué tipo de público° le interesa el tema del que habla
   la señora Bauer?
3. ¿Sigues los consejos de la señora Bauer?
   Explica tu respuesta.
4. ¿Qué piensas de los consejos que ella da? ¿Hay otra
   información que ella debería haber incluido°?

PUEDO entender un discurso apoyándome en pistas y cognados.

Escrito y Dirigido por:
Sandra García Velten

El secreto de Iker

Para Iker, cada persona se parece a un animal. Por ejemplo, su papá es un oso°. A Iker le habría gustado° ser un oso también, pero él es otro animal. Y eso es algo que nadie sabe en la escuela. Iker ha conseguido mantenerlo así gracias a algunos trucos°, pero tiene miedo de que los demás lo sepan. ¿Qué podría° pasar si sus compañeros descubren el secreto de Iker?

oso *bear* le habría gustado *he would have liked* trucos *tricks* podría *could*

Preparación

¿Cierto o falso?

Lee la lista de **Expresiones útiles** e indica si lo que dice cada oración es **cierto** o **falso**. Corrige las oraciones falsas.

_____ 1. Me prestaste tu cargador y yo te lo tengo que devolver.

_____ 2. Si quiero disimular algo, se lo digo a todos.

_____ 3. Es común que una hija salga igual a su madre.

_____ 4. Para hacerme un peinado especial, voy al salón de belleza.

_____ 5. Para cocinar el pan, lo meto en el congelador.

_____ 6. Si no hago ejercicios de estiramiento, me siento tieso.

Rasgos de familia

En parejas, túrnense para hacerse estas preguntas.

1. ¿Tienes rasgos particulares? ¿Cuáles son de tu apariencia física (*physical appearance*)? ¿Cuáles son de tu personalidad?

2. ¿Cuáles de tus rasgos particulares te hacen una persona única?

3. ¿Alguno de esos rasgos es común en tu familia? ¿Ha pasado de generación en generación?

4. ¿Tienes compañeros que comparten tus mismos rasgos? ¿Qué tienen en común ustedes?

5. ¿Qué animal crees que serías (*you would be*) según (*according to*) tus rasgos? Explica tu respuesta.

Expresiones útiles

devolver	*to return, to give back*
disimular	*to hide, to disguise*
me hubiera gustado	*I would have liked*
meter	*to put (something) in, to introduce*
el peinado	*hairstyle*
salir (igual) a	*to take after*
si supieran	*if they knew*
tieso/a	*stiff*

Para hablar del corto

burlarse (de)	*to make fun (of)*
esconder(se)	*to hide (onself)*
la fuerza	*strength*
orgulloso/a	*proud*
pelear(se)	*to fight (with one another)*
el rasgo	*feature, characteristic*
sentirse cohibido/a	*to feel self-conscious*

Escenas: Iker pelos tiesos

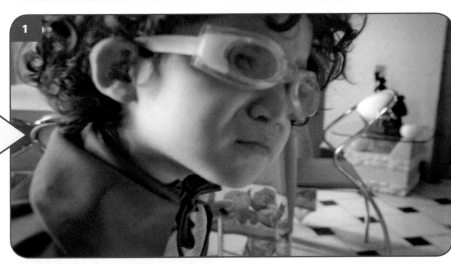

IKER: Tito es un mosquito; de esos que nunca dejan de molestar... ni en las noches.

IKER: Mi mamá es un perico (*parrot*), como todas las mamás.

NIÑO 3: Ey, no hay paso. (*Hey, there's no way through.*)

IKER: Pero, ¿por qué?

IKER: ...[yo] salí igual a mi abuelo... soy un puercoespín (*porcupine*).

IKER: ¿Qué me dirían si supieran mi secreto?

IKER: ¿Y por qué ese niño está pasando?

NIÑO 5: Porque éste es nuestro territorio.

Comprensión

Escoger

Escoge la opción que mejor completa cada oración.

1. Iker siempre _____ su pelo tieso.
   a. muestra
   b. corta
   c. disimula

2. En la familia de Iker, _____ el mismo rasgo.
   a. no hay dos personas con
   b. él y su abuelo comparten
   c. el abuelo y Tito tienen

3. Para Iker, su _____ es un perico.
   a. hermana
   b. mamá
   c. maestra (*teacher*)

4. Para Iker, es probable que sus compañeros _____ si saben su secreto.
   a. lo acepten
   b. se burlen de él
   c. se escondan

5. Iker se sintió _____ cuando su compañero le dijo que le gustaba su peinado.
   a. aliviado (*relieved*)
   b. cohibido
   c. enojado

6. Al final, Iker estaba _____ de mostrar su peinado natural.
   a. avergonzado
   b. nervioso
   c. orgulloso

Preguntas

En parejas, respondan a estas preguntas.

1. ¿En qué situaciones se le pone el pelo tieso a Iker?

2. ¿Por qué esconde Iker su peinado natural?

3. ¿Cómo se sintió Iker después de pelearse con los niños en el patio?

4. ¿Se han sentido ustedes cohibidos/as alguna vez?

5. ¿Cuáles son las consecuencias positivas de presentarse ante el mundo tal y como son?

6. ¿Creen que la percepción que tienen de ustedes mismos/as influye en (*influences*) la manera en que ven a los demás? Expliquen su respuesta.

Superhéroes

A. Imagina que un día descubres que tienes un superpoder (*superpower*). Escribe un párrafo donde describas tu experiencia. Pon tu párrafo donde toda la clase pueda verlo y leerlo. Incluye (*include*) esta información:

   ► cuál es tu superpoder / cuál es tu nombre de superhéroe/superheroína

   ► cómo y cuándo lo descubriste

   ► qué características positivas y negativas implica (*involves*) tener ese superpoder

   ► cómo has usado tu superpoder para ayudar a otros

B. Lee los párrafos de tus compañeros/as. Decide con quiénes quieres trabajar (un grupo de tres o cuatro) para mejorar el mundo y combatir el mal. Habla con ellos y formen un "equipo". Preparen y presenten un drama corto de una situación en la que como equipo les ayudaron a personas que estaban en peligro. No se olviden de presentar:

   ► el nombre de su equipo

   ► cómo sus superpoderes se complementan y los hacen más fuertes

   ► el problema o peligro y la manera como ustedes lo resolvieron juntos

PUEDO entender la trama de un cortometraje y describir cómo serían mis reacciones en una situación similar.

¿Estrés? ¿Qué estrés?

① El tráfico, el ruido de las calles... Todos quieren llegar al trabajo a tiempo.

② ...es un lugar donde la gente viene a "retirarse", a escapar del estrés y el bullicio de la ciudad.

③ ...en pleno centro de Madrid, encontramos los Baños Árabes [...]

Preparación

¿Sufres de estrés? ¿Qué situaciones te producen estrés? ¿Qué haces para combatirlo?

¿Cómo sobrevivir° en la selva de concreto de una gran ciudad hispana? Sin duda, los parques públicos son la respuesta cuando se busca un oasis. Los Bosques de Palermo en Buenos Aires, el Bosque de Chapultepec en la Ciudad de México, el Parque Quinta Vergara en Viña del Mar o la Casa de Campo en Madrid son vitales para la salud física y mental de sus habitantes. Unos tienen museos, lagos y zoológicos, otros hasta parques de diversiones° y jardines. En ellos siempre vas a ver gente haciendo ejercicio, relajándose o reunida con familiares y amigos. A continuación conocerás uno de los muchos parques de Madrid, El Retiro, y vas a ver cómo se relajan los madrileños.

Vocabulario útil	
árabe	*Arab*
el bullicio	*hustle and bustle*
combatir el estrés	*to fight stress*
el ruido	*noise*

Conversación

Responde a estas preguntas con un(a) compañero/a.

1. ¿Qué te produce estrés? ¿Qué haces cuando te sientes estresado/a?
2. ¿Crees que el lugar donde vives es más o menos estresante que Madrid? ¿Por qué?
3. ¿En qué lugares del área donde vives se puede ir para escapar del estrés diario? ¿Crees que hacen falta más lugares para relajarse?
4. ¿En el lugar donde vives hay influencia de otras culturas? ¿Cómo son esas influencias?

Aplicación

En grupos pequeños, hagan un video en el que muestren los lugares de su ciudad o pueblo donde la gente puede ir para escapar del estrés diario. Acompañen su video de imágenes de los lugares a los que hacen referencia y expliquen cómo se pueden relajar las personas allí. Publiquen su video en su blog personal y preséntenlo a la clase.

PUEDO identificar la manera como las personas escapan del estrés en mi cultura y en otras.

sobrevivir *to survive* parques de diversiones *amusement parks*

Bolivia
Bandera de Bolivia

El país en cifras

▶ **Área:** 1.098.580 km^2 (424.162 millas^2), *equivalente al área total de Francia y España*

▶ **Capital:** La Paz, sede° del gobierno, capital administrativa; Sucre, sede del Tribunal Supremo, capital constitucional y judicial

▶ **Ciudades principales:** Santa Cruz de la Sierra, Cochabamba, Oruro, Potosí

▶ **Población:** *Los indígenas quechua y aimará constituyen más de la mitad° de la población de Bolivia. Estos grupos indígenas han mantenido sus culturas y lenguas tradicionales. Las personas de ascendencia° indígena y europea representan la tercera parte de la población. Los demás son de ascendencia europea nacida en Latinoamérica. Una gran mayoría de los bolivianos, más o menos el 70%, vive en el altiplano°.*

▶ **Moneda:** peso boliviano

▶ **Idiomas:** español (oficial), aimará (oficial), quechua (oficial)

mitad *half*   ascendencia *descent*   restante *remaining*   altiplano *high plateau*   sede *seat*

Plaza Murillo

PERÚ

BRASIL

Río Bení

Río Mamoré

Illampu

Cochabamba

Lago Titicaca

La Paz

Cordillera Oriental de los Andes

Río Grande

Tiahuanaco

Oruro

Cordillera Central de los Andes

Santa Cruz

Lago Poopó

Sucre

Potosí

Río Pilcomayo

CHILE

PARAGUAY

ARGENTINA

ESTADOS UNIDOS

OCÉANO ATLÁNTICO

OCÉANO PACÍFICO

BOLIVIA

Carnaval de Oruro

Vista de la ciudad de Sucre

⊳ Lugares • **El lago Titicaca**

Titicaca, situado en los Andes de Bolivia y Perú, es el lago navegable más alto del mundo, a una altitud de 3.810 metros (12.500 pies). Con un área de más de 8.300 kilómetros² (3.200 millas²), también es el segundo lago más grande de Suramérica. La mitología inca cuenta que los hijos del dios° Sol emergieron de las profundas aguas del lago Titicaca para fundar su imperio°.

⊳ Gente • **La chola paceña**

La palabra **cholo** significa mestizo de sangre indígena y europea, y hace referencia al campesino que ha emigrado a la ciudad. Con el paso del tiempo, la chola paceña° se ha convertido en un símbolo de la identidad boliviana y en un ícono de la moda. Su vestimenta llena de color se compone de sombrero, mantón°, chaquetilla, falda, enagua°, botas y joyas, prendas que la chola lleva con elegancia y orgullo°.

Historia • **Tiahuanaco**

Tiahuanaco, que significa "Ciudad de los dioses", es un sitio arqueológico de ruinas preincaicas situado cerca de La Paz y del lago Titicaca. Se piensa que los antepasados° de los indígenas aimará fundaron este centro ceremonial hace unos 15.000 años. En el año 1100, la ciudad tenía unos 60.000 habitantes. En este sitio se pueden ver el Templo de Kalasasaya, el Monolito Ponce, el Templete Subterráneo, la Puerta del Sol y la Puerta de la Luna. La Puerta del Sol es un impresionante monumento que tiene tres metros de alto y cuatro de ancho° y que pesa unas 10 toneladas.

CON RITMO HISPANO

Chila Jatun (2008–)

Lugar de origen:

Cochabamba, Bolivia
Este grupo de música andina está conformado por los hijos y los sobrinos de Los Kjarkas, una de las bandas de música folclórica más importantes de Bolivia. Su nombre, de origen quechua, significa "pequeños grandes".

Artes • **La música andina**

La música andina, compartida por Bolivia, Perú, Ecuador, Chile y Argentina, es el aspecto más conocido de su folclore. Hay muchos conjuntos° profesionales que dan a conocer° esta música popular, de origen indígena, alrededor° del mundo. Algunos de los grupos más importantes y que llevan más de treinta años actuando en escenarios internacionales son Los Kjarkas (Bolivia), Inti Illimani (Chile), Los Chaskis (Argentina) e Illapu (Chile).

*Go to **vhlcentral.com** to find out more about **Chila Jatun**.*

dios *god* imperio *empire* paceña *from La Paz* mantón *shawl*
enagua *petticoat* orgullo *pride* antepasados *ancestors* ancho *wide*
conjuntos *groups* dan a conocer *make known* alrededor *around*

¿Qué aprendiste?

1   **¿Cierto o falso?** Indica si lo que dicen las oraciones es **cierto** o **falso**. Corrige la información falsa.

1. Más de la mitad de la población de Bolivia corresponde a indígenas quechua y aimara.
2. La población indígena de Bolivia ha cambiado su lengua y su cultura.
3. La moneda de Bolivia es el peso boliviano.
4. Cochabamba es una merienda boliviana.
5. El lago Titicaca es el lago más grande de Suramérica.

2   **Responder** Responde a cada pregunta con una oración completa.

1. ¿Cuáles son los tres idiomas oficiales de Bolivia?
2. ¿Dónde vive la mayoría de los bolivianos?
3. ¿Cuál es la capital administrativa de Bolivia?
4. Según la mitología inca, ¿qué ocurrió en el lago Titicaca?
5. ¿De qué países es la música andina?
6. ¿Qué origen tiene esta música?

3   **Preguntas** En parejas, imaginen que están en Bolivia y túrnense para preguntarse qué han hecho o qué lugares han conocido en este país. Utilicen el pretérito perfecto del indicativo.

> **modelo**
>
> **Estudiante 1:** ¿Has visitado el lago Titicaca?
> **Estudiante 2:** No, todavía no lo he visitado.

4   **Ensayo** Escribe un ensayo de 12 oraciones o más para contestar esta pregunta:

¿Qué factores históricos, geográficos y culturales han contribuido a la Bolivia de hoy? ¿Cómo ha preservado el país su historia?

Contesta citando evidencia de la lectura de *Panorama*. Escribe con tus propias palabras en vez de copiar directamente del texto. En tu ensayo, intenta usar los tiempos perfectos aprendidos en esta lección. Utiliza la siguiente estructura para organizar tu ensayo:

- un párrafo de introducción con tu tesis
- 2-3 párrafos con con la información para apoyar tu análisis sobre Bolivia con detalles y evidencia de *Panorama*
- un párrafo para resumir y presentar tu conclusión

ENTRE CULTURAS

1. Busca información sobre un(a) boliviano/a célebre. ¿Cuáles son algunos de los episodios más importantes de su vida? ¿Qué ha hecho esta persona? ¿Por qué es célebre?

2. Busca información sobre Tiahuanaco u otro sitio arqueológico en Bolivia. ¿Qué han descubierto los arqueólogos en ese sitio?

PUEDO leer textos informativos para conocer datos sobre la cultura y geografía de Bolivia.

PUEDO escribir un breve ensayo sobre la historia y la cultura de Bolivia.

El bienestar

el bienestar	*well-being*
la droga	*drug*
el/la drogadicto/a	*drug addict*
el masaje	*massage*
el/la teleadicto/a	*couch potato*
adelgazar	*to lose weight; to slim down*
aliviar el estrés	*to reduce stress*
aliviar la tensión	*to reduce tension*
apurarse, darse prisa	*to hurry; to rush*
aumentar de peso, engordar	*to gain weight*
disfrutar (de)	*to enjoy; to reap the benefits (of)*
estar a dieta	*to be on a diet*
(no) fumar	*(not) to smoke*
llevar una vida sana	*to lead a healthy lifestyle*
sufrir muchas presiones	*to be under a lot of pressure*
tratar de (+ *inf.*)	*to try (to do something)*
activo/a	*active*
débil	*weak*
en exceso	*in excess*
flexible	*flexible*
fuerte	*strong*
sedentario/a	*sedentary*
tranquilo/a	*calm; quiet*

En el gimnasio

la cinta caminadora	*treadmill*
la clase de ejercicios aeróbicos	*aerobics class*
el/la entrenador(a)	*trainer*
el músculo	*muscle*
calentarse (e:ie)	*to warm up*
entrenarse	*to train*
estar en buena forma	*to be in good shape*
hacer ejercicio	*to exercise*
hacer ejercicios aeróbicos	*to do aerobics*
hacer ejercicios de estiramiento	*to do stretching exercises*
hacer gimnasia	*to work out*
levantar pesas	*to lift weights*
mantenerse en forma	*to stay in shape*
sudar	*to sweat*

La nutrición

la cafeína	*caffeine*
la caloría	*calorie*
el colesterol	*cholesterol*
la grasa	*fat*
la merienda	*afternoon snack*
el mineral	*mineral*
la nutrición	*nutrition*
el/la nutricionista	*nutritionist*
la proteína	*protein*
la vitamina	*vitamin*
comer una dieta equilibrada	*to eat a balanced diet*
descafeinado/a	*decaffeinated*

Expresiones útiles	*See page 95.*

A primera vista
- ¿Qué hace el chico de la foto?
- ¿Qué vende?
- ¿Lleva ropa formal o informal?
- ¿Está descansando o está ocupado?

Essential Questions
1. How do people pursue a career and find jobs?
2. How can I prepare myself to follow my career choice?
3. What are working conditions like in the Spanish-speaking world?

4 El mundo del trabajo

Can Do Goals

By the end of this lesson I will be able to:
- Participate in a job interview
- Talk about my plans for the future
- Make plans for my next vacation
- Make predictions about my distant future
- Talk about hypothetical situations in the past

Also, I will learn about:

Culture
- Job interviews in Spanish-speaking countries
- The job market in Ecuador
- The culture and geography of Nicaragua and the Dominican Republic

Skills
- Reading: Recognizing similes and metaphors
- Writing: Using note cards
- Listening: Using background knowledge/Listening for specific information

Lesson 4 Integrated Performance Assessment

Context: You and a partner are considering different careers. The two of you will discuss the pros and cons of different professions. Afterward, you will prepare a short presentation in which you describe one specific career to the class.

Un joven trabajando en servicio al cliente

Práctica:
Hablar dos idiomas abre puertas laborales para muchos jóvenes de países hispanos.

¿Hablar dos idiomas permite tener ventajas laborales en tu comunidad?

El mundo del trabajo 🔊

la científica

el bombero

el arquitecto

la pintora

el cocinero

el actor

la actriz

Más vocabulario

el/la abogado/a	*lawyer*
el/la consejero/a	*counselor; advisor*
el/la contador(a)	*accountant*
el/la corredor(a) de bolsa	*stockbroker*
el/la diseñador(a)	*designer*
el/la electricista	*electrician*
el/la gerente	*manager*
el hombre/la mujer de negocios	*businessperson*
el/la jefe/a	*boss*
el/la maestro/a	*teacher*
el/la político/a	*politician*
el/la psicólogo/a	*psychologist*
el/la secretario/a	*secretary*
el/la técnico/a	*technician*
el ascenso	*promotion*
el aumento de sueldo	*raise*
la carrera	*career*
la compañía, la empresa	*company; firm*
el empleo	*job; employment*
los negocios	*business; commerce*
la ocupación	*occupation*
el oficio	*trade*
la profesión	*profession*
la reunión	*meeting*
el teletrabajo	*telecommuting*
el trabajo	*job; work*
la videoconferencia	*videoconference*
dejar	*to quit; to leave behind*
despedir (e:i)	*to fire*
invertir (e:ie)	*to invest*
renunciar (a)	*to resign (from)*
tener éxito	*to be successful*
comercial	*commercial; business-related*

Variación léxica

abogado/a ⟷ licenciado/a (*Amér. C.*)

contador(a) ⟷ contable (*Esp.*)

la peluquera

el carpintero

el pintor

la reportera

el arqueólogo

Práctica

1 **Escuchar** Escucha la descripción que hace Juan Figueres de su profesión y luego completa las oraciones con las palabras adecuadas.

1. El Sr. Figueres es _____.
   a. actor   b. hombre de negocios   c. pintor
2. El Sr. Figueres es el _____ de una compañía multinacional.
   a. secretario   b. técnico   c. gerente
3. El Sr. Figueres quería _____ con la cual pudiera (*he could*) trabajar en otros países.
   a. una carrera   b. un ascenso   c. un aumento de sueldo
4. El Sr. Figueres viaja mucho porque _____.
   a. tiene reuniones en otros países   b. es político
   c. toma muchas vacaciones

2 **¿Cierto o falso?** Escucha las descripciones de las profesiones de Ana y Marco. Indica si lo que dice cada oración es **cierto** o **falso**.

1. Ana es maestra de inglés.
2. Ana asiste a muchas reuniones.
3. Ana recibió un aumento de sueldo.
4. Marco hace muchos viajes.
5. Marco quiere dejar su empresa.
6. El jefe de Marco es cocinero.

3 **Escoger** Escoge la ocupación que corresponde a cada descripción.

la arquitecta	el científico	la electricista
el bombero	el corredor de bolsa	el maestro
la carpintera	el diseñador	la técnica

1. Desarrolla teorías de biología, química, física, etc.
2. Nos ayuda a iluminar nuestras casas.
3. Combate los incendios (*fires*) que destruyen edificios.
4. Ayuda a la gente a invertir su dinero.
5. Enseña a los niños.
6. Diseña ropa.
7. Arregla las computadoras.
8. Diseña edificios.

4 **Asociaciones** ¿Qué profesiones asocias con estas palabras?

> **modelo**
> emociones   *psicólogo/a*

1. pinturas
2. consejos
3. elecciones
4. comida
5. leyes
6. teatro
7. pirámide
8. periódico
9. pelo

5   Conversación Completa la entrevista con el nuevo vocabulario que se ofrece en la lista de la derecha.

ENTREVISTADOR   Recibí la (1)_____ que usted llenó y vi que tiene mucha experiencia.

ASPIRANTE   Por eso decidí mandar una copia de mi (2)_____ cuando vi su (3)_____ en Internet.

ENTREVISTADOR   Me alegro de que lo haya hecho. Pero dígame, ¿por qué dejó usted su (4)_____ anterior?

ASPIRANTE   Lo dejé porque quiero un mejor (5)_____.

ENTREVISTADOR   ¿Y cuánto quiere (6)_____ usted?

ASPIRANTE   Pues, eso depende de los (7)_____ que me puedan ofrecer.

ENTREVISTADOR   Muy bien. Pues, creo que usted tiene la experiencia necesaria, pero tengo que (8)_____ a dos aspirantes más. Le vamos a llamar la semana que viene.

ASPIRANTE   Hasta pronto, y gracias por la (9)_____.

Más vocabulario

el anuncio	advertisement
el/la aspirante	candidate; applicant
los beneficios	benefits
el currículum	résumé
la entrevista	interview
el/la entrevistador(a)	interviewer
el puesto	position; job
el salario, el sueldo	salary
la solicitud (de trabajo)	(job) application
contratar	to hire
entrevistar	to interview
ganar	to earn
obtener	to obtain; to get
solicitar	to apply (for a job)

6   Completar Escoge la respuesta que completa cada oración.

1. Voy a _____ mi empleo.
   a. tener éxito   b. renunciar a   c. entrevistar

2. Quiero dejar mi _____ porque no me llevo bien con mi jefe.
   a. anuncio   b. gerente   c. puesto

3. Por eso, fui a una _____ con una consejera de carreras.
   a. profesión   b. reunión   c. ocupación

4. Ella me dijo que necesito revisar mi _____.
   a. currículum   b. compañía   c. aspirante

5. ¿Cuándo obtuviste _____ más reciente?, me preguntó.
   a. la reunión   b. la videoconferencia   c. el aumento de sueldo

6. Le dije que deseo trabajar en una empresa con excelentes _____.
   a. beneficios   b. entrevistas   c. solicitudes de trabajo

7. Y quiero tener la oportunidad de _____ en la nueva empresa.
   a. invertir   b. obtener   c. perder

¡LENGUA VIVA!

Trabajo, empleo, and **puesto** can be translated as *job*, but each has additional meanings: **trabajo** means *work*, **empleo** means *employment*, and **puesto** means *position*.

7   Preguntas En parejas, respondan a cada pregunta con una respuesta breve.

1. ¿En qué te gustaría especializarte?

2. ¿Has leído los anuncios de empleo en el periódico o en Internet?

3. ¿Piensas que una carrera que beneficia a otros es más importante que un empleo con un salario muy bueno? Explica tu respuesta.

4. ¿Tus padres consiguen los puestos que quieren?

5. ¿Has tenido una entrevista de trabajo alguna vez?

6. ¿Crees que una persona debe renunciar a un puesto si no se ofrecen ascensos?

7. ¿Te gustaría (*Would you like*) más un teletrabajo o un trabajo tradicional en una oficina?

8. ¿Piensas que los jefes siempre tienen razón?

9. ¿Quieres crear tu propia empresa algún día? ¿Por qué?

10. ¿Cuál es tu carrera ideal?

Comunicación

8   **Anuncio** Lee el anuncio para un puesto. Luego, indica si las conclusiones son **lógicas** o **ilógicas**.

> ### Oficina de abogados Álvarez & Asociados, en Santo Domingo, necesita SECRETARIO/A
>
> **Se requiere:**
> - Experiencia laboral en puesto similar
> - Capacidad organizativa y comunicativa
> - Nivel nativo de español e inglés
> - Dominio de programas de computación
>
> **Se ofrece:**
> - Ambiente agradable de trabajo
> - Horario de 9 de la mañana a 5 de la tarde
> - Salario competitivo
> - Seguro (*insurance*) médico y dental
> - 20 días de vacaciones anuales
>
> **Los aspirantes al puesto deben enviar su currículum por correo electrónico.**

	Lógico	Ilógico
1. Para obtener este puesto, hay que ser abogado/a.	○	○
2. Un aspirante antipático no debe solicitar este puesto.	○	○
3. Para obtener este puesto, hay que ser bilingüe.	○	○
4. El horario es flexible.	○	○
5. No se ofrecen beneficios.	○	○

9   **Currículum** Crea el currículum de una persona famosa. Incluye las siguientes categorías.

- objetivos profesionales
- experiencia laboral
- formación académica
- otros datos (*facts*) de interés

10   **Una entrevista** Trabaja con un(a) compañero/a para representar los papeles de un(a) aspirante a un puesto y un(a) entrevistador(a).

El/La entrevistador(a) debe describir…

▶ el puesto,

▶ las responsabilidades,

▶ el salario y

▶ los beneficios.

El/La aspirante debe…

▶ presentar su experiencia y

▶ obtener más información sobre el puesto.

Entonces…

▶ el/la entrevistador(a) debe decidir si va a contratar al/a la aspirante y

▶ el/la aspirante debe decidir si va a aceptar el puesto.

PUEDO participar en una entrevista de trabajo.

Una aspirante despistada

Olga Lucía se prepara para una entrevista de trabajo, con la ayuda de Valentina y Manuel.

ANTES DE VER
Haz predicciones sobre lo que vas a ver y oír en un episodio en el cual un personaje tiene una entrevista de trabajo.

OLGA LUCÍA Gracias por darme la oportunidad de esta entrevista.

VALENTINA Dígame, ¿por qué le interesa trabajar en esta empresa?

OLGA LUCÍA En poco tiempo habré terminado mi segundo año de universidad y...

VALENTINA (interrumpe) ¿Cómo piensa que podrá aplicar sus conocimientos en el puesto de asistente del departamento creativo?

MANUEL ¿Estás lista?

OLGA LUCÍA Creo que sí.

MANUEL A ver. Por última vez. ¿Por qué estás interesada en este puesto?

OLGA LUCÍA Porque quiero especializarme en fotografía publicitaria y trabajar en una agencia me ayudará a obtener experiencia en el campo.

OLGA LUCÍA Buenos días. ¡Vengo para la entrevista!

RECEPCIONISTA Perfecto, tome asiento que usted es la próxima.

OLGA LUCÍA Aquí está mi currículum y me pidieron que trajera mi portafolio con mis trabajos de fotografía...

RECEPCIONISTA ¿Fotografías? El puesto es para un asistente legal. ¡Esto es un despacho de abogados!

OLGA LUCÍA Señor. ¡Me dijo que Martín y Llobet estaba en la trece cero seis, pero ésa es una oficina de abogados!

PORTERO Señorita, le dije oficina tres cero seis.

OLGA LUCÍA ¡Ay! ¡Qué despiste! ¡Tres cero seis!

PERSONAJES

VALENTINA OLGA LUCÍA MANUEL PORTERO RECEPCIONISTA EJECUTIVA

OLGA LUCÍA Buenos días. Vengo a la agencia de publicidad Martín y Llobet. ¿Me puede decir dónde es?

PORTERO Martín y Llobet... oficina tres cero seis, señorita.

OLGA LUCÍA ¡Gracias!

PORTERO De nada.

EJECUTIVA Te felicito, tu portafolio es muy original.

OLGA LUCÍA Gracias.

EJECUTIVA Bueno, y ahora cuéntame de ti y cómo te ves en el futuro.

OLGA LUCÍA Desde niña me interesé por la fotografía, aunque mis padres querían que estudiara una carrera científica. Sin duda, en el futuro me veo como fotógrafa publicitaria.

Expresiones útiles

la agencia de publicidad *ad agency*
de media jornada *part-time*
el despacho *office*
el despiste *mistake, slip*
especializarse *to specialize*
felicitar *to congratulate*
fotógrafo/a *photographer*
la oportunidad *opportunity*
la torre *tower*

---

el/la ejecutivo/a *executive*
interrumpir *to interrupt*
el/la portero/a *concierge*

Cuatro Torres

El Área de Negocios de Cuatro Torres en Madrid es un gran parque empresarial (*business park*) formado por cuatro rascacielos (*skyscrapers*). La Torre de Cristal, el rascacielos más alto de España, tiene cincuenta y dos pisos. En estas torres, no sólo hay muchísimas oficinas, sino también un hotel y un jardín en una de sus azoteas.

¿Hay algún parque empresarial en tu comunidad? ¿Te gustaría trabajar allí?

¿Qué pasó?

1   **Escoger**   Escoge la opción correcta para completar cada oración.

1. Olga Lucía está nerviosa porque hoy tiene _____.
   a. un aumento de sueldo   b. una videoconferencia   c. una entrevista de trabajo

2. Olga Lucía le da su currículum a la recepcionista _____.
   a. de la universidad   b. de la oficina de abogados   c. de la agencia de arquitectos

3. Olga Lucía presenta _____ con sus trabajos de fotografía.
   a. un portafolio   b. una solicitud   c. un anuncio

4. En el futuro, Olga Lucía quiere ser _____.
   a. abogada   b. fotógrafa publicitaria   c. científica

5. Olga Lucía va a saber el resultado de la entrevista _____.
   a. el mes que viene   b. mañana   c. la semana que viene

6. Olga Lucía podrá continuar con sus estudios porque el trabajo al que aspira
   es de _____.
   a. media jornada   b. jornada completa   c. asistente legal

2   **Identificar**   Identifica quién dice las oraciones equivalentes.

1. ¿Estás lista para la entrevista?
2. No hay de qué.
3. ¿Puedes trabajar y estudiar al mismo tiempo?
4. ¿Sabes en dónde queda la oficina?
5. Quiero ser fotógrafa publicitaria
6. ¿Tienes las cualidades que estamos buscando?

MANUEL   **OLGA LUCÍA**

EJECUTIVA   **PORTERO**

3   **Ordenar**   Indica el orden de los eventos.

a. La entrevistadora felicita a Olga Lucía por su portafolio.
b. Manuel lleva en carro a Olga Lucía a la entrevista.
c. Olga Lucía le da su currículum a la recepcionista.
d. Valentina entrevista a Olga Lucía.
e. Olga Lucía dice que puede estudiar y trabajar al mismo tiempo.

4   **Entrevista**   En parejas, háganse estas preguntas. ¿Tienen respuestas en común?

1. ¿Cómo te preparas para una entrevista?
2. ¿Puedes organizarte bien para trabajar y estudiar al mismo tiempo?
   Explica tu respuesta.
3. ¿Tienes las cualidades de puntualidad, responsabilidad y atención a los detalles?
   Explica tu respuesta.
4. ¿Qué piensas hacer después de graduarte?
5. ¿Dónde vas a trabajar en diez años?
6. ¿Cómo te ves en veinte años?
7. ¿Qué carrera quieren tus padres que tú estudies? ¿Sus deseos coinciden con tus
   intereses para el futuro?

PUEDO   Hablar sobre entrevistas de trabajo y de mis planes para el futuro.

Ortografía y pronunciación

y, ll y h

The digraph **ll** and the letter **y** were not pronounced alike in
Old Spanish. Nowadays, however, **ll** and **y** have the same or
similar pronunciations in many parts of the Spanish-speaking world.
This results in frequent misspellings. The letter **h**, as you already know, is silent in
Spanish, and it is often difficult to know whether words should be written with or
without it. Here are some of the word groups that are spelled with each letter.

talla	**sello**	**botella**	**amarillo**

The digraph **ll** is used in these endings: **-allo/a, -ello/a, -illo/a.**

---

llave	**llega**	**llorar**	**lluvia**

The digraph **ll** is used at the beginning of words in these combinations: **lla-, lle-, llo-, llu-.**

---

cayendo	**leyeron**	**oye**	**incluye**

The letter **y** is used in some forms of the verbs **caer**, **leer**, and **oír** and in verbs ending in **-uir.**

---

hiperactivo	**hospital**	**hipopótamo**	**humor**

The letter **h** is used at the beginning of words
in these combinations: **hiper-, hosp-, hidr-,
hipo-, hum-.**

---

hiato	**hierba**	**hueso**	**huir**

The letter **h** is also used in words that begin with these combinations: **hia-, hie-, hue-, hui-.**

Práctica Llena los espacios con **h, ll** o **y.** Después escribe una oración con cada una
de las palabras.

1. cuchi___o
2. ___ielo
3. cue___o
4. estampi___a
5. estre___a
6. ___uésped
7. destru___ó
8. pla___a

Adivinanza Aquí tienes una adivinanza (*riddle*). Intenta descubrir de qué se trata.

**Una cajita chiquita, blanca como
la nieve: todos la saben abrir,
nadie la sabe cerrar.[1]**

**Pista: Es una
comida.**

1 El huevo

La entrevista
de trabajo

Si bien es cierto que en casi todos los países del mundo hay recomendaciones generales para la presentación de una entrevista de trabajo, como llegar a tiempo, ir bien vestido, mirar al entrevistador a los ojos, o dar respuestas claras y concisas, hay algunas diferencias culturales que se deben tener en cuenta al presentar una entrevista de trabajo en otro país. Una entrevista de trabajo no se realiza de igual manera en México, España o Estados Unidos. El dominio° del idioma del país no es la única cosa de la que debes preocuparte.

En el contexto europeo, y sin generalizar, los reclutadores° de países anglosajones son más analíticos. Las entrevistas en Alemania, por ejemplo, tienen un grado de precisión muy alto a diferencia de España. En dichos países se revisa minuciosamente° los hechos de tu vida laboral, así como las motivaciones, tu proyecto profesional, los cambios de trabajo, etc. Los vacíos° o errores en la cronología o en la narración de tu historia laboral son muy mal vistos y pueden generar sospechas sobre tus capacidades para desempeñar el puesto por el cual aplicaste.

En España, al igual que en algunos países latinoamericanos, las entrevistas de trabajo se caracterizan por ser un poco más relajadas. En primer lugar, en general se hace una sola entrevista, mientras que en países como Estados Unidos o Canadá es común hacer hasta tres entrevistas. Obviamente, todo depende de la personalidad del reclutador y del tipo de empresa, pero en general, los seleccionadores en países hispanohablantes dejan un espacio durante la entrevista para hablar de temas más personales (como fútbol, situación familiar, etc.), con el fin de establecer una relación más cercana con el/la candidato/a.

Es por eso que, tanto en los currículums españoles como en los latinoamericanos, se suelen indicar, al final del documento, los *hobbies* o intereses de las personas, con el fin de facilitar un acercamiento° con el reclutador. Algunas personas incluso agregan un párrafo con su "filosofía de vida", donde cuentan sobre su visión de la vida en general.

Otro aspecto muy polémico es la inclusión de una foto en el currículo. Si bien en Norteamérica y Europa no es común incluir una foto en el currículo, hay muchos latinoamericanos que incluyen su foto, lo cual es mal visto en otros países, pues puede dar lugar a sesgos° por la apariencia física del/de la candidato/a.

dominio *command* **reclutadores** *recruiters* **minuciosamente** *meticulously*
vacíos *gaps* **acercamiento** *approach* **sesgos** *biases*

El trabajo

la chamba (Méx.); el curro (Esp.); el laburo (Arg.); la pega (Chi.)	el trabajo
el/la cirujano/a	*surgeon*
la huelga	*strike*
el/la niñero/a	*babysitter*
el impuesto	*tax*

ACTIVIDADES

1 **¿Cierto o falso?** Indica si lo que dicen las oraciones es **cierto** o **falso**. Corrige la información falsa.

1. Llegar a tiempo a una entrevista de trabajo es recomendable en casi todos los países.

2. Dominar el idioma del país extranjero es suficiente para tener éxito en una entrevista de trabajo.

3. Hay entrevistadores más analíticos que otros.

4. Los vacíos o errores en tu historia laboral pueden generar sospechas en el entrevistador.

5. En ciertos países hispanoparlantes, las entrevistas suelen ser más relajadas que en países anglosajones.

6. En España y otros países hispanoparlantes, los reclutadores evitan hablar de temas personales.

7. En Latinoamérica nadie pone una foto en su currículum.

2 **Conversación** Discute estas preguntas con un(a) compañero/a.

1. ¿Crees que una entrevista de trabajo debe ser muy estricta o puede ser un poco más relajada? ¿Por qué?

2. Según la lectura, ¿qué puedes esperar en una entrevista de trabajo en España?

3. ¿Crees que está bien hablar de los *hobbies* o los intereses personales en una entrevista de trabajo? ¿Por qué?

4. ¿Y qué opinas de incluir una "filosofía de vida" en tu currículum?

5. ¿Cuál puede ser una desventaja de incluir una foto personal en el currículum?

3 **Sus ambiciones laborales** En parejas, hagan una lista con al menos tres ideas sobre las expectativas que tienen sobre su futuro como trabajadores/as. Pueden describir las ideas y ambiciones sobre el trabajo que quieren tener. ¿Conocen bien las reglas que deben seguir para conseguir un trabajo? ¿Les gustan? ¿Les disgustan? Luego van a exponer sus ideas ante la clase para un debate.

ENTRE CULTURAS

¿Cómo son los beneficios laborales en los países hispanos?

*Go to **vhlcentral.com** to find out more cultural information related to this **Cultura** section.*

PUEDO hablar sobre las entrevistas de trabajo en mi cultura y en otras.

PERFIL

César Chávez

César Estrada Chávez (1927–1993) nació cerca de Yuma, Arizona. De padres mexicanos, empezó a trabajar en el campo a los diez años de edad. Comenzó a luchar contra la discriminación en los años 40, mientras estaba en la Marina°. Fue en esos tiempos cuando se sentó en la sección para blancos en  un cine segregacionista y se negó° a moverse.

Junto a su esposa, Helen Fabela, fundó° en 1962 la Asociación Nacional de Trabajadores del Campo° que después se convertiría en la coalición Trabajadores del Campo Unidos. Participó y organizó muchas huelgas en grandes compañías para lograr mejores condiciones laborales° y salarios más altos y justos para los trabajadores.

Es considerado un héroe del movimiento laboral estadounidense. Desde el año 2000, la fecha de su cumpleaños es un día festivo pagado° en California y otros estados.

Marina *Navy* **se negó** *he refused* **fundó** *he established* **Trabajadores del Campo** *Farm Workers* **condiciones laborales** *working conditions* **día festivo pagado** *paid holiday*

Comprensión

Responde a las preguntas con base en la lectura.

1. ¿Contra qué luchó César Chávez en los años 40?

2. ¿Qué lograron las huelgas que organizó Chávez?

3. ¿Qué pasa desde el año 2000 el día del cumpleaños de César Chávez?

4.1 The future

ANTE TODO   You have already learned ways of expressing the near future in Spanish. You will now learn how to form and use the future tense. Compare the different ways of expressing the future in Spanish and English.

Present indicative

Voy al cine mañana.
I'm going to the movies tomorrow.

ir a + [infinitive]

Voy a ir al cine.
I'm going to go to the movies.

Present subjunctive

Ojalá **vaya al cine** mañana.
I hope I will go to the movies tomorrow.

Future

Iré al cine.
I will go to the movies.

▶ In Spanish, the future is a simple tense that consists of one word, whereas in English it is made up of the auxiliary verb *will* or *shall*, and the main verb.

		Future tense		
		estudiar	**aprender**	**recibir**
SINGULAR FORMS	yo	estudiar**é**	aprender**é**	recibir**é**
	tú	estudiar**ás**	aprender**ás**	recibir**ás**
	Ud./él/ella	estudiar**á**	aprender**á**	recibir**á**
PLURAL FORMS	nosotros/as	estudiar**emos**	aprender**emos**	recibir**emos**
	vosotros/as	estudiar**éis**	aprender**éis**	recibir**éis**
	Uds./ellos/ellas	estudiar**án**	aprender**án**	recibir**án**

¡ATENCIÓN!

Note that -**ar**, -**er**, and -**ir** verbs all have the same endings in the future tense.

▶ **¡Atención!** Note that all of the future endings have a written accent except the **nosotros/as** form.

¿Cuándo **recibirás** el ascenso?
*When **will you receive** the promotion?*

Mañana **aprenderemos** más.
*Tomorrow **we will learn** more.*

▶ The future endings are the same for regular and irregular verbs. For regular verbs, simply add the endings to the infinitive. For irregular verbs, add the endings to the irregular stem.

Irregular verbs in the future

INFINITIVE	STEM	FUTURE FORMS
decir	dir-	dir**é**
hacer	har-	har**é**
poder	podr-	podr**é**
poner	pondr-	pondr**é**
querer	querr-	querr**é**
saber	sabr-	sabr**é**
salir	saldr-	saldr**é**
tener	tendr-	tendr**é**
venir	vendr-	vendr**é**

VERIFICA

▶ The future of **hay** (*inf.* **haber**) is **habrá** (*there will be*).

La próxima semana **habrá** dos reuniones. *Next week there will be two meetings.*	**Habrá** muchos gerentes en la videoconferencia. *There will be many managers at the videoconference.*

▶ Although the English word *will* can refer to future time, it also refers to someone's willingness to do something. In this case, Spanish uses **querer** + [*infinitive*], not the future tense.

¿Quieres llamarme, por favor? *Will you please call me?*	**¿Quieren ustedes escucharnos**, por favor? *Will you please listen to us?*

COMPARE & CONTRAST

In Spanish, the future tense has an additional use: expressing conjecture or probability. English sentences involving expressions such as *I wonder, I bet, must be, may, might,* and *probably* are often translated into Spanish using the *future of probability.*

—¿Dónde **estarán** mis llaves? *I wonder where my keys are.*	—¿Qué hora **será**? *What time can it be? (I wonder what time it is.)*
—**Estarán** en la cocina. *They're probably in the kitchen.*	—**Serán** las once o las doce. *It must be (It's probably) eleven or twelve.*

Note that although the future tense is used, these verbs express conjecture about *present* conditions, events, or actions.

CONSULTA

To review these conjunctions of time, see **Estructura 1.3**, p. 39.

▶ The future may also be used in the main clause of sentences in which the present subjunctive follows a conjunction of time such as **cuando, después (de) que, en cuanto, hasta que,** and **tan pronto como.**

Cuando llegues a la oficina, **hablaremos**. *When you arrive at the office, we will talk.*	**Saldremos tan pronto como termine** su trabajo. *We will leave as soon as you finish your work.*

¡INTÉNTALO!   Conjuga en el futuro los verbos que están entre paréntesis.

1. (dejar, correr, invertir) yo _____ dejaré, correré, invertiré _____
2. (renunciar, beber, vivir) tú _____
3. (hacer, poner, venir) Lola _____
4. (tener, decir, querer) nosotros _____
5. (ir, ser, estar) ustedes _____
6. (solicitar, comer, repetir) usted _____
7. (saber, salir, poder) yo _____
8. (encontrar, jugar, servir) tú _____

Práctica

1 **Planes** Celia está hablando de sus planes. Repite lo que dice, usando el tiempo futuro.

> **modelo**
>
> Voy a consultar el índice de Empresas 500 en la biblioteca.
> *Consultaré el índice de Empresas 500 en la biblioteca.*

1. Álvaro y yo nos vamos a casar pronto.
2. Julián me va a decir dónde puedo buscar trabajo.
3. Voy a buscar un puesto con un buen sueldo.
4. Voy a leer los anuncios clasificados todos los días.
5. Voy a obtener un puesto en mi especialización.
6. Mis amigos van a estar contentos por mí.

2 **La predicción inolvidable** Completa el párrafo con el futuro de los verbos.

asustarse	conseguir	estar	olvidar	tener
casarse	escribir	hacerse	ser	terminar

Nunca (1) _____ lo que me dijo la vidente (*clairvoyant*) antes de que se quedara sin batería mi teléfono celular: "En diez años (2) _____ realidad todos tus deseos. (3) _____ tus estudios, (4) _____ un empleo rápidamente y tu éxito (5) _____ asombroso. (6) _____ con un hombre bueno y hermoso, del que (7) _____ enamorada. Pero, en realidad, (8) _____ una vida muy triste porque un día, cuando menos lo esperes..."

3 **Preguntas** Imaginen que han aceptado uno de los puestos de los anuncios. En parejas, túrnense para hablar sobre los detalles (*details*) del puesto. Usen las preguntas como guía y hagan también sus propias preguntas.

www.clasificados.com

LABORATORIOS LUNA

Se busca científico con mucha imaginación para crear nuevos productos. Mínimo 3 años de experiencia. Puesto con buen sueldo y buenos beneficios. Tel: 492-38-67

SE BUSCA CONTADOR(A)

Mínimo 5 años de experiencia. Debe hablar inglés, francés y alemán. Salario: 120.000 dólares al año. Envíen currículum por fax al: 924-90-34.

SE BUSCAN

Actores y actrices con experiencia para telenovela. Trabajarán por las noches. Salario: 40 dólares la hora. Soliciten puesto en persona. Calle El Lago n. 24, Managua.

SE NECESITAN

Jóvenes periodistas para el sitio web de un periódico nacional. Horario: 4:30 a 20:30. Comenzarán inmediatamente. Salario 20.000 dólares al año. Tel. contacto: 245-94-30.

1. ¿Cuál será el trabajo?
2. ¿Qué harás?
3. ¿Cuánto te pagarán?
4. ¿Sabes si te ofrecerán beneficios?
5. ¿Sabes el horario que tendrás? ¿Es importante saberlo?
6. ¿Crees que te gustará? ¿Por qué?
7. ¿Cuándo comenzarás a trabajar?
8. ¿Qué crees que aprenderás?

Comunicación

4

🔊

Nos mudamos Escucha la conversación entre Marisol y Fernando. Luego, indica si las conclusiones son **lógicas** o **ilógicas**, según lo que escuchaste.

	Lógico	Ilógico
1. Fernando vive en Managua.	○	○
2. Emilio comenzará a trabajar para otra empresa.	○	○
3. Marisol y Emilio quieren ver las playas y la selva de Nicaragua.	○	○
4. Julio y Mariana trabajan juntos.	○	○
5. Fernando no está totalmente contento con su sueldo.	○	○
6. Fernando es muy buen amigo de Julio y Mariana.	○	○

5

Planear En parejas, hagan planes para formar una empresa privada. Usen las preguntas como guía.

1. ¿Cómo se llamará y qué tipo de empresa será?
2. ¿Cuántos empleados tendrá y cuáles serán sus oficios o profesiones?
3. ¿Qué tipo de beneficios se ofrecerán?
4. ¿Quién será el/la gerente y quién será el jefe/la jefa? ¿Por qué?
5. ¿Permitirá la empresa el teletrabajo? ¿Por qué?

Síntesis

6

Conversar Tú y tu compañero/a viajarán a la República Dominicana por siete días. Indiquen lo que harán y no harán. Digan dónde, cómo, con quién o en qué fechas lo harán, usando el anuncio como guía. Pueden usar sus propias ideas también.

modelo

Estudiante 1: ¿Qué haremos el martes?

Estudiante 2: Visitaremos el Jardín Botánico.

Estudiante 1: Pues, tú visitarás el Jardín Botánico y yo
caminaré por el Mercado Modelo.

NOTA CULTURAL

En la **República Dominicana** están el punto más alto y el más bajo de las Antillas. El Pico Duarte mide (*measures*) 3.087 metros y el lago Enriquillo está a 45 metros bajo el nivel del mar (*sea level*).

◀ ▶ www.republicadominicana.com

¡BIENVENID☼ a la República Dominicana!

Se divertirá desde el momento en que llegue al **Aeropuerto Internacional de las Américas.**

- Visite la ciudad colonial de **Santo Domingo** con su interesante arquitectura.
- Vaya al **Jardín Botánico** y disfrute de nuestra abundante naturaleza.
- En el **Mercado Modelo** no va a poder resistir la tentación de comprar artesanías.
- No deje de escalar el **Pico Duarte** (se recomiendan 3 días).
- ¿Le gusta bucear? **Cabarete** tiene todo el equipo que usted necesita.
- ¿Desea nadar? **Punta Cana** le ofrece hermosas playas.

PUEDO hacer planes para mis próximas vacaciones.

PUEDO hacer planes para formar una empresa privada.

4.2 The future perfect

ANTE TODO   Like other compound tenses you have learned, the future perfect (**el futuro perfecto**) is formed with a form of **haber** and the past participle. It is used to talk about what will have happened by some future point in time.

Future perfect			
	hablar	**comer**	**vivir**
yo	**habré** hablado	**habré** comido	**habré** vivido
tú	**habrás** hablado	**habrás** comido	**habrás** vivido
Ud./él/ella	**habrá** hablado	**habrá** comido	**habrá** vivido
nosotros/as	**habremos** hablado	**habremos** comido	**habremos** vivido
vosotros/as	**habréis** hablado	**habréis** comido	**habréis** vivido
Uds./ellos/ellas	**habrán** hablado	**habrán** comido	**habrán** vivido

SINGULAR FORMS (rows yo, tú, Ud./él/ella)

PLURAL FORMS (rows nosotros/as, vosotros/as, Uds./ellos/ellas)

¡ATENCIÓN!

As with other compound tenses, the past participle never varies in the future perfect; it always ends in **-o**.

En poco tiempo habré terminado mi segundo año de universidad.

▶ The phrases **para** + [*time expression*] and **dentro de** + [*time expression*] are used with the future perfect to talk about what will have happened by some future point in time.

Para el lunes, habré hecho todas las preparaciones.
By Monday, I will have made all the preparations.

Dentro de un año, habré renunciado a mi trabajo.
Within a year, I will have resigned from my job.

¡INTÉNTALO!   Indica la forma apropiada del futuro perfecto.

1. Para el sábado, nosotros ___habremos obtenido___ (obtener) el dinero.
2. Yo _____ (terminar) el trabajo para cuando lleguen mis amigos.
3. Silvia _____ (hacer) todos los planes para el próximo fin de semana.
4. Para el cinco de junio, ustedes _____ (llegar) a Quito.
5. Para esa fecha, Ernesto y tú _____ (recibir) muchas ofertas.
6. Para el ocho de octubre, nosotros ya _____ (llegar) a Colombia.
7. Para entonces, yo _____ (volver) de la República Dominicana.
8. Para cuando yo te llame, ¿tú _____ (decidir) lo que vamos a hacer?
9. Para las nueve, mi hermana _____ (salir).
10. Para las ocho, tú y yo _____ (limpiar) el piso.

Práctica y Comunicación

1 **¿Qué habrá pasado?** Forma oraciones lógicas combinando ambas (*both*) columnas.

A

1. Para el año 2050, la población del mundo
2. Para la semana que viene, el profesor
3. Antes de cumplir los 40 años, yo
4. Dentro de una semana, ellos
5. Para cuando se dé cuenta, el científico
6. Para fin de año, las termitas

B

a. me habré jubilado.
b. habrá corregido los exámenes.
c. habrá aumentado un 47%.
d. habrán destruido su casa.
e. habrán atravesado el océano Pacífico.
f. habré escrito un libro, plantado un árbol y tenido tres hijos.
g. habrá hecho un gran daño a la humanidad.

2 **Escoger** Juan Luis habla de lo que habrá ocurrido en ciertos momentos del futuro. Escoge los verbos que mejor completen cada oración y ponlos en el futuro perfecto.

casarse	graduarse	romperse	solicitar	viajar
comprar	leer	ser	tomar	

1. Para mañana por la tarde, yo ya _____ mi examen de biología.
2. Para la semana que viene, el profesor _____ nuestras composiciones.
3. Dentro de tres meses, Juan y Marisa _____ en Las Vegas.
4. Dentro de cinco meses, tú y yo _____ de la escuela secundaria.
5. Para finales (*end*) de mayo, yo _____ un trabajo de tiempo parcial.
6. Dentro de un año, tus tíos _____ una casa nueva.
7. Antes de cumplir los 50 años, usted _____ a Europa.
8. Dentro de 25 años, Emilia ya _____ presidenta de los EE.UU.

3   **Encuesta** Tu profesor(a) te va a dar una hoja de actividades. Pregúntales a tres compañeros/as para cuándo habrán hecho las cosas relacionadas con sus futuras carreras que se mencionan en la lista. Toma nota de las respuestas y luego comparte con la clase la información que obtuviste.

Síntesis

4 **Competir** En parejas, preparen una conversación hipotética (8 líneas o más) que ocurra en una fiesta. Una persona dice lo que habrá hecho para algún momento del futuro; la otra responde, diciendo cada vez algo más exagerado. Prepárense para representar la conversación delante de la clase.

modelo

Estudiante 1: Cuando tenga 30 años, habré ganado un millón de dólares.

Estudiante 2: Y yo habré llegado a ser multimillonaria.

Estudiante 1: Para el 2025, me habrán escogido como la mejor escritora (*writer*) del país.

Estudiante 2: Pues, yo habré ganado el Premio Nobel de Literatura.

PUEDO hacer predicciones sobre lo que habrá pasado en mi vida en el futuro lejano.

4.3 The past subjunctive

ANTE TODO You will now learn how to form and use the past subjunctive (**el pretérito imperfecto de subjuntivo**), also called the imperfect subjunctive. Like the present subjunctive, the past subjunctive is used mainly in multiple-clause sentences that express states and conditions such as will, influence, emotion, commands, indefiniteness, and non-existence.

The past subjunctive

		estudiar	aprender	recibir
SINGULAR FORMS	yo	estudia**ra**	aprendie**ra**	recibie**ra**
	tú	estudia**ras**	aprendie**ras**	recibie**ras**
	Ud./él/ella	estudia**ra**	aprendie**ra**	recibie**ra**
PLURAL FORMS	nosotros/as	estudiá**ramos**	aprendié**ramos**	recibié**ramos**
	vosotros/as	estudia**rais**	aprendie**rais**	recibie**rais**
	Uds./ellos/ellas	estudia**ran**	aprendie**ran**	recibie**ran**

▶ The past subjunctive endings are the same for all verbs.

-ra	-ramos
-ras	-rais
-ra	-ran

▶ The past subjunctive is formed using the **Uds./ellos/ellas** form of the preterite. By dropping the **-ron** ending from this preterite form, you establish the stem of all the past subjunctive forms. To this stem you then add the past subjunctive endings.

INFINITIVE	PRETERITE FORM	PAST SUBJUNCTIVE
hablar	ellos **habla**ron	habla**ra**, habla**ras**, hablá**ramos**
beber	ellos **bebie**ron	bebie**ra**, bebie**ras**, bebié**ramos**
escribir	ellos **escribie**ron	escribie**ra**, escribie**ras**, escribié**ramos**

▶ For verbs with irregular preterites, add the past subjunctive endings to the irregular stem.

INFINITIVE	PRETERITE FORM	PAST SUBJUNCTIVE
dar	**die**ron	die**ra**, die**ras**, dié**ramos**
decir	**dije**ron	dije**ra**, dije**ras**, dijé**ramos**
estar	**estuvie**ron	estuvie**ra**, estuvie**ras**, estuvié**ramos**
hacer	**hicie**ron	hicie**ra**, hicie**ras**, hicié**ramos**
ir/ser	**fue**ron	fue**ra**, fue**ras**, fué**ramos**
poder	**pudie**ron	pudie**ra**, pudie**ras**, pudié**ramos**
poner	**pusie**ron	pusie**ra**, pusie**ras**, pusié**ramos**
querer	**quisie**ron	quisie**ra**, quisie**ras**, quisié**ramos**
saber	**supie**ron	supie**ra**, supie**ras**, supié**ramos**
tener	**tuvie**ron	tuvie**ra**, tuvie**ras**, tuvié**ramos**
venir	**vinie**ron	vinie**ra**, vinie**ras**, vinié**ramos**

¡ATENCIÓN!

Note that the **nosotros/as** form of the past subjunctive always has a written accent.

¡LENGUA VIVA!

The past subjunctive has another set of endings:

-se	-semos
-ses	-seis
-se	-sen

It's a good idea to learn to recognize these endings because they are sometimes used in literary and formal contexts.

Deseaba que mi esposo recibiese un ascenso.

¡LENGUA VIVA!

Quisiera, the past subjunctive form of **querer**, is often used to make polite requests.

Quisiera hablar con Marco, por favor.
I would like to speak to Marco, please.

¿Quisieran ustedes algo más?
Would you like anything else?

VERIFICA

▶ **-Ir** stem-changing verbs and other verbs with spelling changes follow a similar process to form the past subjunctive.

INFINITIVE	PRETERITE FORM	PAST SUBJUNCTIVE
preferir	**prefirie~~ron~~**	prefirie**ra**, prefirie**ras**, prefirié**ramos**
repetir	**repitie~~ron~~**	repitie**ra**, repitie**ras**, repitié**ramos**
dormir	**durmie~~ron~~**	durmie**ra**, durmie**ras**, durmié**ramos**
conducir	**conduje~~ron~~**	conduje**ra**, conduje**ras**, condujé**ramos**
creer	**creye~~ron~~**	creye**ra**, creye**ras**, creyé**ramos**
destruir	**destruye~~ron~~**	destruye**ra**, destruye**ras**, destruyé**ramos**
oír	**oye~~ron~~**	oye**ra**, oye**ras**, oyé**ramos**

▶ The past subjunctive is used in the same contexts and situations as the present subjunctive and the present perfect subjunctive, except that it generally describes actions, events, or conditions that have already happened.

AYUDA

When a situation that triggers the subjunctive is involved, most cases follow these patterns: *main verb in present indicative →* *subordinate verb in present subjunctive* **Espero** que María **venga** a la reunión.

main verb in past indicative → *subordinate verb in past subjunctive* **Esperaba** que María **viniera** a la reunión.

Me pidieron que no **llegara** tarde.
They asked me not to arrive late.

Me sorprendió que ustedes no **vinieran** a la cena.
It surprised me that you didn't come to the dinner.

Salió antes de que yo **pudiera** hablar contigo.
He left before I could talk to you.

Ellos querían que yo **escribiera** una novela romántica.
They wanted me to write a romantic novel.

Aquí está mi currículum y me pidieron que trajera mi portafolio con mis trabajos de fotografía...

Desde niña me interesé por la fotografía, aunque mis padres querían que estudiara una carrera científica.

¡INTÉNTALO! Indica la forma apropiada del pretérito imperfecto de subjuntivo de los verbos entre paréntesis.

1. Quería que tú ___vinieras___ (venir) más temprano.
2. Esperábamos que ustedes _____ (hablar) mucho más en la reunión.
3. No creían que yo _____ (poder) hacerlo.
4. No deseaba que nosotros _____ (invertir) el dinero ayer.
5. Sentí mucho que ustedes no _____ (estar) con nosotros anoche.
6. No era necesario que ellas _____ (hacer) todo.
7. Me pareció increíble que tú _____ (saber) dónde encontrarlo.
8. No había nadie que _____ (creer) tu historia.
9. Mis padres insistieron en que yo _____ (ir) a la universidad.
10. Queríamos salir antes de que ustedes _____ (llegar).

Práctica

1

Diálogos Completa los diálogos con el pretérito imperfecto de subjuntivo de los verbos entre paréntesis. Después representa los diálogos con un(a) compañero/a.

1. —¿Qué le dijo el consejero a Andrés? Quisiera saberlo.
   —Le aconsejó que _____ (dejar) los estudios de arte y que _____ (estudiar) una carrera que _____ (pagar) mejor.
   —Siempre el dinero. ¿No se enojó Andrés de que le _____ (aconsejar) eso?
   —Sí, y le dijo que no creía que ninguna otra carrera le _____ (ir) a gustar más.

2. —Qué lástima que ellos no te _____ (ofrecer) el puesto de gerente.
   —Querían a alguien que _____ (tener) experiencia en el sector público.
   —Pero, ¿cómo? ¿Y tu maestría? ¿No te molestó que te _____ (decir) eso?
   —No, no tengo experiencia en esa área, pero les gustó mucho mi currículum. Me pidieron que _____ (volver) en un año y _____ (solicitar) el puesto otra vez. Para entonces habré obtenido la experiencia que necesito y podré conseguir el puesto que quiera.

3. —Cuánto me alegré de que tus hijas _____ (venir) ayer a visitarte. ¿Cuándo se van?
   —Bueno, yo esperaba que se _____ (quedar) dos semanas, pero no pueden. Ojalá _____ (poder). Hace mucho que no las veo.

2

Año nuevo, vida nueva El año pasado, Juana y Manuel Sánchez querían cambiar de vida. Aquí tienen las listas con sus buenos propósitos para el Año Nuevo (*New Year's resolutions*). Ellos no consiguieron hacer realidad ninguno. En parejas, lean las listas y escriban por qué creen que no los consiguieron. Usen el pretérito imperfecto de subjuntivo.

> **modelo**
>
> obtener un mejor puesto de trabajo
> *Era difícil que Manuel consiguiera un mejor puesto porque su esposa le pidió que no cambiara de puesto.*

AYUDA

Puedes usar estas expresiones:

No era verdad que…

Era difícil que…

Era imposible que…

No era cierto que…

Su esposo/a no quería que…

Manuel
pedir un aumento de sueldo
tener una vida más sana
visitar más a su familia
dejar de fumar

Juana
querer mejorar su relación de pareja
terminar los estudios con buenas notas
cambiar de casa
ahorrar más

Comunicación

3 **Reaccionar** Tu amigo acaba de llegar de Nicaragua. Reacciona a lo que te dice usando el pretérito imperfecto de subjuntivo. Escribe las oraciones y luego compáralas con las de un(a) compañero/a.

> **modelo**
>
> El día que llegué, me esperaban mi abuela y tres primos.
> *¡Qué bien! Me alegré de que vieras a tu familia después de tantos años.*

1. Fuimos al volcán Masaya. ¡Y vimos la lava del volcán!
2. Visitamos la Catedral de Managua, que fue dañada por el terremoto (*earthquake*) de 1972.
3. No tuvimos tiempo de ir a la playa, pero pasamos unos días en el Hotel Dariense en Granada.
4. Fui a conocer el nuevo museo de arte y también fui al Teatro Rubén Darío.
5. Nos divertimos haciendo compras en Metrocentro.
6. Eché monedas (*coins*) en la fuente (*fountain*) de la Plaza de la República y pedí un deseo.

Catedral de Managua, Nicaragua

NOTA CULTURAL

El nicaragüense **Rubén Darío** (1867–1916) es uno de los poetas más famosos de Latinoamérica. *Cantos de vida y esperanza* es una de sus obras.

¿Cuál es el poeta más importante de tu país? ¿Cuál es su obra más representativa?

4 **Oraciones** Escribe cinco oraciones sobre lo que otros esperaban de ti en el pasado y cinco más sobre lo que tú esperabas de ellos. Luego, en grupos, túrnense para compartir sus propias oraciones y para transformar las oraciones de sus compañeros/as. Sigan el modelo.

> **modelo**
>
> **Estudiante 1:** Mi profesora quería que yo fuera a Granada para estudiar español.
> **Estudiante 2:** Su profesora quería que Mark fuera a Granada para estudiar español.
> **Estudiante 3:** Yo deseaba que mis padres me enviaran a España.
> **Estudiante 4:** Cecilia deseaba que sus padres la enviaran a España.

Síntesis

5 **¡Vaya fiesta!** Dos amigos/as fueron a una fiesta y se enojaron. Uno/a quería irse temprano, pero el/la otro/a quería irse más tarde porque estaba hablando con el/la chico/a que le gustaba a su amigo/a. En parejas, inventen una conversación en la que esos/as amigos/as intentan arreglar todos los malentendidos (*misunderstandings*) que tuvieron en la fiesta. Usen el pretérito imperfecto de subjuntivo y después representen la conversación delante de la clase.

> **modelo**
>
> **Estudiante 1:** ¡Yo no pensaba que fueras tan aburrido/a!
> **Estudiante 2:** Yo no soy aburrido/a, sólo quería que nos fuéramos temprano.

PUEDO hablar sobre situaciones hipotéticas en el pasado.

Recapitulación

Completa estas actividades para repasar los conceptos de gramática que aprendiste en esta lección.

1 Completar Completa el cuadro con el futuro. **12 pts.**

Infinitivo	yo	ella	nosotros
decir	diré		
poner			pondremos
salir		saldrá	

2 Verbos Completa el cuadro con el pretérito imperfecto de subjuntivo. **12 pts.**

Infinitivo	tú	nosotras	ustedes
dar			dieran
saber		supiéramos	
ir	fueras		

3 La oficina de empleo La nueva oficina de empleo está un poco desorganizada. Completa los diálogos con expresiones de probabilidad, utilizando el futuro perfecto de los verbos. **10 pts.**

SR. PÉREZ No encuentro el currículum de Mario Gómez.

SRTA. MARÍN (1) _____ (Tomarlo) la secretaria.

LAURA ¿De dónde vienen estas ofertas de trabajo?

ROMÁN No estoy seguro. (2) _____ (Salir) en el periódico de hoy.

ROMÁN ¿Has visto la lista nueva de aspirantes?

LAURA No, (3) _____ (tú, ponerla) en el archivo.

SR. PÉREZ José Osorio todavía no ha recibido el informe.

LAURA (4) _____ (Nosotros, olvidarse) de enviarlo por correo.

SRTA. MARÍN ¿Sabes dónde están las solicitudes de los aspirantes?

ROMÁN (5) _____ (Yo, dejarlas) en mi carro.

RESUMEN GRAMATICAL

4.1 The future *pp. 136–137*

Future tense of estudiar*

estudiaré	estudiaremos
estudiarás	estudiaréis
estudiará	estudiarán

*Same endings for -ar, -er, and -ir verbs.

Irregular verbs in the future

Infinitive	Stem	Future forms
decir	dir-	diré
hacer	har-	haré
poder	podr-	podré
poner	pondr-	pondré
querer	querr-	querré
saber	sabr-	sabré
salir	saldr-	saldré
tener	tendr-	tendré
venir	vendr-	vendré

► The future of **hay** is **habrá** (*there will be*).
► The future can also express conjecture or probability.

4.2 The future perfect *p. 140*

Future perfect of vivir

habré vivido	habremos vivido
habrás vivido	habréis vivido
habrá vivido	habrán vivido

► The future perfect can also express probability in the past.

4.3 The past subjunctive *pp. 142–143*

Past subjunctive of aprender*

aprendiera	aprendiéramos
aprendieras	aprendierais
aprendiera	aprendieran

*Same endings for -ar, -er, and -ir verbs.

Verbs with irregular preterites		
Infinitive	**Preterite form**	**Past subjunctive**
dar	dieron	diera
decir	dijeron	dijera
estar	estuvieron	estuviera
hacer	hicieron	hiciera
ir/ser	fueron	fuera
poder	pudieron	pudiera
poner	pusieron	pusiera
querer	quisieron	quisiera
saber	supieron	supiera
tener	tuvieron	tuviera
venir	vinieron	viniera

4 **Una decisión difícil** Completa el párrafo con el pretérito imperfecto de subjuntivo de los verbos. **16 pts.**

aceptar	estudiar	ir
contratar	graduarse	poder
dejar	invertir	trabajar

Cuando yo tenía doce años, me gustaba mucho pintar y mi profesor de dibujo me aconsejó que (1) _____ a una escuela de arte cuando (2) _____ de la escuela secundaria. Mis padres, por el contrario, siempre quisieron que sus hijos (3) _____ en la empresa familiar, y me dijeron que (4) _____ el arte y que (5) _____ una carrera con más futuro. Ellos no querían que yo (6) _____ mi tiempo y mi juventud en el arte. Mi madre en particular nos sugirió a mi hermana y a mí la carrera de administración de empresas, para que los dos (7) _____ ayudarlos con los negocios en el futuro. No fue fácil que mis padres (8) _____ mi decisión de dedicarme a la pintura, pero están muy felices de tener mis obras en su sala de reuniones.

5 **La semana de Rita** Con el futuro de los verbos, completa la descripción que hace Rita de lo que hará la semana próxima. **20 pts.**

El lunes por la mañana (1) _____ (llegar) el traje que pedí por Internet y por la tarde Luis (2) _____ (invitar, a mí) a ir al cine. El martes mi consejero y yo (3) _____ (comer) en La Delicia y a las cuatro (yo) (4) _____ (tener) una entrevista de trabajo en Industrias Levonox. El miércoles por la mañana (5) _____ (ir) a mi clase de inglés y por la tarde (6) _____ (visitar) a Luis. El jueves por la mañana, los gerentes de Levonox (7) _____ (llamar, a mí) por teléfono para decirme si conseguí el puesto. Por la tarde (yo) (8) _____ (cuidar) a mi sobrino Héctor. El viernes Ana y Luis (9) _____ (venir) a casa para trabajar conmigo y el sábado por fin (yo) (10) _____ (descansar).

6 **El futuro** Escribe al menos cinco oraciones describiendo cómo será la vida de varias personas cercanas a ti dentro de diez años. Usa tu imaginación y verbos en futuro y en futuro perfecto. **30 pts.**

7 **Canción** Escribe las palabras que faltan para completar este fragmento de la canción *Lo que pidas* de Julieta Venegas. **¡4 puntos EXTRA!**

daré	fuera	quisiera	saldré

" Lo que más (1) _____ pedirte
es que te quedes conmigo,
niño te (2) _____ lo que pidas
sólo no te vayas nunca. "

Lectura

Antes de leer

Estrategia
Recognizing similes and metaphors

Similes and metaphors are figures of speech that are often used in literature to make descriptions more colorful and vivid.

In English, a simile (**símil**) makes a comparison using the words *as* or *like*. In Spanish, the words **como** and **parece** are most often used. Example: **Estoy tan feliz como un niño con zapatos nuevos.**

A metaphor (**metáfora**) is a figure of speech that identifies one thing with the attributes and qualities of another. Whereas a simile says one thing is like another, a metaphor says that one thing *is* another. In Spanish, **ser** is most often used in metaphors. Example: **La vida es sueño.** (*Life is a dream.*)

Examinar el texto

Lee el texto una vez usando las estrategias de lectura de las lecciones anteriores. ¿Qué te indican sobre el contenido de la lectura? Toma nota de las metáforas y los símiles que aparecen. ¿Qué significan? ¿Qué te dicen sobre el tema de la lectura?

¿Cómo son?

En parejas, hablen sobre las diferencias entre el **yo interior** de una persona y su **yo social**. ¿Hay muchas diferencias entre su forma de ser "privada" y su forma de ser cuando están con otras personas?

Las dos Fridas, de Frida Kahlo

A Julia de Burgos

Julia de Burgos

Julia de Burgos nació en 1914 en Carolina, Puerto Rico. Vivió también en La Habana, en Washington D.C. y en Nueva York, donde murió en 1953. Su poesía refleja temas como la muerte, la naturaleza, el amor y la patria°. Sus tres poemarios más conocidos se titulan Poema en veinte surcos *(1938),* Canción de la verdad sencilla *(1939) y* El mar y tú *(publicado póstumamente).*

Después de leer

Comprensión

Responde a las preguntas.

1. ¿Quiénes son las dos "Julias" presentes en el poema?
2. ¿Qué características tiene cada una?
3. ¿Quién es la que habla de las dos?
4. ¿Qué piensas que ella siente por la otra Julia?
5. ¿Cuáles son los temas más importantes del poema?

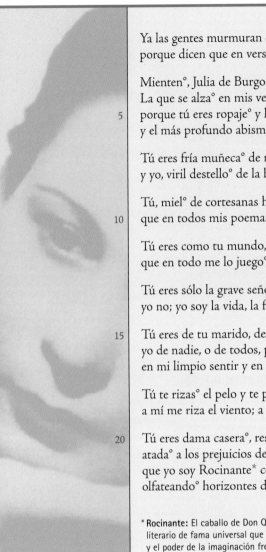

Ya las gentes murmuran que yo soy tu enemiga
porque dicen que en verso doy al mundo tu yo.   25

Mienten°, Julia de Burgos. Mienten, Julia de Burgos.
La que se alza° en mis versos no es tu voz°: es mi voz;
5   porque tú eres ropaje° y la esencia soy yo;
y el más profundo abismo se tiende° entre las dos.

Tú eres fría muñeca° de mentira social,
y yo, viril destello° de la humana verdad.

Tú, miel° de cortesanas hipocresías; yo no;
10   que en todos mis poemas desnudo° el corazón.

Tú eres como tu mundo, egoísta; yo no;   35
que en todo me lo juego° a ser lo que soy yo.

Tú eres sólo la grave señora señorona°;
yo no; yo soy la vida, la fuerza°, la mujer.

15   Tú eres de tu marido, de tu amo°; yo no;
yo de nadie, o de todos, porque a todos, a todos,
en mi limpio sentir y en mi pensar me doy.

Tú te rizas° el pelo y te pintas°; yo no;
a mí me riza el viento; a mí me pinta el sol.

20   Tú eres dama casera°, resignada, sumisa,
atada° a los prejuicios de los hombres; yo no;
que yo soy Rocinante* corriendo desbocado°
olfateando° horizontes de justicia de Dios.

Tú en ti misma no mandas°; a ti todos te mandan;
en ti mandan tu esposo, tus padres, tus parientes,
el cura°, la modista°, el teatro, el casino,
el auto, las alhajas°, el banquete, el champán,
el cielo y el infierno, y el qué dirán social°.

En mí no, que en mí manda mi solo corazón,   30
mi solo pensamiento; quien manda en mí soy yo.

Tú, flor de aristocracia; y yo la flor del pueblo.
Tú en ti lo tienes todo y a todos se lo debes,
mientras que yo, mi nada a nadie se la debo.

Tú, clavada° al estático dividendo ancestral°,
y yo, un uno en la cifra° del divisor social,
somos el duelo a muerte° que se acerca° fatal.

Cuando las multitudes corran alborotadas°
dejando atrás cenizas° de injusticias quemadas,
y cuando con la tea° de las siete virtudes,
tras los siete pecados°, corran las multitudes,   40
contra ti, y contra todo lo injusto y lo inhumano,
yo iré en medio de ellas con la tea en la mano.

* **Rocinante:** El caballo de Don Quijote de la Mancha, personaje literario de fama universal que se relaciona con el idealismo y el poder de la imaginación frente a la realidad.

patria *homeland*   **Mienten** *They are lying*   **se alza** *rises up*   **voz** *voice*   **ropaje** *apparel*   **se tiende** *lies*   **muñeca** *doll*   **destello** *sparkle*   **miel** *honey*   **desnudo** *I uncover*   **me lo juego** *I risk*   **señorona** *matronly*   **fuerza** *strength*   **amo** *master*   **te rizas** *curl*   **te pintas** *put on makeup*   **dama casera** *home-loving lady*   **atada** *tied*   **desbocado** *wildly*   **olfateando** *sniffing*   **no mandas** *are not the boss*   **cura** *priest*   **modista** *dressmaker*   **alhajas** *jewelry*   **el qué dirán social** *what society would say*   **clavada** *stuck*   **ancestral** *ancient*   **cifra** *number*   **duelo a muerte** *duel to the death*   **se acerca** *approaches*   **alborotadas** *rowdy*   **cenizas** *ashes*   **tea** *torch*   **pecados** *sins*

Interpretación

Responde a las preguntas.

1. ¿Qué te resulta llamativo (*striking*) en el título de este poema?

2. ¿Por qué crees que se repite el "tú" y el "yo" en el poema? ¿Qué función tiene este desdoblamiento (*split*)?

3. ¿Cómo interpretas los versos "tú eres fría muñeca de mentira social / y yo, viril destello de la humana verdad"? ¿Qué sustantivos (*nouns*) se contraponen en estos dos versos?

4. ¿Es positivo o negativo el comentario sobre la vida social: "miel de cortesanas hipocresías"?

PUEDO identificar símiles y metáforas en un poema.

PUEDO escribir un monólogo en segunda persona.

Monólogo

Imagina que eres un personaje famoso de la historia, la literatura o la vida actual. Escribe un monólogo breve para presentar en clase. Debes escribirlo en segunda persona. Para la representación necesitarás un espejo. Tus compañeros/as deben adivinar quién eres. Sigue el modelo.

modelo

Eres una mujer que vivió hace más de 150 años. La gente piensa que eres una gran poeta. Te gustaba escribir y pasar tiempo con tu familia y, además de poemas, escribías muchas cartas. Me gusta tu poesía porque es muy íntima y personal. (Emily Dickinson)

Escribe sobre estos temas:

▶ cómo lo/la ven las otras personas

▶ lo que te gusta y lo que no te gusta de él/ella

▶ lo que quieres o esperas que haga

Escritura

Estrategia
Using note cards

Note cards serve as valuable study aids in many different contexts. When you write, note cards can help you organize and sequence the information you wish to present.

Let's say you are going to write a personal narrative about a trip you took. You would jot down notes about each part of the trip on a different note card. Then you could easily arrange them in chronological order or use a different organization, such as the best parts and the worst parts, traveling and staying, before and after.

Here are some helpful techniques for using note cards to prepare for your writing:

▶ Label the top of each card with a general subject, such as **el avión** or **el hotel.**

▶ Number the cards in each subject category in the upper right corner to help you organize them.

▶ Use only the front side of each note card so that you can easily flip through them to find information.

Study the following example of a note card used to prepare a composition:

En el aeropuerto de Santo Domingo

Cuando llegamos al aeropuerto de Santo Domingo, después de siete horas de viaje, estábamos cansados pero felices. Hacía sol y viento.

Tema

Escribir una composición

Escribe una composición sobre tus planes profesionales y personales para el futuro. Utiliza el tiempo futuro. No te olvides de hacer planes para estas áreas de tu vida:

Lugar

▶ ¿Dónde vivirás?
▶ ¿Vivirás en la misma ciudad siempre? ¿Te mudarás mucho?

Familia

▶ ¿Te casarás? ¿Con quién?
▶ ¿Tendrás hijos? ¿Cuántos?

Empleo

▶ ¿En qué profesión trabajarás?
▶ ¿Tendrás tu propia empresa?

Finanzas

▶ ¿Ganarás mucho dinero?
▶ ¿Ahorrarás mucho dinero? ¿Lo invertirás?

Termina tu composición con una lista de metas profesionales, utilizando el futuro perfecto.

Por ejemplo: **Para el año 2035, habré empezado mi propio negocio. Para el año 2045, habré ganado más dinero que Bill Gates.**

PUEDO escribir una composición sobre mis planes personales y profesionales para el futuro.

Escuchar

Estrategia

Using background knowledge/
Listening for specific information

If you know the subject of something
you are going to hear, your background
knowledge will help you anticipate words
and phrases you're going to hear, and will
help you identify important information
that you should listen for.

🔊 To practice these strategies, you will listen to
a radio advertisement for the **Hotel El
Retiro**. Before you listen, write down a list
of the things you expect the advertisement to
contain. Then make another list of important
information you would listen for if you were a
tourist considering staying at the hotel. After
listening to the advertisement, look at your
lists again. Did they help you anticipate the
content of the advertisement and focus on
key information? Explain your answer.

Preparación

Mira la foto. ¿De qué crees que van a hablar?
Haz una lista de la información que esperas oír
en este tipo de situación.

Ahora escucha 🔊

Ahora vas a oír una entrevista entre la señora
Sánchez y Rafael Ventura Romero. Antes
de escuchar la entrevista, haz una lista de la
información que esperas oír según tu conocimiento
previo° del tema.

1. _____
2. _____
3. _____
4. _____

Mientras escuchas la entrevista, llena el formulario
con la información necesaria.

Comprensión

Puesto solicitado _____
Nombre y apellidos del solicitante _____
Dirección _____ **Tel.** _____
- -
Educación
Experiencia profesional: Puesto _____
Empresa
¿Cuánto tiempo? _____

Referencias:
Nombre _____
Dirección _____ Tel. _____
Nombre
Dirección _____ Tel. _____

Preguntas

1. ¿Cuántos años hace que Rafael Ventura trabaja
   para Dulces González?
2. ¿Cuántas referencias tiene Rafael?
3. ¿Cuándo se gradúa Rafael?
4. ¿Cuál es la profesión de Armando Carreño?
5. ¿Cómo sabes si los resultados de la entrevista
   han sido positivos para Rafael Ventura?

conocimiento previo *prior knowledge* dato *fact; piece of information*

PUEDO entender una conversación con base en información
del contexto.

Banco Comercial

Tengo una imprenta.

Preparación

Completa las oraciones. Después, comparte tus respuestas con un(a) compañero/a.

Cuando yo era chico/a...

1. ...quería ser _____.
2. ...quería tener _____.
3. ...quería viajar a _____.
4. ...quería vivir en _____.

Cumplir nuestros objetivos

Cuando queremos lograr nuestros objetivos financieros, los bancos son de gran ayuda. Con servicios como ahorro y crédito, ellos pueden ayudarnos a cumplir muchos proyectos, desde financiar nuestra carrera universitaria° hasta comprar un auto o la casa de nuestros sueños. Muchos bancos se han convertido en compañías multinacionales que prestan servicios en varios países a la vez°. Bancos como Santander (España), BBVA y Helm tienen sedes° en diversos países de Hispanoamérica.

carrera universitaria *college education* a la vez *at the same time* sedes *headquarters*

Vocabulario útil

banquero/a	*banker*
cumplir (lograr)	*achieve*
imprenta	*printing house*
limonero	*lemon tree*
máquinas	*machines*
proyectos	*projects*

Comprensión

Con base en el comercial, elige la respuesta correcta para cada pregunta. Cuando el hombre era chico...

1. ...quería ser:
   a. abogado.
   b. astronauta.

2. quería comprar:
   a. un auto 128.
   b. una imprenta.

3. ...quería casarse con:
   a. María.
   b. la maestra Adela.

4. ...quería que su casa tuviera:
   a. un jardín.
   b. un limonero en el frente.

Conversación

¿Cómo te imaginas que será tu vida en veinte años? Haz una lista de los objetivos que quieres lograr. Luego reúnete con un(a) compañero/a para compartir sus proyectos futuros.

Aplicación

Crea una línea de tiempo personal que muestre los proyectos y planes de tu vida cuando eras chico, en el presente y en el futuro. Ilustra tu línea claramente y escribe una leyenda (una oración) debajo de cada ilustración. No olvides usar verbos en los tiempos necesarios para indicar estas tres etapas de tu vida. Después, presenta tu línea de tiempo a la clase.

PUEDO hablar sobre diferentes etapas de mi vida.

El mundo del trabajo

Gabriela, ¿qué es lo más difícil de ser una mujer policía?

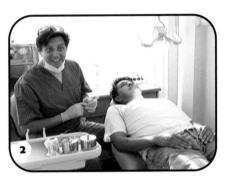

Amo mi trabajo. Imagínate, tengo la sonrisa del mundo entre mis manos.

Nuestra principal estrategia de ventas es promover nuestra naturaleza...

Preparación

¿Cuál es tu trabajo ideal? ¿Por qué? ¿En qué trabajan tus familiares? ¿Crees que a ellos les gusta su trabajo?

Viernes en la tarde, llega el esperado fin de semana… y si el lunes es día festivo°, ¡mejor aún!° En varios países hispanos, además de tener entre quince y treinta días de vacaciones pagadas, hay bastantes días festivos. Por ejemplo, Puerto Rico tiene veintiún días feriados°, Colombia tiene dieciocho y Argentina, México y Chile tienen más de trece. Aunque parece que se trabaja menos, no siempre es el caso: las jornadas laborales° suelen ser más largas en Latinoamérica. Así que la gente aprovecha° los puentes° para descansar e incluso para hacer viajes cortos.

Vocabulario útil

el desarrollo	*development*
promover	*to promote*
las ventas	*sales*

día festivo *holiday* ¡mejor aún! *even better!* días feriados *holidays* jornadas laborales *working days* aprovecha *make the most of* puentes *long weekends*

Conversación

Responde a estas preguntas con un(a) compañero/a.

1. ¿Cuáles son los empleos más comunes en tu comunidad?
2. ¿Se parecen a los empleos que se muestran en el video?
3. ¿Crees que a la gente de tu comunidad le gustan sus empleos?
4. ¿Qué pueden hacer las compañías para que la gente disfrute más su trabajo?

Aplicación

En grupos pequeños, hagan una entrevista (en persona o virtual) a una persona de un país hispanohablante que viva en su comunidad. Pregúntele sobre su trabajo y pídanle que explique las razones por las que le gusta o no. Pídanle también que les hable sobre el mundo del trabajo en su país de origen (trabajos más comunes, los horarios de los empleados, los empleos más innovadores, etc.). Presenten los resultados de su entrevista (o la entrevista en video) a la clase.

PUEDO identificar aspectos relacionados con el mundo del trabajo en Ecuador.

PUEDO hablar sobre el trabajo en mi cultura y en otras.

Nicaragua

Bandera de Nicaragua

El país en cifras

▶ **Área:** 129.494 km^2 (49.998 millas^2), *aproximadamente el área de Nueva York. Nicaragua es el país más grande de Centroamérica. Su terreno es muy variado e incluye bosques tropicales, montañas, sabanas° y marismas°, además de unos 40 volcanes.*

▶ **Capital:** Managua

Managua está en una región de una notable inestabilidad geográfica, con muchos volcanes y terremotos°. En décadas recientes, los nicaragüenses han decidido que no vale la pena° construir rascacielos° porque no resisten los terremotos.

▶ **Ciudades principales:** León, Masaya, Granada

▶ **Población:** *Entre 1990 y 1997 el país fue liderado por Violeta Chamorro, la primera mujer en ser electa al cargo de presidenta de la República en el continente americano.*

▶ **Moneda:** córdoba

▶ **Idiomas:** español (oficial); lenguas indígenas y criollas (oficiales); inglés

sabanas *grasslands* marismas *marshes* terremotos *earthquakes*
no vale la pena *it's not worthwhile* rascacielos *skyscrapers*

Calle en Granada

Iglesia en León

Teatro Nacional Rubén Darío en Managua

HONDURAS

Río Coco

Cordillera Isabelia

Cerro Saslaya

Cerro Chachagón

Río Tuma

Río Grande de Matagalpa

Lago de Managua

Cordillera Dariense

León

Sierra Madre

Managua ✪

Masaya

Granada

Lago de Nicaragua

Océano Pacífico

Isla Zapatera

Volcán Concepción

Volcán Maderas

Isla Ometepe

Archipiélago de Solentiname

Río San Juan

COSTA RICA

Violeta Barrios de Chamorro

ESTADOS UNIDOS

OCÉANO ATLÁNTICO

NICARAGUA

OCÉANO PACÍFICO

AMÉRICA DEL SUR

▷ **Historia** • **Las huellas° de Acahualinca**

La región de Managua se caracteriza por tener un gran número de sitios prehistóricos. Las huellas de Acahualinca son uno de los restos° más famosos y antiguos°. Se formaron hace más de 6.000 años a orillas° del Lago de Managua. Las huellas, tanto de humanos como de animales, se dirigen° hacia una misma dirección, hacia el lago.

Artes • **Ernesto Cardenal (1925–2020)**

Ernesto Cardenal, poeta, escultor y sacerdote° católico, es uno de los escritores más famosos de Nicaragua. Escribió más de 35 libros y es considerado uno de los principales autores de Latinoamérica. Desde joven creyó en el poder de la poesía para mejorar la sociedad y trabajó por establecer la igualdad° y la justicia en su país. Cardenal fue ministro de cultura del país desde 1979 hasta 1988 y participó en la fundación de Casa de los Tres Mundos, una organización creada para el intercambio cultural internacional.

Naturaleza • **El Lago de Nicaragua**

El Lago de Nicaragua, con un área de más de 8.000 km² (3.100 millas²), es el lago más grande de Centroamérica. Tiene más de 400 islas e islotes° de origen volcánico, entre ellas la isla Zapatera. Allí se han encontrado numerosos objetos de cerámica y estatuas prehispánicos. Se cree que la isla era un centro ceremonial indígena.

¿Qué aprendiste? Responde a cada pregunta con una oración completa.

1. ¿Por qué no hay muchos rascacielos en Managua?

2. ¿Cuándo y dónde se formaron las huellas de Acahualinca?

3. ¿Qué cree Ernesto Cardenal acerca de la poesía?

4. ¿A qué se dedica la organización creada por Ernesto Cardenal?

5. ¿Cómo se formaron las islas del lago de Nicaragua?

6. ¿Qué hay de interés arqueológico en la isla Zapatera?

7. ¿Qué son los chicheros?

▷ **Música** •

Los chicheros

Los chicheros son bandas musicales que animan las fiestas populares en Nicaragua. Están conformadas principalmente por instrumentos de viento y percusión, como clarinetes, tubas, trombones, trompetas, platillos° y tambores°. Los chicheros deben su nombre a una parte del pago que recibían por sus servicios: la chicha, una bebida a base de maíz fermentado en agua azucarada.

CON RITMO HISPANO

La Cuneta Son Machín (2009–)

Lugar de origen:
Managua, Nicaragua
Esta banda mezcla la cumbia, el rap, la marimba tradicional, el rock y la música "chinamera", o música popular nicaragüense.

*Go to **vhlcentral.com** to find out more about La Cuneta Son Machín.*

huellas *footprints* restos *remains* antiguos *ancient* orillas *shores*
se dirigen *are headed* sacerdote *priest* igualdad *equality*
islotes *islets* platillos *cymbals* tambores *drums*

La República Dominicana

Bandera de la República Dominicana

El país en cifras

▶ **Área:** 48.730 km² (18.815 millas²), *el área combinada de New Hampshire y Vermont*

▶ **Capital:** Santo Domingo

▶ **Ciudades principales:** Santiago de los Caballeros, La Vega, Puerto Plata, San Pedro de Macorís

▶ **Población:** *La isla La Española, llamada así tras° el primer viaje de Cristóbal Colón, estuvo bajo el completo dominio de la corona° española hasta 1697, cuando la parte oeste de la isla pasó a ser propiedad° francesa. Hoy día está dividida políticamente en dos países, la República Dominicana en la zona este y Haití en el oeste.*

▶ **Moneda:** peso dominicano

▶ **Idiomas:** español (oficial), criollo haitiano

tras *after* corona *crown* propiedad *property*

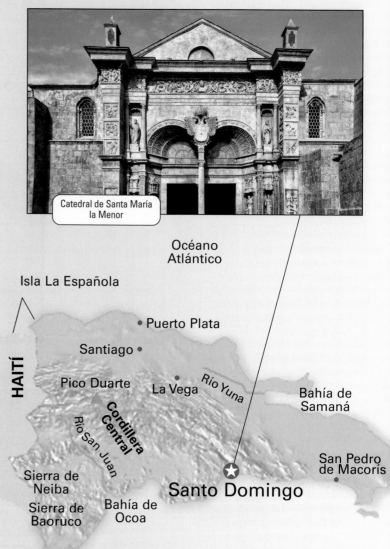

Catedral de Santa María la Menor

Océano Atlántico

Isla La Española

HAITÍ

Puerto Plata

Santiago

Pico Duarte

La Vega

Río Yuna

Bahía de Samaná

Cordillera Central

Río San Juan

Sierra de Neiba

Sierra de Baoruco

Bahía de Ocoa

San Pedro de Macorís

Santo Domingo

Mar Caribe

ESTADOS UNIDOS

LA REPÚBLICA DOMINICANA

OCÉANO PACÍFICO

OCÉANO ATLÁNTICO

AMÉRICA DEL SUR

Músicos dominicanos

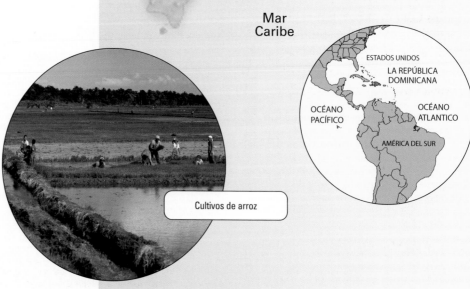

Cultivos de arroz

Historia • **Cristóbal Colón**

Los restos° de Cristóbal Colón pasaron por varias ciudades desde su muerte en el siglo XVI hasta el siglo XIX. Por esto, se conocen dos tumbas° de este navegante°: una en la Catedral de Sevilla, España, y otra en el Museo Faro a Colón en Santo Domingo, que reemplazó° la tumba inicial en la catedral de la capital dominicana.

Deportes • **El béisbol**

El béisbol es un deporte muy practicado en el Caribe. Los primeros países hispanos en tener una liga fueron Cuba y México, donde se empezó a jugar al béisbol en el siglo° XIX. Hoy día este deporte es una afición° nacional en la República Dominicana. Albert Pujols (foto, derecha), Carlos Gómez y David Ortiz son sólo tres de los muchísimos beisbolistas dominicanos que han alcanzado° enorme éxito e inmensa popularidad entre los aficionados.

⊙ Ciudades • **Santo Domingo**

La zona colonial de Santo Domingo, ciudad fundada en 1496, posee° algunas de las construcciones más antiguas del hemisferio. Gracias a las restauraciones°, la arquitectura de la ciudad es famosa no sólo por su belleza sino también por el buen estado de sus edificios. Entre sus sitios más visitados se cuentan° la Calle de las Damas, llamada así porque allí paseaban las señoras de la corte del Virrey; el Alcázar de Colón, un palacio construido entre 1510 y 1514 por Diego Colón, hijo de Cristóbal; y la Fortaleza Ozama, la más vieja de las Américas, construida entre 1502 y 1508.

Economía • **El turismo y la minería**

La economía dominicana es la de mayor crecimiento° en Latinoamérica. Una de sus principales actividades es el turismo. Éste representa aproximadamente el 8% del Producto Interno Bruto (PIB)° de la República Dominicana. Este país, además, tiene una importante riqueza minera: en República Dominicana se encuentra la mina de oro° más grande de Latinoamérica. También tiene reservas de plata°, níquel, mármol°, entre otros.

restos *remains* tumbas *graves* navegante *sailor* reemplazó *replaced*
posee *possesses* restauraciones *restorations* se cuentan *are included*
siglo *century* afición *pastime* han alcanzado *have reached*
crecimiento *growth* Producto Interno Bruto *Domestic Gross Product*
oro *gold* plata *silver* mármol *marble* raíces *roots* campesinos *rural
people* guayano *metal scraper* tambor *drum* bajo *bass*

CON RITMO HISPANO

⊙ El merengue

El merengue, un ritmo originario de la República Dominicana, tiene sus raíces° en el campo. Tradicionalmente las canciones hablaban de los problemas sociales de los campesinos°. Sus instrumentos eran la guitarra, el acordeón, el guayano° y la tambora, un tambor° característico del lugar. Entre 1930 y 1960, el merengue se popularizó en las ciudades; adoptó un tono más urbano, en el que se incorporaron instrumentos como el saxofón y el bajo°, y empezaron a formarse grandes orquestas. Uno de los cantantes y compositores de merengue más famosos es Juan Luis Guerra.

¿Qué aprendiste?

1 **¿Cierto o falso?** Indica si lo que dicen las oraciones es **cierto** o **falso**. Corrige la información falsa.

1. La Española recibió este nombre después del primer viaje de Colón.
2. La moneda de la República Dominicana es el peso dominicano.
3. La República Dominicana fue el primer país hispano que tuvo una liga de béisbol.
4. El turismo representa un alto porcentaje en el PIB de la República Dominicana.
5. La minería es de poca importancia en la República Dominicana.
6. El merengue se transformó en un estilo urbano entre 1930 y 1960.

2 **Responder** Responde a cada pregunta con una oración completa.

1. ¿Cuándo se fundó la ciudad de Santo Domingo?
2. ¿Qué es el Alcázar de Colón?
3. ¿De qué hablaban las canciones de merengue tradicionales?
4. ¿Qué instrumentos se utilizaban para tocar (*play*) el merengue?
5. ¿Cuándo se transformó el merengue en un estilo urbano?
6. ¿Qué cantante ha ayudado a internacionalizar el merengue?

3 **Planear** En parejas, imaginen que el próximo año pasarán unos meses de intercambio en Nicaragua o en la República Dominicana. Hablen sobre lo que habrán hecho al final de ese viaje.

> **modelo**
>
> El próximo año habré visitado las construcciones más antiguas de Santo Domingo

4 **Ensayo** Escribe un ensayo de 12 oraciones o más para contestar esta pregunta:
Has ganado un concurso y el premio es un viaje a un país hispanohablante. Debes escoger entre un viaje a Nicaragua o a La República Dominicana. Será una decisión difícil porque los dos destinos son magníficos. ¿A cuál de los dos países viajarás y por qué?

En tu ensayo, utiliza evidencia de la sección *Panorama* e intenta usar los tiempos estudiados en esta lección: el futuro, el futuro perfecto, el pretérito imperfecto del subjuntivo. *Ejemplo: Aunque hay mucha historia prehistórica en Nicaragua, veré mucha arquitectura colonial en Santo Domingo.*

Utiliza la siguiente estructura para organizar tu ensayo:

- un párrafo de introducción con tu tesis
- 2-3 párrafos con la información que sustente tu decisión de visitar uno de los dos países, con detalles y evidencia de Panorama
- un párrafo para resumir y presentar tu conclusión

ENTRE CULTURAS

1. ¿Dónde se habla inglés en Nicaragua y por qué?
2. Busca más información sobre la isla La Española. ¿Cómo son las relaciones entre la República Dominicana y Haití?

PUEDO leer textos informativos para conocer datos sobre la cultura y geografía de Nicaragua y la República Dominicana.

Las ocupaciones

el/la abogado/a	lawyer
el actor, la actriz	actor
el/la arqueólogo/a	archeologist
el/la arquitecto/a	architect
el/la bombero/a	firefighter
el/la carpintero/a	carpenter
el/la científico/a	scientist
el/la cocinero/a	cook; chef
el/la consejero/a	counselor; advisor
el/la contador(a)	accountant
el/la corredor(a) de bolsa	stockbroker
el/la diseñador(a)	designer
el/la electricista	electrician
el hombre/la mujer de negocios	businessperson
el/la maestro/a	teacher
el/la peluquero/a	hairdresser
el/la pintor(a)	painter
el/la político/a	politician
el/la psicólogo/a	psychologist
el/la reportero/a	reporter
el/la secretario/a	secretary
el/la técnico/a	technician

La entrevista

el anuncio	advertisement
el/la aspirante	candidate; applicant
los beneficios	benefits
el currículum	résumé
la entrevista	interview
el/la entrevistador(a)	interviewer
el puesto	position; job
el salario, el sueldo	salary
la solicitud (de trabajo)	(job) application
contratar	to hire
entrevistar	to interview
ganar	to earn
obtener	to obtain; to get
solicitar	to apply (for a job)

El mundo del trabajo

el ascenso	promotion
el aumento de sueldo	raise
la carrera	career
la compañía, la empresa	company; firm
el empleo	job; employment
el/la gerente	manager
el/la jefe/a	boss
los negocios	business; commerce
la ocupación	occupation
el oficio	trade
la profesión	profession
la reunión	meeting
el teletrabajo	telecommuting
el trabajo	job; work
la videoconferencia	videoconference
dejar	to quit; to leave behind
despedir (e:i)	to fire
invertir (e:ie)	to invest
renunciar (a)	to resign (from)
tener éxito	to be successful
comercial	commercial; business-related

Palabras adicionales

dentro de (diez años)	within (ten years)
en el futuro	in the future
el porvenir	the future
próximo/a	next

Expresiones útiles	See page 131.

A primera vista
- ¿Qué objeto hay en la foto? ¿Dónde está ubicado?
- ¿Quién crees que hizo este objeto?
- ¿Qué opinas de la figura? ¿Crees que es artística?

Essential Questions
1. How does art represent personal expression, exploration, and/or insight?
2. What can we learn about a culture through its art forms?
3. What are some important accomplishments in the arts in the Spanish-speaking world?

5 Un festival de arte

Can Do Goals

By the end of this lesson I will be able to:

- Talk about art in my life
- Describe an artistic event
- Make plans to attend an artistic event
- Talk about hypothetical facts
- Say how I would have made things differently in the past

Also, I will learn about:

Culture
- Museums and artists in the Spanish-speaking world
- Some Spanish museums
- The geography and culture of El Salvador and Honduras

Skills
- Reading: Identifying stylistic devices
- Writing: Finding biographical information
- Listening: Listening for key words/Using the context

Lesson 5 Integrated Performance Assessment
Context: You will listen to a brief audio about a documentary. You will discuss the audio with a classmate and talk about what information should be included in a movie review. Then you will prepare your own review and present it to the class.

Armonía de Remedios Varo (1908–1963)

Producto:
Las artes plásticas son de gran importancia en los países hispanohablantes.

¿Cuáles son los artistas más representativos de tu cultura?

Un festival de arte 🔊

Más vocabulario

el/la compositor(a)	composer
el/la director(a)	director; (musical) conductor
el/la dramaturgo/a	playwright
el/la escritor(a)	writer
el personaje (principal)	(main) character
las bellas artes	(fine) arts
el boleto	ticket
la canción	song
la comedia	comedy; play
el cuento	short story
la cultura	culture
el drama	drama; play
el espectáculo	show
el festival	festival
la historia	history; story
la obra	work (of art, music, etc.)
la obra maestra	masterpiece
la ópera	opera
la orquesta	orchestra
aburrirse	to get bored
dirigir	to direct
presentar	to present; to put on (a performance)
publicar	to publish
artístico/a	artistic
clásico/a	classical
dramático/a	dramatic
extranjero/a	foreign
folclórico/a	folk
moderno/a	modern
musical	musical
romántico/a	romantic
talentoso/a	talented

Variación léxica

banda ⟷ grupo musical (*Esp.*)
boleto ⟷ entrada (*Esp.*)

La danza

la bailarina

el bailarín

Aplaude. (aplaudir)

Aprecia. (apreciar)

el poema

La pintura

Pinta. (pintar)

el poeta

La poesía

La música

La banda da un concierto. (dar)

El músico toca un instrumento. (tocar)

la cantante

el baile

la estatua

Esculpe. (esculpir)

LA ESCULTURA

el escultor

LA ARTESANÍA

el tejido

la cerámica

El teatro

Hace el papel de Romeo. (hacer)

La tragedia de Romeo y Julieta

el público

Práctica

1 **Escuchar** Escucha la conversación y contesta las preguntas.

1. ¿Adónde fueron Ricardo y Juanita?
2. ¿Cuál fue el espectáculo que más le gustó a Ricardo?
3. ¿Qué le gustó más a Juanita?
4. ¿Qué dijo Ricardo del actor?
5. ¿Qué dijo Juanita del actor?
6. ¿Qué compró Juanita en el festival?
7. ¿Qué compró Ricardo?
8. ¿Qué poetas le interesaron a Ricardo?

2 **Artes** Escucha las oraciones y escribe el número de cada oración debajo del arte correspondiente.

teatro	artesanía	poesía

música	danza

3 **¿Cierto o falso?** Indica si lo que dice cada oración es **cierto** o **falso**.

	Cierto	Falso
1. Las bellas artes incluyen la pintura, la escultura, la música, el baile y el drama.	○	○
2. Un boleto es un tipo de instrumento musical que se usa mucho en las óperas.	○	○
3. El tejido es un tipo de música.	○	○
4. Un cuento es una narración corta que puede ser oral o escrita.	○	○
5. Un compositor es el personaje principal de una obra de teatro.	○	○
6. Publicar es la acción de hablar en público ante grupos grandes.	○	○

4 **Artistas** Indica la profesión de cada uno de estos artistas.

1. Gael García Bernal
2. Frida Kahlo
3. Shakira
4. Octavio Paz
5. William Shakespeare
6. Miguel de Cervantes
7. Fernando Botero
8. Gustavo Dudamel
9. Toni Morrison
10. Fred Astaire

5

Los favoritos En parejas, túrnense para preguntarse cuál es su película o programa favorito de cada categoría.

> **modelo**
>
> película musical
> —¿Cuál es tu película musical favorita?
> —Mi película musical favorita es *Les Misérables.*

1. película de ciencia ficción
2. programa de entrevistas
3. telenovela
4. película de horror
5. película de acción
6. concurso
7. programa de realidad
8. película de aventuras
9. documental
10. programa de dibujos animados

El cine y la televisión

el canal	channel
el concurso	game show; contest
los dibujos animados	cartoons
el documental	documentary
la estrella (*m., f.*) **de cine**	movie star
el premio	prize; award
el programa de entrevistas/realidad	talk /reality show
la telenovela	soap opera
…de acción	action
…de aventuras	adventure
…de ciencia ficción	science fiction
…de horror	horror
…de vaqueros	western

6 **Completar** Completa las frases con las palabras adecuadas.

aburrirse	canal	estrella	musical
aplauden	de vaqueros	extranjera	romántica
artística	director	folclórica	talentosa

1. Una película que fue hecha en otro país es una película…
2. Si las personas que asisten a un espectáculo lo aprecian, ellos…
3. Una persona que puede hacer algo muy bien es una persona…
4. Una película que trata del amor y de las emociones es una película…
5. Una persona que pinta, esculpe y/o hace artesanía es una persona…
6. La música que refleja la cultura de una región o de un país es música…
7. Si la acción tiene lugar en el oeste de los EE.UU. durante el siglo XIX, probablemente es una película…
8. Una obra en la cual los actores presentan la historia por medio de (*by means of*) canciones y bailes es un drama…
9. Cuando una película no tiene una buena historia, el público empieza a…
10. Si quieres ver otro programa de televisión, es necesario que cambies de…

> **¡ATENCIÓN!**
>
> **Apreciar** means *to appreciate* only in the sense of evaluating what something is worth. Use **agradecer** to express the idea *to be grateful for.*
>
> Ella **aprecia** la buena música.
> *She appreciates good music.*
>
> Le **agradezco** mucho su ayuda.
> *I am grateful for your help.*

7

Contestar En parejas, contesten las preguntas.

1. ¿Cómo se llama a la persona que canta en una banda?
2. ¿Cuál es el opuesto de comedia?
3. ¿Cómo se llama al grupo de personas que asisten a un espectáculo?
4. ¿Qué tipo de programa es *Los Simpson*?
5. ¿Cuál es el femenino de **bailarín**?
6. ¿Cómo se llama al hombre que hace estatuas?
7. ¿Qué se le da a la persona que gana un concurso?
8. ¿Cómo se llama a la mujer que dirige una película?
9. ¿Qué hace el público cuando termina un espectáculo?
10. ¿Cómo se le llama a un escritor de obras de teatro?

> **¡LENGUA VIVA!**
>
> Remember that, in Spanish, last names do not have a plural form, although **los** may be used with a family name.
>
> **Los Simpson**
> *The Simpsons*

Comunicación

8　**Entrevista** Lee esta entrevista con un dramaturgo. Luego, indica si las conclusiones son **lógicas** o **ilógicas**, según lo que leíste.

Entrevista al dramaturgo Arturo Rodríguez

Entrevistadora: Díganos, ¿de qué trata (*is about*) su última obra?

Arturo Rodríguez: Bueno, básicamente trata de un escritor frustrado. El personaje principal es un joven muy talentoso, pero con muy mala suerte, al que le ocurren todo tipo de adversidades.

Entrevistadora: ¡Interesante! Y ¿podrá el público disfrutar de su obra en el teatro?

Arturo Rodríguez: Sí, se presentará a finales de este año, después de que se publique la obra.

Entrevistadora: ¡Muchas felicidades! Por último, todos sus fans se hacen la misma pregunta: ¿De dónde saca usted el tiempo para escribir? Para los espectadores que no lo sepan, Arturo Rodríguez se dedica a la escultura.

Arturo Rodríguez: La verdad es que no me aburro. Mi trabajo como escultor requiere que viaje a muchos países extranjeros, así que uso esas horas de avión para escribir. *El escritor frustrado* es el resultado de esos largos viajes.

Entrevistadora: ¡Impresionante! Aquí lo dejamos. Muchísimas gracias de nuevo. Y ahora el informe del tiempo...

	Lógico	Ilógico
1. Ésta es la primera obra de teatro de Arturo Rodríguez.	○	○
2. A Arturo Rodríguez le interesan diferentes tipos de arte.	○	○
3. *El escritor frustrado* se publicará este año.	○	○
4. Esta entrevista aparece en un periódico.	○	○

9　**Preguntas** Contesta las preguntas de tu compañero/a.

1. ¿Qué tipo de música prefieres? ¿Por qué?
2. ¿Tocas un instrumento? ¿Cuál?
3. ¿Hay algún instrumento que quisieras aprender a tocar?
4. ¿Qué tipos de películas prefieres?
5. ¿Qué haces que se puede considerar artístico? ¿Pintas, dibujas, esculpes, haces artesanías, actúas en dramas, tocas un instrumento, cantas o escribes poemas?
6. ¿Con qué frecuencia vas a un museo de arte, a un concierto o al teatro?
7. ¿Es el arte una parte importante de tu vida? ¿Por qué?

10　**Un evento artístico** Escribe un anuncio para un evento artístico en tu comunidad: una exposición de arte, un concierto, una obra de teatro, una ópera, etc. Incluye la fecha, la hora, el lugar y una descripción del evento.

PUEDO hablar sobre el arte en mi vida.

PUEDO describir un evento artístico.

Dos invitaciones

Valentina recibe dos invitaciones para ir a una
exposición de arte.

ANTES DE VER

Ojea los pies de foto y busca vocabulario
relacionado con las bellas artes.

JUANJO ¿Adónde vas tan elegante?

MANUEL Pues... al festival de cine.

JUANJO ¡Ah, qué bueno! ¿Con quién vas?

MANUEL ¡Con nadie, con nadie! Te habría invitado,
pero me regalaron una sola entrada.

JUANJO No te preocupes, yo voy... ¡a la ópera!

MANUEL ¡Genial! No sabía que te gustaba la ópera.

JUANJO Mis gustos musicales son muy variados.

OLGA LUCÍA ¿Adónde vas?

VALENTINA A la inauguración de una exposición de arte
en mi galería favorita.

OLGA LUCÍA ¡¿Con mi bolsa?! Me haría muy feliz que
me pidieras las cosas prestadas antes de
usarlas.

VALENTINA Lo siento, no te enfades, es que tú tienes tan
buen gusto.

MANUEL ¡Estás muy guapa!

VALENTINA Bueno, ¿y qué te parecen las obras?

MANUEL El artista es muy... talentoso.

VALENTINA Me encantan los colores tan llamativos.
Este estilo de arte se llama abstracción
geométrica.

MANUEL Valentina, me alegro de que estemos aquí
juntos. Esta noche es muy...

VALENTINA Voy al baño.

VALENTINA ¡Ya estoy aquí!

JUANJO ¡Creí que te habías ido!

VALENTINA Habría vuelto antes, pero es que estaba
saludando a José.

JUANJO ¿Qué José?

VALENTINA El artista.

JUANJO ¡Oh, el artista! ¡Preséntamelo!

VALENTINA ¡No! Espérame aquí. Lo voy a buscar.

PERSONAJES

MANUEL

JUANJO

VALENTINA

OLGA LUCÍA

6

JUANJO ¡Qué bueno que llegaste! Pensé que no vendrías.

VALENTINA No creí que hubieras llegado todavía. ¡Qué guapo estás!

JUANJO ¡Gracias! Tú también.

VALENTINA Mira, qué obra tan interesante. Es una composición musical en colores.

JUANJO Hasta tiene una partitura.

6

MANUEL Te estaba buscando.

VALENTINA Perdón... es que había mucha cola para el baño.

MANUEL ¡¿Juanjo?!

JUANJO Y MANUEL ¡¿Qué haces aquí?!

Expresiones útiles

colorido/a *colorful*
enfadarse *to get angry*
enseguida *right away*
el estilo *style*
genial *great*
el gusto *taste*
la inauguración *opening*
llamativo/a *bright*
mentir (e:ie) *to lie*
la partitura *(music) score*
rechazar *to turn down*

guiñar el ojo *to wink*
susurrar *to whisper*

El arte en Madrid

Si bien en Madrid se encuentran algunos de los museos de arte más importantes del mundo, también es posible ver el arte en otros espacios: las galerías. Desde el año 2000, Arte_Madrid, una asociación de 48 galerías de arte, le ofrece al público una gran variedad de exposiciones de artes plásticas, como la escultura, la pintura, la fotografía y la artesanía.

¿Qué eventos artísticos se ofrecen en tu comunidad?

¿Qué pasó?

1 **¿Cierto o falso?** Indica si lo que dice cada oración es **cierto** o **falso**. Corrige las oraciones falsas.

1. Manuel va a un festival de cine para ver a su director favorito.
2. Juanjo le dice a Manuel que va a la ópera.
3. Manuel dice que no invita a Juanjo porque no tiene dinero.
4. Olga Lucía se enoja con Valentina porque no la invitó a la exposición.
5. A Juanjo y a Manuel les fascina el arte.
6. Juanjo y Manuel finalmente no conocen al artista de la exposición.

2 **Identificar** Identifica quién dice las oraciones equivalentes.

1. Creí que no habías llegado todavía.
2. Me gustan muchos tipos de música.
3. Bueno, ¿y qué piensas de las obras?
4. Debes pedirme las cosas prestadas antes de usarlas.
5. Esta es una noche muy romántica.
6. Pido perdón por decirles mentiras.

MANUEL

JUANJO

OLGA LUCÍA

VALENTINA

3 **Preguntas** Contesta las preguntas.

1. ¿Quién(es) va(n) a la exposición de arte?
2. ¿Qué le presta Olga Lucía a Valentina?
3. ¿Por qué Manuel no debe sentarse en la silla?
4. ¿Qué excusa les da Valentina a Manuel y a Juanjo para salir de la sala?
5. ¿Por qué Valentina fue a la galería con los dos chicos?
6. ¿Cómo describe Valentina a Juanjo y Manuel?

4 **El fin de semana** Vas a asistir a dos eventos culturales el próximo fin de semana con un(a) compañero/a de clase. Comenten entre ustedes por qué les gustan o les disgustan algunas de las actividades que van sugiriendo. Escojan al final dos actividades que puedan realizar juntos/as. Usen estas frases y expresiones en su conversación.

▶ ¿Qué te gustaría ver/hacer este fin de semana?

▶ ¿Te gustaría asistir a...?

▶ ¡Me encanta(n)... !

▶ Odio..., ¿qué tal si...?

PUEDO hacer planes para asistir a un evento artístico.

Ortografía y pronunciación

Las trampas ortográficas

Some of the most common spelling mistakes in Spanish occur when two or more words have very similar spellings. This section reviews some of those words.

---

compro   compró   hablo   habló

There is no accent mark in the **yo** form of –**ar** verbs in the present tense. There is, however, an accent mark in the **Ud./él/ella** form of –**ar** verbs in the preterite.

---

este (adjective)   **éste** (pronoun)   **esté** (verb)

The demonstrative adjectives **esta** and **este** do not have an accent mark. The demonstrative pronouns **ésta** and **éste** have an accent mark on the first syllable. The verb forms **está** (*present indicative*) and **esté** (*present subjunctive*) have an accent mark on the last syllable.

---

jo-ven   jó-ve-nes   bai-la-rín   bai-la-ri-na

The location of the stressed syllable in a word determines whether or not a written accent mark is needed. When a plural or feminine form has more syllables than the singular or masculine form, an accent mark must sometimes be added or deleted to maintain the correct stress.

No me gusta la ópera, sino el teatro.
No quiero ir al festival si no vienes conmigo.

The conjunction **sino** (*but rather*) should not be confused with **si no** (*if not*). Note also the difference between **mediodía** (*noon*) and **medio día** (*half a day*) and between **por qué** (*why*) and **porque** (*because*).

Práctica Completa las oraciones con las palabras adecuadas para cada ocasión.

1. Javier me explicó que _____ lo invitabas, él no iba a venir. (sino/si no)

2. Me gustan mucho las _____ folclóricas. (canciones/canciónes)

3. Marina _____ su espectáculo en El Salvador. (presento/presentó)

4. Yo prefiero _____. (éste/esté)

Palabras desordenadas Ordena las letras para descubrir las palabras correctas. Después, ordena las letras indicadas para descubrir la respuesta a la pregunta.

¿Adónde va Manuel?

y u n a s e d ó   ⌐a⌐ ⌐a⌐ ⌐ ⌐ ⌐ ⌐

q u e r o p   ⌐ ⌐a⌐ ⌐ ⌐

z o g a d e l a   a ⌐ ⌐a⌐ ⌐ ⌐ ⌐ ⌐

á s e t   ⌐ ⌐a⌐ ⌐

h a i t e s a b o n c i   ⌐ ⌐ ⌐ ⌐a⌐ ⌐ ⌐ ⌐a⌐ ⌐ ⌐

Manuel va __ __ __ __ __ __ __.[1]

[1] *Manuel va al teatro.*

Respuestas: desayunó, porque, adelgazo, está, habitaciones

Museo de Arte
Contemporáneo de Caracas

Una visita al Museo de Arte Contemporáneo de Caracas (MACC) es una experiencia incomparable. Su colección permanente incluye unas 3.000 obras de artistas de todo el mundo. Además, el museo organiza exposiciones temporales° de escultura, dibujo, pintura, fotografía, cine y video. En sus salas se pueden admirar obras de artistas como Matisse, Miró, Picasso, Chagall, Tàpies y Botero.

En 2004, el museo tuvo que cerrar a causa de un incendio°. Entonces, su valiosa° colección fue trasladada al Museo de Bellas Artes, también en Caracas. Además, se realizaron exposiciones en otros lugares, incluso al aire libre, en parques y bulevares.

Cuando el MACC reabrió° sus puertas un año después, lo hizo con nuevos conceptos e ideas. Se dio más atención a las cerámicas y fotografías de la colección. También se creó una sala multimedia dedicada a las últimas tendencias° como video-arte y *performance*.

La lección de esquí, de Joan Miró

El MACC es un importante centro cultural. Además de las salas de exposición, cuenta con° un jardín de esculturas, un auditorio y una biblioteca especializada en arte. También organiza talleres° y recibe a grupos escolares. Un viaje a Caracas no puede estar completo sin una visita a este maravilloso museo.

exposiciones temporales *temporary exhibitions* **incendio** *fire* **valiosa** *valuable* **reabrió** *reopened* **tendencias** *trends* **cuenta con** *it has* **talleres** *workshops*

ASÍ SE DICE

Arte y espectáculos

las caricaturas (Col., El Salv., Méx.); los dibujitos (Arg.); los muñequitos (Cuba)	los dibujos animados
el coro	*choir*
el escenario	*stage*
el estreno	*debut, premiere*
el/la guionista	*scriptwriter*

ACTIVIDADES

1 **¿Cierto o falso?** Indica si lo que dicen las oraciones es **cierto** o **falso**. Corrige la información falsa.

1. La colección permanente del MACC tiene sólo obras de artistas venezolanos.
2. Durante el tiempo que el museo cerró a causa de un incendio, se realizaron exposiciones al aire libre.
3. Cuando el museo reabrió, se dio más atención a la pintura.
4. En el jardín del museo también pueden admirarse obras de arte.
5. El museo tiene actividades para grupos de estudiantes que quieran visitarlo.
6. El MACC es un museo tradicional que rechaza las tendencias modernas en el arte.

2 **Comprensión** Responde a las preguntas.

1. ¿Qué tipo de exposiciones temporales organiza el MACC?
2. Menciona algunos de los artistas cuyas obras se exhiben en el MACC.
3. ¿Qué otros espacios ofrece el MACC además de las salas de exposición?
4. ¿Qué cambios hubo en el museo cuando volvió a abrir sus puertas un año después del incendio?
5. ¿Cómo dice un mexicano "los niños quieren ver dibujos animados"?
6. ¿Cómo se dice en español "*The scriptwriter is on stage*"?

3 **Dos museos** En grupos pequeños, comparen el Museo de Arte Contemporáneo de Caracas con un museo de su estado o su país. Mencionen aspectos como el tipo de museo, sus colecciones, los espacios que ofrecen al público y el tipo de actividades que realizan. Escriban un pequeño artículo sobre los dos museos y publíquenlo en su blog personal.

ENTRE CULTURAS

¿Cuáles son los artistas de origen hispano más famosos?

Go to **vhlcentral.com** *to find more cultural information related to this* **Cultura** *section.*

PUEDO hablar sobre los museos y artistas de mi cultura y otras culturas.

PERFIL

Fernando Botero: un estilo único

El dibujante°, pintor y escultor Fernando Botero es un colombiano de fama internacional. Ha expuesto sus obras en galerías y museos de las Américas, Europa y Asia.

La pintura siempre ha sido su pasión. Su estilo se caracteriza por un cierto aire ingenuo° y unas proporciones exageradas. Mucha gente dice que Botero "pinta gordos", pero esto no es correcto. En su obra no sólo las personas son exageradas; los animales y los objetos también. Botero dice que empezó a pintar personas y cosas voluminosas por intuición. Luego, estudiando la pintura de los maestros italianos, se reafirmó su interés por el volumen y comenzó a usarlo conscientemente° en sus pinturas y esculturas, muchas de las cuales se exhiben en ciudades de todo el mundo. Botero es un trabajador incansable° y es que, para él, lo más divertido del mundo es pintar y crear.

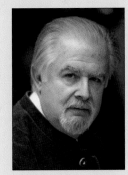

dibujante *drawer* ingenuo *naive* conscientemente *consciously* incansable *tireless*

Comprensión

Responde a las preguntas con base en la lectura.

1. ¿Qué tipo de obras realiza Fernando Botero?
2. ¿Cuáles son dos características del estilo de Botero?
3. ¿Qué artistas inspiraron en Botero el interés por el volumen?

5.1 The conditional

ANTE TODO The conditional tense in Spanish expresses what you *would do* or what *would happen* under certain circumstances.

The conditional tense

		visitar	comer	aplaudir
SINGULAR FORMS	yo	visitar**ía**	comer**ía**	aplaudir**ía**
	tú	visitar**ías**	comer**ías**	aplaudir**ías**
	Ud./él/ella	visitar**ía**	comer**ía**	aplaudir**ía**
PLURAL FORMS	nosotros/as	visitar**íamos**	comer**íamos**	aplaudir**íamos**
	vosotros/as	visitar**íais**	comer**íais**	aplaudir**íais**
	Uds./ellos/ellas	visitar**ían**	comer**ían**	aplaudir**ían**

Pensé que no vendrías...

> The conditional tense is formed much like the future tense. The endings are the same for all verbs, both regular and irregular. For regular verbs, you simply add the appropriate endings to the infinitive. **¡Atención!** All forms of the conditional have an accent mark.

> For irregular verbs, add the conditional endings to the irregular stems.

INFINITIVE	STEM	CONDITIONAL		INFINITIVE	STEM	CONDITIONAL
decir	dir-	dir**ía**		querer	querr-	querr**ía**
hacer	har-	har**ía**		saber	sabr-	sabr**ía**
poder	podr-	podr**ía**		salir	saldr-	saldr**ía**
poner	pondr-	pondr**ía**		tener	tendr-	tendr**ía**
haber	habr-	habr**ía**		venir	vendr-	vendr**ía**

> While in English the conditional is a compound verb form made up of the auxiliary verb *would* and a main verb, in Spanish it is a simple verb form that consists of one word.

Yo no me **pondría** ese vestido.
I would not wear that dress.

¿**Vivirían** ustedes en otro país?
Would you live in another country?

¡ATENCIÓN!

The polite expressions **Me gustaría...** (*I would like...*) and **Te gustaría...** (*You would like...*) are other examples of the conditional.

AYUDA

The infinitive of **hay** is **haber**, so its conditional form is **habría**.

VERIFICA

▶ The conditional is commonly used to make polite requests.

¿**Podrías** abrir la ventana, por favor?	¿**Sería** tan amable de venir a mi oficina?
Would you open the window, please?	*Would you be so kind as to come to my office?*

AYUDA

Keep in mind the two parallel combinations shown in the example sentences:
1) present tense in main clause → future tense in subordinate clause
2) past tense in main clause → conditional tense in subordinate clause

▶ In Spanish, as in English, the conditional expresses the future in relation to a past action or state of being. In other words, the future indicates what *will happen* whereas the conditional indicates what *would happen*.

Creo que mañana **hará** sol.	**Creía** que hoy **haría** sol.
I think it will be sunny tomorrow.	*I thought it would be sunny today.*

▶ The English *would* is often used with a verb to express the conditional, but it can also mean *used to*, in the sense of past habitual action. To express past habitual actions, Spanish uses the imperfect, not the conditional.

Íbamos al parque los sábados.	De adolescentes, **comíamos** mucho.
We would go to the park on Saturdays.	*As teenagers, we used to eat a lot.*

Sin ti, no sé qué haría.
Sólo tú sabes ordenar mi vida.

VERIFICA

COMPARE & CONTRAST

In **Lección 4**, you learned the *future of probability*. Spanish also has the *conditional of probability*, which expresses conjecture or probability about a past condition, event, or action. Compare these Spanish and English sentences.

Serían las once de la noche cuando Elvira me llamó.	Sonó el teléfono. ¿**Llamaría** Emilio para cancelar nuestra cita?
It must have been (It was probably) 11 p.m. when Elvira called me.	*The phone rang. I wondered if it was Emilio calling to cancel our date.*

Note that English conveys conjecture or probability with phrases such as *I wondered if, probably,* and *must have been*. In contrast, Spanish gets these same ideas across with conditional forms.

¡INTÉNTALO!   Indica la forma apropiada del condicional de los verbos.

1. Yo ___escucharía, leería, esculpiría___ (escuchar, leer, esculpir)
2. Tú _____ (apreciar, comprender, compartir)
3. Marcos _____ (poner, venir, querer)
4. Nosotras _____ (ser, saber, ir)
5. Ustedes _____ (presentar, deber, aplaudir)
6. Ella _____ (salir, poder, hacer)
7. Yo _____ (tener, tocar, aburrirse)
8. Tú _____ (decir, ver, publicar)

Práctica

1 **De viaje** A un grupo de artistas le gustaría hacer un viaje a Honduras. En estas oraciones nos cuentan sus planes de viaje. Complétalas con el condicional del verbo entre paréntesis.

1. Me _____ (gustar) llevar algunos libros de poesía de Leticia de Oyuela.
2. Ana _____ (querer) ir primero a Copán para conocer las ruinas mayas.
3. Yo _____ (decir) que fuéramos a Tegucigalpa primero.
4. Nosotras _____ (preferir) ver una obra del Grupo Dramático de Tegucigalpa. Luego _____ (poder) tomarnos un café.
5. Y nosotros _____ (ver) los cuadros del pintor José Antonio Velásquez. Y tú, Luisa, ¿qué _____ (hacer)?
6. Yo _____ (tener) interés en ver o comprar cerámica de José Arturo Machado. Y a ti, Carlos, ¿te _____ (interesar) ver la arquitectura colonial?

NOTA CULTURAL

Leticia de Oyuela (1935–2008) fue una escritora hondureña. En sus obras, Oyuela combinaba la historia con la ficción y, a través de sus personajes, cuestionaba y desafiaba (*used to challenge*) las normas sociales.

2 **¿Qué harías?** En parejas, pregúntense qué harían en estas situaciones.

> Estás en un concierto de tu banda favorita y la persona que está sentada delante no te deja ver.

> Un amigo actor te invita a ver una película que acaba de hacer, y no te gusta nada cómo hace su papel.

> Estás invitado/a a los Premios Ariel. Es posible que te vayan a dar un premio, pero ese día estás muy enfermo/a.

> Te invitan, pagándote mucho dinero, para ir a un programa de televisión para hablar de tu vida privada y pelearte (*to fight*) con tu novio/a durante el programa.

NOTA CULTURAL

Los Premios Ariel de México son el equivalente a los Premios Oscar en los Estados Unidos. Cada año los entrega la Academia Mexicana de Ciencias y Artes Cinematográficas.

Algunas películas que han ganado un premio Ariel son *Amores perros* y *El laberinto del fauno*.

3 **Sugerencias** Matilde busca trabajo. Dile seis cosas que tú harías si fueras ella. Usa el condicional. Luego compara tus sugerencias con las de un(a) compañero/a.

modelo
Si yo fuera tú, buscaría trabajo en Internet.

AYUDA

Here are two ways of saying *If I were you:*
Si yo fuera tú…
Yo en tu lugar…

Comunicación

4

🔊

Cita Escucha la conversación telefónica entre José Antonio y Marcela. Luego, indica si las conclusiones son **lógicas** o **ilógicas**, según lo que escuchaste.

	Lógico	Ilógico
1. A José Antonio no le interesa el arte.	◯	◯
2. Marcela ya tiene planes hoy.	◯	◯
3. A Marcela no le gusta salir con José Antonio.	◯	◯
4. El hermano de José Antonio iría al cine también si no estuviera de vacaciones.	◯	◯
5. Marcela y José Antonio van a encontrarse en el cine primero para comprar los boletos.	◯	◯

5

¿Cómo sería? Imagina que no tienes restricciones ni de dinero ni de tiempo y puedes hacer lo que quieras. Explica qué cosas harías. Utiliza un mínimo de cinco verbos en condicional.

modelo
Escribiría cuentos para niños...

6

Luces, cámara y acción En parejas, elijan una película que les guste y hablen sobre las cosas que habrían hecho de manera diferente si hubieran sido los directores.

Yo no contrataría a Ben Affleck para el papel de Batman.

Además, haría una película más corta.

El personaje de Lex Luthor no aparecería en mi película.

Mi película tendría un final feliz.

Síntesis

7

Una vida diferente Piensa en un(a) artista famoso/a. Escribe un párrafo en el que describas cómo sería tu vida si fueras esa persona. Utiliza el tiempo condicional.

PUEDO hablar sobre cómo sería mi vida si fuera una persona famosa.

5.2   The conditional perfect

> Te habría invitado, pero me regalaron una sola entrada.

> Habría vuelto antes, pero es que estaba saludando a... José.

The conditional perfect

		pintar	**comer**	**vivir**
SINGULAR FORMS	yo	**habría** pintado	**habría** comido	**habría** vivido
	tú	**habrías** pintado	**habrías** comido	**habrías** vivido
	Ud./él/ella	**habría** pintado	**habría** comido	**habría** vivido
PLURAL FORMS	nosotros/as	**habríamos** pintado	**habríamos** comido	**habríamos** vivido
	vosotros/as	**habríais** pintado	**habríais** comido	**habríais** vivido
	Uds./ellos/ellas	**habrían** pintado	**habrían** comido	**habrían** vivido

▶ The conditional perfect is used to express an action that would have occurred, but didn't.

¿No fuiste al espectáculo?
¡Te **habrías divertido**!
You didn't go to the show?
You would have had a good time!

Sandra **habría preferido** ir a la ópera, pero Omar prefirió ir al cine.
Sandra would have preferred to go to the opera, but Omar preferred to see a movie.

¡INTÉNTALO!   Indica las formas apropiadas del condicional perfecto de los verbos.

1. Nosotros ___habríamos hecho___ (hacer) todos los quehaceres.
2. Tú _____ (apreciar) mi poesía.
3. Ellos _____ (pintar) un mural.
4. Usted _____ (tocar) el piano.
5. Ellas _____ (poner) la mesa.
6. Tú y yo _____ (resolver) los problemas.
7. Silvia y Alberto _____ (esculpir) una estatua.
8. Yo _____ (presentar) el informe.
9. Ustedes _____ (vivir) en el campo.
10. Tú _____ (abrir) la puerta.

Práctica

1

Completar Completa los diálogos con la forma apropiada del condicional perfecto de los verbos de la lista. Luego, en parejas, representen los diálogos.

divertirse	presentar	sentir	tocar
hacer	querer	tener	venir

1. —Tú _____ el papel de Aída mejor que ella. ¡Qué lástima!

   —Sí, mis padres _____ desde California sólo para oírme cantar.

2. —Olga, yo esperaba algo más. Con un poco de dedicación y práctica la orquesta _____ mejor y los músicos _____ más éxito.

   —Menos mal que la compositora no los escuchó. Se _____ avergonzada.

3. —Tania _____ la comedia pero no pudo porque cerraron el teatro.

   —¡Qué lástima! Mi esposa y yo _____ ir a la presentación de la obra. Siempre veo tragedias y sé que _____.

¡LENGUA VIVA!

The expression **Menos mal que…** means *It's a good thing that…* or *It's just as well that…* It is followed by a verb in the indicative.

2

Combinar En parejas, imaginen qué harían estas personas en las situaciones presentadas. Combina elementos de cada una de las tres columnas para formar seis oraciones usando el condicional perfecto.

A	**B**	**C**
con talento artístico	yo	estudiar...
con más tiempo libre	tú	pintar...
en otra especialización	la gente	esculpir...
con más aprecio de las artes	mis compañeros y yo	viajar...
con más dinero	los artistas	escribir...
en otra película	Alejandro González Iñárritu	publicar...

NOTA CULTURAL

El director de cine **Alejandro González Iñárritu** forma parte de la nueva generación de directores mexicanos. Su película *Amores perros* fue nominada para el Oscar a la mejor película extranjera en 2001. Ganó tres Oscars por el guion, dirección y producción de la película *Birdman* (2014), y el Oscar a mejor director por *The Revenant* (2015).

3

¿Qué habrías hecho? Estos dibujos muestran situaciones poco comunes. No sabemos qué hicieron estas personas, pero tú, ¿qué habrías hecho? Comparte tus respuestas con un(a) compañero/a.

AYUDA

Here are some suggestions:

Habría llevado el dinero a…

Yo habría atacado al oso (bear) con…

Yo habría…

1.

2.

3.

4.

Comunicación

4 **Preguntas** En parejas, imaginen que tienen cincuenta años y están hablando de sus años de juventud. ¿Qué habrían hecho de manera diferente? Túrnense para hacerse y contestar las preguntas.

> **modelo**
>
> ¿Te (interesar) aprender a tocar un instrumento?
> **Estudiante 1:** ¿Te habría interesado aprender a tocar un instrumento?
> **Estudiante 2:** Sí, habría aprendido a tocar el piano.

1. ¿Te (gustar) viajar por Latinoamérica?
2. ¿A qué escritores (leer)?
3. ¿Qué clases (tomar)?
4. ¿Qué tipo de amigos/as (tener)?
5. ¿A qué fiestas o viajes no (ir)?
6. ¿Con qué tipo de persona (salir)?

5 **Pobre Mario** En parejas, lean la carta que Mario le escribió a Enrique. Digan qué cosas Mario habría hecho de una manera diferente, de haber tenido la oportunidad.

> **modelo**
>
> Mario no habría hecho este musical.

De:	Mario
Para:	Enrique
Asunto:	Fin de mi proyecto artístico

Enrique:

Ya llegó el último día del musical. Yo creía que nunca iba a acabar. En general, los cantantes y actores eran bastante malos, pero no tuve tiempo de buscar otros, y además los buenos ya tenían trabajo en otras obras. Ayer todo salió muy mal. Como era la última noche, yo había invitado a unos críticos a ver la obra, pero no pudieron verla. El primer problema fue la cantante principal. Ella estaba enojada conmigo porque no quise pagarle todo el dinero que quería. Dijo que tenía problemas de garganta, y no salió a cantar. Conseguí otra cantante, pero los músicos de la orquesta todavía no habían llegado. Tenían que venir todos en un autobús no muy caro que yo había alquilado, pero el autobús salió a una hora equivocada. Entonces, el bailarín se enojó conmigo porque todo iba a empezar tarde.

Quizás tenía razón mi padre. Seguramente soy mejor contador que director teatral.

Escríbeme,
Mario

¡LENGUA VIVA!

The useful expression **de haber tenido la oportunidad** means *if I/he/you/etc. had had the opportunity.* You can use this construction in similar instances, such as **De haberlo sabido ayer, te habría llamado.**

Síntesis

6 **Yo en tu lugar** Primero, cada estudiante hace una lista con tres errores que ha cometido o tres problemas que ha tenido en su vida. Después, en parejas, túrnense para decirse qué habrían hecho en esas situaciones.

> **modelo**
>
> **Estudiante 1:** El año pasado saqué una mala nota en el examen de biología.
> **Estudiante 2:** Yo no habría sacado una mala nota. Habría estudiado más.

PUEDO hablar sobre las cosas que habría hecho de manera diferente para no cometer los mismos errores.

(5.3) # The past perfect subjunctive

CONSULTA

To review the past
perfect indicative, see
Estructura 3.2, p. 104.
To review the present
perfect subjunctive, see
Estructura 3.3, p. 107.

ANTE TODO The past perfect subjunctive (**el pluscuamperfecto del subjuntivo**), also called the pluperfect subjunctive, is formed with the past subjunctive of **haber** + [*past participle*]. Compare the following subjunctive forms.

Present subjunctive	Present perfect subjunctive
yo trabaje	yo haya trabajado

Past subjunctive	Past perfect subjunctive
yo trabajara	yo hubiera trabajado

Past perfect subjunctive

		pintar	comer	vivir
SINGULAR FORMS	yo	**hubiera** pintado	**hubiera** comido	**hubiera** vivido
	tú	**hubieras** pintado	**hubieras** comido	**hubieras** vivido
	Ud./él/ella	**hubiera** pintado	**hubiera** comido	**hubiera** vivido
PLURAL FORMS	nosotros/as	**hubiéramos** pintado	**hubiéramos** comido	**hubiéramos** vivido
	vosotros/as	**hubierais** pintado	**hubierais** comido	**hubierais** vivido
	Uds./ellos/ellas	**hubieran** pintado	**hubieran** comido	**hubieran** vivido

▶ The past perfect subjunctive is used in subordinate clauses under the same conditions that you have learned for other subjunctive forms, and in the same way the past perfect is used in English (*I had talked, you had spoken*, etc.). It refers to actions or conditions that had taken place before another action or condition in the past.

No había nadie que **hubiera dormido**.
There wasn't anyone who had slept.

Esperaba que Juan **hubiera ganado**
  el partido.
I hoped that Juan had won the game.

Dudaba que ellos **hubieran llegado**.
I doubted that they had arrived.

Llegué antes de que la clase **hubiera
  comenzado**.
I arrived before the class had begun.

¡INTÉNTALO! Indica la forma apropiada del pluscuamperfecto del subjuntivo de cada verbo.

1. Esperaba que ustedes ___hubieran hecho___ (hacer) las reservaciones.
2. Dudaba que tú _____ (decir) eso.
3. No estaba seguro de que ellos _____ (ir).
4. No creían que nosotros _____ (hablar) con Ricardo.
5. No había nadie que _____ (poder) comer tanto como él.
6. No había nadie que _____ (ver) el espectáculo.
7. Me molestó que tú no me _____ (llamar) antes.
8. ¿Había alguien que no _____ (apreciar) esa película?
9. No creían que nosotras _____ (bailar) en el festival.
10. No era cierto que yo _____ (ir) con él al concierto.

Práctica

1 Completar Completa las oraciones con el pluscuamperfecto del subjuntivo de los verbos.

1. Me alegré de que mi familia _____ (irse) de viaje.
2. Me molestaba que Carlos y Miguel no _____ (venir) a visitarme.
3. Dudaba que la música que yo escuchaba _____ (ser) la misma que escuchaban mis padres.
4. No creían que nosotros _____ (poder) aprender español en un año.
5. Los músicos se alegraban de que su programa le _____ (gustar) tanto al público.
6. La profesora se sorprendió de que nosotros _____ (hacer) la tarea antes de venir a clase.

2 Transformar María está hablando de las emociones que ha sentido ante ciertos acontecimientos (*events*). Transforma sus oraciones según el modelo.

> **modelo**
> Me alegro de que hayan venido los padres de Micaela.
> *Me alegré de que hubieran venido los padres de Micaela.*

1. Es muy triste que haya muerto la tía de Miguel.
2. Dudo que Guillermo haya comprado una casa tan grande.
3. No puedo creer que nuestro equipo haya perdido el partido.
4. Me alegro de que mi novio me haya llamado.
5. Me molesta que el periódico no haya llegado.
6. Dudo que hayan cerrado el Museo de Arte.

3 El regreso Durante 30 años, el astronauta Emilio Hernández estuvo en el espacio sin tener noticias de la Tierra. Usa el pluscuamperfecto del subjuntivo para indicar lo que Emilio esperaba que hubiera pasado.

> **modelo**
> su esposa / no casarse con otro hombre
> *Esperaba que su esposa no se hubiera casado con otro hombre.*

1. su hija Diana / lograr ser una pintora famosa
2. los políticos / acabar con todas las guerras (*wars*)
3. su suegra / irse a vivir a El Salvador
4. su hermano Ramón / tener un empleo por más de dos meses
5. todos los países / resolver sus problemas económicos
6. su esposa / ya pagar el préstamo de la casa
7. el clima del planeta / mejorar
8. su mejor amigo / escribir el libro que quería publicar

¡LENGUA VIVA!

Both the preterite and the imperfect can be used to describe past thoughts or emotions. In general, the imperfect describes a particular action or mental state without reference to its beginning or end; the preterite refers to the occurrence of an action, thought, or emotion at a specific moment in time.

Pensaba que mi vida era aburrida.

Pensé que había dicho algo malo.

Comunicación

4 🔊

Una mala obra Escucha el mensaje telefónico que deja María Teresa, una espectadora, a una compañía de teatro. Luego, indica si las conclusiones son **lógicas** o **ilógicas**, según lo que escuchaste.

	Lógico	Ilógico
1. Era probable que María Teresa hubiera aplaudido mucho el martes.	○	○
2. La obra *La Celestina* fue gratis.	○	○
3. María Teresa fue sola al teatro.	○	○
4. Había una banda talentosa en el teatro.	○	○
5. María Teresa ha leído el libro *La Celestina*.	○	○

5 👥

Reacciones Imagina que estos acontecimientos (*events*) ocurrieron la semana pasada. Indica cómo reaccionaste ante cada uno. Comparte tu reacción con un(a) compañero/a.

> **modelo**
>
> Vino a visitarte tu tía de El Salvador.
>
> *Me alegré de que hubiera venido a visitarme.*

1. Perdiste tu mochila con tus documentos.
2. Conociste a un cantante famoso.
3. Encontraste veinte mil dólares.
4. Tus amigos/as te hicieron una fiesta sorpresa.

6

Opinión Escribe tu opinión sobre el último evento artístico al que asististe (un festival de cine, un concierto, una obra de teatro, etc.). Usa el pluscuamperfecto de subjuntivo.

> **modelo**
>
> *El sábado vi un documental sobre el flamenco. Me alegré de que mi hermana hubiera comprado los boletos...*

Síntesis

7 👥

Noticias En parejas, lean estos titulares (*headlines*) e indiquen cuáles habrían sido sus reacciones si esto les hubiera ocurrido a ustedes. Utilicen el pluscuamperfecto de subjuntivo.

Un grupo de turistas se encuentra con Elvis en una gasolinera.
El cantante los saludó, les cantó unas canciones y después se marchó hacia las montañas, caminando tranquilamente.

Tres jóvenes estudiantes se perdieron en un bosque de Maine.
Después de estar tres horas perdidos, aparecieron en una gasolinera de un desierto de Australia.

Ayer, una joven hondureña, después de pasar tres años en coma, se despertó y descubrió que podía entender el lenguaje de los animales.

PUEDO hablar sobre cómo hubiera reaccionado en ciertas situaciones hipotéticas.

SUBJECT
Javier
CONJUGATED FORM
empiezo
Main clause
Dudan

Recapitulación

Completa estas actividades para repasar los conceptos de gramática que aprendiste en esta lección.

1 **Completar** Completa el cuadro con la forma correcta del condicional de los verbos. **24 pts.**

Infinitivo	tú	nosotros	ellas
pintar			
			querrían
		podríamos	
	habrías		

2 **Diálogo** Completa el diálogo con la forma adecuada del condicional de los verbos de la lista. **16 pts.**

dejar	gustar	ir	poder
encantar	hacer	llover	sorprender

OMAR ¿Sabes? El concierto al aire libre fue un éxito. Yo creía que (1) _____, pero hizo sol.

NIDIA Ah, me alegro. Te dije que Jaime y yo (2) _____, pero tuvimos un imprevisto (*something came up*) y no pudimos. Y a Laura, ¿la viste allí?

OMAR Sí, ella fue. A diferencia de ti, al principio me dijo que ella y su amiga no (3) _____ ir, pero al final aparecieron. Necesitaba relajarse un poco; está muy estresada con sus estudios.

NIDIA A mí no me (4) _____ que se enfermara. Yo, en su lugar, (5) _____ de estudiar obsesivamente y (6) _____ más actividades interesantes fuera de la escuela.

OMAR Estoy de acuerdo. Oye, esta noche voy a ir al teatro. ¿(7) _____ ir conmigo? Jaime también puede acompañarnos. Es una comedia familiar.

NIDIA A nosotros (8) _____ ir. ¿A qué hora es?

OMAR A las siete y media.

5.1 The conditional *pp. 172–173*

The conditional tense* of **aplaudir**	
aplaudiría	aplaudiríamos
aplaudirías	aplaudiríais
aplaudiría	aplaudirían

*Same endings for **-ar**, **-er**, and **-ir** verbs.

Irregular verbs		
Infinitive	**Stem**	**Conditional**
decir	dir-	diría
hacer	har-	haría
poder	podr-	podría
poner	pondr-	pondría
haber	habr-	habría
querer	querr-	querría
saber	sabr-	sabría
salir	saldr-	saldría
tener	tendr-	tendría
venir	vendr-	vendría

5.2 The conditional perfect *p. 176*

pintar	
habría pintado	habríamos pintado
habrías pintado	habríais pintado
habría pintado	habrían pintado

5.3 The past perfect subjunctive *p. 179*

cantar	
hubiera cantado	hubiéramos cantado
hubieras cantado	hubierais cantado
hubiera cantado	hubieran cantado

► To form the past perfect subjunctive, take the **Uds./ellos/ellas** form of the preterite of **haber**, drop the ending (**-ron**), and add the past subjunctive endings (**-ra, -ras, -ra, -ramos, -rais, -ran**).

► Note that the **nosotros/as** form takes an accent.

3 **Fin de curso** El espectáculo de fin de curso de la escuela ha sido cancelado por falta de interés y ahora todos se arrepienten (*regret it*). Completa las oraciones con el condicional perfecto. **16 pts.**

1. La profesora de danza _____ (convencer) a los mejores bailarines de que participaran.
2. Tú no _____ (escribir) en el periódico que el comité organizador era incompetente.
3. Los profesores _____ (animar) a todos a participar.
4. Nosotros _____ (invitar) a nuestros amigos y familiares.
5. Tú _____ (publicar) un artículo muy positivo sobre el espectáculo.
6. Los padres de los estudiantes _____ (dar) más dinero y apoyo.
7. Mis compañeros de drama y yo _____ (presentar) una comedia muy divertida.
8. El director _____ (hacer) del espectáculo su máxima prioridad.

4 **El arte** Estos estudiantes universitarios están decepcionados (*disappointed*) con sus estudios de arte. Escribe oraciones a partir de los elementos dados. Usa el imperfecto del indicativo y el pluscuamperfecto del subjuntivo. Sigue el modelo. **12 pts.**

modelo
yo / esperar / la universidad / poner / más énfasis en el arte
Yo esperaba que la universidad hubiera puesto más énfasis en el arte.

1. Sonia / querer / el departamento de arte / ofrecer / más clases
2. no haber nadie / oír / de ningún ex alumno / con éxito en el mundo artístico
3. nosotros / desear / haber / más exhibiciones de trabajos de estudiantes
4. ser una lástima / los profesores / no ser / más exigentes
5. Juanjo / dudar / nosotros / poder / escoger una universidad con menos recursos
6. ser increíble / la universidad / no construir / un museo más grande

5 **Una vida diferente** Piensa en un(a) artista famoso/a (pintor(a), cantante, actor/ actriz, bailarín/bailarina, etc.) y escribe al menos cinco oraciones que describan cómo sería tu vida ahora si fueras esa persona. Usa las tres formas verbales que aprendiste en esta lección ¡y también tu imaginación! **32 pts.**

6 **Adivinanza** Completa la adivinanza con la forma correcta del condicional del verbo **ser** y adivina la respuesta. **¡4 puntos EXTRA!**

> **"** Me puedes ver en tu piso,
> y también en tu nariz;
> sin mí no habría ricos
> y nadie _____ (ser) feliz.
> ¿Quién soy? **"**

_____

Lectura

Antes de leer

Estrategia
Identifying stylistic devices

There are several stylistic devices (**recursos estilísticos**) that can be used for effect in poetic or literary narratives. *Anaphora* consists of successive clauses or sentences that start with the same word(s). *Parallelism* uses successive clauses or sentences with a similar structure. *Repetition* consists of words or phrases repeated throughout the text. *Enumeration* uses the accumulation of words to describe something. Identifying these devices can help you to focus on topics or ideas that the author chose to emphasize.

Contestar

1. ¿Cuál es tu instrumento musical favorito? ¿Sabes tocarlo? ¿Puedes describir su forma?
2. Compara el sonido de ese instrumento con algunos sonidos de la naturaleza. (Por ejemplo: El piano suena como la lluvia).
3. ¿Qué instrumento es el "protagonista" de estos poemas de García Lorca?
4. Localiza en estos tres poemas algunos ejemplos de los recursos estilísticos que aparecen en la **Estrategia**. ¿Qué elementos o temas se enfatizan mediante esos recursos?

Resumen

Completa el párrafo con palabras de la lista.

artesanía	música	poeta
compositor	poemas	talento

Los _____ se titulan *La guitarra, Las seis cuerdas* y *Danza*. Son obras del _____ Federico García Lorca. Estos textos reflejan la importancia de la _____ en la poesía de este escritor. Lorca es conocido por su _____.

¿De qué trata? *What is it about?*

Federico García Lorca

El escritor español Federico García Lorca nació en 1898 en Fuente Vaqueros, Granada. En 1919 se mudó a Madrid y allí vivió en una residencia estudiantil, donde se hizo° amigo del pintor Salvador Dalí y del cineasta° Luis Buñuel. En 1920 estrenó° su primera obra teatral, El maleficio° de la mariposa. *En 1929 viajó a los Estados Unidos, donde asistió a clases en la Universidad de Columbia. Al volver a España, dirigió la compañía de teatro universitario "La Barraca", un proyecto promovido° por el gobierno de la República para llevar el teatro clásico a los pueblos españoles. Fue asesinado en agosto de 1936 en Víznar, Granada, durante la dictadura° militar de Francisco Franco. Entre sus obras más conocidas están* Poema del cante jondo *(1931) y* Bodas de sangre *(1933). El amor, la muerte y la marginación son algunos de los temas presentes en su obra.*

Danza

EN EL HUERTO° DE LA PETENERA°

En la noche del huerto,
seis gitanas°,
vestidas de blanco
bailan.

En la noche del huerto,
coronadas°,
con rosas de papel
y biznagas°.

En la noche del huerto,
sus dientes de nácar°,
escriben la sombra°
quemada.

Y en la noche del huerto,
sus sombras se alargan°,
y llegan hasta el cielo
moradas.

Las seis cuerdas

La guitarra,
hace llorar° a los sueños°.
El sollozo° de las almas°
perdidas,
se escapa por su boca
redonda°.
Y como la tarántula
teje° una gran estrella
para cazar suspiros°,
que flotan en su negro
aljibe° de madera°.

La guitarra

Empieza el llanto°
de la guitarra.
Se rompen las copas
de la madrugada°.
Empieza el llanto
de la guitarra.
Es inútil
callarla°.
Es imposible
callarla.
Llora monótona
como llora el agua,
como llora el viento
sobre la nevada°.
Es imposible
callarla.
Llora por cosas
lejanas°.
Arena° del Sur caliente
que pide camelias blancas.
Llora flecha sin blanco°,
la tarde sin mañana,
y el primer pájaro muerto
sobre la rama°.
¡Oh guitarra!
Corazón malherido°
por cinco espadas°.

Después de leer

Comprensión

Completa cada oración con la opción correcta.

1. En el poema *La guitarra* se habla del "llanto" de la guitarra. La palabra "llanto" se relaciona con el verbo _____.
   a. llover   b. cantar   c. llorar
2. El llanto de la guitarra en *La guitarra* se compara con _____.
   a. el viento   b. la nieve   c. el tornado
3. En el poema *Las seis cuerdas* se personifica a la guitarra como _____.
   a. una tarántula   b. un pájaro   c. una estrella
4. En *Danza*, las gitanas bailan en el _____.
   a. teatro   b. huerto   c. patio

Interpretación

En grupos pequeños, respondan a las preguntas.

1. En los poemas *La guitarra* y *Las seis cuerdas* se personifica a la guitarra. Analicen esa personificación. ¿Qué cosas humanas puede hacer la guitarra? ¿En qué se parece a una persona?
2. ¿Creen que la música de *La guitarra* y *Las seis cuerdas* es alegre o triste? ¿En qué tipo de música te hace pensar?
3. ¿Puede existir alguna relación entre las seis cuerdas de la guitarra y las seis gitanas bailando en el huerto en el poema *Danza*? ¿Cuál?

Conversación

Primero, comenta con un(a) compañero/a tus gustos musicales (instrumentos favoritos, grupos, estilo de música, cantantes). Después, intercambien las experiencias más intensas o importantes que hayan tenido con la música (un concierto, un recuerdo asociado a una canción, etc.).

PUEDO analizar un poema apoyándome en sus recursos estilísticos.

se hizo *he became* cineasta *filmmaker* estrenó *premiered* maleficio *curse; spell* mariposa *butterfly* promovido *promoted* dictadura *dictatorship* huerto *orchard* petenera *Andalusian song* gitanas *gypsies* coronadas *crowned* biznagas *type of plant* nácar *mother-of-pearl* sombra *shadow* se alargan *get longer* llorar *to cry* sueños *dreams* sollozo *sobbing* almas *souls* redonda *round* teje *spins* suspiros *sighs* aljibe *well* madera *wood* llanto *crying* madrugada *dawn* inútil callarla *useless to silence her* nevada *snowfall* lejanas *far-off* Arena *Sand* flecha sin blanco *arrow without a target* rama *branch* malherido *wounded* espadas *swords*

Escritura

Estrategia

Finding biographical information

Biographical information can be useful for a great variety of writing topics. Whether you are writing about a famous person, a period in history, or even a particular career or industry, you will be able to make your writing both more accurate and more interesting when you provide detailed information about the people who are related to your topic.

To research biographical information, you may wish to start with general reference sources, such as encyclopedias and periodicals. Additional background information on people can be found in biographies or in nonfiction books about the person's field or industry. For example, if you wanted to write about Sonia Sotomayor, you could find background information from periodicals, including magazine interviews. You might also find information in books or articles related to contemporary politics and Law.

Biographical information may also be available on the Internet, and depending on your writing topic, you may even be able to conduct interviews to get the information you need. Make sure to confirm the reliability of your sources whenever your writing includes information about other people.

You might want to look for the following kinds of information:

- date of birth
- date of death
- childhood experiences
- education
- family life
- place of residence
- life-changing events
- personal and professional accomplishments

Tema

¿A quién te gustaría conocer?

Si pudieras invitar a cinco personas famosas a cenar en tu casa, ¿a quiénes invitarías? Pueden ser de cualquier (*any*) época de la historia y de cualquier profesión. Algunas posibilidades son:

- el arte
- la música
- el cine
- las ciencias
- la historia
- la política

Escribe una composición breve sobre la cena. Explica por qué invitarías a estas personas y describe lo que harías, lo que preguntarías y lo que dirías si tuvieras la oportunidad de conocerlas. Utiliza el condicional.

PUEDO describir por escrito las personas famosas a las que invitaría a una cena y lo que haría en esa situación.

Escuchar

Estrategia

**Listening for key words/
Using the context**

The comprehension of key words is vital to understanding spoken Spanish. Use your background knowledge of the subject to help you anticipate what the key words might be. When you hear unfamiliar words, remember that you can use context to figure out their meaning.

 To practice these strategies, you will now listen to a paragraph from a letter sent to a job applicant. Jot down key words, as well as any other words you figured out from the context.

Preparación

Basándote en el dibujo, ¿qué palabras crees que usaría un crítico en una reseña (*review*) de esta película?

Ahora escucha

Ahora vas a escuchar la reseña de la película. Mientras escuches al crítico, recuerda que las críticas de cine son principalmente descriptivas. La primera vez que escuchas, identifica las palabras clave (*key*) y escríbelas en la columna A. Luego, escucha otra vez la reseña e identifica el significado de las palabras en la columna B mediante el contexto.

A	**B**
1. _____	1. estrenar
2. _____	2. a pesar de
3. _____	3. con reservas
4. _____	4. supuestamente
5. _____	5. la trama
6. _____	6. conocimiento

PUEDO entender un discurso apoyándome en el contexto y en palabras clave.

Comprensión

Cierto o falso

	Cierto	Falso
1. *El fantasma del lago Enriquillo* es una película de ciencia ficción.	O	O
2. Los efectos especiales son espectaculares.	O	O
3. Generalmente se ha visto a Jorge Verdoso en comedias románticas.	O	O
4. Jaime Rebelde es un actor espectacular.	O	O

Preguntas

1. ¿Qué aspectos de la película le gustaron al crítico?
2. ¿Qué no le gustó al crítico de la película?
3. Si a ti te gustaran los actores, ¿irías a ver esta película? ¿Por qué?
4. Para ti, ¿cuáles son los aspectos más importantes de una película? Explica tu respuesta.

Ahora ustedes

Trabajen en grupos. Escojan una película con actores muy famosos que no fue lo que esperaban. Escriban una reseña que describa el papel de los actores, la trama, los efectos especiales, la cinematografía u otros aspectos importantes de la película.

Lo que me prende

Preparación

Contesta las preguntas. Después, comparte tus respuestas con un(a) compañero/a.

1. En tu vida, ¿qué es lo que te prende (*what rocks your world*)?
2. ¿Cuándo descubriste esta pasión? ¿Cómo?
3. ¿Cómo compartes esta pasión con el mundo?

Tenía muy poco tiempo para dedicarle° [al piano].

Lo que me prende

Lo que me prende es un programa del canal mexicano Once TV que muestra lo que a los jóvenes les apasiona° desde su perspectiva, es decir°, como ellos lo ven. Los episodios muestran desde el gusto de un chico por el grafiti o la afición° de una chica por la natación, hasta la pasión de una joven por el piano, historia que te presentamos a continuación°. Montserrat es una mexicana que ama° tocar este instrumento. Aunque comenzó sus lecciones a los nueve años, la música ha estado dentro de ella desde antes de nacer y es ahora su estilo de vida°.

les apasiona *have a passion for* es decir *that is* afición *interest in* a continuación *next* ama *loves* estilo de vida *lifestyle* dedicarle *to devote to it*

Vocabulario útil

el detonante	*trigger*
majestuoso	*majestic*
la pieza	*piece*
la prepa(ratoria)	*high-school (Mex.)*
propedéutico	*preparatory (course)*
rebasa	*exceeds*

Comprensión

Indica las expresiones que escuches en el anuncio.

_____ 1. A mí lo que me prende es tocar el piano.

_____ 2. La música siempre me gustó.

_____ 3. Le prohibimos escuchar música clásica.

_____ 4. Estuve en el instrumento correcto.

_____ 5. Siempre tuve tiempo para ir a fiestas.

Conversación

En pequeños grupos, conversen sobre Montserrat, su vida y pasión, y compárenlas con los intereses y pasiones de las personas del grupo.

Aplicación

Prepara una presentación para explicarle a la clase lo que te prende y cómo esta pasión ha cambiado y definido tu vida. Si no tienes una pasión personal que quieras compartir, escoge a una persona que conozcas (uno/a de tus amigos/as, un familiar o una persona famosa) y presenta lo que le prende y cómo ha cambiado y definido su vida.

PUEDO hacer una presentación sobre mis intereses personales o los de alguien más

Palacios del arte

**... una ciudad [...] con una
riquísima y selecta oferta de
hoteles, restaurantes [...] y
especialmente... ¡arte!**

**El edificio fue [...] un hospital.
Hoy en día, está dedicado al
arte contemporáneo.**

**Muchos aseguran° que es el
primer surrealista.**

Preparación

¿Te interesa el arte? Cuando viajas, ¿visitas los museos
del lugar al que vas? ¿Qué tipo de museo te llama más
la atención?

Todos los países hispanos cuentan con una gran variedad de
museos, desde arte clásico o contemporáneo, hasta los que se
especializan en la rica historia local que procede de las antiguas°
culturas prehispánicas. En México, por ejemplo, existe el Museo
de Arte Popular, que tiene como misión difundir°, preservar y
continuar las técnicas tradicionales de la elaboración de artesanías
mexicanas. Por su parte, el Museo de Arte Contemporáneo de
Caracas, del que aprendiste en **Cultura**, se enfoca en las obras de
artistas de todo el mundo. A continuación vas a ver otros museos
similares en España.

Vocabulario útil

el lienzo	*canvas*
la muestra	*exhibit*
la obra maestra	*masterpiece*
el primer plano	*foreground*

antiguas *ancient* difundir *to spread* aseguran *assure*

Conversación

Responde a estas preguntas con un(a) compañero/a.

1. ¿Hay museos en tu comunidad? ¿Qué tipo de
   museos son (de arte, de ciencias, de historia)?

2. ¿Cuáles de estos museos (u otros sitios culturales) le
   recomendarías a un visitante de otro país? ¿Por qué?

3. ¿Cuál de las obras descritas en el video te interesa
   más? ¿Por qué?

4. Con base en lo que viste en el video, ¿crees que
   Madrid es una ciudad que conserva y promueve
   el arte?

Aplicación

En grupos de tres, elijan las tres obras pictóricas
que consideran más representativas de su país. Cada
integrante debe hacer una breve descripción de la obra
(autor, fecha, museo en el que se encuentra, movimiento
artístico, colores, elementos visuales, etc.). Hagan
un video con las tres descripciones y expliquen la
importancia de las tres obras para el país. Reúnan todos
los videos en uno solo y envíenlo al museo local, que
podría utilizar este video para mostrarlo a las personas
de habla hispana que visitan el museo.

PUEDO hablar sobre los museos en mi cultura y en otras culturas.

El Salvador

Bandera de El Salvador

El país en cifras

▶ **Área:** 21.040 km² (8.124 millas²), *el tamaño° de Massachusetts*

▶ **Capital:** San Salvador

▶ **Ciudades principales:** Soyapango, Santa Ana, San Miguel, Mejicanos

▶ **Población:** *El Salvador es el país centroamericano más pequeño y el más densamente poblado. Su población, al igual que la de Honduras, es muy homogénea: casi el 90 por ciento es mestiza.*

▶ **Moneda:** dólar estadounidense

▶ **Idiomas:** español (oficial), náhuatl, lenca

tamaño *size*

ESTADOS UNIDOS
OCÉANO ATLÁNTICO
EL SALVADOR
OCÉANO PACÍFICO
AMÉRICA DEL SUR

GUATEMALA

HONDURAS

Lago de Guija
Río Paz
Río Lempa
Santa Ana
Soyapango
Ilobasco
Mejicanos
Volcán de San Salvador
★ San Salvador
Río Toroja
Río Goascorán
Volcán de San Vicente
San Miguel
Río Lempa
La Libertad
Volcán de San Miguel
Golfo de Fonseca

Océano Pacífico

Chorros de la Calera en Juayúa

Ruinas de Tazumal

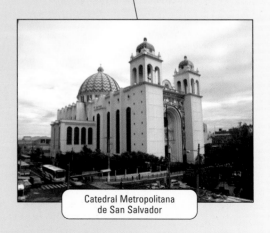
Catedral Metropolitana de San Salvador

Deportes • El surfing

El Salvador es uno de los destinos favoritos en Latinoamérica para la práctica del surfing. Cuenta con 300 kilómetros de costa a lo largo del Océano Pacífico y sus olas° altas son ideales para quienes practican este deporte. De sus playas, La Libertad es la más visitada por surfistas de todo el mundo, gracias a que está muy cerca de la capital salvadoreña.

⊳ Artes • La artesanía de Ilobasco

Ilobasco es un pueblo conocido por sus artesanías. En él se elaboran objetos con arcilla° y cerámica pintada a mano, como juguetes°, adornos° y utensilios de cocina. Además, son famosas sus "sorpresas", que son pequeñas piezas° de cerámica en cuyo interior se representan escenas de la vida diaria. Los turistas realizan excursiones para conocer paso a paso° la fabricación de estos productos.

Naturaleza • El Parque Nacional Montecristo

El Parque Nacional Montecristo se encuentra en la región norte del país. Se le conoce también como "El Trifinio" porque se ubica° en el punto donde se unen las fronteras de Guatemala, Honduras y El Salvador. Este bosque reúne muchas especies vegetales y animales, como orquídeas, monos araña°, pumas, quetzales y tucanes. Además, las copas° de sus enormes árboles forman una bóveda° que impide° el paso de la luz solar. Este espacio natural se encuentra a una altitud de 2.400 metros (7.900 pies) sobre el nivel del mar.

⊳ Comida • Pupusas

Las pupusas son el plato nacional de El Salvador. Son tortillas hechas con masa° de maíz o de arroz, rellenas° de queso, frijoles, calabaza°, chicharrón°, pollo o pescado. Son muy parecidas a las tortillas panameñas y a las arepas venezolanas y colombianas. Desde 2005, el segundo domingo de noviembre, el gobierno salvadoreño celebra por decreto el Día Nacional de las Pupusas.

¿Qué aprendiste? Contesta cada pregunta con una oración completa.

1. ¿Qué tienen en común las poblaciones de El Salvador y Honduras?

2. ¿Qué es el náhuatl?

3. Hay muchos lugares ideales para el surfing en El Salvador. ¿Por qué?

4. ¿A qué altitud se encuentra el Parque Nacional Montecristo?

5. ¿Cuáles son algunos de los animales y las plantas que viven en este parque?

6. ¿Por qué al Parque Nacional Montecristo se le llama también El Trifinio?

7. ¿Por qué es famoso el pueblo de Ilobasco?

8. ¿Qué son las "sorpresas" de Ilobasco?

---

olas *waves* arcilla *clay* juguetes *toys* adornos *ornaments* **piezas** *pieces* **paso a paso** *step by step* masa *dough* rellenas *stuffed* calabaza *pumpkin* chicharrón *pork rind* **se ubica** *it is located* **monos araña** *spider monkeys* copas *tops* bóveda *cap* impide *blocks*

Honduras

Bandera de Honduras

El país en cifras

▶ **Área:** 112.492 km^2 (43.870 millas^2), *un poco más grande que Tennessee*

▶ **Capital:** Tegucigalpa

Tegucigalpa

▶ **Ciudades principales:**
San Pedro Sula, El Progreso, La Ceiba

▶ **Población:** *Cerca del 90 por ciento de la población de Honduras es mestiza. Todavía hay pequeños grupos indígenas como los jicaque, los miskito y los paya, que han mantenido su cultura sin influencias exteriores y que no hablan español.*

▶ **Moneda:** lempira

▶ **Idiomas:** español (oficial), lenguas indígenas, inglés

Guacamayo

Mar Caribe

GUATEMALA

Golfo de Honduras

Islas de la Bahía

La Ceiba · Santa Fe

Río Ulúa

San Pedro Sula

Sierra de la Esperanza

Sierra Espíritu Santo

El Progreso

Río Patuca

Sierra Grita

Lago de Yojoa

Montaña Villasanta

Río Guyambre

Río Coco

Tegucigalpa ⭐

Río Choluteca

EL SALVADOR

Montañas de Colón

Laguna de Caratasca

NICARAGUA

Océano Pacífico

ESTADOS UNIDOS

OCÉANO ATLÁNTICO

HONDURAS

OCÉANO PACÍFICO

AMÉRICA DEL SUR

Roatán, Islas de la Bahía

Baile tradicional

Mercado en San Pedro Sula

Naturaleza • **Reserva de biósfera de Río Plátano**

La reserva de biósfera de Río Plátano está ubicada en el departamento de Gracias a Dios, en la costa noroeste de Honduras. Esta área es llamada "los pulmones de Centroamérica" pues presenta la mayor riqueza ecológica y ambiental de esta parte del continente americano. En sus montañas viven cerca de 2.000 indígenas, y en sus zonas de bosque lluvioso tropical hay una gran variedad de mamíferos, aves, peces, reptiles y árboles. Fue declarada Patrimonio de la Humanidad° por la UNESCO en 1980.

▷ Lugares • **Copán**

Copán es una zona arqueológica muy importante de Honduras. Fue construida por los mayas y se calcula que en el año 400 d. C. albergaba° una gran ciudad, con más de 150 edificios y una gran cantidad de plazas, patios, templos y canchas° para el juego de pelota°. Las ruinas más famosas del lugar son los edificios adornados con esculturas pintadas a mano, los cetros° ceremoniales de piedra y el templo Rosalila.

▷ Economía • **Las plantaciones de bananas**

Desde hace más de cien años, las bananas son la exportación principal de Honduras y han tenido un papel fundamental en su historia. En 1899, la Standard Fruit Company empezó a exportar bananas del país centroamericano hacia Nueva Orleáns. Esta fruta resultó tan popular en los Estados Unidos que generó grandes beneficios° para esta compañía y para la United Fruit Company, otra empresa norteamericana. Estas transnacionales intervinieron muchas veces en la política hondureña gracias al enorme poder° económico que alcanzaron en la nación.

CON RITMO HISPANO

Voces Universitarias de Honduras (1966–)

Lugar de origen:

Tegucigalpa, Honduras
Esta agrupación cuenta la historia de Honduras a través de canciones folclóricas. Ha tenido más de doscientos integrantes.

San Antonio de Oriente, 1957, José Antonio Velásquez

Artes • **José Antonio Velásquez (1906–1983)**

José Antonio Velásquez fue un famoso pintor hondureño. Era catalogado como primitivista° porque en sus obras representaba aspectos de su vida cotidiana. En la pintura de Velásquez es notorio el énfasis en los detalles°, la falta casi total de los juegos de perspectiva y la pureza en el uso del color. Por todo ello, el artista ha sido comparado con importantes pintores europeos del mismo género°, como Paul Gauguin o Emil Nolde.

Patrimonio de la Humanidad *World Heritage* beneficios *profits* poder *power* primitivista *primitivist* detalles *details* género *genre* albergaba *housed* canchas *courts* juego de pelota *pre-Columbian ceremonial ball game* cetros *scepters*

*Go to **vhlcentral.com** to find out more about **Voces Universitarias de Honduras.***

¿Qué aprendiste?

1 **¿Cierto o falso?** Indica si lo que dicen las oraciones es **cierto** o **falso**. Corrige la información falsa.

1. En Honduras hay comunidades indígenas que han mantenido su cultura y no hablan español.

2. La capital de Honduras es San Pedro Sula.

3. En Copán hay edificios adornados con esculturas pintadas a mano.

4. Los mayas jugaban a la pelota.

5. Las obras de José Antonio Velásquez representan escenas de ciencia ficción.

6. La reserva de biósfera de Río Plátano es conocida como "los pulmones de Centroamérica".

7. En la reserva de biósfera de Río Plátano sólo hay aves.

2 **Responder** Responde a cada pregunta con una oración completa.

1. ¿Qué es el lempira?

2. ¿Por qué es famoso Copán?

3. ¿Dónde está el templo Rosalila?

4. ¿Cuál es la exportación principal de Honduras?

5. ¿Qué fue la Standard Fruit Company?

6. ¿Cómo es el estilo de José Antonio Velásquez?

3 **Ensayo** Escribe un ensayo de 12 oraciones o más para contestar esta pregunta:
¿Qué elementos geográficos y arqueológicos se destacan (*stand out*) e influyen en la cultura y la economía de El Salvador y Honduras? ¿A qué sitios viajarías y qué harías si pudieras visitar estos dos países y por qué?

En tu ensayo, utiliza evidencia de la sección *Panorama* e intenta usar los tiempos estudiados en esta lección: el condicional, el condicional perfecto, el pluscuamperfecto del subjuntivo. También puedes comparar elementos de las dos culturas. Ejemplo: "Si pudiera visitar Honduras, *usaría* el lempira para comprar objetos de madera en una prisión, pero en El Salvador *podría* usar el dólar estadounidense para comprar las artesanías de Ilobasco". Recuerda incluir un párrafo de introducción, varios párrafos de desarrollo y un párrafo de conclusión.

ENTRE CULTURAS

1. **El Parque Nacional Montecristo es una reserva natural. Busca información sobre otros parques o zonas protegidas de El Salvador u Honduras. ¿Cómo son estos lugares? ¿Qué tipos de plantas y animales se encuentran allí?**

2. **Busca información sobre Copán u otro sitio arqueológico en Honduras. En tu opinión, ¿cuáles son los aspectos más interesantes del sitio?**

3. **Busca información sobre museos u otros sitios turísticos de San Salvador o Tegucigalpa.**

PUEDO leer textos informativos para conocer datos sobre la cultura y geografía de El Salvador y Honduras.

Las bellas artes

el baile, la danza	dance
la banda	band
las bellas artes	(fine) arts
el boleto	ticket
la canción	song
la comedia	comedy; play
el concierto	concert
el cuento	short story
la cultura	culture
el drama	drama; play
la escultura	sculpture
el espectáculo	show
la estatua	statue
el festival	festival
la historia	history; story
la música	music
la obra	work (of art, music, etc.)
la obra maestra	masterpiece
la ópera	opera
la orquesta	orchestra
el personaje (principal)	(main) character
la pintura	painting
el poema	poem
la poesía	poetry
el público	audience
el teatro	theater
la tragedia	tragedy
aburrirse	to get bored
aplaudir	to applaud
apreciar	to appreciate
dirigir	to direct
esculpir	to sculpt
hacer el papel (de)	to play the role (of)
pintar	to paint
presentar	to present; to put on (a performance)
publicar	to publish
tocar (un instrumento musical)	to touch; to play (a musical instrument)
artístico/a	artistic
clásico/a	classical
dramático/a	dramatic
extranjero/a	foreign
folclórico/a	folk
moderno/a	modern
musical	musical
romántico/a	romantic
talentoso/a	talented

Los artistas

el bailarín, la bailarina	dancer
el/la cantante	singer
el/la compositor(a)	composer
el/la director(a)	director; (musical) conductor
el/la dramaturgo/a	playwright
el/la escritor(a)	writer
el/la escultor(a)	sculptor
la estrella (m., f.) de cine	movie star
el/la músico/a	musician
el/la poeta	poet

El cine y la televisión

el canal	channel
el concurso	game show; contest
los dibujos animados	cartoons
el documental	documentary
el premio	prize; award
el programa de entrevistas/realidad	talk /reality show
la telenovela	soap opera
… de acción	action
… de aventuras	adventure
… de ciencia ficción	science fiction
… de horror	horror
… de vaqueros	western

La artesanía

la artesanía	craftsmanship; crafts
la cerámica	pottery
el tejido	weaving

Expresiones útiles	See page 167.

A primera vista
- ¿Quiénes son las personas de la foto?
- ¿Qué están haciendo? ¿De qué pueden estar hablando?
- ¿En dónde trabaja el hombre de vestido gris?
- ¿Cómo crees que utiliza las redes sociales?

Essential Questions
1. How does the media shape events?
2. What are the most serious challenges the world faces now?
3. What role do protests and strikes play in society in the Spanish-speaking world?

6 Las actualidades

Can Do Goals

By the end of this lesson I will be able to:

- Discuss political and social issues
- Participate in an environmental campaign
- Participate in an interview with a political candidate
- Give instructions on what to do in an emergency
- Write a script for a political campaign on TV

Also, I will learn about:

Culture
- Social protests and political leaders in Spanish-speaking countries
- Puerto Rico's political status
- The geography and culture of Paraguay and Uruguay

Skills
- Reading: Recognizing chronological order
- Writing: Writing strong introductions and conclusions
- Listening: Recognizing genre / Taking notes while listening

Lesson 6 Integrated Performance Assessment
Context: This morning there was a news bulletin on TV that really caught your attention. Watch and listen to a short news story from a Spanish-speaking country. Then, discuss the elements of a good news story with a partner. Finally, prepare your own written news story based on this recent event.

Edificio de Televisa en Ciudad de México

Producto:
En los países hispanos hay grandes compañías de comunicación.

¿Cuáles medios de comunicación en lengua hispana existen en tu país?

Las actualidades

Más vocabulario

el acontecimiento	event
las actualidades	news; current events
el artículo	article
la encuesta	poll; survey
el informe	report
el/la locutor(a)	(TV or radio) announcer
los medios de comunicación	media; means of communication
las noticias	news
el reportaje	report
el desastre (natural)	(natural) disaster
el huracán	hurricane
la inundación	flood
el terremoto	earthquake
el desempleo	unemployment
la (des)igualdad	(in)equality
la discriminación	discrimination
la guerra	war
la libertad	liberty; freedom
la paz	peace
el racismo	racism
el sexismo	sexism
el SIDA	AIDS
anunciar	to announce; to advertise
comunicarse (con)	to communicate (with)
durar	to last
informar	to inform
luchar (por/contra)	to fight; to struggle (for/against)
transmitir, emitir	to broadcast
(inter)nacional	(inter)national
peligroso/a	dangerous

Variación léxica

informe ⟷ trabajo (*Esp.*)
noticiero ⟷ informativo (*Esp.*)

La política

el/la ciudadano/a	citizen
el deber	responsibility; obligation
los derechos	rights
la dictadura	dictatorship
las elecciones	election
el impuesto	tax
la política	politics
el/la representante	representative
declarar	to declare
elegir (e:i)	to elect
obedecer	to obey
votar	to vote
político/a	political

el tornado

el discurso

la candidata

la prensa

la huelga

el diario

el ejército

el soldado

la violencia

el noticiero

la tormenta

el incendio

el crimen

el choque

Práctica

1 **Escuchar** Escucha las noticias y selecciona la frase que mejor completa las oraciones.

1. Los ciudadanos creen que ____.
   a. hay un huracán en el Caribe
   b. hay discriminación en la imposición de los impuestos
   c. hay una encuesta en el Caribe

2. Los ciudadanos creen que los candidatos tienen ____.
   a. el deber de asegurar la igualdad en los impuestos
   b. el deber de hacer las encuestas
   c. los impuestos

3. La encuesta muestra que los ciudadanos ____.
   a. quieren desigualdad en las elecciones
   b. quieren hacer otra encuesta
   c. quieren igualdad en los impuestos

4. Hay ____ en el Caribe.
   a. un incendio grande b. una tormenta peligrosa c. un tornado

5. Los servicios de Puerto Rico predijeron anoche que ____ podrían destruir edificios y playas.
   a. los vientos b. los terremotos c. las inundaciones

2 **Contestar** Contesta las preguntas sobre las noticias.

1. ¿Qué es Notiuruguay?
2. ¿Qué habrá en Uruguay?
3. ¿Qué son injustos, según la encuesta?
4. ¿Quiénes deberían asegurar la igualdad de los impuestos para todos?
5. ¿En qué puede convertirse la tormenta?

3 **Categorías** Mira la lista e indica la categoría de cada uno de estos términos. Las categorías son: **desastres naturales, política** y **medios de comunicación.**

1. reportaje	4. candidato/a	7. prensa
2. inundación	5. encuesta	8. elecciones
3. tornado	6. noticiero	9. terremoto

4 **Definir** Trabaja con un(a) compañero/a para definir estas palabras.

1. guerra	4. acontecimiento	7. huelga
2. ejército	5 sexismo	8. racismo
3. desempleo	6. impuesto	9. libertad

5   **Completar** Completa la noticia con los verbos adecuados para cada oración. Conjuga los verbos en el tiempo verbal correspondiente.

1. El grupo _____ a todos los medios de comunicación que iba a organizar una huelga general de los trabajadores.
   a. durar   b. votar   c. anunciar

2. Los representantes les pidieron a los ciudadanos que _____ al presidente.
   a. comer   b. obedecer   c. aburrir

3. La oposición, por otro lado, _____ a un líder para promover la huelga.
   a. publicar   b. emitir   c. elegir

4. El líder de la oposición dijo que si el gobierno ignoraba sus opiniones, la huelga iba a _____ mucho tiempo.
   a. transmitir   b. obedecer   c. durar

5. Hoy día, el líder de la oposición declaró que los ciudadanos estaban listos para _____ por sus derechos.
   a. informar   b. comunicarse   c. luchar

6   **Conversación** Completa esta conversación con las palabras adecuadas.

artículo	derechos	peligrosa
choque	dictaduras	transmitir
declarar	paz	violencia

RAÚL   Oye, Agustín, ¿leíste el (1)_____ del diario *El País*?

AGUSTÍN   ¿Cuál? ¿El del (2)_____ entre dos autobuses?

RAÚL   No, el otro, sobre…

AGUSTÍN   ¿Sobre la tormenta (3)_____ que viene mañana?

RAÚL   No, hombre, el artículo sobre política…

AGUSTÍN   ¡Ay, claro! Un análisis de las peores (4)_____ de la historia.

RAÚL   ¡Agustín! Deja de interrumpir. Te quería hablar del artículo sobre la organización que lucha por los (5)_____ humanos y la (6)_____.

AGUSTÍN   Ah, no lo leí.

RAÚL   Parece que te interesan más las noticias sobre la (7)_____, ¿eh?

7   **La vida civil** ¿Estás de acuerdo con estas afirmaciones? Comparte tus respuestas con la clase.

1. Los medios de comunicación nos informan bien de las noticias.
2. Los medios de comunicación nos dan una visión global del mundo.
3. Los candidatos para las elecciones deben aparecer en todos los medios de comunicación.
4. Nosotros y nuestros representantes nos comunicamos bien.
5. Es importante que todos obedezcamos las leyes.
6. Es importante leer el diario todos los días.
7. Es importante mirar o escuchar un noticiero todos los días.
8. Es importante votar.

AYUDA

You may want to use these expressions:

En mi opinión…
Está claro que…
(No) Estoy de acuerdo.
Según mis padres…
Sería ideal que…

Comunicación

8

Las actualidades En parejas, describan lo que ven en las fotos. Luego, escriban una historia para explicar qué pasó en cada foto.

9

Un noticiero En grupos, trabajen para presentar un noticiero de la tarde. Presenten por lo menos tres reportajes sobre espectáculos, política, crimen y temas sociales.

¡LENGUA VIVA!

Here are four ways to say *to happen:*

acontecer

ocurrir

pasar

suceder

10

Las elecciones Trabajen en parejas para representar una entrevista entre un(a) reportero/a de la televisión y un(a) político/a que va a ser candidato/a en las próximas elecciones.

▶ Antes de la entrevista, hagan una lista de los temas de los que el/la candidato/a va a hablar y de las preguntas que el/la reportero/a le va a hacer.

▶ Durante la entrevista, la clase va a hacer el papel del público.

▶ Después de la entrevista, el/la reportero/a va a hacerle preguntas y pedirle comentarios al público.

PUEDO dar mi opinión sobre asuntos políticos y sociales.

PUEDO participar en una entrevista preelectoral.

Cinco mil firmas

Los chicos necesitan cinco mil firmas en su campaña
para salvar los océanos.

ANTES DE VER
Mira las imágenes y haz predicciones sobre
lo que va a pasar en el video.

JUANJO Nuestra meta son cinco mil firmas.

MANUEL ¿Cuántas tenemos?

JUANJO Cuatro mil setecientas setenta y tres.

MANUEL ¡Nos faltan más de doscientas!

JUANJO Sí, y sólo tenemos hasta la medianoche. Ojalá
lo logremos.

MANUEL No te preocupes, con la campaña en la plaza
lo conseguiremos.

JUANJO ¡Hola!

VALENTINA ¡Mirad qué bien quedó el cartel!

JUANJO ¡Genial!

MANUEL Pues, ¡vamos! Tenemos que conseguir más
de doscientas firmas.

DANIEL ¡¿Más de doscientas firmas?!

DANIEL (*rapeando con el micrófono*) Luchemos por un
mar limpio... (*rapeando con su voz normal*)
Luchemos por un mar limpio...

SARA ¡No te das cuenta de que estás espantando
a la gente! Si el señor hubiera podido oír la
explicación, seguro que habría firmado.

DANIEL Seguro, sí.

MANUEL Señor, si le dijera que está en sus manos
salvar los océanos, ¿me creería?

EJECUTIVO Claro que no, ni tampoco creo todo lo que
transmiten los medios de comunicación.

SARA ¿Cómo? ¿No ha visto las imágenes en las
noticias? Miles de animales marinos mueren al
comer o enredarse en los plásticos.

EJECUTIVO Esas imágenes están manipuladas para
hacernos creer cosas que no son verdad.

MANUEL Y SARA ¡¿Qué no son verdad?!

PERSONAJES

JUANJO   MANUEL   VALENTINA   OLGA LUCÍA   SARA   DANIEL   SEÑOR   EJECUTIVO   SEÑORA   DON PACO

DANIEL (*rapeando con el micrófono*) No más contaminación en el Atlántico.

JUANJO Según el informe de la ONU, si seguimos contaminando los mares, en el año 2050 tendremos más basura que peces en el mar.

DANIEL (*rapeando con el micrófono*) Luchemos por un mar limpio... Luchemos por un mar limpio...

SEÑOR ¡¿Qué dices?!

JUANJO (*gritando*) Que si seguimos contaminando, en el año dos mil...

Expresiones útiles

apoyar *to support*
el asunto *issue*
darse cuenta de *to realize*
enredarse *to get tangled up*
espantar *to scare away*
la firma *signature*
lograr *to reach; to achieve*
la meta *goal*
la ONU *United Nations*
el porcentaje *percentage*
salvar *to save*

VALENTINA Disculpe, señora.

OLGA LUCÍA ¿Conoce el porcentaje de plástico que consume usted cuando come pescado?

SEÑORA Lo siento, tengo prisa.

VALENTINA ¿Demasiada prisa para preocuparse por el mundo en el que vive?

SEÑORA ¿Qué queréis que haga?

OLGA LUCÍA Que firme para apoyar nuestra campaña para salvar los océanos.

Plaza Colón

La Plaza Colón en Madrid tiene dos monumentos a Cristóbal Colón. Uno de los monumentos es una columna con una estatua del explorador. La gente se reúne (*gather*) en esta plaza para realizar eventos públicos y protestas.

¿Dónde se reúne la gente para realizar eventos públicos y protestas en tu comunidad?

¿Qué pasó?

1 **Escoger** Escoge la respuesta correcta.

1. Los chicos quieren luchar contra _____.
   a. los desastres naturales   b. las mentiras de los medios de comunicación
   c. la contaminación de los océanos

2. Para lograrlo, deben hacer que la gente _____ su campaña.
   a. apoye   b. obedezca   c. elija

3. El señor no cree que los _____ digan la verdad.
   a. ciudadanos   b. representantes   c. medios de comunicación

4. El objetivo de la campaña es demostrar que todos _____ la contaminación de los mares.
   a. se preocupan por   b. se informan sobre   c. participan en

2 **Identificar** Identifica quién dice las oraciones equivalentes.

1. Espero que tengamos éxito.
2. ¿No ha visto las imágenes en los noticieros?
3. Queremos que usted firme para apoyar nuestra campaña.
4. Ojalá consigamos las cinco mil firmas.
5. Nos falta una firma.

OLGA LUCÍA   **MANUEL**   **JUANJO**

SARA   **VALENTINA**

3 **Preguntas** Contesta las preguntas con oraciones completas.

1. ¿Por qué los chicos van a la plaza?
2. ¿Cuál es el eslogan que aparece en el cartel de la campaña?
3. ¿Qué pasará en el año 2050 si seguimos contaminando el mar?
4. ¿Por qué Sara desconecta el micrófono?
5. ¿Cuál de las personas en la plaza es la más entusiasta para firmar?

4 **Un video** En grupos pequeños, hagan un video como el que hubieran podido hacer los chicos de la *Fotonovela* para invitar y motivar a los habitantes de Madrid a firmar su campaña. Incluyan las siguientes partes en su video:

- el eslogan y los objetivos de la campaña
- la importancia de salvar los océanos
- lo que puede pasar si no detenemos la contaminación de los mares
- lo que dicen los organismos internacionales (como la ONU) y los noticieros sobre la contaminación de los mares
- el lugar, el día y la hora en la que se llevará a cabo la recolección de firmas

Incluyan frases motivadoras y, si es posible, una corta canción de rap con un mensaje relacionado con la campaña. Finalmente, presenten su video a otras clases de su escuela.

PUEDO hacer un video para promover una campaña ecológica.

Ortografía y pronunciación
Neologismos y anglicismos

As societies develop and interact, new words are needed to
refer to inventions and discoveries, as well as to objects and
ideas introduced by other cultures. In Spanish, many new terms have been invented to refer
to such developments, and additional words have been "borrowed" from other languages.

bajar un programa *download*	**borrar** *to delete*	**correo basura** *junk mail*
en línea *online*	**enlace** *link*	**herramienta** *tool*
navegador *browser*	**pirata** *hacker*	**sistema operativo** *operating system*

Many Spanish neologisms, or "new words," refer to computers and technology. Due to the newness
of these words, more than one term may be considered acceptable.

cederrón, CD-ROM	**escáner**	**fax**	**zoom**

In Spanish, many anglicisms, or words borrowed from English, refer to computers and technology. Note
that the spelling of these words is often adapted to the sounds of the Spanish language.

jazz, yaz	**rap**	**rock**	**DJ, diyéi**

Music is another common source of anglicisms.

gángster	**hippy, jipi**	**póquer**	**whisky, güisqui**

Other borrowed words refer to people or things that are strongly
associated with another culture.

chárter	**esnob**	**estrés**	**flirtear**
gol	**hall**	**hobby**	**iceberg**
jersey	**júnior**	**récord**	**yogur**

There are many other sources of borrowed words. Over time, some anglicisms are replaced by new
terms in Spanish, while others are accepted as standard usage.

Práctica Completa el diálogo usando las palabras de la lista.

borrar	correo basura	esnob
chárter	en línea	estrés

GUSTAVO Voy a leer el correo electrónico.

REBECA Bah, yo sólo recibo _____. Lo único que
hago con la computadora es _____ mensajes.

GUSTAVO Mira, cariño, hay un anuncio en Internet: un viaje
barato a Punta del Este. Es un vuelo _____.

REBECA Últimamente tengo tanto _____.
Sería buena idea que fuéramos de
vacaciones. Pero busca un hotel
muy bueno.

GUSTAVO Rebeca, no seas _____, lo
importante es ir y disfrutar. Voy a
comprar los boletos ahora mismo _____.

Dibujo Describe el dibujo utilizando por lo menos
cinco anglicismos.

Protestas
sociales

**¿Cómo reaccionas ante° una situación
injusta?** ¿Protestas? Las huelgas y manifestaciones°
son expresiones de protesta. Mucha gente asocia las
huelgas con "no trabajar", pero no siempre es así.
Hay huelgas donde los empleados del gobierno
aplican las regulaciones escrupulosamente,
demorando° los procesos administrativos; en otras,
los trabajadores aumentan la producción. En países

como España, las huelgas muchas veces se anuncian
con anticipación° y, en los lugares que van a ser
afectados, se ponen carteles con información como:
"Esta oficina cerrará el día 14 con motivo de la
huelga. Disculpen las molestias°".

Las manifestaciones son otra forma de protesta:
la gente sale a la calle llevando carteles con frases
y eslóganes. Una forma original de manifestación
son los "cacerolazos", en los cuales la gente golpea°
cacerolas y sartenes°. Los primeros cacerolazos
tuvieron lugar en Chile y más tarde pasaron a
otros países. Otras veces, el buen humor ayuda
a confrontar temas serios y los manifestantes°
marchan bailando, cantando eslóganes y tocando
silbatos° y tambores°.

Actualmente° se
puede protestar sin
salir de casa. Lo único
que necesitas es tener
una computadora con
conexión a Internet
para poder participar en
manifestaciones virtuales.
Y no sólo de tu país, sino
de todo el mundo.

ante *in the presence of* manifestaciones *demonstrations* demorando *delaying*
con anticipación *in advance* Disculpen las molestias. *We apologize for
any inconvenience.* golpea *bang* cacerolas y sartenes *pots and pans*
manifestantes *demonstrators* silbatos *whistles* tambores *drums* Actualmente
Currently vencido *defeated* verso *line* Basta ya. *Enough.* mate *kills* oprima
oppresses Surgió *It arose* rotundo *absolute* paso *step*

Los eslóganes

El pueblo unido jamás será vencido°. Es el primer verso° de
una canción que popularizó el grupo chileno Quilapayún.

Basta ya°. Se ha usado en el País Vasco en España durante
manifestaciones en contra del terrorismo.

Agua para todos. Se ha gritado en manifestaciones contra la
privatización del agua en varios países hispanos.

Ni guerra que nos mate°, ni paz que nos oprima°. Surgió°
en la **Movilización Nacional de Mujeres contra la Guerra**, en
Colombia (2002) para expresar un no rotundo° a la guerra.

Ni un paso° atrás. Ha sido usado en muchos países, como en
Argentina por las Madres de la Plaza de Mayo*.

* Las Madres de la Plaza de Mayo es un grupo de mujeres que tiene hijos o familiares
que desaparecieron durante la dictadura militar en Argentina (1976–1983).

Periodismo y política

el encabezado	*headline*
la prensa amarilla	*tabloid press*
el sindicato	*(labor) union*
el suceso, el hecho	**el acontecimiento**

ACTIVIDADES

1 **¿Cierto o falso?** Indica si lo que dicen las oraciones es **cierto** o **falso**. Corrige la información falsa.

1. En algunas huelgas las personas trabajan más de lo normal.

2. En España, las huelgas se hacen sin notificación previa.

3. En las manifestaciones virtuales se puede protestar sin salir de casa.

4. En algunas manifestaciones la gente canta y baila.

5. "Basta ya" es un eslogan que se ha usado en España en manifestaciones contra el terrorismo.

6. En el año 2002 se llevó a cabo la Movilización Nacional de Mujeres contra la Guerra en Argentina.

7. Los primeros "cacerolazos" se hicieron en Venezuela.

8. "Agua para todos" es un eslogan del grupo Quilapayún.

2 **Conversación** Responde a estas preguntas con un(a) compañero/a.

1. ¿Qué opinas de la protesta social? ¿Crees que es una buena forma de reclamar los derechos de las personas?

2. ¿Alguna vez has participado en una protesta? ¿Cómo fue la experiencia?

3. ¿Lideras, o te gustaría liderar, una protesta social? ¿Cuál? ¿Por qué?

4. ¿Hay protestas en tu país o en tu estado? ¿Cómo son? ¿Se parecen a las protestas descritas en la lectura?

5. ¿Cuál de los eslóganes de la lectura te llama más la atención? ¿Por qué?

3 **Líderes** En grupos pequeños, investiguen sobre algún líder social o político hispano y presenten sus hallazgos (*findings*) a la clase. Estos son algunos de los líderes que pueden investigar:

- Simón Bolívar
- Sonia Sotomayor
- Che Guevara
- Madres de la Plaza de Mayo

ENTRE CULTURAS

¿Qué sabes de la blogger cubana Yoani Sánchez?

*Go to **vhlcentral.com** to find more cultural information related to this **Cultura** section.*

PUEDO hablar sobre líderes y protestas sociales en mi cultura y en otras.

PERFIL

Dos líderes suramericanos

En 2006, la chilena **Michelle Bachelet Jeria** y el boliviano **Juan Evo Morales Ayma** fueron proclamados presidentes de sus respectivos países. Para algunos, estos nombramientos fueron una sorpresa.

Michelle Bachelet estudió medicina y se especializó en pediatría y salud pública. Fue víctima de la represión de Augusto Pinochet, quien gobernó el país de 1973 a 1990, y vivió varios años exiliada. Regresó a Chile y en 2000 fue nombrada Ministra de Salud. En 2002 fue Ministra de Defensa Nacional. En 2006 se convirtió en la primera mujer presidente de Chile para el período 2006–2010. En marzo de 2014 fue elegida para un nuevo período como presidenta del país.

Evo Morales es un indígena del altiplano andino°. Su lengua materna es el aimará. De niño, trabajó como pastor° de llamas. Luego se trasladó a Cochabamba, donde participó en asociaciones campesinas°. Morales reivindicó la forma tradicional de vida y los derechos de los campesinos indígenas. En 2006 ascendió a la presidencia de Bolivia, y fue reelegido para el cargo en los años 2010 y 2014. Después de una serie de protestas y presiones sociales, Morales renunció a su cargo de presidente el 10 de noviembre de 2019.

altiplano andino *Andean high plateau* **pastor** *shepherd* **campesinas** *farmers' s*

Comprensión Responde a las preguntas con base en la lectura.

1. ¿Qué perfil académico tiene Michelle Bachelet?

2. ¿Qué cargo obtuvo Bachelet en 2006?

3. ¿Cuáles derechos defiende Evo Morales?

4. ¿Puedes comparar a Bachelet o Morales con algún líder de tu país?

6.1 Si clauses

ANTE TODO **Si** (*If*) clauses describe a condition or event upon which another condition or event depends. Sentences with **si** clauses consist of a **si** clause and a main (or result) clause.

> Si puedes ayudar,
> ¡hazlo!

> Si le dijera que está en
> sus manos salvar los
> océanos, ¿me creería?

▶ **Si** clauses can speculate or hypothesize about a current event or condition. They express what *would happen* if an event or condition *were to occur*. This is called a contrary-to-fact situation. In such instances, the verb in the **si** clause is in the past subjunctive while the verb in the main clause is in the conditional.

Si **cambiaras** de empleo, **serías**
más feliz.
*If you changed jobs, you would
be happier.*

Iría de viaje a Suramérica
si **tuviera** dinero.
*I would travel to South America
if I had money.*

▶ **Si** clauses can also describe a contrary-to-fact situation in the past. They can express what *would have happened* if an event or condition *had occurred*. In these sentences, the verb in the **si** clause is in the past perfect subjunctive while the verb in the main clause is in the conditional perfect.

Si **hubiera sido** estrella de
cine, **habría sido** rico.
*If I had been a movie star,
I would have been rich.*

No **habrías tenido** hambre
si **hubieras desayunado.**
*You wouldn't have been hungry
if you had eaten breakfast.*

▶ **Si** clauses can also express conditions or events that are possible or likely to occur. In such instances, the **si** clause is in the present indicative while the main clause uses a present, near future, future, or command form.

Si **puedes** venir, **llámame.**
If you can come, call me.

Si **puedo** venir, **te llamo.**
If I can come, I'll call you.

Si **terminas** la tarea, **tendrás**
tiempo para mirar la televisión.
*If you finish your homework, you will
have time to watch TV.*

Si **terminas** la tarea, **vas a tener**
tiempo para mirar la televisión.
*If you finish your homework, you are
going to have time to watch TV.*

¡ATENCIÓN!

Remember the
difference between
si (*if*) and **sí** (*yes*).

¡LENGUA VIVA!

Note that in Spanish
the conditional is never
used immediately
following **si**.

▶ When the **si** clause expresses habitual past conditions or events, *not* a contrary-to-fact situation, the imperfect is used in both the **si** clause and the main (or result) clause.

Si Alicia me **invitaba** a una fiesta,
 yo siempre **iba**.
If (Whenever) Alicia invited me to a party,
 I would (used to) go.

Mis padres siempre **iban** a la playa
 si **hacía** buen tiempo.
My parents always went to the beach
 if the weather was good.

▶ The **si** clause may be the first or second clause in a sentence. Note that a comma is used only when the **si** clause comes first.

Si tuviera tiempo, iría contigo.
If I had time, I would go with you.

Iría contigo **si tuviera tiempo.**
I would go with you if I had time.

Summary of si clause sequences

Condition	Si clause	Main clause
Possible or likely	**Si** + present	Present Near future (**ir a** + infinitive) Future Command
Habitual in the past	**Si** + imperfect	Imperfect
Contrary-to-fact (present)	**Si** + past (imperfect) subjunctive	Conditional
Contrary-to-fact (past)	**Si** + past perfect (pluperfect) subjunctive	Conditional perfect

¡INTÉNTALO! Cambia los tiempos y modos de los verbos que aparecen entre paréntesis para practicar todos los tipos de oraciones con **si** que se muestran en la tabla anterior.

1. Si usted ___va___ (ir) a la playa, tenga cuidado con el sol.

2. Si tú _____ (querer), te preparo la merienda.

3. Si _____ (hacer) buen tiempo, voy a ir al parque.

4. Si mis amigos _____ (ir) de viaje, sacaban muchas fotos.

5. Si ella me _____ (llamar), yo la invitaría a la fiesta.

6. Si nosotros _____ (querer) ir al teatro, compraríamos los boletos antes.

7. Si tú _____ (levantarse) temprano, desayunarías antes de ir a clase.

8. Si ellos _____ (tener) tiempo, te llamarían.

9. Si yo _____ (ser) astronauta, habría ido a la Luna.

10. Si él _____ (ganar) un millón de dólares, habría comprado una mansión.

11. Si ustedes me _____ (decir) la verdad, no habríamos tenido este problema.

12. Si ellos _____ (trabajar) más, habrían tenido más éxito.

Práctica

1 Emparejar Empareja frases de la columna A con las de la columna B para crear oraciones lógicas.

AYUDA

Remember these forms of **haber**:

(si) hubiera
(if) there were

habría
there would be

A

1. Si aquí hubiera terremotos, _____
2. Si me informo bien, _____
3. Si te doy el informe, _____
4. Si la guerra hubiera continuado, _____
5. Si la huelga dura más de un mes, _____

B

a. ¿se lo muestras al director?
b. habrían muerto muchos más.
c. muchos van a pasar hambre.
d. podré explicar el desempleo.
e. no permitiríamos edificios altos.

2 Minidiálogos Completa los minidiálogos entre Teresa y Anita.

TERESA ¿Qué (1)_____ hecho tú si tu papá te (2)_____ regalado un carro?
ANITA Me (3)_____ muerto de la felicidad.

ANITA Si (4)_____ a Paraguay, ¿qué vas a hacer?
TERESA (5)_____ a visitar a mis parientes.

TERESA Si tú y tu familia (6)_____ un millón de dólares, ¿qué comprarían?
ANITA Si nosotros tuviéramos un millón de dólares, (7)_____ tres casas nuevas.

ANITA Si tú (8)_____ tiempo, ¿irías al cine con más frecuencia?
TERESA Sí, yo (9)_____ con más frecuencia si tuviera tiempo.

¡LENGUA VIVA!

Paraguay es conocido como "El Corazón de América" porque está en el centro de Suramérica. Sus lugares más visitados son la capital Asunción, que está situada a orillas (*on the banks*) del río Paraguay y la ciudad de Itauguá, en donde se producen muchos textiles.

3 Completar En parejas, túrnense para completar las frases de una manera lógica. Luego lean sus oraciones a la clase.

1. Si tuviera un accidente de carro…
2. Me volvería loco/a *(I would go crazy)* si mi familia…
3. Me habría ido a un programa de intercambio en Paraguay si…
4. No volveré a ver las noticias en ese canal si…
5. Habría menos problemas si los medios de comunicación…
6. Si mis padres hubieran insistido en que tomara clases durante el verano…
7. Si me ofrecen un viaje a la Luna…
8. Me habría enojado mucho si…
9. Si hubiera un desastre natural en mi ciudad…
10. Mi familia y yo habríamos viajado a Latinoamérica…

Comunicación

4

🔊

Un robo Escucha la conversación entre Alicia y Fermín. Luego, indica quién diría con más probabilidad cada una de las afirmaciones, según lo que escuchaste.

	Alicia	Fermín
1. Si ocurre algo, yo soy la primera persona en llamar a la policía.	○	○
2. Si hubiéramos hecho las cosas de forma diferente, sería todo mucho mejor.	○	○
3. Si tomamos precauciones, no nos pasará nunca nada.	○	○
4. Si algo tiene que pasar, pasará. No importa lo que hagas para evitarlo.	○	○
5. Hoy tengo que trabajar.	○	○

5

👥

¿Qué harían? En parejas, túrnense para hablar de lo que hacen, harían o habrían hecho en estas circunstancias.

1. si escuchas a tu amigo/a hablando mal de ti a otra persona
2. si hubieras ganado un viaje a Uruguay
3. si mañana tuvieras el día libre
4. si te casaras y tuvieras ocho hijos
5. si tuvieras que cuidar a tus padres cuando sean mayores
6. si no tuvieras que preocuparte por el dinero
7. si te acusaran de cometer un crimen
8. si hubieras vivido bajo una dictadura

6

Escribir Piensa en cómo cambiaría tu vida diaria si no existiera Internet. ¿Cómo te informarías de las actualidades del mundo y de las noticias locales? ¿Cómo te llegarían noticias de tus amigos si no existiera el correo electrónico ni las redes sociales en línea (*social networking websites*)? Escribe un mínimo de siete oraciones con **si**.

Síntesis

7

👥

Entrevista Prepara cinco preguntas para hacerle a un(a) candidato/a a la presidencia de tu país. Luego, en parejas, túrnense para hacer el papel de entrevistador(a) y de candidato/a. El/La entrevistador(a) reacciona a cada una de las respuestas del/de la candidato/a.

> **modelo**
>
> **Entrevistador(a):** ¿Qué haría usted en cuanto a la obesidad infantil?
>
> **Candidato/a:** Pues, dudo que podamos decirles a los padres cómo alimentar a sus hijos. Creo que ellos deben preocuparse por darles comida saludable.
>
> **Entrevistador(a):** ¿Entonces usted no haría nada para combatir la obesidad infantil?
>
> **Candidato/a:** Si yo fuera presidente/a...

PUEDO participar en una entrevista a un(a) candidato/a político/a.

6.2 Summary of the uses of the subjunctive

ANTE TODO Throughout this course, you have been learning about subjunctive verb forms and practicing their uses. The following chart summarizes the subjunctive forms you have studied. The chart on the next page summarizes the uses of the subjunctive you have seen and contrasts them with uses of the indicative and the infinitive. These charts will help you review and synthesize what you have learned about the subjunctive in this book.

Ojalá lo logremos.

¿Qué queréis que haga?

Summary of subjunctive forms

CONSULTA

To review the subjunctive, refer to these sections:
Present subjunctive, **Senderos 2, Estructura 6.3**
Present perfect subjunctive, **Estructura 3.3,** p. 107
Past subjunctive, **Estructura 4.3,** pp. 142–143
Past perfect subjunctive, **Estructura 5.3,** p. 179.

-ar verbs

PRESENT SUBJUNCTIVE	PAST SUBJUNCTIVE
hable	hablara
hables	hablaras
hable	hablara
hablemos	habláramos
habléis	hablarais
hablen	hablaran

PRESENT PERFECT SUBJUNCTIVE

haya hablado
hayas hablado
haya hablado

hayamos hablado
hayáis hablado
hayan hablado

PAST PERFECT SUBJUNCTIVE

hubiera hablado
hubieras hablado
hubiera hablado

hubiéramos hablado
hubierais hablado
hubieran hablado

-er verbs

PRESENT SUBJUNCTIVE	PAST SUBJUNCTIVE
beba	bebiera
bebas	bebieras
beba	bebiera
bebamos	bebiéramos
bebáis	bebierais
beban	bebieran

PRESENT PERFECT SUBJUNCTIVE

haya bebido
hayas bebido
haya bebido

hayamos bebido
hayáis bebido
hayan bebido

PAST PERFECT SUBJUNCTIVE

hubiera bebido
hubieras bebido
hubiera bebido

hubiéramos bebido
hubierais bebido
hubieran bebido

-ir verbs

PRESENT SUBJUNCTIVE	PAST SUBJUNCTIVE
viva	viviera
vivas	vivieras
viva	viviera
vivamos	viviéramos
viváis	vivierais
vivan	vivieran

PRESENT PERFECT SUBJUNCTIVE

haya vivido
hayas vivido
haya vivido

hayamos vivido
hayáis vivido
hayan vivido

PAST PERFECT SUBJUNCTIVE

hubiera vivido
hubieras vivido
hubiera vivido

hubiéramos vivido
hubierais vivido
hubieran vivido

The subjunctive is used...

1. After verbs and/or expressions of will and influence, when the subject of the subordinate clause is different from the subject of the main clause

   Los ciudadanos **desean** que el candidato presidencial los **escuche.**

2. After verbs and/or expressions of emotion, when the subject of the subordinate clause is different from the subject of the main clause

   Alejandra **se alegró** mucho de que le **dieran** el trabajo.

3. After verbs and/or expressions of doubt, disbelief, and denial

   Dudo que **vaya** a tener problemas para encontrar su maleta.

4. After the conjunctions **a menos que, antes (de) que, con tal (de) que, en caso (de) que, para que,** and **sin que**

   Cierra las ventanas **antes de que empiece** la tormenta.

5. After **cuando, después (de) que, en cuanto, hasta que,** and **tan pronto como** when they refer to future actions

   Tan pronto como haga la tarea, podrá salir con sus amigos.

6. To refer to an indefinite or nonexistent antecedent mentioned in the main clause

   Busco **un** empleado que **haya estudiado** computación.

7. After **si** to express something impossible, improbable, or contrary to fact

   Si hubieras escuchado el noticiero, te habrías informado sobre el terremoto.

The indicative is used...

1. After verbs and/or expressions of certainty and belief

   Es cierto que Uruguay **tiene** unas playas espectaculares.

2. After the conjunctions **cuando, después (de) que, en cuanto, hasta que,** and **tan pronto como** when they do not refer to future actions

   Hay más violencia **cuando hay** desigualdad social.

3. To refer to a definite or specific antecedent mentioned in the main clause

   Busco a la señora que me **informó** del crimen que ocurrió ayer.

4. After **si** to express something possible, probable, or not contrary to fact

   Pronto habrá más igualdad **si luchamos** contra la discriminación.

The infinitive is used...

1. After expressions of will and influence when there is no change of subject

   Martín **desea ir** a Montevideo este año.

2. After expressions of emotion when there is no change of subject

   Me alegro de conocer a tu esposo.

Práctica

1   **Conversación** Completa la conversación con el tiempo verbal adecuado.

EMA   Busco al reportero que (1)_____ (publicar) el libro sobre la dictadura de Stroessner.

ROSA   Ah, usted busca a Miguel Pérez. Ha salido.

EMA   Le había dicho que yo vendría a verlo el martes, pero él me dijo que (2)_____ (venir) hoy.

ROSA   No creo que a Miguel se le (3)_____ (olvidar) la cita. Si usted le (4)_____ (pedir) una cita, él me lo habría mencionado.

EMA   Pues no, no pedí cita, pero si él me hubiera dicho que era necesario yo lo (5)_____ (hacer).

ROSA   Creo que Miguel (6)_____ (ir) a cubrir un incendio hace media hora. No pensaba que nadie (7)_____ (ir) a venir esta tarde. Si quiere, le digo que la (8)_____ (llamar) tan pronto como (9)_____ (llegar). A menos que usted (10)_____ (querer) dejar un recado…
(Entra Miguel)

EMA   ¡Miguel! Amor, si hubieras llegado cinco minutos más tarde, no me (11)_____ (encontrar) aquí.

MIGUEL   ¡Ema! ¿Qué haces aquí?

EMA   Me dijiste que viniera hoy para que (12)_____ (poder) pasar más tiempo juntos.

ROSA   *(En voz baja)* ¿Cómo? ¿Serán novios?

► **NOTA CULTURAL**

El general **Alfredo Stroessner** es el dictador que más tiempo ha durado en el poder en un país de Suramérica. Stroessner se hizo presidente de Paraguay en 1954 y el 3 de febrero de 1989 fue derrocado (*overthrown*) en un golpe militar (*coup*). Después de esto, Stroessner se exilió a Brasil, donde murió en 2006 a los 93 años.

2   **Escribir** Escribe uno o dos párrafos sobre tu participación en las próximas elecciones del consejo estudiantil. Usa por lo menos cuatro de estas frases. Envíale tu composición a un(a) compañero/a por mensaje electrónico y pregúntale sus opiniones sobre tu posición.

- ► Votaré por… con tal de que…
- ► Quisiera saber…
- ► Espero que la economía…
- ► Estoy seguro/a de que…
- ► A menos que…

- ► Mis padres siempre me dijeron que…
- ► Si a la gente realmente le importara la familia…
- ► No habría escogido a ese/a candidato/a si…
- ► Dudo que el/la otro/a candidato/a…
- ► En las próximas elecciones espero que…

3   **Explicar** En parejas, escriban una conversación breve sobre cada tema de la lista. Usen por lo menos un verbo en subjuntivo y otro en indicativo o en infinitivo. Sigan el modelo.

| unas elecciones | una huelga | una inundación | prensa |
| una guerra | un incendio | la libertad | un terremoto |

modelo

un tornado

Estudiante 1: *Temo que este año haya tornados por nuestra zona.*

Estudiante 2: *No te preocupes. Creo que este año no va a haber muchos tornados.*

◄ **AYUDA**

Some useful expressions:

Espero que…
Ojalá que…
Es posible que…
Es terrible que…
Es importante que…

Comunicación

4 **Preguntas** En parejas, túrnense para hacerse estas preguntas.

1. ¿Te irías a vivir a un lugar donde pudiera ocurrir un desastre natural? ¿Por qué?
2. ¿Te gustaría que tu vida fuera como la de tus padres? ¿Por qué? Y tus hijos, ¿preferirías que tuvieran experiencias diferentes a las tuyas? ¿Cuáles?
3. ¿Te parece importante que elijamos a una mujer como presidenta? ¿Por qué?
4. Si hubiera una guerra y te llamaran para entrar en el ejército, ¿obedecerías? ¿Lo considerarías tu deber? ¿Qué sentirías? ¿Qué pensarías?
5. Si sólo pudieras recibir noticias de un medio de comunicación, ¿cuál escogerías y por qué? Y si pudieras trabajar en un medio de comunicación, ¿escogerías el mismo?

5 **Consejos** En parejas, lean esta guía turística. Luego túrnense para representar los papeles de un(a) cliente/a y de un(a) agente de viajes. El/La agente le da consejos al/a la cliente/a sobre los lugares que debe visitar y el/la cliente/a da su opinión sobre los consejos.

> **NOTA CULTURAL**
>
> **Uruguay** tiene uno de los climas más moderados del mundo: la temperatura media es de 22° C (72° F) en el verano y de 13° C (55° F) en el invierno. La mayoría de los días son soleados, llueve moderadamente y nunca nieva.

¡Conozca Uruguay!

La **Plaza Independencia** en **Montevideo**, con su **Puerta de la Ciudadela**, forma el límite entre la ciudad antigua y la nueva. Si le interesan las compras, desde este lugar puede comenzar su paseo por la **Avenida 18 de Julio**, la principal arteria comercial de la capital.

No deje de ir a **Punta del Este**. Conocerá uno de los lugares turísticos más fascinantes del mundo. No se pierda las maravillosas playas, el **Museo de Arte Americano** y la **Catedral Maldonado** (1895) con su famoso altar, obra del escultor **Antonio Veiga**.

Sin duda, querrá conocer la famosa ciudad vacacional de **Piriápolis**, con su puerto que atrae barcos cruceros, y disfrutar de sus playas y lindos paseos.

Tampoco se debe perder la **Costa de Oro**, junto al **Río de la Plata**. Para aquéllos interesados en la historia, dos lugares favoritos son la conocida iglesia **Nuestra Señora de Lourdes** y el chalet de **Pablo Neruda**.

Síntesis

6 **Desastres naturales** Escribe las instrucciones a seguir en caso de que hubiera una emergencia provocada por algún desastre natural. Escribe un mínimo de cinco instrucciones. Utiliza el subjuntivo.

PUEDO dar instrucciones sobre lo que se debe hacer en una emergencia.

Recapitulación

Completa estas actividades para repasar los conceptos de gramática que aprendiste en esta lección.

1 **Condicionales** Empareja las frases de la columna A con las de la columna B para crear oraciones lógicas. **16 pts.**

A

_____ 1. Todos estaríamos mejor informados

_____ 2. ¿Te sentirás mejor

_____ 3. Si esos locutores no tuvieran tanta experiencia,

_____ 4. ¿Votarías por un candidato como él

_____ 5. Si no te gusta este noticiero,

_____ 6. El candidato Díaz habría ganado las elecciones

_____ 7. Si la tormenta no se va pronto,

_____ 8. Ustedes se pueden ir

B

a. cambia el canal.

b. ya los habrían despedido.

c. si leyéramos el periódico todos los días.

d. la gente no podrá salir a protestar.

e. si no tienen nada más que decir.

f. si te digo que ya terminó la huelga?

g. Leopoldo fue a votar.

h. si supieras que no ha obedecido las leyes?

i. si hubiera hecho más entrevistas para la televisión.

2 **Escoger** Escoge la opción correcta para completar cada oración. **20 pts.**

1. Ojalá que aquí (hubiera/hay) un canal independiente.

2. Susana dudaba que (hubieras estudiado/estudias) medicina.

3. En cuanto (termine/terminé) mis estudios, buscaré trabajo.

4. Miguel me dijo que su familia nunca (veía/viera) los noticieros en la televisión.

5. Para estar bien informados, yo les recomiendo que (leen/lean) el diario *El Sol.*

6. Es terrible que en los últimos meses (haya habido/ha habido) tres desastres naturales.

7. Cuando (termine/terminé) mis estudios, encontré trabajo en un diario local.

8. El presidente no quiso (declarar/que declarara) la guerra.

9. Todos dudaban que la noticia (fuera/era) real.

10. Me sorprende que en el mundo todavía (exista/existe) la censura.

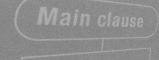

RESUMEN GRAMATICAL

6.1 **Si clauses** *pp. 208–209*

Summary of **si** clause sequences		
Possible or likely	**Si** + present	+ present + **ir a** + infinitive + future + command
Habitual in the past	**Si** + imperfect	+ imperfect
Contrary-to-fact (present)	**Si** + past subjunctive	+ conditional
Contrary-to-fact (past)	**Si** + past perfect subjunctive	+ conditional perfect

6.2 **Summary of the uses of the subjunctive**

pp. 212–213

Summary of subjunctive forms

► **Present:** (**-ar**) hable, (**-er**) beba, (**-ir**) viva

► **Past:** (**-ar**) hablara, (**-er**) bebiera, (**-ir**) viviera

► **Present perfect:** **haya** + past participle

► **Past perfect:** **hubiera** + past participle

The subjunctive is used...
1. After verbs and/or expressions of: ► Will and influence (when subject changes) ► Emotion (when subject changes) ► Doubt, disbelief, denial
2. After **a menos que, antes (de) que, con tal (de) que, en caso (de) que, para que, sin que**
3. After **cuando, después (de) que, en cuanto, hasta que, tan pronto como** when they refer to future actions
4. To refer to an indefinite or nonexistent antecedent
5. After **si** to express something impossible, improbable, or contrary to fact

3 **Las elecciones** Completa el diálogo con la forma correcta del verbo entre paréntesis eligiendo entre el subjuntivo, el indicativo y el infinitivo, según el contexto. **24 pts.**

SERGIO ¿Ya has decidido por cuál candidato vas a votar en las elecciones del sábado?

MARINA No, todavía no. Es posible que no (1) _____ (yo, votar). Para mí es muy difícil (2) _____ (decidir) quién será el mejor representante. Y tú, ¿ya has tomado una decisión?

SERGIO Sí. Mi amigo Julio nos aconsejó que (3) _____ (leer) la entrevista que le hicieron al candidato Rodríguez en el diario *Tribuna*. En cuanto la (4) _____ (yo, leer), decidí votar por él.

MARINA ¿Hablas en serio? Espero que ya lo (5) _____ (tú, pensar) muy bien. El diario *Tribuna* no siempre es objetivo. Dudo que (6) _____ (ser) una fuente fiable (*reliable source*). No vas a tener una idea clara de las habilidades de cada candidato a menos que (7) _____ (tú, comparar) información de distintas fuentes.

SERGIO Tienes razón, hoy día no hay ningún medio de comunicación que (8) _____ (decir) toda la verdad de forma independiente.

MARINA Tengo una idea. Sugiero que (9) _____ (nosotros, ir) esta noche a mi casa para (10) _____ (ver) juntos el debate de los candidatos por televisión. ¿Qué te parece?

SERGIO Es una buena idea, pero no creo que (11) _____ (yo, tener) tiempo.

MARINA No te preocupes. Voy a grabarlo para que (12) _____ (tú, poder) verlo.

4 **Escribir** Hoy día, cada vez más personas se mantienen informadas a través de Internet. Piensa cómo cambiaría tu vida diaria si no existiera este medio de comunicación. ¿Cómo te informarías de las actualidades del mundo y de las noticias locales? ¿Cómo te llegarían noticias de tus amigos si no existieran el correo electrónico y las redes sociales en línea (*social networking websites*)? Escribe al menos siete oraciones con **si**. **40 pts.**

5 **Canción** Completa estos versos de una canción de Juan Luis Guerra con el pretérito imperfecto de subjuntivo de los verbos en la forma **nosotros/as**. **¡4 puntos EXTRA!**

NOTA CULTURAL

En algunos países hispanos, las votaciones (*voting*) se realizan los fines de semana porque los gobiernos tratan de promover (*to promote*) la participación de la población rural. Las personas que viven en el campo generalmente van al mercado y a la iglesia los domingos. Por eso es un buen momento para ejercer (*exercise*) su derecho al voto.

“ Y si aquí, _____ (luchar) juntos por la sociedad y _____ (hablar) menos resolviendo más. **”**

Lectura

Antes de leer

Estrategia
Recognizing chronological order

Recognizing the chronological order of events in a narrative is key to understanding the cause-and-effect relationship between them. When you are able to establish the chronological chain of events, you will easily be able to follow the plot. In order to be more aware of the order of events in a narrative, you may find it helpful to prepare a numbered list of the events as you read.

Examinar el texto

Lee el texto usando las estrategias de lectura que has aprendido.

▶ ¿Ves palabras nuevas o cognados? ¿Cuáles son?

▶ ¿Qué te dice el dibujo sobre el contenido?

▶ ¿Tienes algún conocimiento previo° sobre don Quijote?

▶ ¿Cuál es el propósito° del texto?

▶ ¿De qué trata° la lectura?

Ordenar

Lee el texto otra vez para establecer el orden cronológico de los eventos. Luego ordena estos eventos según la historia.

_____ Don Quijote lucha contra los molinos de viento pensando que son gigantes.

_____ Don Quijote y Sancho toman el camino hacia Puerto Lápice.

_____ Don Quijote y Sancho descubren unos molinos de viento en un campo.

_____ El primer molino da un mal golpe a don Quijote, a su lanza y a su caballo.

_____ Don Quijote y Sancho Panza salen de su pueblo en busca de aventuras.

PUEDO identificar el orden cronológico en un fragmento literario.

Don Quijote y los molinos de viento

Miguel de Cervantes
Fragmento adaptado de
El ingenioso hidalgo don Quijote de la Mancha

Miguel de Cervantes Saavedra, el escritor más universal de la literatura española, nació en Alcalá de Henares en 1547 y murió en Madrid en 1616, tras° haber vivido una vida llena de momentos difíciles, llegando a estar en la cárcel° más de una vez. Su obra, sin embargo, ha disfrutado a través de los siglos de todo el éxito que se merece. Don Quijote representa no sólo la locura° sino también la búsqueda° del ideal. En esta ocasión presentamos el famoso episodio de los molinos de viento°.

Entonces descubrieron treinta o cuarenta molinos de viento que había en aquel campo°. Cuando don Quijote los vio, dijo a su escudero°:

—La fortuna va guiando nuestras cosas mejor de lo que deseamos; porque allí, amigo Sancho Panza, se ven treinta, o pocos más, enormes gigantes con los que pienso hacer batalla y quitarles a todos las vidas, y comenzaremos a ser ricos; que ésta es buena guerra, y es gran servicio de Dios quitar tan malos seres° de la tierra.

—¿Qué gigantes?

—Aquéllos que ves allí —respondió su amo°— de los brazos largos, que algunos normalmente los tienen de casi dos leguas°.

Después de leer

¿Realidad o fantasía?

Indica si las afirmaciones sobre la lectura pertenecen a la realidad o la fantasía.

1. Don Quijote desea matar° a los enemigos.
2. Su escudero no ve a ningún ser sobrenatural.
3. El caballero ataca a unas criaturas cobardes y viles.
4. Don Quijote no ganó la batalla porque los gigantes fueron transformados en molinos de viento.
5. El sabio Frestón transformó los gigantes en molinos de viento.

conocimiento previo *prior knowledge* propósito *purpose*
¿De qué trata...? *What is... about?* matar *to kill*

—Mire usted —respondió Sancho— que aquéllos que allí están no son gigantes, sino molinos de viento, y lo que parecen brazos son las aspas°, que movidas por el viento, hacen andar la piedra del molino.

—Bien veo —respondió don Quijote— que no estás acostumbrado a las aventuras: ellos son gigantes; y si tienes miedo, quítate de ahí y reza° mientras yo voy a combatir con ellos en fiera° batalla.

Y diciendo esto, dio de espuelas° a su caballo Rocinante, sin oír las voces que su escudero Sancho le daba, diciéndole que, sin duda alguna, eran molinos de viento, y no gigantes, aquéllos que iba a atacar. Pero él iba tan convencido de que eran gigantes, que ni oía las voces de su escudero Sancho, ni se daba cuenta, aunque estaba ya muy cerca, de lo que eran; antes iba diciendo en voz alta:

—No huyáis°, cobardes° y viles criaturas, que sólo os ataca un caballero°.

Se levantó entonces un poco de viento, y las grandes aspas comenzaron a moverse, y cuando don Quijote vio esto, dijo:

—Pues aunque mováis más brazos que los del gigante Briareo, me lo vais a pagar.

Y diciendo esto, y encomendándose de todo corazón° a su señora Dulcinea, pidiéndole que le ayudase en esta difícil situación, bien cubierto de su rodela°, con la lanza en posición de ataque, fue a todo el galope de Rocinante y embistió° el primer molino que estaba delante: y dándole con la lanza en el aspa, el viento la giró con tanta furia, que la rompió en pequeños fragmentos, llevándose con ella al caballo y al caballero, que fue dando vueltas por el campo. Fue rápidamente Sancho Panza a ayudarle, todo lo rápido que podía correr su asno°, y cuando llegó encontró que no se podía mover: tan grande fue el golpe° que se dio con Rocinante.

—¡Por Dios! —dijo Sancho—. ¿No le dije yo que mirase bien lo que hacía, que sólo eran molinos de viento, y la única persona que podía equivocarse era alguien que tuviese otros molinos en la cabeza?

—Calla°, amigo Sancho —respondió don Quijote—, que las cosas de la guerra, más que otras, cambian continuamente; estoy pensando que aquel sabio° Frestón, que me robó el estudio y los libros, ha convertido estos gigantes en molinos por quitarme la gloria de su vencimiento°: tan grande es la enemistad que me tiene; pero al final, sus malas artes no van a poder nada contra la bondad de mi espada°.

—Dios lo haga como pueda —respondió Sancho Panza.

Y ayudándole a levantarse, volvió a subir sobre Rocinante, que medio despaldado estaba°. Y hablando de la pasada aventura, siguieron el camino del Puerto Lápice.

tras *after*   cárcel *jail*   locura *insanity*   búsqueda *search*   molinos de viento *windmills*   campo *field*   escudero *squire*   seres *beings*   amo *master*   leguas *leagues (measure of distance)*   aspas *sails*   reza *pray*   fiera *vicious*   dio de espuelas *he spurred*   No huyáis *Do not flee*   cobardes *cowards*   caballero *knight*   encomendándose de todo corazón *entrusting himself with all his heart*   rodela *round shield*   embistió *charged*   asno *donkey*   golpe *blow (knock into)*   Calla *Be quiet*   sabio *magician*   vencimiento *defeat*   espada *sword*   que medio despaldado estaba *whose back was half-broken*

Personajes

1. En este fragmento, se mencionan estos personajes. ¿Quiénes son?
   ▸ don Quijote
   ▸ Rocinante
   ▸ Dulcinea
   ▸ Sancho Panza
   ▸ los gigantes
   ▸ Frestón

2. ¿Qué puedes deducir de los personajes según la información que se da en este episodio?

3. ¿Quiénes son los personajes principales?

4. ¿Cuáles son las diferencias entre don Quijote y Sancho Panza? ¿Qué tienen en común?

¿Un loco o un héroe?

En un párrafo, da tu opinión del personaje de don Quijote, basándote en la aventura de los molinos de viento. Ten en cuenta las acciones, los motivos y los sentimientos de don Quijote en su batalla contra los molinos de viento.

Una entrevista

Trabajen en grupos de tres para preparar una entrevista sobre los acontecimientos de este fragmento de la novela de Cervantes. Un(a) estudiante representará el papel del/de la entrevistador(a) y los otros dos asumirán los papeles de don Quijote y de Sancho Panza, quienes comentarán el episodio desde su punto de vista.

PUEDO comentar diversos aspectos de un fragmento de *Don Quijote*

Escritura

Estrategia

Writing strong introductions and conclusions

Introductions and conclusions serve a similar purpose: both are intended to focus the reader's attention on the topic being covered. The introduction presents a brief preview of the topic. In addition, it informs your reader of the important points that will be covered in the body of your writing. The conclusion reaffirms those points and concisely sums up the information that has been provided. A compelling fact or statistic, a humorous anecdote, or a question directed to the reader are all interesting ways to begin or end your writing.

For example, if you were writing a biographical report on Miguel de Cervantes, you might begin your essay with the fact that his most famous work, *Don Quijote de la Mancha*, is the second most widely published book ever. The rest of your introductory paragraph would outline the areas you would cover in the body of your paper, such as Cervantes' life, his works, and the impact of *Don Quijote* on world literature. In your conclusion, you would sum up the most important information in the report and tie this information together in a way that would make your reader want to learn even more about the topic. You could write, for example: "Cervantes, with his wit and profound understanding of human nature, is without peer in the history of world literature."

Introducciones y conclusiones

Trabajen en parejas para escribir una oración de introducción y otra de conclusión sobre estos temas.

1. el episodio de los molinos de viento de *Don Quijote de la Mancha*
2. la definición de la locura
3. la realidad y la fantasía en la literatura

Tema

Escribir una composición

Si tuvieras la oportunidad, ¿qué harías para mejorar el mundo? Escribe una composición sobre los cambios que harías en el mundo si tuvieras el poder° y los recursos necesarios. Piensa en lo que puedes hacer ahora y en lo que podrás hacer en el futuro. Considera estas preguntas:

▶ ¿Pondrías fin a todas las guerras? ¿Cómo?

▶ ¿Protegerías el medio ambiente? ¿Cómo?

▶ ¿Promoverías° la igualdad y eliminarías el sexismo y el racismo? ¿Cómo?

▶ ¿Eliminarías la corrupción en la política? ¿Cómo?

▶ ¿Eliminarías la escasez de viviendas° y el hambre?

▶ ¿Educarías a los demás sobre el SIDA? ¿Cómo?

▶ ¿Promoverías el fin de la violencia entre seres humanos?

▶ ¿Promoverías tu causa en los medios de comunicación? ¿Cómo?

▶ ¿Te dedicarías a alguna causa específica dentro de tu comunidad? ¿Cuál?

▶ ¿Te dedicarías a solucionar problemas nacionales o internacionales? ¿Cuáles?

poder *power* Promoverías *Would you promote* escasez de viviendas *homelessness*

PUEDO escribir una composición con párrafos de introducción y conclusión adecuados.

Escuchar

Estrategia

Recognizing genre/
Taking notes as you listen

If you know the genre or type of discourse you are going to encounter, you can use your background knowledge to write down a few notes about what you expect to hear. You can then make additions and changes to your notes as you listen.

🔊 To practice these strategies, you will now listen to a short toothpaste commercial. Before listening to the commercial, write down the information you expect it to contain. Then update your notes as you listen.

Preparación

Basándote en la foto, anticipa lo que vas a escuchar en el siguiente fragmento. Haz una lista y anota los diferentes tipos de información que crees que vas a oír.

Ahora escucha 🔊

Revisa la lista que hiciste para **Preparación.** Luego escucha el noticiero presentado por Sonia Hernández. Mientras escuchas, apunta los tipos de información que anticipaste y los que no anticipaste.

Tipos de información que anticipaste

1. _____
2. _____
3. _____

Tipos de información que no anticipaste

1. _____
2. _____
3. _____

Comprensión

Preguntas

1. ¿Dónde está Sonia Hernández?
   _____

2. ¿Quién es Jaime Pantufla?
   _____

3. ¿Dónde hubo una tormenta?
   _____

4. ¿Qué tipo de música toca el grupo Dictadura de Metal?
   _____

5. ¿Qué tipo de artista es Ugo Nespolo?
   _____

6. Además de lo que Sonia menciona, ¿de qué piensas que va a hablar en la próxima sección del programa?
   _____

Ahora ustedes

En parejas, usen la presentación de Sonia Hernández como modelo para escribir un breve noticiero para la comunidad donde viven. Incluyan noticias locales, nacionales e internacionales. Luego compartan el papel de locutor(a) y presenten el noticiero a la clase. Pueden grabar el noticiero si quieren.

PUEDO identificar el género de un discurso.

PUEDO preparar un breve noticiero para mi comunidad.

Preparación

Contesta las preguntas. Después, comparte tus respuestas con un(a) compañero/a.

1. ¿Cuáles son las posiciones del liderazgo (*leadership*) estudiantil en tu escuela?
2. ¿Cómo eligen en tu escuela a los líderes estudiantiles?
3. ¿Para qué sirven las posiciones de liderazgo en una escuela? ¿Y para qué sirven en un país?

Tu rock es votar

Este anuncio forma parte de una campaña para motivar a los jóvenes a participar en las elecciones de 2006 en México. Estas elecciones fueron unas de las más reñidas de su historia; apenas las segundas elecciones después de más de setenta años de un gobierno federal encabezado° por un solo partido. Los votantes mexicanos, cada vez más involucrados y mejor informados, tuvieron que decidir entre los cinco candidatos contendientes, cuatro hombres y una mujer. A diferencia de los Estados Unidos, en México, como en muchos países de Latinoamérica, es muy común que haya cinco, seis o más candidatos a la presidencia.

encabezado *led*

Anuncio sobre elecciones

A ti no te gustaría que te dijeran...

Vocabulario útil

andar	*to go out with (Mex.)*
cállate	*be quiet*
campaña	*campaign*
concientizar	*to raise awareness*
mitad	*half*
reñidas	*hard-fought*
te quejas	*you complain*

Comprensión

Contesta las preguntas según el video.

1. ¿Qué no les gusta a los jóvenes que los demás les digan?
2. ¿Qué les están dejando los jóvenes a los demás para que decidan por ellos?
3. ¿Cuántos jóvenes hay en México? ¿Qué proporción de los votos representan los jóvenes mexicanos?

Conversación

Con un(a) compañero/a, identifiquen los tres problemas sociales o políticos más importantes hoy en el mundo, y propongan posibles soluciones. Discútanlas con la clase.

Aplicación

En pequeños grupos, creen un anuncio para su escuela o comunidad sobre un problema social o político que les preocupe. No se olviden de decir específicamente lo que quieren que hagan las personas que escuchan el anuncio. Presenten el anuncio a la clase o hagan un video para compartir el mensaje con la comunidad.

PUEDO escribir el guion para una campaña electoral en televisión.

Puerto Rico: ¿nación o estado?

1 Cuando estás aquí no
sabes si estás en un país
latinoamericano o si estás
en los EE.UU.

2 ... todo lo relacionado a
la defensa, las relaciones
exteriores [...] está a cargo del
gobierno federal de los EE.UU.

3 —¿Cuál es su preferencia
política?
—Yo quiero la estadidad...

Preparación

¿Qué sabes de Puerto Rico? ¿Sabes qué territorios
estadounidenses tienen un estatus especial? ¿En qué se
diferencian de un estado normal?

En los años veinte, menos de 5.000 puertorriqueños vivían en
Nueva York. Ahora hay un millón. Además de Nueva York, ciudades
como Chicago, Filadelfia, Newark y Providence tienen grandes
comunidades puertorriqueñas. Ahora cinco millones viven en
todos los estados, principalmente en el noreste° del país y en el
centro de Florida. Los boricuas° en los Estados Unidos han creado
nuevas manifestaciones de su cultura, como la música salsa en
la ciudad de Nueva York y los multitudinarios° desfiles° que se
realizan cada año en todo el país, una gran muestra del orgullo° y
la identidad de los puertorriqueños.

Vocabulario útil	
la estadidad	*statehood*
la patria	*homeland*
las relaciones exteriores	*foreign policy*
la soberanía	*sovereignty*

noreste *northeast* boricuas *people from Puerto Rico* multitudinarios *with
mass participation* desfiles *parades* orgullo *pride*

¿Cierto o falso?

Indica si las oraciones son **ciertas** o **falsas**.

1. Los puertorriqueños sirven en el ejército
de los EE.UU.
2. En Puerto Rico se usa la misma moneda
que en los EE.UU.
3. En la isla se pagan sólo impuestos locales.
4. La mayoría de los puertorriqueños quieren
que la isla sea una nación independiente.

Conversación

Responde a estas preguntas con un(a) compañero/a.

1. ¿En tu opinión, ¿qué significa ser ciudadano?
2. ¿Y qué significa la soberanía?
3. ¿Con cuál de las personas entrevistadas en el video
estás de acuerdo? ¿Por qué?

Aplicación

Investiga en línea un poco más sobre la situación
política de Puerto Rico y las diferentes opiniones de
las personas sobre la relación con Estados Unidos.
Comparte tus hallazgos con la clase.

PUEDO identificar aspectos de la situación política de Puerto Rico.

Paraguay

Bandera de Paraguay

El país en cifras

▶ **Área:** 406.750 km² (157.046 millas²), *el tamaño° de California*

▶ **Capital:** Asunción

▶ **Ciudades principales:** Ciudad del Este, San Lorenzo, Lambaré, Fernando de la Mora

▶ **Moneda:** guaraní

▶ **Idiomas:** español (oficial), guaraní (oficial)

▶ **Población:** *Las tribus indígenas que habitaban la zona antes de la llegada de los españoles hablaban guaraní. Ahora el 90 por ciento de los paraguayos habla esta lengua, que se usa con frecuencia en canciones, poemas, periódicos y libros. Varios institutos y asociaciones, como el Teatro Guaraní, se dedican a preservar la cultura y la lengua guaraníes.*

tamaño *size*

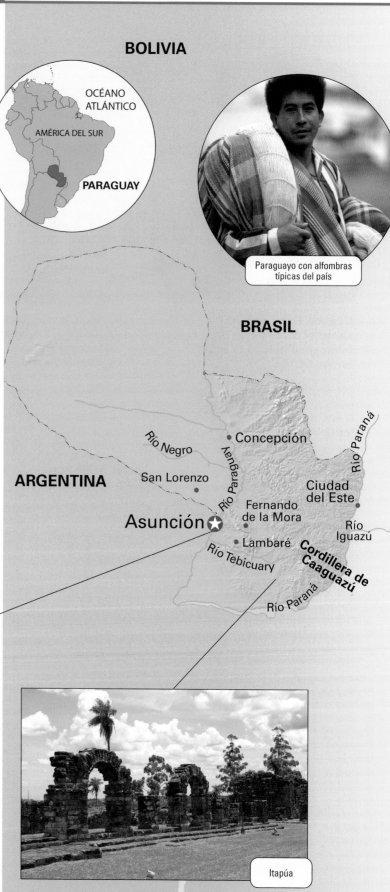

BOLIVIA

OCÉANO ATLÁNTICO

AMÉRICA DEL SUR

PARAGUAY

Paraguayo con alfombras típicas del país

BRASIL

ARGENTINA

Río Negro

Concepción

San Lorenzo

Río Paraguay

Río Paraná

Ciudad del Este

Fernando de la Mora

Asunción

Río Iguazú

Lambaré

Río Tebicuary

Cordillera de Caaguazú

Río Paraná

Palacio de Gobierno en Asunción

Itapúa

⊳ Artesanía • **El ñandutí**

La artesanía más famosa de Paraguay se llama ñandutí y es un encaje° hecho a mano originario de Itauguá. En guaraní, la palabra ñandutí significa telaraña° y esta pieza recibe ese nombre porque imita el trazado° que crean los arácnidos. Estos encajes suelen ser° blancos, pero también los hay de colores, con formas geométricas o florales.

Naturaleza • **Los ríos Paraguay y Paraná**

Los ríos Paraguay y Paraná sirven de frontera natural entre Argentina y Paraguay, y son las principales rutas de transporte de este último país. El Paraná tiene unos 3.200 kilómetros navegables y por esta ruta pasan barcos de más de 5.000 toneladas, los cuales viajan desde el estuario° del Río de la Plata hasta la ciudad de Asunción. El río Paraguay divide el Gran Chaco de la meseta° Paraná, donde vive la mayoría de los paraguayos.

⊳ Ciencia • **La represa Itaipú**

La represa° Itaipú es una instalación hidroeléctrica que se encuentra en la frontera entre Paraguay y Brasil. Su construcción inició en 1974 y duró 8 años. La cantidad de concreto que se utilizó durante los primeros cinco años de esta obra fue similar a la que se necesita para construir un edificio de 350 pisos. Cien mil trabajadores paraguayos participaron en el proyecto. En 1984 se puso en funcionamiento la Central Hidroeléctrica de Itaipú y gracias a su cercanía con las famosas cataratas del Iguazú, muchos turistas la visitan diariamente.

Geografía • **El Gran Chaco**

El Gran Chaco es una región geográfica que comparten Argentina, Brasil, Bolivia y Paraguay. Tiene una extensión aproximada de 1.141.000 km² (440.542 millas²), cinco veces mayor que la de Ecuador. El Chaco paraguayo o Región Occidental° representa el 60% del territorio y tan sólo el 2% de la población. A lo largo del territorio hay variaciones térmicas todos los días, aunque las lluvias son constantes en el verano y los meses de invierno son secos.

¿Qué aprendiste? Contesta cada pregunta con una oración completa.

1. ¿Cómo se llama la moneda de Paraguay?

2. ¿Qué es el ñandutí?

3. ¿De dónde es originario el ñandutí?

4. ¿Qué forma imita el ñandutí?

5. En total, ¿cuántos años tomó la construcción de la represa Itaipú?

6. ¿A cuántos paraguayos dio trabajo la construcción de la represa?

7. ¿Qué países separan los ríos Paraguay y Paraná?

encaje *lace* telaraña *spiderweb* trazado *outline; design* suelen ser *are usually* represa *dam* estuario *estuary* meseta *plateau* Región Occidental *Western Region*

Uruguay  Bandera de Uruguay

El país en cifras

▶ **Área:** 176.220 km^2 (68.039 millas^2),
el tamaño° del estado de Washington

▶ **Capital:** Montevideo

▶ **Ciudades principales:**
Salto, Paysandú, Las Piedras, Rivera

▶ **Población:** *Casi la mitad° de la población
de Uruguay vive en Montevideo. Situada
en la desembocadura° del famoso Río de la
Plata, esta ciudad cosmopolita e intelectual
es también un destino popular para las
vacaciones, debido a sus numerosas playas
de arena° blanca que se extienden hasta la
ciudad de Punta del Este.*

▶ **Moneda:** peso uruguayo

▶ **Idiomas:** español (oficial)

tamaño *size* mitad *half* desembocadura *mouth* arena *sand*

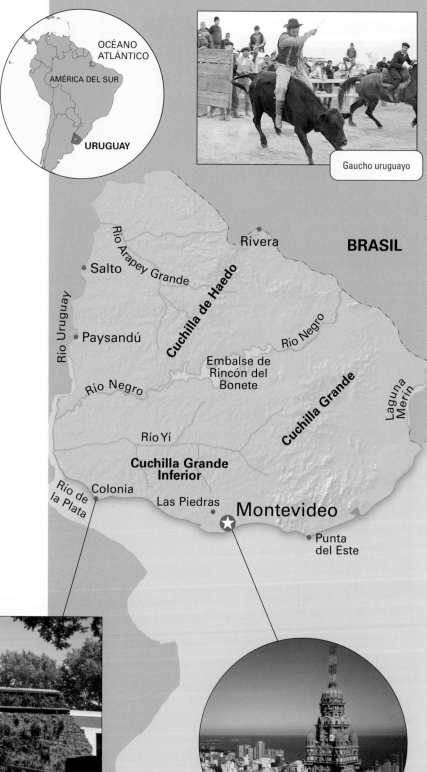

OCÉANO
ATLÁNTICO

AMÉRICA DEL SUR

URUGUAY

Gaucho uruguayo

Río Arapey Grande

Rivera

BRASIL

Salto

Río Uruguay

Cuchilla de Haedo

Paysandú

Río Negro

Embalse de
Rincón del
Bonete

Cuchilla Grande

Laguna
Merín

Río Negro

Río Yí

**Cuchilla Grande
Inferior**

Colonia

Río de
la Plata

Las Piedras

Montevideo

Punta
del Este

Entrada a la Ciudad Vieja,
Colonia del Sacramento

⏵ Alimentación • La carne y el mate

En Uruguay y Argentina, la carne es un elemento esencial de la dieta diaria. Algunos platillos representativos de estas naciones son el asado°, la parrillada° y el chivito°. El mate, una infusión similar al té, también es típico de esta región. Esta bebida de origen indígena está muy presente en la vida social y familiar de estos países aunque, curiosamente, no se puede consumir en bares o restaurantes.

Costumbres • El Carnaval

El Carnaval de Montevideo es el de mayor duración en el mundo. A lo largo de 40 días, los uruguayos disfrutan de los desfiles° y la música que inundan las calles de su capital. La celebración más conocida es el Desfile de Llamadas, en el que participan bailarines al ritmo del candombe, una danza de tradición africana.

Literatura • Escritores

A pesar de ser el segundo país más pequeño de Latinoamérica, Uruguay ha sido cuna° de importantes escritores: Horacio Quiroga (1878–1937), Juana de Ibarbourou (1892–1979), Felisberto Hernández (1902–1964), Juan Carlos Onetti (1909–1994), Mario Benedetti (1920–2009), Eduardo Galeano (1940–2015) y Cristina Peri Rossi (1941–) han inspirado a muchos autores en el mundo. Estos escritores se han destacado en géneros literarios como la novela, el cuento, la poesía y el ensayo.

CON RITMO HISPANO

Jorge Drexler (1964–)

Lugar de nacimiento: Montevideo, Uruguay Antes de dedicarse a la música, estudió y ejerció la medicina. Ha lanzado dieciséis álbumes y ha ganado dos Grammy Latinos. En 2004 ganó el premio Oscar a la mejor canción original por "Al otro lado del río".

⏵ Deportes • El fútbol

El fútbol es el deporte nacional de Uruguay. El primer equipo de balompié uruguayo se formó en 1891 y, en 1930, el país suramericano fue la sede° de la primera Copa Mundial de esta disciplina. El equipo nacional ha conseguido grandes éxitos a lo largo de los años: dos campeonatos olímpicos, en 1923 y 1928, y dos campeonatos mundiales, en 1930 y 1950. De hecho, Uruguay y Argentina han presentado su candidatura binacional para que la Copa Mundial de Fútbol de 2030 se celebre en sus países.

asado *barbecued beef* parrillada *barbecue* chivito *goat in Argentina; steak sandwich in Uruguay* sede *site* desfiles *parades* cuna *cradle*

Go to **vhlcentral.com** to find out more about **Jorge Drexler** and his music.

¿Qué aprendiste?

1 **¿Cierto o falso?** Indica si lo que dicen las oraciones es **cierto** o **falso**. Corrige la información falsa.

1. Aproximadamente la mitad de la población de Uruguay vive en Punta del Este.
2. La moneda de Uruguay es el peso uruguayo.
3. Uno de los platos representativos de Uruguay son las pupusas.
4. El fútbol es el deporte nacional de los uruguayos.
5. El Carnaval de Montevideo dura 40 días.
6. El candombe es una danza de tradición africana.

2 **Responder** Responde a cada pregunta con una oración completa.

1. ¿Cuál es el elemento esencial de la dieta uruguaya?
2. ¿En qué países es importante la producción ganadera?
3. ¿Qué es el mate?
4. ¿Cuándo se celebró la primera Copa Mundial de fútbol?
5. ¿Cómo se llama la celebración más conocida del Carnaval de Montevideo?
6. ¿Cuántos días dura el Carnaval de Montevideo?
7. ¿Qué profesión ejerció Jorge Drexler antes de ser músico profesional?

3 **Si yo...** En parejas, conversen sobre lo que pueden hacer, harían o habrían hecho si estas situaciones se presentaran durante un viaje a Paraguay o Uruguay. Uno de ustedes debe contradecir lo que dice su compañero/a. Utilicen cláusulas con **si**.

1. Si hubieras navegado por el río Paraná...
2. Si vas al Gran Chaco...
3. Si hubieras ido a Punta del Este...
4. Si conoces a Jorge Drexler...

4 **Ensayo** Escribe un ensayo de 12 oraciones o más para contestar esta pregunta:
Tu familia desea hacer un viaje a un país hispanohablante y quieren elegir entre Paraguay y Uruguay. Será una decisión difícil porque los dos destinos son magníficos. ¿A cuál de los dos países te gustaría viajar y por qué?

En tu ensayo, utiliza evidencia de la sección *Panorama* e intenta usar diversos tiempos y los dos modos, el indicativo y el subjuntivo: *Ejemplo: Aunque podría asistir al Carnaval de Montevideo, en particular al Desfile de Llamadas, en Paraguay podría visitar uno de los ocho parques nacionales.* Recuerda incluir un párrafo de introducción, varios párrafos de desarrollo y un párrafo de conclusión.

ENTRE CULTURAS

Investiga sobre estos temas en vhlcentral.com.

1. Busca información sobre la historia de Paraguay. En tu opinión, ¿cuáles fueron los episodios decisivos en su historia?

2. Uruguay es conocido como un país de muchos escritores. Busca información sobre uno de ellos y escribe una biografía.

PUEDO leer textos informativos para conocer datos sobre la cultura y geografía de Uruguay y Paraguay.

Los medios de comunicación

el acontecimiento	event
las actualidades	news; current events
el artículo	article
el diario	newspaper
el informe	report
el/la locutor(a)	(TV or radio) announcer
los medios de comunicación	media; means of communication
las noticias	news
el noticiero	newscast
la prensa	press
el reportaje	report
anunciar	to announce; to advertise
comunicarse (con)	to communicate (with)
durar	to last
informar	to inform
transmitir, emitir	to broadcast
(inter)nacional	(inter)national
peligroso/a	dangerous

Las noticias

el choque	collision
el crimen	crime; murder
el desastre (natural)	(natural) disaster
el desempleo	unemployment
la (des)igualdad	(in)equality
la discriminación	discrimination
el ejército	army
la guerra	war
la huelga	strike
el huracán	hurricane
el incendio	fire
la inundación	flood
la libertad	liberty; freedom
la paz	peace
el racismo	racism
el sexismo	sexism
el SIDA	AIDS
el/la soldado	soldier
el terremoto	earthquake
la tormenta	storm
el tornado	tornado
la violencia	violence

La política

el/la candidato/a	candidate
el/la ciudadano/a	citizen
el deber	responsibility; obligation
los derechos	rights
la dictadura	dictatorship
el discurso	speech
las elecciones	election
la encuesta	poll; survey
el impuesto	tax
la política	politics
el/la representante	representative
declarar	to declare
elegir (e:i)	to elect
luchar (por/contra)	to fight; to struggle (for/against)
obedecer	to obey
votar	to vote
político/a	political

Expresiones útiles	See page 203.

Consulta

Glossary of Grammatical Terms

ADJECTIVE A word that modifies, or describes, a noun or pronoun.

muchos libros
many books

un hombre **rico**
*a **rich** man*

las mujeres **altas**
*the **tall** women*

Demonstrative adjective An adjective that specifies which noun a speaker is referring to.

esta fiesta
this party

ese chico
that boy

aquellas flores
those flowers

Possessive adjective An adjective that indicates ownership or possession.

mi mejor vestido
my best dress

Éste es **mi** hermano.
*This is **my** brother.*

Stressed possessive adjective A possessive adjective that emphasizes the owner or possessor.

Es un libro **mío**.
*It's **my** book./It's a book **of mine**.*

Es amiga **tuya**; yo no la conozco.
*She's a friend **of yours**; I don't know her.*

ADVERB A word that modifies, or describes, a verb, adjective, or other adverb.

Pancho escribe **rápidamente**.
*Pancho writes **quickly**.*

Este cuadro es **muy** bonito.
*This picture is **very** pretty.*

ARTICLE A word that points out a noun in either a specific or a non-specific way.

Definite article An article that points out a noun in a specific way.

el libro
the book

la maleta
the suitcase

los diccionarios
the dictionaries

las palabras
the words

Indefinite article An article that points out a noun in a general, non-specific way.

un lápiz
a pencil

una computadora
a computer

unos pájaros
some birds

unas escuelas
some schools

CLAUSE A group of words that contains both a conjugated verb and a subject, either expressed or implied.

Main (or Independent) clause A clause that can stand alone as a complete sentence.

Pienso ir a cenar pronto.
I plan to go to dinner soon.

Subordinate (or Dependent) clause A clause that does not express a complete thought and therefore cannot stand alone as a sentence.

Trabajo en la cafetería **porque necesito dinero para la escuela**.
*I work in the cafeteria **because I need money for school**.*

COMPARATIVE A construction used with an adjective or adverb to express a comparison between two people, places, or things.

Este programa es **más interesante que** el otro.
*This program is **more interesting than** the other one.*

Tomás no es **tan alto como** Alberto.
*Tomás is not **as tall as** Alberto.*

CONJUGATION A set of the forms of a verb for a specific tense or mood or the process by which these verb forms are presented.

Preterite conjugation of **cantar**:

cant**é**	cant**amos**
cant**aste**	cant**asteis**
cant**ó**	cant**aron**

CONJUNCTION A word used to connect words, clauses, or phrases.

Susana es de Cuba **y** Pedro es de España.
*Susana is from Cuba **and** Pedro is from Spain.*

No quiero estudiar, **pero** tengo que hacerlo.
*I don't want to study, **but** I have to.*

CONTRACTION The joining of two words into one. The only contractions in Spanish are **al** and **del**.

Mi hermano fue **al** concierto ayer.
*My brother went **to the** concert yesterday.*

Saqué dinero **del** banco.
*I took money **from the** bank.*

DIRECT OBJECT A noun or pronoun that directly receives the action of the verb.

Tomás lee **el libro.**   **La** pagó ayer.
*Tomás reads **the book.**   She paid **it** yesterday.*

GENDER The grammatical categorizing of certain kinds of words, such as nouns and pronouns, as masculine, feminine, or neuter.

Masculine
articles el, un
pronouns él, lo, mío, éste, ése, aquél
adjective simpático

Feminine
articles la, una
pronouns ella, la, mía, ésta, ésa, aquélla
adjective simpática

IMPERSONAL EXPRESSION A third-person expression with no expressed or specific subject.

Es muy importante.   Llueve mucho.
It's very important.   It's raining hard.

Aquí **se** habla español.
*Spanish **is** spoken here.*

INDIRECT OBJECT A noun or pronoun that receives the action of the verb indirectly; the object, often a living being, to or for whom an action is performed.

Eduardo **le** dio un libro **a Linda.**
*Eduardo gave a book **to Linda.***

La profesora **me** dio una C en el examen.
*The professor gave **me** a C on the test.*

INFINITIVE The basic form of a verb. Infinitives in Spanish end in -**ar**, -**er**, or -**ir**.

hablar   correr   abrir
to speak   *to run*   *to open*

INTERROGATIVE An adjective or pronoun used to ask a question.

¿**Quién** habla?   ¿**Cuántos** compraste?
Who is speaking?   *How many did you buy?*

¿**Qué** piensas hacer hoy?
What do you plan to do today?

INVERSION Changing the word order of a sentence, often to form a question.

Statement: Elena pagó la cuenta del restaurante.

Inversion: ¿Pagó Elena la cuenta del restaurante?

MOOD A grammatical distinction of verbs that indicates whether the verb is intended to make a statement or command or to express a doubt, emotion, or condition contrary to fact.

Imperative mood Verb forms used to make commands.

Di la verdad.   **Caminen** ustedes conmigo.
Tell the truth.   *Walk with me.*

¡**Comamos** ahora!
Let's eat now!

Indicative mood Verb forms used to state facts, actions, and states considered to be real.

Sé que **tienes** el dinero.
*I know that **you have** the money.*

Subjunctive mood Verb forms used principally in subordinate (dependent) clauses to express wishes, desires, emotions, doubts, and certain conditions, such as contrary-to-fact situations.

Prefieren que **hables** en español.
*They prefer that **you speak** in Spanish.*

Dudo que Luis **tenga** el dinero necesario.
*I doubt that Luis **has** the necessary money.*

NOUN A word that identifies people, animals, places, things, and ideas.

hombre   gato
man   *cat*

México   casa
Mexico   *house*

libertad   libro
freedom   *book*

NUMBER A grammatical term that refers to singular or plural. Nouns in Spanish and English have number. Other parts of a sentence, such as adjectives, articles, and verbs, can also have number.

Singular	Plural
una cosa	**unas** cosas
a thing	*some things*
el profesor	**los** profesores
the professor	*the professors*

NUMBERS Words that represent amounts.

Cardinal numbers Words that show specific amounts.

cinco minutos
five minutes

el año **dos mil siete**
the year 2007

Ordinal numbers Words that indicate the order of a noun in a series.

el **cuarto** jugador	la **décima** hora
*the **fourth** player*	*the **tenth** hour*

PAST PARTICIPLE A past form of the verb used in compound tenses. The past participle may also be used as an adjective, but it must then agree in number and gender with the word it modifies.

Han **buscado** por todas partes.
*They have **searched** everywhere.*

Yo no había **estudiado** para el examen.
*I hadn't **studied** for the exam.*

Hay una **ventana abierta** en la sala.
*There is an **open window** in the living room.*

PERSON The form of the verb or pronoun that indicates the speaker, the one spoken to, or the one spoken about. In Spanish, as in English, there are three persons: first, second, and third.

Person	Singular	Plural
1st	**yo** *I*	**nosotros/as** *we*
2nd	**tú, Ud.** *you*	**vosotros/as, Uds.** *you*
3rd	**él, ella** *he, she*	**ellos, ellas** *they*

PREPOSITION A word or words that describe(s) the relationship, most often in time or space, between two other words.

Anita es **de** California.
*Anita is **from** California.*

La chaqueta está **en** el carro.
*The jacket is **in** the car.*

Marta se peinó **antes de** salir.
*Marta combed her hair **before** going out.*

PRESENT PARTICIPLE In English, a verb form that ends in -*ing*. In Spanish, the present participle ends in **-ndo**, and is often used with **estar** to form a progressive tense.

Mi hermana está **hablando** por teléfono ahora mismo.
*My sister is **talking** on the phone right now.*

PRONOUN A word that takes the place of a noun or nouns.

Demonstrative pronoun A pronoun that takes the place of a specific noun.

Quiero **ésta**.
*I want **this one**.*

¿Vas a comprar **ése**?
*Are you going to buy **that one**?*

Juan prefirió **aquéllos**.
*Juan preferred **those** (over there).*

Object pronoun A pronoun that functions as a direct or indirect object of the verb.

Te digo la verdad.
*I'm telling **you** the truth.*

Me lo trajo Juan.
*Juan brought **it** to **me**.*

Reflexive pronoun A pronoun that indicates that the action of a verb is performed by the subject on itself. These pronouns are often expressed in English with -*self*: *myself, yourself*, etc.

Yo **me bañé** antes de salir.
*I **bathed** (**myself**) before going out.*

Elena **se acostó** a las once y media.
*Elena **went to bed** at eleven-thirty.*

Relative pronoun A pronoun that connects a subordinate clause to a main clause.

El chico **que** nos escribió viene a visitar mañana.
*The boy **who** wrote us is coming to visit tomorrow.*

Ya sé **lo que** tenemos que hacer.
*I already know **what** we have to do.*

Subject pronoun A pronoun that replaces the name or title of a person or thing, and acts as the subject of a verb.

Tú debes estudiar más.
***You** should study more.*

Él llegó primero.
***He** arrived first.*

SUBJECT A noun or pronoun that performs the action of a verb and is often implied by the verb.

María va al supermercado.
***María** goes to the supermarket.*

(Ellos) Trabajan mucho.
***They** work hard.*

Esos **libros** son muy caros.
*Those **books** are very expensive.*

SUPERLATIVE A word or construction used with an adjective or adverb to express the highest or lowest degree of a specific quality among three or more people, places, or things.

De todas mis clases, ésta es la **más interesante**.
*Of all my classes, this is the **most interesting**.*

Raúl es el **menos simpático** de los chicos.
*Raúl is the **least pleasant** of the boys.*

TENSE A set of verb forms that indicates the time of an action or state: past, present, or future.

Compound tense A two-word tense made up of an auxiliary verb and a present or past participle. In Spanish, there are two auxiliary verbs: **estar** and **haber**.

En este momento, **estoy estudiando**.
*At this time, **I am studying**.*

El paquete no **ha llegado** todavía.
*The package **has not arrived** yet.*

Simple tense A tense expressed by a single verb form.

María **estaba** mal anoche.
*María **was** ill last night.*

Juana **hablará** con su mamá mañana.
*Juana **will** speak with her mom tomorrow.*

VERB A word that expresses actions or states-of-being.

Auxiliary verb A verb used with a present or past participle to form a compound tense. **Haber** is the most commonly used auxiliary verb in Spanish.

Los chicos **han** visto los elefantes.
*The children **have** seen the elephants.*

Espero que **hayas** comido.
*I hope you **have** eaten.*

Reflexive verb A verb that describes an action performed by the subject on itself and is always used with a reflexive pronoun.

Me compré un carro nuevo.
*I **bought myself** a new car.*

Pedro y Adela **se levantan** muy temprano.
*Pedro and Adela **get (themselves) up** very early.*

Spelling change verb A verb that undergoes a predictable change in spelling, in order to reflect its actual pronunciation in the various conjugations.

practicar	c→qu	practico	practiqué
dirigir	g→j	dirigí	dirijo
almorzar	z→c	almorzó	almorcé

Stem-changing verb A verb whose stem vowel undergoes one or more predictable changes in the various conjugations.

entender (i:ie)	entiendo
pedir (e:i)	piden
dormir (o:ue, u)	duermo, durmieron

Verb Conjugation Tables

The verb lists

The list of verbs below and the model-verb tables that start on page 237 show you how to conjugate every verb taught in **Senderos**. Each verb in the list is followed by a model verb conjugated according to the same pattern. The number in parentheses indicates where in the verb tables you can find the conjugated forms of the model verb. If you want to find out how to conjugate **divertirse**, for example, look up number 33, **sentir**, the model for verbs that follow the e:ie stem-change pattern.

How to use the verb tables

In the tables you will find the infinitive, present and past participles, and all the simple forms of each model verb. The formation of the compound tenses of any verb can be inferred from the table of compound tenses, pages 237–238, either by combining the past participle of the verb with a conjugated form of **haber** or by combining the present participle with a conjugated form of **estar**.

abrazar (z:c) like cruzar (37)

abrir like vivir (3) *except* past participle is abierto

aburrir(se) like vivir (3)

acabar de like hablar (1)

acampar like hablar (1)

acompañar like hablar (1)

aconsejar like hablar (1)

acordarse (o:ue) like contar (24)

acostarse (o:ue) like contar (24)

adelgazar (z:c) like cruzar (37)

afeitarse like hablar (1)

ahorrar like hablar (1)

alegrarse like hablar (1)

aliviar like hablar (1)

almorzar (o:ue) like contar (24) *except* (z:c)

alquilar like hablar (1)

andar like hablar (1) *except* preterite stem is anduv-

anunciar like hablar (1)

apagar (g:gu) like llegar (41)

aplaudir like vivir (3)

apreciar like hablar (1)

aprender like comer (2)

apurarse like hablar (1)

arrancar (c:qu) like tocar (43)

arreglar like hablar (1)

asistir like vivir (3)

aumentar like hablar (1)

ayudar(se) like hablar (1)

bailar like hablar (1)

bajar(se) like hablar (1)

bañarse like hablar (1)

barrer like comer (2)

beber like comer (2)

besar(se) like hablar (1)

borrar like hablar (1)

brindar like hablar (1)

bucear like hablar (1)

buscar (c:qu) like tocar (43)

caber (4)

caer(se) (5)

calentarse (e:ie) like pensar (30)

calzar (z:c) like cruzar (37)

cambiar like hablar (1)

caminar like hablar (1)

cantar like hablar (1)

casarse like hablar (1)

cazar (z:c) like cruzar(37)

celebrar like hablar (1)

cenar like hablar (1)

cepillarse like hablar (1)

cerrar (e:ie) like pensar (30)

cobrar like hablar (1)

cocinar like hablar (1)

comenzar (e:ie) (z:c) like empezar (26)

comer (2)

compartir like vivir (3)

comprar like hablar (1)

comprender like comer (2)

comprometerse like comer (2)

comunicarse (c:qu) like tocar (43)

conducir (c:zc) (6)

confirmar like hablar (1)

conocer (c:zc) (35)

conseguir (e:i) (gu:g) like seguir (32)

conservar like hablar (1)

consumir like vivir (3)

contaminar like hablar (1)

contar (o:ue) (24)

controlar like hablar (1)

correr like comer (2)

costar (o:ue) like contar (24)

creer (y) (36)

cruzar (z:c) (37)

cubrir like vivir (3) *except* past participle is cubierto

cuidar like hablar (1)

cumplir like vivir (3)

dañar like hablar (1)

dar (7)

deber like comer (2)

decidir like vivir (3)

decir (e:i) (8)

declarar like hablar (1)

dejar like hablar (1)

depositar like hablar (1)

desarrollar like hablar (1)

desayunar like hablar (1)

descansar like hablar (1)

descargar like llegar (41)

describir like vivir (3) *except* past participle is descrito

descubrir like vivir (3) *except* past participle is descubierto

desear like hablar (1)

despedirse (e:i) like pedir (29)

despertarse (e:ie) like pensar (30)

destruir (y) (38)

dibujar like hablar (1)

dirigir (g:j) like vivir (3) *except* (g:j)

disfrutar like hablar (1)

divertirse (e:ie) like sentir (33)

divorciarse like hablar (1)

doblar like hablar (1)

doler (o:ue) like volver (34) *except* past participle is regular

dormir(se) (o:ue) (25)

ducharse like hablar (1)

dudar like hablar (1)

durar like hablar (1)

echar like hablar (1)

elegir (e:i) like pedir (29) *except* (g:j)

emitir like vivir (3)

empezar (e:ie) (z:c) (26)

enamorarse like hablar (1)

encantar like hablar (1)

encontrar(se) (o:ue) like contar (24)

enfermarse like hablar (1)

engordar like hablar (1)

enojarse like hablar (1)

enseñar like hablar (1)

ensuciar like hablar (1)

entender (e:ie) (27)

entrenarse like hablar (1)

entrevistar like hablar (1)

enviar (envío) (39)

escalar like hablar (1)

escoger (g:j) like proteger (42)

escribir like vivir (3) *except* past participle is escrito

escuchar like hablar (1)

esculpir like vivir (3)

esperar like hablar (1)

esquiar (esquío) like enviar (39)

establecer (c:zc) like conocer (35)

estacionar like hablar (1)

estar (9)

estornudar like hablar (1)

estudiar like hablar (1)

evitar like hablar (1)

explicar (c:qu) like tocar (43)

explorar like hablar (1)

faltar like hablar (1)

fascinar like hablar (1)

firmar like hablar (1)

fumar like hablar (1)

funcionar like hablar (1)

ganar like hablar (1)

gastar like hablar (1)

grabar like hablar (1)

graduarse (gradúo) (40)

guardar like hablar (1)

gustar like hablar (1)

haber (hay) (10)

hablar (1)

hacer (11)

importar like hablar (1)

imprimir like vivir (3)

informar like hablar (1)

insistir like vivir (3)

interesar like hablar (1)

invertir (e:ie) like sentir (33)

invitar like hablar (1)

ir(se) (12)

jubilarse like hablar (1)

jugar (u:ue) (g:gu) (28)

lastimarse like hablar (1)

lavar(se) like hablar (1)

leer (y) like creer (36)

levantar(se) like hablar (1)

limpiar like hablar (1)

llamar(se) like hablar (1)

llegar (g:gu) (41)

llenar like hablar (1)

llevar(se) like hablar (1)

llover (o:ue) like volver (34) *except* past participle is regular

luchar like hablar (1)

mandar like hablar (1)

manejar like hablar (1)

mantener(se) (e:ie) like tener (20)

maquillarse like hablar (1)

mejorar like hablar (1)

merendar (e:ie) like pensar (30)

mirar like hablar (1)

molestar like hablar (1)

montar like hablar (1)

morir (o:ue) like dormir (25) *except* past participle is muerto

mostrar (o:ue) like contar (24)

mudarse like hablar (1)

nacer (c:zc) like conocer (35)

nadar like hablar (1)

navegar (g:gu) like llegar (41)

necesitar like hablar (1)

negar (e:ie) like pensar (30) *except* (g:gu)

nevar (e:ie) like pensar (30)

obedecer (c:zc) like conocer (35)

obtener (e:ie) like tener (20)

ocurrir like vivir (3)

odiar like hablar (1)

ofrecer (c:zc) like conocer (35)

oír (y) (13)

olvidar like hablar (1)

pagar (g:gu) like llegar (41)

parar like hablar (1)

parecer (c:zc) like conocer (35)

pasar like hablar (1)

pasear like hablar (1)

patinar like hablar (1)

pedir (e:i) (29)

peinarse like hablar (1)

pensar (e:ie) (30)

perder (e:ie) like entender (27)

pescar (c:qu) like tocar (43)

pintar like hablar (1)

planchar like hablar (1)

poder (o:ue) (14)

poner(se) (15)

practicar (c:qu) like tocar (43)

preferir (e:ie) like sentir (33)

preguntar like hablar (1)

preocuparse like hablar (1)

preparar like hablar (1)

presentar like hablar (1)

prestar like hablar (1)

probar(se) (o:ue) like contar (24)

prohibir like vivir (3)

proteger (g:j) (42)

publicar (c:qu) like tocar (43)

quedar(se) like hablar (1)

quemar like hablar (1)

querer (e:ie) (16)

quitar(se) like hablar (1)

recetar like hablar (1)

recibir like vivir (3)

reciclar like hablar (1)

recoger (g:j) like proteger (42)

recomendar (e:ie) like pensar (30)

recordar (o:ue) like contar (24)

reducir (c:zc) like conducir (6)

regalar like hablar (1)

regatear like hablar (1)

regresar like hablar (1)

reír(se) (e:i) (31)

relajarse like hablar (1)

renunciar like hablar (1)

repetir (e:i) like pedir (29)

resolver (o:ue) like volver (34)

respirar like hablar (1)

revisar like hablar (1)

rogar (o:ue) like contar (24) *except* (g:gu)

romper(se) like comer (2) *except* past participle is roto

saber (17)

sacar (c:qu) like tocar (43)

sacudir like vivir (3)

salir (18)

saludar(se) like hablar (1)

secar(se) (c:q) like tocar (43)

seguir (e:i) (32)

sentarse (e:ie) like pensar (30)

sentir(se) (e:ie) (33)

separarse like hablar (1)

ser (19)

servir (e:i) like pedir (29)

solicitar like hablar (1)

sonar (o:ue) like contar (24)

sonreír (e:i) like reír(se) (31)

sorprender like comer (2)

subir like vivir (3)

sudar like hablar (1)

sufrir like vivir (3)

sugerir (e:ie) like sentir (33)

suponer like poner (15)

temer like comer (2)

tener (e:ie) (20)

terminar like hablar (1)

tocar (c:qu) (43)

tomar like hablar (1)

torcerse (o:ue) like volver (34) *except* (c:z) and past participle is regular; e.g. yo tuerzo

toser like comer (2)

trabajar like hablar (1)

traducir (c:zc) like conducir (6)

traer (21)

transmitir like vivir (3)

tratar like hablar (1)

usar like hablar (1)

vencer (c:z) (44)

vender like comer (2)

venir (e:ie) (22)

ver (23)

vestirse (e:i) like pedir (29)

viajar like hablar (1)

visitar like hablar (1)

vivir (3)

volver (o:ue) (34)

votar like hablar (1)

Regular verbs: simple tenses

Infinitive	INDICATIVE					SUBJUNCTIVE		IMPERATIVE
	Present	Imperfect	Preterite	Future	Conditional	Present	Past	
1 hablar	hablo	hablaba	hablé	hablaré	hablaría	hable	hablara	
	hablas	hablabas	hablaste	hablarás	hablarías	hables	hablaras	habla tú (no hables)
Participles:	habla	hablaba	habló	hablará	hablaría	hable	hablara	hable Ud.
hablando	hablamos	hablábamos	hablamos	hablaremos	hablaríamos	hablemos	habláramos	hablemos
hablado	habláis	hablabais	hablasteis	hablaréis	hablaríais	habléis	hablarais	hablad (no habléis)
	hablan	hablaban	hablaron	hablarán	hablarían	hablen	hablaran	hablen Uds.
2 comer	como	comía	comí	comeré	comería	coma	comiera	
	comes	comías	comiste	comerás	comerías	comas	comieras	come tú (no comas)
Participles:	come	comía	comió	comerá	comerían	coma	comiera	coma Ud.
comiendo	comemos	comíamos	comimos	comeremos	comeríamos	comamos	comiéramos	comamos
comido	coméis	comíais	comisteis	comeréis	comeríais	comáis	comierais	comed (no comáis)
	comen	comían	comieron	comerán	comerían	coman	comieran	coman Uds.
3 vivir	vivo	vivía	viví	viviré	viviría	viva	viviera	
	vives	vivías	viviste	vivirás	vivirías	vivas	vivieran	vive tú (no vivas)
Participles:	vive	vivía	vivió	vivirá	viviría	viva	viviera	viva Ud.
viviendo	vivimos	vivíamos	vivimos	viviremos	viviríamos	vivamos	viviéramos	vivamos
vivido	vivís	vivíais	vivisteis	viviréis	viviríais	viváis	vivierais	vivid (no viváis)
	viven	vivían	vivieron	vivirán	vivirían	vivan	vivieran	vivan Uds.

All verbs: compound tenses

PERFECT TENSES						
INDICATIVE				SUBJUNCTIVE		
Present Perfect	Past Perfect	Future Perfect	Conditional Perfect	Present Perfect	Past Perfect	
he	había	habré	habría	haya	hubiera	
has	habías	habrás	habrías	hayas	hubieras	
ha — hablado	había — hablado	habrá — hablado	habría — hablado	haya — hablado	hubiera — hablado	
hemos — comido	habíamos — comido	habremos — comido	habríamos — comido	hayamos — comido	hubiéramos — comido	
habéis — vivido	habíais — vivido	habréis — vivido	habríais — vivido	hayáis — vivido	hubierais — vivido	
han	habían	habrán	habrían	hayan	hubieran	

PROGRESSIVE TENSES

INDICATIVE				SUBJUNCTIVE	
Present Progressive	Past Progressive	Future Progressive	Conditional Progressive	Present Progressive	Past Progressive
estoy	estaba	estaré	estaría	esté	estuviera
estás	estabas	estarás	estarías	estés	estuvieras
está	estaba	estará	estaría	esté	estuviera
estamos } hablando comiendo viviendo	estábamos } hablando comiendo viviendo	estaremos } hablando comiendo viviendo	estaríamos } hablando comiendo viviendo	estemos } hablando comiendo viviendo	estuviéramos } hablando comiendo viviendo
estáis	estabais	estaréis	estaríais	estéis	estuvierais
están	estaban	estarán	estarían	estén	estuvieran

Irregular verbs

Infinitive	INDICATIVE					SUBJUNCTIVE		IMPERATIVE
	Present	Imperfect	Preterite	Future	Conditional	Present	Past	
4 caber	**quepo**	cabía	**cupe**	**cabré**	**cabría**	**quepa**	**cupiera**	
	cabes	cabías	**cupiste**	**cabrás**	**cabrías**	**quepas**	**cupieras**	cabe tú (no **quepas**)
Participles:	cabe	cabía	**cupo**	**cabrá**	**cabría**	**quepa**	**cupiera**	**quepa** Ud.
cabiendo	cabemos	cabíamos	**cupimos**	**cabremos**	**cabríamos**	**quepamos**	**cupiéramos**	**quepamos**
cabido	cabéis	cabíais	**cupisteis**	**cabréis**	**cabríais**	**quepáis**	**cupierais**	cabed (no **quepáis**)
	caben	cabían	**cupieron**	**cabrán**	**cabrían**	**quepan**	**cupieran**	**quepan** Uds.
5 caer(se)	**caigo**	caía	caí	caeré	caería	**caiga**	**cayera**	
	caes	caías	**caíste**	caerás	caerías	**caigas**	**cayeras**	cae tú (no **caigas**)
Participles:	cae	caía	**cayó**	caerá	caería	**caiga**	**cayera**	**caiga** Ud.
cayendo	caemos	caíamos	**caímos**	caeremos	caeríamos	**caigamos**	**cayéramos**	**caigamos**
caído	caéis	caíais	**caísteis**	caeréis	caeríais	**caigáis**	**cayerais**	caed (no **caigáis**)
	caen	caían	**cayeron**	caerán	caerían	**caigan**	**cayeran**	**caigan** Uds.
6 conducir (c:zc)	**conduzco**	conducía	**conduje**	conduciré	conduciría	**conduzca**	**condujera**	
	conduces	conducías	**condujiste**	conducirás	conducirías	**conduzcas**	**condujeras**	conduce tú (no **conduzcas**)
	conduce	conducía	**condujo**	conducirá	conduciría	**conduzca**	**condujera**	**conduzca** Ud.
Participles:	conducimos	conducíamos	**condujimos**	conduciremos	conduciríamos	**conduzcamos**	**condujéramos**	**conduzcamos**
conduciendo	conducís	conducíais	**condujisteis**	conduciréis	conduciríais	**conduzcáis**	**condujerais**	conducid (no **conduzcáis**)
conducido	conducen	conducían	**condujeron**	conducirán	conducirían	**conduzcan**	**condujeran**	**conduzcan** Uds.

	Infinitive	INDICATIVE					SUBJUNCTIVE		IMPERATIVE
		Present	Imperfect	Preterite	Future	Conditional	Present	Past	
7	dar	doy	daba	di	daré	daría	dé	diera	
		das	dabas	diste	darás	darías	des	dieras	da tú (no des)
	Participles:	da	daba	dio	dará	daría	dé	diera	dé Ud.
	dando	damos	dábamos	dimos	daremos	daríamos	demos	diéramos	demos
	dado	dais	dabais	disteis	daréis	daríais	deis	dierais	dad (no deis)
		dan	daban	dieron	darán	darían	den	dieran	den Uds.
8	decir (e:i)	digo	decía	dije	diré	diría	diga	dijera	
		dices	decías	dijiste	dirás	dirías	digas	dijeras	di tú (no digas)
	Participles:	dice	decía	dijo	dirá	diría	diga	dijera	diga Ud.
	diciendo	decimos	decíamos	dijimos	diremos	diríamos	digamos	dijéramos	digamos
	dicho	decís	decíais	dijisteis	diréis	diríais	digáis	dijerais	decid (no digáis)
		dicen	decían	dijeron	dirán	dirían	digan	dijeran	digan Uds.
9	estar	estoy	estaba	estuve	estaré	estaría	esté	estuviera	
		estás	estabas	estuviste	estarás	estarías	estés	estuvieras	está tú (no estés)
	Participles:	está	estaba	estuvo	estará	estaría	esté	estuviera	esté Ud.
	estando	estamos	estábamos	estuvimos	estaremos	estaríamos	estemos	estuviéramos	estemos
	estado	estáis	estabais	estuvisteis	estaréis	estaríais	estéis	estuvierais	estad (no estéis)
		están	estaban	estuvieron	estarán	estarían	estén	estuvieran	estén Uds.
10	haber	he	había	hube	habré	habría	haya	hubiera	
		has	habías	hubiste	habrás	habrías	hayas	hubieras	
	Participles:	ha	había	hubo	habrá	habría	haya	hubiera	
	habiendo	hemos	habíamos	hubimos	habremos	habríamos	hayamos	hubiéramos	
	habido	habéis	habíais	hubisteis	habréis	habríais	hayáis	hubierais	
		han	habían	hubieron	habrán	habrían	hayan	hubieran	
11	hacer	hago	hacía	hice	haré	haría	haga	hiciera	
		haces	hacías	hiciste	harás	harías	hagas	hicieras	haz tú (no hagas)
	Participles:	hace	hacía	hizo	hará	haría	haga	hiciera	haga Ud.
	haciendo	hacemos	hacíamos	hicimos	haremos	haríamos	hagamos	hiciéramos	hagamos
	hecho	hacéis	hacíais	hicisteis	haréis	haríais	hagáis	hicierais	haced (no hagáis)
		hacen	hacían	hicieron	harán	harían	hagan	hicieran	hagan Uds.
12	ir	voy	iba	fui	iré	iría	vaya	fuera	
		vas	ibas	fuiste	irás	irías	vayas	fueras	ve tú (no vayas)
	Participles:	va	iba	fue	irá	iría	vaya	fuera	vaya Ud.
	yendo	vamos	íbamos	fuimos	iremos	iríamos	vayamos	fuéramos	vamos (no vayamos)
	ido	vais	ibais	fuisteis	iréis	iríais	vayáis	fuerais	id (no vayáis)
		van	iban	fueron	irán	irían	vayan	fueran	vayan Uds.
13	oír (y)	oigo	oía	oí	oiré	oiría	oiga	oyera	
		oyes	oías	oíste	oirás	oirías	oigas	oyeras	oye tú (no oigas)
	Participles:	oye	oía	oyó	oirá	oiría	oiga	oyera	oiga Ud.
	oyendo	oímos	oíamos	oímos	oiremos	oiríamos	oigamos	oyéramos	oigamos
	oído	oís	oíais	oísteis	oiréis	oiríais	oigáis	oyerais	oíd (no oigáis)
		oyen	oían	oyeron	oirán	oirían	oigan	oyeran	oigan Uds.

	Infinitive	INDICATIVE					SUBJUNCTIVE		IMPERATIVE
		Present	Imperfect	Preterite	Future	Conditional	Present	Past	
14	poder (o:ue)	puedo	podía	pude	podré	podría	pueda	pudiera	
		puedes	podías	pudiste	podrás	podrías	puedas	pudieras	**puede** tú (no **puedas**)
	Participles:	puede	podía	pudo	podrá	podría	pueda	pudiera	**pueda** Ud.
	pudiendo	podemos	podíamos	pudimos	podremos	podríamos	podamos	pudiéramos	podamos
	podido	podéis	podíais	pudisteis	podréis	podríais	podáis	pudierais	poded (no podáis)
		pueden	podían	pudieron	podrán	podrían	puedan	pudieran	**puedan** Uds.
15	poner	pongo	ponía	puse	pondré	pondría	ponga	pusiera	
		pones	ponías	pusiste	pondrás	pondrías	pongas	pusieras	**pon** tú (no **pongas**)
	Participles:	pone	ponía	puso	pondrá	pondría	ponga	pusiera	**ponga** Ud.
	poniendo	ponemos	poníamos	pusimos	pondremos	pondríamos	pongamos	pusiéramos	**pongamos**
	puesto	ponéis	poníais	pusisteis	pondréis	pondríais	pongáis	pusierais	poned (no **pongáis**)
		ponen	ponían	pusieron	pondrán	pondrían	pongan	pusieran	**pongan** Uds.
16	querer (e:ie)	quiero	quería	quise	querré	querría	quiera	quisiera	
		quieres	querías	quisiste	querrás	querrías	quieras	quisieras	**quiere** tú (no **quieras**)
	Participles:	quiere	quería	quiso	querrá	querría	quiera	quisiera	**quiera** Ud.
	queriendo	queremos	queríamos	quisimos	querremos	querríamos	queramos	quisiéramos	queramos
	querido	queréis	queríais	quisisteis	querréis	querríais	queráis	quisierais	quered (no queráis)
		quieren	querían	quisieron	querrán	querrían	quieran	quisieran	**quieran** Uds.
17	saber	sé	sabía	supe	sabré	sabría	sepa	supiera	
		sabes	sabías	supiste	sabrás	sabrías	sepas	supieras	sabe tú (no **sepas**)
	Participles:	sabe	sabía	supo	sabrá	sabría	sepa	supiera	**sepa** Ud.
	sabiendo	sabemos	sabíamos	supimos	sabremos	sabríamos	sepamos	supiéramos	**sepamos**
	sabido	sabéis	sabíais	supisteis	sabréis	sabríais	sepáis	supierais	sabed (no **sepáis**)
		saben	sabían	supieron	sabrán	sabrían	sepan	supieran	**sepan** Uds.
18	salir	salgo	salía	salí	saldré	saldría	salga	saliera	
		sales	salías	saliste	saldrás	saldrías	salgas	salieras	**sal** tú (no **salgas**)
	Participles:	sale	salía	salió	saldrá	saldría	salga	saliera	**salga** Ud.
	saliendo	salimos	salíamos	salimos	saldremos	saldríamos	salgamos	saliéramos	**salgamos**
	salido	salís	salíais	salisteis	saldréis	saldríais	salgáis	salierais	salid (no **salgáis**)
		salen	salían	salieron	saldrán	saldrían	salgan	salieran	**salgan** Uds.
19	ser	soy	era	fui	seré	sería	sea	fuera	
		eres	eras	fuiste	serás	serías	seas	fueras	**sé** tú (no **seas**)
	Participles:	es	era	fue	será	sería	sea	fuera	**sea** Ud.
	siendo	somos	éramos	fuimos	seremos	seríamos	seamos	fuéramos	**seamos**
	sido	sois	erais	fuisteis	seréis	seríais	seáis	fuerais	sed (no **seáis**)
		son	eran	fueron	serán	serían	sean	fueran	**sean** Uds.
20	tener	tengo	tenía	tuve	tendré	tendría	tenga	tuviera	
		tienes	tenías	tuviste	tendrás	tendrías	tengas	tuvieras	**ten** tú (no **tengas**)
	Participles:	tiene	tenía	tuvo	tendrá	tendría	tenga	tuviera	**tenga** Ud.
	teniendo	tenemos	teníamos	tuvimos	tendremos	tendríamos	tengamos	tuviéramos	**tengamos**
	tenido	tenéis	teníais	tuvisteis	tendréis	tendríais	tengáis	tuvierais	tened (no **tengáis**)
		tienen	tenían	tuvieron	tendrán	tendrían	tengan	tuvieran	**tengan** Uds.

| Infinitive | INDICATIVE | | | | | SUBJUNCTIVE | | IMPERATIVE |
	Present	Imperfect	Preterite	Future	Conditional	Present	Past	
21 traer	**traigo**	traía	**traje**	traeré	traería	**traiga**	**trajera**	
	traes	traías	**trajiste**	traerás	traerías	**traigas**	**trajeras**	trae tú (no **traigas**)
Participles:	trae	traía	**trajo**	traerá	traería	**traiga**	**trajera**	**traiga** Ud.
trayendo	traemos	traíamos	**trajimos**	traeremos	traeríamos	**traigamos**	**trajéramos**	**traigamos**
traído	traéis	traíais	**trajisteis**	traeréis	traeríais	**traigáis**	**trajerais**	traed (no **traigáis**)
	traen	traían	**trajeron**	traerán	traerían	**traigan**	**trajeran**	**traigan** Uds.
22 venir	**vengo**	venía	**vine**	**vendré**	**vendría**	**venga**	**viniera**	
	vienes	venías	**viniste**	**vendrás**	**vendrías**	**vengas**	**vinieras**	**ven** tú (no **vengas**)
Participles:	**viene**	venía	**vino**	**vendrá**	**vendría**	**venga**	**viniera**	**venga** Ud.
viniendo	venimos	veníamos	**vinimos**	**vendremos**	**vendríamos**	**vengamos**	**viniéramos**	**vengamos**
venido	venís	veníais	**vinisteis**	**vendréis**	**vendríais**	**vengáis**	**vinierais**	venid (no **vengáis**)
	vienen	venían	**vinieron**	**vendrán**	**vendrían**	**vengan**	**vinieran**	**vengan** Uds.
23 ver	**veo**	**veía**	**vi**	veré	vería	**vea**	viera	
	ves	**veías**	viste	verás	verías	**veas**	vieras	ve tú (no **veas**)
Participles:	ve	**veía**	**vio**	verá	vería	**vea**	viera	**vea** Ud.
viendo	vemos	**veíamos**	vimos	veremos	veríamos	**veamos**	**viéramos**	**veamos**
visto	**veis**	**veíais**	visteis	veréis	veríais	**veáis**	vierais	ved (no **veáis**)
	ven	**veían**	vieron	verán	verían	**vean**	vieran	**vean** Uds.

Stem-changing verbs

| Infinitive | INDICATIVE | | | | | SUBJUNCTIVE | | IMPERATIVE |
	Present	Imperfect	Preterite	Future	Conditional	Present	Past	
24 contar	**cuento**	contaba	conté	contaré	contaría	**cuente**	contara	
(o:ue)	**cuentas**	contabas	contaste	contarás	contarías	**cuentes**	contaras	**cuenta** tú (no **cuentes**)
	cuenta	contaba	contó	contará	contaría	**cuente**	contara	**cuente** Ud.
Participles:	contamos	contábamos	contamos	contaremos	contaríamos	contemos	contáramos	contemos
contando	contáis	contabais	contasteis	contaréis	contaríais	contéis	contarais	contad (no contéis)
contado	**cuentan**	contaban	contaron	contarán	contarían	**cuenten**	contaran	**cuenten** Uds.
25 dormir	**duermo**	dormía	dormí	dormiré	dormiría	**duerma**	**durmiera**	
(o:ue)	**duermes**	dormías	dormiste	dormirás	dormirías	**duermas**	**durmieras**	**duerme** tú (no **duermas**)
	duerme	dormía	**durmió**	dormirá	dormiría	**duerma**	**durmiera**	**duerma** Ud.
Participles:	dormimos	dormíamos	dormimos	dormiremos	dormiríamos	**durmamos**	**durmiéramos**	**durmamos**
durmiendo	dormís	dormíais	dormisteis	dormiréis	dormiríais	**durmáis**	**durmierais**	dormid (no **durmáis**)
dormido	**duermen**	dormían	**durmieron**	dormirán	dormirían	**duerman**	**durmieran**	**duerman** Uds.
26 empezar	**empiezo**	empezaba	**empecé**	empezaré	empezaría	**empiece**	empezara	
(e:ie) (z:c)	**empiezas**	empezabas	empezaste	empezarás	empezarías	**empieces**	empezaras	**empieza** tú (no **empieces**)
	empieza	empezaba	empezó	empezará	empezaría	**empiece**	empezara	**empiece** Ud.
Participles:	empezamos	empezábamos	empezamos	empezaremos	empezaríamos	**empecemos**	empezáramos	**empecemos**
empezando	empezáis	empezabais	empezasteis	empezaréis	empezaríais	**empecéis**	empezarais	empezad (no **empecéis**)
empezado	**empiezan**	empezaban	empezarán	empezarán	empezarían	**empiecen**	empezaran	**empiecen** Uds.

		INDICATIVE				SUBJUNCTIVE		IMPERATIVE
Infinitive	Present	Imperfect	Preterite	Future	Conditional	Present	Past	
27 entender (e:ie)	**entiendo**	entendía	entendí	entenderé	entendería	**entienda**	entendiera	
	entiendes	entendías	entendiste	entenderás	entenderías	**entiendas**	entendieras	**entiende** tú (no **entiendas**)
	entiende	entendía	entendió	entenderá	entendería	**entienda**	entendiera	**entienda** Ud.
Participles:	entendemos	entendíamos	entendimos	entenderemos	entenderíamos	entendamos	entendiéramos	entendamos
entendiendo	entendéis	entendíais	entendisteis	entenderéis	entenderíais	entendáis	entendierais	entended (no entendáis)
entendido	**entienden**	entendían	entendieron	entenderán	entenderían	**entiendan**	entendieran	**entiendan** Uds.
28 jugar (u:ue) (g:gu)	**juego**	jugaba	**jugué**	jugaré	jugaría	**juegue**	jugara	
	juegas	jugabas	jugaste	jugarás	jugarías	**juegues**	jugaras	**juega** tú (no **juegues**)
	juega	jugaba	jugó	jugará	jugaría	**juegue**	jugara	**juegue** Ud
Participles:	jugamos	jugábamos	jugamos	jugaremos	jugaríamos	**juguemos**	jugáramos	**juguemos**
jugando	jugáis	jugabais	jugasteis	jugaréis	jugaríais	**juguéis**	jugarais	jugad (no **juguéis**)
jugado	**juegan**	jugaban	jugaron	jugarán	jugarían	**jueguen**	jugaran	**jueguen** Uds.
29 pedir (e:i)	**pido**	pedía	pedí	pediré	pediría	**pida**	pidiera	
	pides	pedías	pediste	pedirás	pedirías	**pidas**	pidieras	**pide** tú (no **pidas**)
Participles:	**pide**	pedía	**pidió**	pedirá	pediría	**pida**	pidiera	**pida** Ud.
pidiendo	pedimos	pedíamos	pedimos	pediremos	pediríamos	**pidamos**	pidiéramos	**pidamos**
pedido	pedís	pedíais	pedisteis	pediréis	pediríais	**pidáis**	pidierais	pedid (no **pidáis**)
	piden	pedían	**pidieron**	pedirán	pedirían	**pidan**	pidieran	**pidan** Uds.
30 pensar (e:ie)	**pienso**	pensaba	pensé	pensaré	pensaría	**piense**	pensara	
	piensas	pensabas	pensaste	pensarás	pensarías	**pienses**	pensaras	**piensa** tú (no **pienses**)
	piensa	pensaba	pensó	pensará	pensaría	**piense**	pensara	**piense** Ud.
Participles:	pensamos	pensábamos	pensamos	pensaremos	pensaríamos	pensemos	pensáramos	pensemos
pensando	pensáis	pensabais	pensasteis	pensaréis	pensaríais	penséis	pensarais	pensad (no penséis)
pensado	**piensan**	pensaban	pensaron	pensarán	pensarían	**piensen**	pensaran	**piensen** Uds.
31 reír (e:i)	**río**	reía	reí	reiré	reiría	**ría**	riera	
	ríes	reías	**reíste**	reirás	reirías	**rías**	rieras	**ríe** tú (no **rías**)
Participles:	**ríe**	reía	**rió**	reirá	reiría	**ría**	riera	**ría** Ud.
riendo	**reímos**	reíamos	**reímos**	reiremos	reiríamos	**riamos**	riéramos	**riamos**
reído	reís	reíais	**reísteis**	reiréis	reiríais	**riáis**	rierais	reíd (no **riáis**)
	ríen	reían	**rieron**	reirán	reirían	**rían**	rieran	**rían** Uds.
32 seguir (e:i) (gu:g)	**sigo**	seguía	seguí	seguiré	seguiría	**siga**	siguiera	
	sigues	seguías	seguiste	seguirás	seguirías	**sigas**	siguieras	**sigue** tú (no **sigas**)
	sigue	seguía	**siguió**	seguirá	seguiría	**siga**	siguiera	**siga** Ud.
Participles:	seguimos	seguíamos	seguimos	seguiremos	seguiríamos	**sigamos**	siguiéramos	**sigamos**
siguiendo	seguís	seguíais	seguisteis	seguiréis	seguiríais	**sigáis**	siguierais	seguid (no **sigáis**)
seguido	**siguen**	seguían	**siguieron**	seguirán	seguirían	**sigan**	siguieran	**sigan** Uds.
33 sentir (e:ie)	**siento**	sentía	sentí	sentiré	sentiría	**sienta**	sintiera	
	sientes	sentías	sentiste	sentirás	sentirías	**sientas**	sintieras	**siente** tú (no **sientas**)
Participles:	**siente**	sentía	**sintió**	sentirá	sentiría	**sienta**	sintiera	**sienta** Ud.
sintiendo	sentimos	sentíamos	sentimos	sentiremos	sentiríamos	**sintamos**	sintiéramos	**sintamos**
sentido	sentís	sentíais	sentisteis	sentiréis	sentiríais	**sintáis**	sintierais	sentid (no **sintáis**)
	sienten	sentían	**sintieron**	sentirán	sentirían	**sientan**	sintieran	**sientan** Uds.

	INDICATIVE					SUBJUNCTIVE		IMPERATIVE
Infinitive	Present	Imperfect	Preterite	Future	Conditional	Present	Past	
34 volver (o:ue)	**vuelvo**	volvía	volví	volveré	volvería	**vuelva**	volviera	
	vuelves	volvías	volviste	volverás	volverías	**vuelvas**	volvieras	**vuelve** tú (no **vuelvas**)
	vuelve	volvía	volvió	volverá	volvería	**vuelva**	volviera	**vuelva** Ud.
Participles:	volvemos	volvíamos	volvimos	volveremos	volveríamos	volvamos	volviéramos	volvamos
volviendo	volvéis	volvíais	volvisteis	volveréis	volveríais	volváis	volvierais	volved (no volváis)
vuelto	**vuelven**	volvían	volvieron	volverán	volverían	**vuelvan**	volvieran	**vuelvan** Uds.

Verbs with spelling changes only

	INDICATIVE					SUBJUNCTIVE		IMPERATIVE
Infinitive	Present	Imperfect	Preterite	Future	Conditional	Present	Past	
35 conocer (c:zc)	**conozco**	conocía	conocí	conoceré	conocería	**conozca**	conociera	
	conoces	conocías	conociste	conocerás	conocerías	**conozcas**	conocieras	conoce tú (no **conozcas**)
	conoce	conocía	conoció	conocerá	conocería	**conozca**	conociera	**conozca** Ud.
Participles:	conocemos	conocíamos	conocimos	conoceremos	conoceríamos	**conozcamos**	conociéramos	**conozcamos**
conociendo	conocéis	conocíais	conocisteis	conoceréis	conoceríais	**conozcáis**	conocierais	conoced (no **conozcáis**)
conocido	conocen	conocían	conocieron	conocerán	conocerían	**conozcan**	conocieran	**conozcan** Uds.
36 creer (y)	creo	creía	creí	creeré	creería	crea	**creyera**	
	crees	creías	**creíste**	creerás	creerías	creas	**creyeras**	cree tú (no creas)
Participles:	cree	creía	**creyó**	creerá	creería	crea	**creyera**	crea Ud.
creyendo	creemos	creíamos	**creímos**	creeremos	creeríamos	creamos	**creyéramos**	creamos
creído	creéis	creíais	**creísteis**	creeréis	creeríais	creáis	**creyerais**	creed (no creáis)
	creen	creían	**creyeron**	creerán	creerían	crean	**creyeran**	crean Uds.
37 cruzar (z:c)	cruzo	cruzaba	**crucé**	cruzaré	cruzaría	**cruce**	cruzara	
	cruzas	cruzabas	cruzaste	cruzarás	cruzarías	**cruces**	cruzaras	cruza tú (no **cruces**)
Participles:	cruza	cruzaba	cruzó	cruzará	cruzaría	**cruce**	cruzara	**cruce** Ud.
cruzando	cruzamos	cruzábamos	cruzamos	cruzaremos	cruzaríamos	**crucemos**	cruzáramos	**crucemos**
cruzado	cruzáis	cruzabais	cruzasteis	cruzaréis	cruzaríais	**crucéis**	cruzarais	cruzad (no **crucéis**)
	cruzan	cruzaban	cruzaron	cruzarán	cruzarían	**crucen**	cruzaran	**crucen** Uds.
38 destruir (y)	**destruyo**	destruía	destruí	destruiré	destruiría	**destruya**	**destruyera**	
	destruyes	destruías	destruiste	destruirás	destruirías	**destruyas**	**destruyeras**	**destruye** tú (no **destruyas**)
Participles:	**destruye**	destruía	**destruyó**	destruirá	destruiría	**destruya**	**destruyera**	**destruya** Ud.
destruyendo	destruimos	destruíamos	destruimos	destruiremos	destruiríamos	**destruyamos**	**destruyéramos**	**destruyamos**
destruido	destruís	destruíais	destruisteis	destruiréis	destruiríais	**destruyáis**	**destruyerais**	destruid (no **destruyáis**)
	destruyen	destruían	**destruyeron**	destruirán	destruirían	**destruyan**	**destruyeran**	**destruyan** Uds.
39 enviar (envío)	**envío**	enviaba	envié	enviaré	enviaría	**envíe**	enviara	
	envías	enviabas	enviaste	enviarás	enviarías	**envíes**	enviaras	**envía** tú (no **envíes**)
	envía	enviaba	envió	enviará	enviaría	**envíe**	enviara	**envíe** Ud.
Participles:	enviamos	enviábamos	enviamos	enviaremos	enviaríamos	enviemos	enviáramos	enviemos
enviando	enviáis	enviabais	enviasteis	enviaréis	enviaríais	enviéis	enviarais	enviad (no enviéis)
enviado	**envían**	enviaban	enviaron	enviarán	enviarían	**envíen**	enviaran	**envíen** Uds.

	Infinitive	INDICATIVE					SUBJUNCTIVE		IMPERATIVE
		Present	Imperfect	Preterite	Future	Conditional	Present	Past	
40	graduarse	**gradúo**	graduaba	gradué	graduaré	graduaría	**gradúe**	graduara	
	(gradúo)	**gradúas**	graduabas	graduaste	graduarás	graduarías	**gradúes**	graduaras	**gradúa** tú (no **gradúes**)
		gradúa	graduaba	graduó	graduará	graduaría	**gradúe**	graduara	**gradúe** Ud.
	Participles:	graduamos	graduábamos	graduamos	graduaremos	graduaríamos	graduemos	graduáramos	graduemos
	graduando	graduáis	graduabais	graduasteis	graduaréis	graduaríais	graduéis	graduarais	graduad (no graduéis)
	graduado	**gradúan**	graduaban	graduaron	graduarán	graduarían	**gradúen**	graduaran	**gradúen** Uds.
41	llegar (g:gu)	llego	llegaba	**llegué**	llegaré	llegaría	**llegue**	llegara	
		llegas	llegabas	llegaste	llegarás	llegarías	**llegues**	llegaras	llega tú (no **llegues**)
	Participles:	llega	llegaba	llegó	llegará	llegaría	**llegue**	llegara	**llegue** Ud.
	llegando	llegamos	llegábamos	llegamos	llegaremos	llegaríamos	**lleguemos**	llegáramos	**lleguemos**
	llegado	llegáis	llegabais	llegasteis	llegaréis	llegaríais	**lleguéis**	llegarais	llegad (no **lleguéis**)
		llegan	llegaban	llegaron	llegarán	llegarían	**lleguen**	llegaran	**lleguen** Uds.
42	proteger	**protejo**	protegía	protegí	protegeré	protegería	**proteja**	protegiera	
	(g:j)	proteges	protegías	protegiste	protegerás	protegerías	**protejas**	protegieras	protege tú (no **protejas**)
		protege	protegía	protegió	protegerá	protegería	**proteja**	protegiera	**proteja** Ud.
	Participles:	protegemos	protegíamos	protegimos	protegeremos	protegeríamos	**protejamos**	protegiéramos	**protejamos**
	protegiendo	protegéis	protegíais	protegisteis	protegeréis	protegeríais	**protejáis**	protegierais	proteged (no **protejáis**)
	protegido	protegen	protegían	protegieron	protegerán	protegerían	**protejan**	protegieran	**protejan** Uds.
43	tocar (c:qu)	toco	tocaba	**toqué**	tocaré	tocaría	**toque**	tocara	
		tocas	tocabas	tocaste	tocarás	tocarías	**toques**	tocaras	toca tú (no **toques**)
	Participles:	toca	tocaba	tocó	tocará	tocaría	**toque**	tocara	**toque** Ud.
	tocando	tocamos	tocábamos	tocamos	tocaremos	tocaríamos	**toquemos**	tocáramos	**toquemos**
	tocado	tocáis	tocabais	tocasteis	tocaréis	tocaríais	**toquéis**	tocarais	tocad (no **toquéis**)
		tocan	tocaban	tocaron	tocarán	tocarían	**toquen**	tocaran	**toquen** Uds.
44	vencer (c:z)	**venzo**	vencía	vencí	venceré	vencería	**venza**	venciera	
		vences	vencías	venciste	vencerás	vencerías	**venzas**	vencieras	vence tú (no **venzas**)
	Participles:	vence	vencía	venció	vencerá	vencería	**venza**	venciera	**venza** Ud.
	venciendo	vencemos	vencíamos	vencimos	venceremos	venceríamos	**venzamos**	venciéramos	**venzamos**
	vencido	vencéis	vencíais	vencisteis	venceréis	venceríais	**venzáis**	vencierais	venced (no **venzáis**)
		vencen	vencían	vencieron	vencerán	vencerían	**venzan**	vencieran	**venzan** Uds.

Guide to Vocabulary

Contents of the glossary

This glossary contains the words and expressions listed on the **Vocabulario** page found at the end of each lesson in **Senderos** as well as other useful vocabulary. The number following an entry indicates the **Senderos** level and lesson where the word or expression was introduced. Check the **Estructura** sections of each lesson for words and expressions related to those grammar topics.

Abbreviations used in this glossary

adj.	adjective	*f.*	feminine	*m.*	masculine	*prep.*	preposition
adv.	adverb	*fam.*	familiar	*n.*	noun	*pron.*	pronoun
art.	article	*form.*	formal	*obj.*	object	*ref.*	reflexive
conj.	conjunction	*indef.*	indefinite	*p.p.*	past participle	*sing.*	singular
def.	definite	*interj.*	interjection	*pl.*	plural	*sub.*	subject
d.o.	direct object	*i.o.*	indirect object	*poss.*	possessive	*v.*	verb

Note on alphabetization

In current practice, for purposes of alphabetization, **ch** and **ll** are not treated as separate letters, but **ñ** still follows **n**. Therefore, in this glossary you will find that **año**, for example, appears after **anuncio**.

Spanish–English

A

a *prep.* at; to 1.1
  ¿A qué hora...? At what time...? 1.1
  a bordo aboard
  a dieta on a diet 3.3
  a la derecha de to the right of 1.2
  a la izquierda de to the left of 1.2
  a la plancha grilled 2.2
  a la(s) + *time* at + *time* 1.1
  a menos que *conj.* unless 3.1
  a menudo *adv.* often 2.4
  a nombre de in the name of 1.5
  a plazos in installments 3.2
  A sus órdenes. At your service.
  a tiempo *adv.* on time 2.4
  a veces *adv.* sometimes 2.4
  a ver let's see
abeja *f.* bee
abierto/a *adj.* open 1.5, 3.2
abogado/a *m., f.* lawyer 3.4
abrazar(se) *v.* to hug; to embrace (each other) 2.5
abrazo *m.* hug
abrigo *m.* coat 1.6
abril *m.* April 1.5
abrir *v.* to open 1.3
abuelo/a *m., f.* grandfather/ grandmother 1.3
abuelos *pl.* grandparents 1.3
aburrido/a *adj.* bored; boring 1.5
aburrir *v.* to bore 2.1
aburrirse *v.* to get bored 3.5
acabar de (+ *inf.*) *v.* to have just done something 1.6

acampar *v.* to camp 1.5
accidente *m.* accident 2.4
acción *f.* action 3.5
  de acción action (genre) 3.5
aceite *m.* oil 2.2
aceituna *f.* olive 2.2
aconsejar *v.* to advise 2.6
acontecimiento *m.* event 3.6
acordarse (de) (o:ue) *v.* to remember 2.1
acostarse (o:ue) *v.* to go to bed 2.1
activo/a *adj.* active 3.3
actor *m.* actor 3.4
actriz *f.* actress 3.4
actualidades *f., pl.* news; current events 3.6
adelgazar *v.* to lose weight; to slim down 3.3
además (de) *adv.* furthermore; besides 2.4
adicional *adj.* additional
adiós *m.* goodbye 1.1
adjetivo *m.* adjective
administración de empresas *f.* business administration 1.2
adolescencia *f.* adolescence 2.3
¿adónde? *adv.* where (to)? (destination) 1.2
aduana *f.* customs
aeróbico/a *adj.* aerobic 3.3
aeropuerto *m.* airport 1.5
afectado/a *adj.* affected 3.1
afeitarse *v.* to shave 2.1
aficionado/a *m., f.* fan 1.4
afirmativo/a *adj.* affirmative
afuera *adv.* outside 1.5
afueras *f., pl.* suburbs; outskirts 2.6
agencia de viajes *f.* travel agency 1.5
agente de viajes *m., f.* travel agent 1.5

agosto *m.* August 1.5
agradable *adj.* pleasant
agua *f.* water 2.2
  agua mineral mineral water 2.2
aguantar *v.* to endure, to hold up 3.2
ahogarse *v.* to choke 2.2
ahora *adv.* now 1.2
  ahora mismo right now 1.5
ahorrar *v.* to save (money) 3.2
ahorros *m., pl.* savings 3.2
aire *m.* air 3.1
ajo *m.* garlic 2.2
al (*contraction of* **a + el**) 1.4
  al aire libre open-air 1.6
  al contado in cash 3.2
  (al) este (to the) east 3.2
  al lado de next to; beside 1.2
  (al) norte (to the) north 3.2
  (al) oeste (to the) west 3.2
  (al) sur (to the) south 3.2
alcoba *f.* bedroom
alegrarse (de) *v.* to be happy 3.1
alegre *adj.* happy; joyful 1.5
alegría *f.* happiness 2.3
alemán, alemana *adj.* German 1.3
alérgico/a *adj.* allergic 2.4
alfombra *f.* carpet; rug 2.6
algo *pron.* something; anything 2.1
algodón *m.* cotton 1.6
alguien *pron.* someone; somebody; anyone 2.1
algún, alguno/a(s) *adj.* any; some 2.1
alimento *m.* food
  alimentación *f.* diet
alioli *m.* aioli (garlic mayonnaise) 2.2

aliviar *v.* to reduce 3.3
  aliviar el estrés/la tensión
    to reduce stress/tension 3.3
allá *adv.* over there 1.2
allí *adv.* there 1.2
almacén *m.* department store 1.6
almohada *f.* pillow 2.6
almorzar (o:ue) *v.* to have
  lunch 1.4
almuerzo *m.* lunch 1.4, 2.2
alquilar *v.* to rent 2.6
alquiler *m.* rent (payment) 2.6
altillo *m.* attic 2.6
alto/a *adj.* tall 1.3
aluminio *m.* aluminum 3.1
ama de casa *m., f.* housekeeper;
  caretaker 2.6
amable *adj.* nice; friendly 1.5
amarillo/a *adj.* yellow 1.6
amigo/a *m., f.* friend 1.3
amistad *f.* friendship 2.3
amor *m.* love 2.3
  amor a primera vista love at
    first sight 2.3
anaranjado/a *adj.* orange 1.6
andar *v.* **en patineta** to
  skateboard 1.4
ángel *m.* angel 2.3
animal *m.* animal 3.1
aniversario (de bodas) *m.*
  (wedding) anniversary 2.3
anoche *adv.* last night 1.6
anteayer *adv.* the day before
  yesterday 1.6
antes *adv.* before 2.1
  antes (de) que *conj.* before 3.1
  antes de *prep.* before 2.1
antibiótico *m.* antibiotic 2.4
antipático/a *adj.* unpleasant 1.3
anunciar *v.* to announce;
  to advertise 3.6
anuncio *m.* advertisement 3.4
año *m.* year 1.5
  año pasado last year 1.6
apagar *v.* to turn off 2.5
aparato *m.* appliance
apartamento *m.* apartment 2.6
apellido *m.* last name 1.3
apenas *adv.* hardly; scarcely 2.4
aplaudir *v.* to applaud 3.5
aplicación *f.* app 2.5
apoyar *v.* to support 3.6
apreciar *v.* to appreciate 3.5
aprender (a + *inf.*) *v.* to learn 1.3
apurarse *v.* to hurry; to rush 3.3
aquel, aquella *adj.* that
  (over there) 1.6
aquél, aquélla *pron.* that
  (over there) 1.6
aquello *neuter, pron.* that;
  that thing; that fact 1.6
aquellos/as *pl. adj.* those
  (over there) 1.6
aquéllos/as *pl. pron.* those (ones)
  (over there) 1.6
aquí *adv.* here 1.1
  Aquí está(n)... Here is/are... 1.5

araña *f.* spider 2.1
árbol *m.* tree 3.1
archivo *m.* file 2.5
arete *m.* earring 1.6
argentino/a *adj.* Argentine 1.3
armario *m.* closet 2.6
arqueología *f.* archeology 1.2
arqueólogo/a *m., f.*
  archeologist 3.4
arquitecto/a *m., f.* architect 3.4
arrancar *v.* to start (*a car*) 2.5
arreglar *v.* to fix; to arrange 2.5;
  to neaten; to straighten up 2.6
arreglarse *v.* to get ready 2.1;
  to fix oneself (*clothes, hair, etc.*
  to go out) 2.1
arroba *f.* @ symbol 2.5
arroz *m.* rice 2.2
arte *m.* art 1.2
artes *f., pl.* arts 3.5
artesanía *f.* craftsmanship;
  crafts 3.5
artículo *m.* article 3.6
artista *m., f.* artist 1.3
artístico/a *adj.* artistic 3.5
arveja *f.* pea 2.2
asado/a *adj.* roast 2.2
ascenso *m.* promotion 3.4
ascensor *m.* elevator 1.5
así *adv.* like this; so (*in such*
  a way) 2.4
asiento *m.* seat 2.5
asistir (a) *v.* to attend 1.3
aspiradora *f.* vacuum cleaner 2.6
aspirante *m., f.* candidate;
  applicant 3.4
aspirina *f.* aspirin 2.4
asunto *m.* issue 3.6
atún *m.* tuna 2.2
aumentar *v.* **de peso** to gain
  weight 3.3
aumento *m.* increase
  aumento de sueldo pay
    raise 3.4
aunque although
autobús *m.* bus 1.1
automático/a *adj.* automatic
auto(móvil) *m.* auto(mobile) 1.5
autopista *f.* highway 2.5
¡Auxilio! *interj.* Help! 3.2
ave *f.* bird 3.1
avenida *f.* avenue
aventura *f.* adventure 3.5
  de aventuras adventure
    (genre) 3.5
avergonzado/a *adj.*
  embarrassed 1.5
avión *m.* airplane 1.5
¡Ay! *interj.* Oh!
  ¡Ay, qué dolor! Oh,
    what pain!
ayer *adv.* yesterday 1.6
ayudar(se) *v.* to help 1.6
  (each other) 2.5
azúcar *m.* sugar 2.2
azul *adj. m., f.* blue 1.6

B

bailar *v.* to dance 1.2
bailarín/bailarina *m., f.* dancer 3.5
baile *m.* dance 3.5
bajar(se) de *v.* to get off of/out
  of (a vehicle) 2.5
bajo/a *adj.* short (*in height*) 1.3
balcón *m.* balcony 2.6
balde *m.* bucket 1.5
ballena *f.* whale 3.1
baloncesto *m.* basketball 1.4
banana *f.* banana 2.2
banco *m.* bank 3.2
banda *f.* band 3.5
bandera *f.* flag
bañarse *v.* to bathe;
  to take a bath 2.1
baño *m.* bathroom 2.1
barato/a *adj.* cheap 1.6
barco *m.* boat 1.5
barrer *v.* to sweep 2.6
  barrer el suelo *v.* to sweep
    the floor 2.6
barrio *m.* neighborhood 2.6
bastante *adv.* enough; rather 2.4
basura *f.* trash 2.6
baúl *m.* trunk 2.5
beber *v.* to drink 1.3
bebida *f.* drink 2.2
béisbol *m.* baseball 1.4
bellas artes *f., pl.* fine arts 1.2, 3.5
belleza *f.* beauty 3.2
beneficio *m.* benefit 3.4
besar(se) *v.* to kiss
  (each other) 2.5
beso *m.* kiss 2.3
biblioteca *f.* library 1.2
bicicleta *f.* bicycle 1.4
bien *adv.* well 1.1
bienestar *m.* well-being 3.3
bienvenido(s)/a(s) *adj.*
  welcome 1.1
billete *m.* paper money; ticket
billón *m.* trillion
biología *f.* biology 1.2
bisabuelo/a *m., f.* great-grand-
  father/great-grandmother 1.3
bistec *m.* steak 2.2
blanco/a *adj.* white 1.6
blog *m.* blog 2.5
(blue)jeans *m., pl.* jeans 1.6
blusa *f.* blouse 1.6
boca *f.* mouth 2.4
boda *f.* wedding 2.3
boleto *m.* ticket 1.2, 3.5
bolsa *f.* purse, bag 1.6
bombero/a *m., f.* firefighter 3.4
bonito/a *adj.* pretty 1.3
boquerón *m.* anchovy 2.2
borrador *m.* eraser 1.2
borrar *v.* to erase 2.5
bosque *m.* forest 3.1
  bosque tropical tropical forest;
    rain forest 3.1
bota *f.* boot 1.6

bote de remos *m.* rowboat 1.3
botella *f.* bottle 2.3
botones *m., f. sing.* bellhop 1.5
brazo *m.* arm 2.4
brindar *v.* to toast (*drink*) 2.3
bucear *v.* to scuba dive 1.4
buen, bueno/a *adj.* good 1.3, 1.6
  ¡Buen provecho! Enjoy your
    meal! 2.2
  buena forma good shape
    (*physical*) 3.3
  Buenas noches. Good evening;
    Good night. 1.1
  Buenas tardes. Good
    afternoon. 1.1
  Bueno. Hello. (*on
    telephone*) 2.5
  Buenos días. Good
    morning. 1.1
bufanda *f.* scarf 1.4
bulevar *m.* boulevard
buscador *m.* browser 2.5
buscar *v.* to look for 1.2
buzón *m.* mailbox 3.2

C

caballo *m.* horse 1.5
cabe: no cabe duda de there's
  no doubt 3.1
cabeza *f.* head 2.4
cabra *f.* goat 3.1
cada *adj. m., f.* each 1.6
caerse *v.* to fall (down) 2.4
café *m.* café 1.4; *adj. m., f.*
  brown 1.6; *m.* coffee 2.2
cafeína *f.* caffeine 3.3
cafetera *f.* coffee maker 2.6
cafetería *f.* cafeteria 1.2
caído/a *p.p.* fallen 3.2
caja *f.* cash register 1.6
cajero/a *m., f.* cashier
  cajero automático *m.* ATM 3.2
calamar *m.* calamari 2.2
calcetín (calcetines) *m.*
  sock(s) 1.6
calculadora *f.* calculator 1.2
calentamiento global *m.* global
  warming 3.1
calentarse (e:ie) *v.* to warm
  up 3.3
calidad *f.* quality 1.6
calle *f.* street 2.5
calor *m.* heat
caloría *f.* calorie 3.3
calzar *v.* to take size... shoes 1.6
cama *f.* bed 1.5
cámara de video *f.* video
  camera 2.5
cámara digital *f.* digital
  camera 2.5
camarero/a *m., f.* waiter/
  waitress 2.2
camarón *m.* shrimp 2.2
cambiar (de) *v.* to change 2.3;
  to exchange 1.6

cambio: de cambio in
  change 1.2
cambio *m.* **climático** climate
  change 3.1
cambio *m.* **de moneda**
  currency exchange
caminar *v.* to walk 1.2
camino *m.* road
camión *m.* truck; bus
camisa *f.* shirt 1.6
camiseta *f.* t-shirt 1.6
campo *m.* countryside 1.5
canadiense *adj.* Canadian 1.3
canal *m.* (TV) channel 2.5; 3.5
canción *f.* song 3.5
candidato/a *m., f.* candidate 3.6
canela *f.* cinnamon 2.4
cansado/a *adj.* tired 1.5
cantante *m., f.* singer 3.5
cantar *v.* to sing 1.2
capital *f.* capital city
capó *m.* hood 2.5
cara *f.* face 2.1
caramelo *m.* caramel 2.3
cargador *m.* charger 2.5
carne *f.* meat 2.2
  carne de res *f.* beef 2.2
carnicería *f.* butcher shop 3.2
caro/a *adj.* expensive 1.6
carpintero/a *m., f.* carpenter 3.4
carrera *f.* career 3.4
carretera *f.* highway; (main)
  road 2.5
carro *m.* car; automobile 2.5
carta *f.* letter 1.4; (playing)
  card 1.5
cartel *m.* poster 2.6
cartera *f.* wallet 1.4, 1.6
cartero *m.* mail carrier 3.2
casa *f.* house; home 1.2
casado/a *adj.* married 2.3
casarse (con) *v.* to get married
  (to) 2.3
casi *adv.* almost 2.4
catorce fourteen 1.1
cazar *v.* to hunt 3.1
cebolla *f.* onion 2.2
cederrón *m.* CD-ROM
celebrar *v.* to celebrate 2.3
celular *m.* cellphone 1.4
cena *f.* dinner 2.2
cenar *v.* to have dinner 1.2
centro *m.* downtown 1.4
  centro comercial shopping
    mall 1.6
cepillarse los dientes/el pelo
  v. to brush one's teeth/one's
  hair 2.1
cepillo *m.* brush 2.1
cerámica *f.* pottery 3.5
cerca de *prep.* near 1.2
cerdo *m.* pork 2.2
cereales *m., pl.* cereal; grains 2.2
cero *m.* zero 1.1
cerrado/a *adj.* closed 1.5
cerrar (e:ie) *v.* to close 1.4
césped *m.* grass

ceviche *m.* marinated fish
  dish 2.2
  ceviche de camarón *m.*
    lemon-marinated shrimp 2.2
chaleco *m.* vest
champiñón *m.* mushroom 2.2
champú *m.* shampoo 2.1
chaqueta *f.* jacket 1.6
chatear *v.* to chat 2.5
chau *fam. interj.* bye 1.1
cheque *m.* (bank) check 3.2
  cheque (de viajero) *m.*
    (traveler's) check 3.2
chévere *adj., fam.* terrific
chico/a *m., f.* boy/girl 1.1
chino/a *adj.* Chinese 1.3
chocar (con) *v.* to run into;
  to crash 2.5
chocolate *m.* chocolate 2.3
choque *m.* collision 3.6
chuleta *f.* chop (food) 2.2
  chuleta de cerdo *f.* pork
    chop 2.2
cibercafé *m.* cybercafé 2.5
ciclismo *m.* cycling 1.4
cielo *m.* sky 3.1
cien(to) one hundred 1.2
ciencias *f., pl.* sciences 1.2
  ciencias ambientales
    environmental science 1.2
  de ciencia ficción *f.* science
    fiction (genre) 3.5
científico/a *m., f.* scientist 3.4
cierto/a *adj.* certain 3.1
  es cierto it's certain 3.1
  no es cierto it's not certain 3.1
cima *f.* top, peak 3.3
cinco five 1.1
cincuenta fifty 1.2
cine *m.* movie theater 1.4
cinta *f.* (audio)tape
cinta caminadora *f.*
  treadmill 3.3
cinturón *m.* belt 1.6
  cinturón de seguridad *m.*
    seat belt 2.5
circulación *f.* traffic 2.5
cita *f.* date; appointment 2.3
ciudad *f.* city
ciudadano/a *m., f.* citizen 3.6
Claro (que sí). *fam.* Of course.
clase *f.* class 1.2
  clase de ejercicios aeróbicos
    f. aerobics class 3.3
clásico/a *adj.* classical 3.5
cliente/a *m., f.* customer 1.6
clínica *f.* clinic 2.4
cobrar *v.* to cash (a check) 3.2
coche *m.* car; automobile 2.5
cocina *f.* kitchen; stove 2.6
cocinar *v.* to cook 2.6
cocinero/a *m., f.* cook, chef 3.4
cofre *m.* hood 3.2
cojear *v.* to limp 2.4
cola *f.* line 3.2
colesterol *m.* cholesterol 3.3
color *m.* color 1.6

colorido/a *adj.* colorful 3.5
comedia *f.* comedy; play 3.5
comedor *m.* dining room 2.6
comenzar (e:ie) *v.* to begin 1.4
comer *v.* to eat 1.3
comercial *adj.* commercial; business-related 3.4
comida *f.* food; meal 1.4, 2.2
como like; as 2.2
¿cómo? what?; how? 1.1, 1.2
   ¿Cómo es...? What's... like?
   ¿Cómo está usted? *form.* How are you? 1.1
   ¿Cómo estás? *fam.* How are you? 1.1
   ¿Cómo se llama usted? *(form.)* What's your name? 1.1
   ¿Cómo te llamas? *fam.* What's your name? 1.1
cómoda *f.* chest of drawers 2.6
cómodo/a *adj.* comfortable 1.5
compañero/a de clase *m., f.* classmate 1.2
compañero/a de cuarto *m., f.* roommate 1.2
compañía *f.* company; firm 3.4
compartir *v.* to share 1.3
compositor(a) *m., f.* composer 3.5
comprar *v.* to buy 1.2
compras *f., pl.* purchases
   ir de compras to go shopping 1.5
comprender *v.* to understand 1.3
comprobar *v.* to check
comprometerse (con) *v.* to get engaged (to) 2.3
computación *f.* computer science 1.2
computadora *f.* computer 1.1
computadora portátil *f.* portable computer; laptop 2.5
comunicación *f.* communication 3.6
comunicarse (con) *v.* to communicate (with) 3.6
comunidad *f.* community 1.1
con *prep.* with 1.2
   Con él/ella habla. Speaking. *(on telephone)* 2.5
   con frecuencia *adv.* frequently 2.4
   Con permiso. Pardon me; Excuse me. 1.1
   con tal (de) que *conj.* provided (that) 3.1
concierto *m.* concert 3.5
concordar *v.* to agree
concurso *m.* game show; contest 3.5
conducir *v.* to drive 1.6, 2.5
conductor(a) *m., f.* driver 1.1
conexión *f.* **inalámbrica** wireless connection 2.5
confirmar *v.* to confirm 1.5
confirmar *v.* **una reservación** *f.* to confirm a reservation 1.5
confundido/a *adj.* confused 1.5
congelador *m.* freezer 2.6

congestionado/a *adj.* congested; stuffed-up 2.4
conmigo *pron.* with me 1.4, 2.3
conocer *v.* to know; to be acquainted with 1.6
conocido/a *adj.; p.p.* known
conseguir (e:i) *v.* to get; to obtain 1.4
consejero/a *m., f.* counselor; advisor 3.4
consejo *m.* advice
conservación *f.* conservation 3.1
conservar *v.* to conserve 3.1
construir *v.* to build
consultorio *m.* doctor's office 2.4
consumir *v.* to consume 3.3
contabilidad *f.* accounting 1.2
contador(a) *m., f.* accountant 3.4
contaminación *f.* pollution 3.1
   contaminación del aire/del agua air/water pollution 3.1
contaminado/a *adj.* polluted 3.1
contaminar *v.* to pollute 3.1
contar (o:ue) *v.* to count; to tell 1.4
contento/a *adj.* content 1.5
contestadora *f.* answering machine
contestar *v.* to answer 1.2
contigo *fam. pron.* with you 1.5, 2.3
contratar *v.* to hire 3.4
control *m.* **remoto** remote control 2.5
controlar *v.* to control 3.1
conversación *f.* conversation 1.1
conversar *v.* to converse, to chat 1.2
corazón *m.* heart 2.4
corbata *f.* tie 1.6
corredor(a) *m., f.* **de bolsa** stockbroker 3.4
correo *m.* mail; post office 3.2
   correo de voz *m.* voice mail 2.5
   correo electrónico *m.* e-mail 1.4
correr *v.* to run 1.3
cortesía *f.* courtesy
cortinas *f., pl.* curtains 2.6
corto/a *adj.* short *(in length)* 1.6
cosa *f.* thing 1.1
costar (o:ue) *v.* to cost 1.6
costarricense *adj.* Costa Rican 1.3
cráter *m.* crater 3.1
creer *v.* to believe 1.3, 3.1
   creer (en) *v.* to believe (in) 1.3
   no creer *v.* not to believe 3.1
creído/a *adj., p.p.* believed 3.2
crema de afeitar *f.* shaving cream 1.5, 2.1
crimen *m.* crime; murder 3.6
croqueta croquette *f.* 2.2
cruzar *v.* to cross 3.2
cuaderno *m.* notebook 1.1
cuadra *f.* (city) block 3.2
¿cuál(es)? which?; which one(s)? 1.2
   ¿Cuál es la fecha de hoy? What is today's date? 1.5
cuadro *m.* picture 2.6
cuando *conj.* when 2.1; 3.1

¿cuándo? when? 1.2
¿cuánto(s)/a(s)? how much/how many? 1.1, 1.2
   ¿Cuánto cuesta...? How much does... cost? 1.6
   ¿Cuántos años tienes? How old are you?
cuarenta forty 1.2
cuarto de baño *m.* bathroom 2.1
cuarto *m.* room 1.2; 2.1
cuarto/a *adj.* fourth 1.5
   menos cuarto quarter to (time) 1.1
   y cuarto quarter after (time) 1.1
cuatro four 1.1
cuatrocientos/as four hundred 1.2
cubano/a *adj.* Cuban 1.3
cubiertos *m., pl.* silverware
cubierto/a *p.p.* covered
cubrir *v.* to cover
cuchara *f.* (table or large) spoon 2.6
cuchillo *m.* knife 2.6
cuello *m.* neck 2.4
cuenta *f.* bill 2.2; account 3.2
   cuenta corriente *f.* checking account 3.2
   cuenta de ahorros *f.* savings account 3.2
cuento *m.* short story 3.5
cuerpo *m.* body 2.4
cuidado *m.* care
cuidar *v.* to take care of 3.1
cultura *f.* culture 1.2, 3.5
cumpleaños *m., sing.* birthday 2.3
cumplir años *v.* to have a birthday
cuñado/a *m., f.* brother-in-law/ sister-in-law 1.3
currículum *m.* résumé 3.4
curso *m.* course 1.2

D

danza *f.* dance 3.5
dañar *v.* to damage; to break down 2.4
dar *v.* to give 1.6
   dar un consejo *v.* to give advice
   darse con *v.* to bump into; to run into (something) 2.4
   darse prisa *v.* to hurry; to rush 3.3
de *prep.* of; from 1.1
   ¿De dónde eres? *fam.* Where are you from? 1.1
   ¿De dónde es usted? *form.* Where are you from? 1.1
   ¿de quién...? whose...? *(sing.)* 1.1
   ¿de quiénes...? whose...? *(pl.)* 1.1
   de algodón (made) of cotton 1.6
   de aluminio (made) of aluminum 3.1
   de buen humor in a good mood 1.5
   de compras shopping 1.5
   de cuadros plaid 1.6

de excursión hiking 1.4
de hecho in fact
de ida y vuelta roundtrip 1.5
de la mañana in the morning;
A.M. 1.1
de la noche in the evening;
at night; P.M. 1.1
de la tarde in the afternoon;
in the early evening; P.M. 1.1
de lana (made) of wool 1.6
de lunares polka-dotted 1.6
de mal humor in a bad
mood 1.5
de moda in fashion 1.6
De nada. You're welcome. 1.1
de niño/a as a child 2.4
de parte de on behalf of 2.5
de plástico (made) of plastic 3.1
de rayas striped 1.6
de repente suddenly 1.6
de seda (made) of silk 1.6
de vaqueros western (genre) 3.5
de vez en cuando from time
to time 2.4
de vidrio (made) of glass 3.1
debajo de *prep.* below;
under 1.2
deber (+ *inf.*) *v.* should; must;
ought to 1.3
deber *m.* responsibility;
obligation 3.6
debido a due to (the fact that)
débil *adj.* weak 3.3
decidir (+ *inf.*) *v.* to decide 1.3
décimo/a *adj.* tenth 1.5
decir (e:i) *v.* (que) to say (that);
to tell (that) 1.4
decir la respuesta to say the
answer 1.4
decir la verdad to tell the
truth 1.4
decir mentiras to tell lies 1.4
declarar *v.* to declare; to say 3.6
dedo *m.* finger 2.4
dedo del pie *m.* toe 2.4
deforestación *f.* deforestation 3.1
dejar *v.* to let; to quit; to leave
behind 3.4
dejar de (+ *inf.*) *v.* to stop
(*doing something*) 3.1
dejar una propina *v.* to leave
a tip
del (*contraction of* **de + el**) of the;
from the 1.1
delante de *prep.* in front of 1.2
delgado/a *adj.* thin; slender 1.3
delicioso/a *adj.* delicious 2.2
demás *adj.* the rest
dentista *m., f.* dentist 2.4
dentro de (diez años) within
(ten years) 3.4; inside
dependiente/a *m., f.* clerk 1.6
deporte *m.* sport 1.4
deportista *m.* sports person
deportivo/a *adj.* sports-
related 1.4

depositar *v.* to deposit 3.2
derecha *f.* right 1.2
a la derecha de to the
right of 1.2
derecho *adv.* straight (ahead) 3.2
derechos *m., pl.* rights 3.6
desarrollar *v.* to develop 3.1
desastre (natural) *m.* (natural)
disaster 3.6
desayunar *v.* to have breakfast 1.2
desayuno *m.* breakfast 1.5, 2.2
descafeinado/a *adj.*
decaffeinated 3.3
descansar *v.* to rest 1.2
descargar *v.* to download 2.5
descompuesto/a *adj.* not
working; out of order 2.5
describir *v.* to describe 1.3
descrito/a *p.p.* described 3.2
descubierto/a *p.p.*
discovered 3.2
descubrir *v.* to discover 3.1
descuento *m.* discount 1.6
desde *prep.* from 1.6
desear *v.* to wish; to desire 1.2
desempleo *m.* unemployment 3.6
desierto *m.* desert 3.1
desigualdad *f.* inequality 3.6
desorden *m.* mess 2.1
desordenado/a *adj.*
disorderly 1.5
despacio *adv.* slowly 2.4
despedida *f.* farewell; goodbye
despedir (e:i) *v.* to fire 3.4
despejado/a *adj.* clear (*weather*)
despertador *m.* alarm clock 2.1
despertarse (e:ie) *v.* to wake
up 2.1
después *adv.* afterwards; then 2.1
después de after 2.1
después de que *conj.* after 3.1
destruir *v.* to destroy 3.1
detrás de *prep.* behind 1.2
día *m.* day 1.1
día de fiesta holiday 2.3
diario *m.* diary 1.1; newspaper 3.6
diario/a *adj.* daily 2.1
dibujar *v.* to draw 1.2
dibujo *m.* drawing 1.2
dibujos animados *m., pl.*
cartoons 3.5
diccionario *m.* dictionary 1.1
dicho/a *p.p.* said 3.2
diciembre *m.* December 1.5
dictadura *f.* dictatorship 3.6
diecinueve nineteen 1.1
dieciocho eighteen 1.1
dieciséis sixteen 1.1
diecisiete seventeen 1.1
diente *m.* tooth 2.1
dieta *f.* diet 3.3
comer una dieta equilibrada
to eat a balanced diet 3.3
diez ten 1.1
difícil *adj.* difficult; hard 1.3
diligencia *f.* errand 3.2

dinero *m.* money 1.6
dirección *f.* address 3.2
dirección electrónica *f.* e-mail
address 2.5
director(a) *m., f.* director;
(*musical*) conductor 3.5
dirigir *v.* to direct 3.5
disco compacto compact disc
(CD) 2.5
discriminación *f.*
discrimination 3.6
discurso *m.* speech 3.6
diseñador(a) *m., f.* designer 3.4
diseño *m.* design
disfraz *m.* costume 3.1
disfrutar (de) *v.* to enjoy; to reap
the benefits (of) 3.3
disminuir *v.* to reduce 3.4
diversión *f.* fun activity;
entertainment; recreation 1.4
divertido/a *adj.* fun
divertirse (e:ie) *v.* to have fun 2.3
divorciado/a *adj.* divorced 2.3
divorciarse (de) *v.* to get divorced
(from) 2.3
divorcio *m.* divorce 2.3
doblar *v.* to turn 3.2
doble *adj.* double 1.5
doce twelve 1.1
doctor(a) *m., f.* doctor 1.3; 2.4
documental *m.* documentary 3.5
documentos de viaje *m., pl.*
travel documents
doler (o:ue) *v.* to hurt 2.4
dolor *m.* ache; pain 2.4
dolor de cabeza *m.*
headache 2.4
doméstico/a *adj.* domestic 2.6
domingo *m.* Sunday 1.2
don *m.* Mr.; sir 1.1
doña *f.* Mrs.; ma'am 1.1
donde *adv.* where
¿Dónde está...? Where is...? 1.2
¿dónde? where? 1.1, 1.2
dormir (o:ue) *v.* to sleep 1.4
dormirse (o:ue) *v.* to go to sleep;
to fall asleep 2.1
dormitorio *m.* bedroom 2.6
dos two 1.1
dos veces *f.* twice;
two times 1.6
doscientos/as two hundred 1.2
drama *m.* drama; play 3.5
dramático/a *adj.* dramatic 3.5
dramaturgo/a *m., f.* playwright 3.5
ducha *f.* shower 2.1
ducharse *v.* to shower; to take a
shower 2.1
duda *f.* doubt 3.1
dudar *v.* to doubt 3.1
no dudar *v.* not to doubt 3.1
dueño/a *m., f.* owner 2.2
dulces *m., pl.* sweets; candy 2.3
durante *prep.* during 2.1
durar *v.* to last 3.6

E

e *conj. (used instead of y before words beginning with i and hi)* and

echar *v.* to throw
echar (una carta) al buzón *v.* to put (a letter) in the mailbox; to mail 3.2

ecología *f.* ecology 3.1
ecológico/a *adj.* ecological 3.1
ecologista *m., f.* ecologist 3.1
economía *f.* economics 1.2
ecoturismo *m.* ecotourism 3.1
ecuatoriano/a *adj.* Ecuadorian 1.3
edad *f.* age 2.3
edificio *m.* building 2.6
edificio de apartamentos apartment building 2.6
(en) efectivo *m.* cash 1.6
ejecutivo/a *m., f.* executive 3.4
ejercicio *m.* exercise 3.3
ejercicios aeróbicos aerobic exercises 3.3
ejercicios de estiramiento stretching exercises 3.3
ejército *m.* army 3.6
el *m., sing., def. art.* the 1.1
él *sub. pron.* he 1.1; *obj. pron.* him
elecciones *f., pl.* election 3.6
electricista *m., f.* electrician 3.4
electrodoméstico *m.* electric appliance 2.6
elegante *adj. m., f.* elegant 1.6
elegir (e:i) *v.* to elect 3.6
ella *sub. pron.* she 1.1; *obj. pron.* her
ellos/as *sub. pron.* they 1.1; *obj. pron.* them
embarazada *adj.* pregnant 2.4
emergencia *f.* emergency 2.4
emitir *v.* to broadcast 3.6
emocionante *adj. m., f.* exciting 1.6
empezar (e:ie) *v.* to begin 1.4
empleado/a *m., f.* employee 1.5
empleo *m.* job; employment 3.4
empresa *f.* company; firm 3.4
en *prep.* in; on 1.2
en casa at home
en caso (de) que *conj.* in case (that) 3.1
en cuanto *conj.* as soon as 3.1
en efectivo in cash 3.2
en exceso in excess; too much 3.3
en línea in-line 1.4
en punto on the dot; exactly; sharp *(time)* 1.1
en qué in what; how
¿En qué puedo servirles? How can I help you? 1.5
en vivo live 2.1
enamorado/a (de) *adj.* in love (with) 1.5

enamorarse (de) *v.* to fall in love (with) 2.3
encantado/a *adj.* delighted; pleased to meet you 1.1
encantar *v.* to like very much; to love *(inanimate objects)* 2.1
encima de *prep.* on top of 1.2
encontrar (o:ue) *v.* to find 1.4
encontrar(se) (o:ue) *v.* to meet (each other); to run into (each other) 2.5
encuesta *f.* poll; survey 3.6
energía *f.* energy 3.1
energía nuclear nuclear energy 3.1
energía solar solar energy 3.1
enero *m.* January 1.5
enfermarse *v.* to get sick 2.4
enfermedad *f.* illness 2.4
enfermero/a *m., f.* nurse 2.4
enfermo/a *adj.* sick 2.4
enfrente de *adv.* opposite; facing 3.2
engordar *v.* to gain weight 3.3
enojado/a *adj.* angry 1.5
enojarse (con) *v.* to get angry (with) 2.1
ensalada *f.* salad 2.2
ensayo *m.* essay 1.3
enseguida *adv.* right away
enseñar *v.* to teach 1.2
ensuciar *v.* to get (something) dirty 2.6
entender (e:ie) *v.* to understand 1.4
entonces *adv.* so, then 1.5, 2.1
entrada *f.* entrance 2.6; ticket
entre *prep.* between; among 1.2
entremeses *m., pl.* hors d'oeuvres; appetizers 2.2
entrenador(a) *m., f.* trainer 3.3
entrenarse *v.* to practice; to train 3.3
entrevista *f.* interview 3.4
entrevistador(a) *m., f.* interviewer 3.4
entrevistar *v.* to interview 3.4
envase *m.* container 3.1
enviar *v.* to send; to mail 3.2
equilibrado/a *adj.* balanced 3.3
equipaje *m.* luggage 1.5
equipo *m.* team 1.4
equivocado/a *adj.* wrong 1.5
eres *fam.* you are 1.1
es he/she/it is 1.1
Es bueno que... It's good that... 2.6
es cierto it's certain 3.1
es extraño it's strange 3.1
es igual it's the same 1.5
Es importante que... It's important that... 2.6
es imposible it's impossible 3.1
es improbable it's improbable 3.1

Es malo que... It's bad that... 2.6
Es mejor que... It's better that... 2.6
Es necesario que... It's necessary that... 2.6
es obvio it's obvious 3.1
es posible it's possible 3.1
es probable it's probable 3.1
es ridículo it's ridiculous 3.1
es seguro it's certain 3.1
es terrible it's terrible 3.1
es triste it's sad 3.1
Es urgente que... It's urgent that... 2.6
Es la una. It's one o'clock. 1.1
es una lástima it's a shame 3.1
es verdad it's true 3.1
esa(s) *f., adj.* that; those 1.6
ésa(s) *f., pron.* that (one); those (ones) 1.6
escalar *v.* to climb 1.4
escalar montañas to climb mountains 1.4
escalera *f.* stairs; stairway 2.6
escalón *m.* step 3.3
escanear *v.* to scan 2.5
escoba *f.* broom 2.6
escoger *v.* to choose 2.2
escribir *v.* to write 1.3
escribir un mensaje electrónico to write an e-mail 1.4
escribir una carta to write a letter 1.4
escrito/a *p.p.* written 3.2
escritor(a) *m., f.* writer 3.5
escritorio *m.* desk 1.2
escuchar *v.* to listen (to) 1.2
escuchar la radio to listen to the radio 1.2
escuchar música to listen to music 1.2
escuela *f.* school 1.1
esculpir *v.* to sculpt 3.5
escultor(a) *m., f.* sculptor 3.5
escultura *f.* sculpture 3.5
ese *m., sing., adj.* that 1.6
ése *m., sing., pron.* that one 1.6
eso *neuter, pron.* that; that thing 1.6
esos *m., pl., adj.* those 1.6
ésos *m., pl., pron.* those (ones) 1.6
España *f.* Spain
español *m.* Spanish *(language)* 1.2
español(a) *adj. m., f.* Spanish 1.3
espárragos *m., pl.* asparagus 2.2
especialidad: las especialidades del día today's specials 2.2
especialización *f.* major 1.2
especializarse *v.* to specialize 3.4
espectacular *adj.* spectacular
espectáculo *m.* show 3.5
espejo *m.* mirror 2.1
esperar *v.* to hope; to wish 3.1
esperar (+ inf.) *v.* to wait (for); to hope 1.2

esposo/a *m., f.* husband/wife; spouse **1.3**

esquí (acuático) *m.* (water) skiing **1.4**

esquiar *v.* to ski **1.4**

esquina *f.* corner **3.2**

está he/she/it is, you are
Está bien. That's fine.
Está (muy) despejado. It's (very) clear. (*weather*)
Está lloviendo. It's raining. **1.5**
Está nevando. It's snowing. **1.5**
Está (muy) nublado. It's (very) cloudy. (*weather*) **1.5**

esta(s) *f., adj.* this; these **1.6**
esta noche tonight

ésta(s) *f., pron.* this (one); these (ones) **1.6**

establecer *v.* to establish **3.4**

estación *f.* station; season **1.5**
estación de autobuses bus station **1.5**
estación del metro subway station **1.5**
estación de tren train station **1.5**

estacionamiento *m.* parking lot **3.2**

estacionar *v.* to park **2.5**

estadio *m.* stadium **1.2**

estado civil *m.* marital status **2.3**

Estados Unidos *m., pl.* (EE.UU.; E.U.) United States

estadounidense *adj. m., f.* from the United States **1.3**

estampilla *f.* stamp **3.2**

estanque *m.* pond **1.3**

estante *m.* bookcase; bookshelves **2.6**

estar *v.* to be **1.2**
estar a dieta to be on a diet **3.3**
estar aburrido/a to be bored **1.5**
estar afectado/a (por) to be affected (by) **3.1**
estar cansado/a to be tired **1.5**
estar contaminado/a to be polluted **3.1**
estar de acuerdo to agree **3.5**
estar de moda to be in fashion **1.6**
estar de vacaciones *f., pl.* to be on vacation **1.5**
estar en buena forma to be in good shape **3.3**
estar enfermo/a to be sick **2.4**
estar harto/a de... to be sick of... **3.6**
estar listo/a to be ready **1.5**
estar perdido/a to be lost **3.2**
estar roto/a to be broken
estar seguro/a to be sure **1.5**
estar torcido/a to be twisted; to be sprained **2.4**
No está nada mal. It's not bad at all. **1.5**

estatua *f.* statue **3.5**

este *m.* east **3.2**

este *m., sing., adj.* this **1.6**

éste *m., sing., pron.* this (one) **1.6**

estera mat *f.* **3.3**

estéreo *m.* stereo **2.5**

estilo *m.* style **3.5**

estirar *v.* to stretch **3.3**

estiramiento *m.* stretching **3.3**

esto *neuter pron.* this; this thing **1.6**

estómago *m.* stomach **2.4**

estornudar *v.* to sneeze **2.4**

estos *m., pl., adj.* these **1.6**

éstos *m., pl., pron.* these (ones) **1.6**

estrella *f.* star **3.1**
estrella de cine *m., f.* movie star **3.5**

estrés *m.* stress **3.3**

estudiante *m., f.* student **1.1, 1.2**

estudiantil *adj. m., f.* student **1.2**

estudiar *v.* to study **1.2**

estufa *f.* stove **2.6**

estupendo/a *adj.* stupendous **1.5**

etapa *f.* stage **2.3**

evitar *v.* to avoid **3.1**

examen *m.* test; exam **1.2**
examen médico physical exam **2.4**

excelente *adj. m., f.* excellent **1.5**

exceso *m.* excess **3.3**

excursión *f.* hike; tour; excursion **1.4**

excursionista *m., f.* hiker

exhalar *v.* to exhale **3.3**

éxito *m.* success

experiencia *f.* experience

explicar *v.* to explain **1.2**

explorar *v.* to explore

expresión *f.* expression

extinción *f.* extinction **3.1**

extranjero/a *adj.* foreign **3.5**

extraño/a *adj.* strange **3.1**

F

fábrica *f.* factory **3.1**

fabuloso/a *adj.* fabulous **1.5**

fácil *adj.* easy **1.3**

facultad *f.* department/school of a university **1.2**

falda *f.* skirt **1.6**

faltar *v.* to lack; to need **2.1**

familia *f.* family **1.3**

famoso/a *adj.* famous

farmacia *f.* pharmacy **2.4**

fascinar *v.* to fascinate **2.1**

favorito/a *adj.* favorite **1.4**

fax *m.* fax (machine)

febrero *m.* February **1.5**

fecha *f.* date **1.5**

¡Felicidades! Congratulations! **2.3**

¡Felicitaciones! Congratulations! **2.3**

felicitar *v.* to congratulate **3.4**

feliz *adj.* happy **1.5**
¡Feliz cumpleaños! Happy birthday! **2.3**

fenomenal *adj.* great, phenomenal **1.5**

feo/a *adj.* ugly **1.3**

festival *m.* festival **3.5**

fiebre *f.* fever **2.4**

fiesta *f.* party **1.4**

fijo/a *adj.* fixed, set **1.6**

fin *m.* end **1.4**
fin de semana weekend **1.4**

finalmente *adv.* finally

firmar *v.* to sign (*a document*) **3.2**

física *f.* physics **1.2**

flan (de caramelo) *m.* baked (caramel) custard **2.3**

flexible *adj.* flexible **3.3**

flor *f.* flower **2.3, 3.1**

floristería *f.* florist's shop **3.2**

folclórico/a *adj.* folk; folkloric **3.5**

folleto *m.* brochure

forma *f.* shape **3.3**

formulario *m.* form **3.2**

foto(grafía) *f.* photograph **1.1**

francés, francesa *adj. m., f.* French **1.3**

frecuentemente *adv.* frequently

frenos *m., pl.* brakes

frente (frío) *m.* (cold) front **1.5**

fresco/a *adj.* cool

frijoles *m., pl.* beans **2.2**

frío/a *adj.* cold

frito/a *adj.* fried **2.2**

fruta *f.* fruit **2.2**

frutería *f.* fruit store **3.2**

fuera *adv.* outside

fuerte *adj. m., f.* strong **3.3**

fumar *v.* to smoke **3.3**
(no) fumar *v.* (not) to smoke **3.3**

funcionar *v.* to work **2.5**; to function

fútbol *m.* soccer **1.4**

fútbol americano *m.* football **1.4**

futuro/a *adj.* future
en el futuro in the future

G

gafas (de sol) *f., pl.* (sun)glasses **1.6**

gafas (oscuras) *f., pl.* (sun)glasses

galleta *f.* cookie **2.3**

ganar *v.* to win **1.4**; to earn (money) **3.4**

ganga *f.* bargain **1.6**

garaje *m.* garage; (mechanic's) repair shop **2.5**; garage (*in a house*) **2.6**

garganta *f.* throat **2.4**

gasolina *f.* gasoline **2.5**

gasolinera *f.* gas station **2.5**

gastar *v.* to spend (*money*) **1.6**

gato *m.* cat **3.1**

gazpacho *m.* cold tomato soup **2.2**

gemelo/a *m., f.* twin **1.3**

gente *f.* people **1.3**

geografía *f.* geography 1.2
gerente *m., f.* manager 3.4
gimnasio *m.* gymnasium 1.4
globo *m.* balloon 2.3
gobierno *m.* government 3.1
golf *m.* golf 1.4
gorra *f.* baseball cap 1.2
gordo/a *adj.* fat 1.3
grabar *v.* to record 2.5
gracias *f., pl.* thank you; thanks 1.1
   Gracias por invitarme.
   Thanks for inviting me. 2.3
graduarse (de/en) *v.* to graduate
   (from/in) 2.3
grande *adj.* big; large 1.3
grasa *f.* fat 3.3
gratis *adj. m., f.* free of charge 3.2
grave *adj.* grave; serious 2.4
gripe *f.* flu 2.4
gris *adj. m., f.* gray 1.6
gritar *v.* to scream, to shout
grito *m.* scream 1.5
guantes *m., pl.* gloves 1.6
guapo/a *adj.* handsome; good-
   looking 1.3
guardar *v.* to save (on a
   computer) 2.5
¡Guau! *interj.* Wow! 2.6
guay *adj. m., f.* cool 1.2
   ¡Qué guay! How cool! 1.2
guerra *f.* war 3.6
guía *m., f.* guide
guiñar (el ojo) *v.* to wink 3.5
gustar *v.* to be pleasing to; to
   like 1.2
   Me gustaría... I would like...
gusto *m.* pleasure 1.1
   El gusto es mío. The pleasure
   is mine. 1.1
   Mucho gusto. Pleased to meet
   you. 1.1
güiro *m.* percussion instrument 1.4

H

haber *(auxiliar) v.* to have (done
   something) 3.3
habitación *f.* room 1.5
   habitación doble double
   room 1.5
   habitación individual single
   room 1.5
hablar *v.* to talk; to speak 1.2
hacer *v.* to do; to make 1.4
   Hace buen tiempo. The
   weather is good. 1.5
   Hace (mucho) calor. It's (very)
   hot. (*weather*) 1.5
   Hace fresco. It's cool.
   (*weather*) 1.5
   Hace (mucho) frío. It's (very)
   cold. (*weather*) 1.5
   Hace mal tiempo. The weather
   is bad. 1.5
   Hace (mucho) sol. It's (very)
   sunny. (*weather*) 1.5

Hace (mucho) viento. It's
   (very) windy. (*weather*) 1.5
hacer cola to stand in line 3.2
hacer diligencias to run
   errands 3.2
hacer ejercicio to exercise 3.3
hacer ejercicios aeróbicos to
   do aerobics 3.3
**hacer ejercicios de
   estiramiento** to do stretching
   exercises 3.3
hacer el papel (de) to play the
   role (of) 3.5
hacer gimnasia to work out 3.3
hacer juego (con) to match
   (with) 1.6
hacer la cama to make the
   bed 2.6
hacer las maletas to pack
   (one's) suitcases 1.5
hacer quehaceres domésticos
   to do household chores 2.6
hacer (wind)surf to (wind)
   surf 1.5
hacer turismo to go sightseeing
hacer un viaje to take a trip 1.5
hacia *prep.* toward 3.2
hambre *f.* hunger
hamburguesa *f.* hamburger 2.2
hasta *prep.* until 1.6; toward
   Hasta la vista. See you later. 1.1
   Hasta luego. See you later. 1.1
   Hasta mañana. See you
   tomorrow. 1.1
   Hasta pronto. See you soon. 1.1
   hasta que *conj.* until 3.1
hay there is; there are 1.1
   Hay (mucha) contaminación.
   It's (very) smoggy.
   Hay (mucha) niebla. It's
   (very) foggy.
   Hay que It is necessary that
   No hay de qué. You're
   welcome. 1.1
   No hay duda de There's no
   doubt 3.1
hecho/a *p.p.* done 3.2
heladería *f.* ice cream shop 3.2
helado/a *adj.* iced 2.2
helado *m.* ice cream 2.3
hermanastro/a *m., f.* stepbrother/
   stepsister 1.3
hermano/a *m., f.* brother/
   sister 1.3
hermano/a mayor/menor *m., f.*
   older/younger brother/sister 1.3
hermanos *m., pl.* siblings
   (brothers and sisters) 1.3
hermoso/a *adj.* beautiful 1.6
hierba *f.* grass 3.1
hijastro/a *m., f.* stepson/
   stepdaughter 1.3
hijo/a *m., f.* son/daughter 1.3
   hijo/a único/a *m., f.* only
   child 1.3
hijos *m., pl.* children 1.3

historia *f.* history 1.2; story 3.5
hockey *m.* hockey 1.4
hola *interj.* hello; hi 1.1
hombre *m.* man 1.1
   hombre de negocios *m.*
   businessman 3.4
hora *f.* hour 1.1; the time
horario *m.* schedule 1.2
horno *m.* oven 2.6
   horno de microondas *m.*
   microwave oven 2.6
horror *m.* horror 3.5
   de horror horror (genre) 3.5
hospital *m.* hospital 2.4
hostal *m.* guesthouse 1.5
hotel *m.* hotel 1.5
hoy *adv.* today 1.2
   hoy día *adv.* nowadays
   Hoy es... Today is... 1.2
hueco *m.* hole 1.4
huelga *f.* strike (*labor*) 3.6
hueso *m.* bone 2.4
huésped *m., f.* guest 1.5
huevo *m.* egg 2.2
humanidades *f., pl.* humanities 1.2
huracán *m.* hurricane 3.6

I

ida *f.* one way (*travel*)
idea *f.* idea 3.6
iglesia *f.* church 1.4
igualdad *f.* equality 3.6
igualmente *adv.* likewise 1.1
impermeable *m.* raincoat 1.6
importante *adj. m., f.* important 1.3
importar *v.* to be important to;
   to matter 2.1
imposible *adj. m., f.* impossible 3.1
impresora *f.* printer 2.5
imprimir *v.* to print 2.5
improbable *adj. m., f.*
   improbable 3.1
impuesto *m.* tax 3.6
inauguración *f.* opening 3.5
incendio *m.* fire 3.6
increíble *adj. m., f.* incredible 1.5
indicar cómo llegar *v.* to give
   directions 3.2
individual *adj.* single (*room*) 1.5
infección *f.* infection 2.4
informar *v.* to inform 3.6
informe *m.* report; paper
   (*written work*) 3.6
ingeniero/a *m., f.* engineer 1.3
inglés *m.* English (*language*) 1.2
inglés, inglesa *adj.* English 1.3
inhalar *v.* to inhale 3.3
inodoro *m.* toilet 2.1
insistir (en) *v.* to insist (on) 2.6
inspector(a) de aduanas *m., f.*
   customs inspector 1.5
instituto *m.* high school (in
   Spain) 1.2
inteligente *adj. m., f.* intelligent 1.3
intercambiar *v.* to exchange

interesante *adj. m., f.* interesting 1.3

interesar *v.* to be interesting to; to interest 2.1

internacional *adj. m., f.* international 3.6

Internet Internet 2.5

inundación *f.* flood 3.6

invertir (e:ie) *v.* to invest 3.4

invierno *m.* winter 1.5

invitado/a *m., f.* guest 2.3

invitar *v.* to invite 2.3

inyección *f.* injection 2.4

ir *v.* to go 1.4

　ir a (+ *inf.*) to be going to do something 1.4

　ir de compras to go shopping 1.5

　ir de excursión (a las montañas) to go on a hike (in the mountains) 1.4

　ir de pesca to go fishing

　ir de vacaciones to go on vacation 1.5

　ir en autobús to go by bus 1.5

　ir en auto(móvil) to go by auto(mobile); to go by car 1.5

　ir en avión to go by plane 1.5

　ir en barco to go by boat 1.5

　ir en metro to go by subway

　ir en moto(cicleta) to go by motorcycle 1.5

　ir en taxi to go by taxi 1.5

　ir en tren to go by train

irse *v.* to go away; to leave 2.1

italiano/a *adj.* Italian 1.3

izquierda *f.* left 1.2

　a la izquierda de to the left of 1.2

J

jabón *m.* soap 2.1

jamás *adv.* never; not ever 2.1

jamón *m.* ham 2.2

japonés, japonesa *adj.* Japanese 1.3

jardín *m.* garden; yard 2.6

jefe, jefa *m., f.* boss 3.4

jengibre *m.* ginger 2.4

joven *adj. m., f., sing.* (**jóvenes** *pl.*) young 1.3

　joven *m., f., sing.* (**jóvenes** *pl.*) young person 1.1

joyería *f.* jewelry store 3.2

jubilarse *v.* to retire (*from work*) 2.3

juego *m.* game

jueves *m., sing.* Thursday 1.2

jugador(a) *m., f.* player 1.4

jugar (u:ue) *v.* to play 1.4

　jugar a las cartas *f., pl.* to play cards 1.5

jugo *m.* juice 2.2

　jugo de fruta *m.* fruit juice 2.2

julio *m.* July 1.5

jungla *f.* jungle 3.1

junio *m.* June 1.5

juntos/as *adj.* together 2.3

juventud *f.* youth 2.3

K

kilómetro *m.* kilometer 2.5

L

la *f., sing., def. art.* the 1.1; *f., sing., d.o. pron.* her, it, *form.* you 1.5

laboratorio *m.* laboratory 1.2

lago *m.* lake 3.1

lámpara *f.* lamp 2.6

langosta *f.* lobster 2.2

lápiz *m.* pencil 1.1

largo/a *adj.* long 1.6

las *f., pl., def. art.* the 1.1; *f., pl., d.o. pron.* them; you 1.5

lástima *f.* shame 3.1

lastimarse *v.* to injure oneself 2.4

　lastimarse el pie to injure one's foot 2.4

lata *f.* (*tin*) can 3.1

lavabo *m.* sink 2.1

lavadora *f.* washing machine 2.6

lavandería *f.* laundromat 3.2

lavaplatos *m., sing.* dishwasher 2.6

lavar *v.* to wash 2.6

　lavar (el suelo, los platos) to wash (the floor, the dishes) 2.6

lavarse *v.* to wash oneself 2.1

　lavarse la cara to wash one's face 2.1

　lavarse las manos to wash one's hands 2.1

le *sing., i.o. pron.* to/for him, her, *form.* you 1.6

　Le presento a... *form.* I would like to introduce you to (name). 1.1

lección *f.* lesson 1.1

leche *f.* milk 2.2

lechuga *f.* lettuce 2.2

leer *v.* to read 1.3

　leer el correo electrónico to read e-mail 1.4

　leer un periódico to read a newspaper 1.4

　leer una revista to read a magazine 1.4

leído/a *p.p.* read 3.2

lejos de *prep.* far from 1.2

lengua *f.* language 1.2

　lenguas extranjeras *f., pl.* foreign languages 1.2

lentes de contacto *m., pl.* contact lenses

　lentes (de sol) (sun)glasses

lento/a *adj.* slow 2.5

les *pl., i.o. pron.* to/for them, you 1.6

letrero *m.* sign 3.2

levantar *v.* to lift 3.3

　levantar pesas to lift weights 3.3

levantarse *v.* to get up 2.1

ley *f.* law 3.1

libertad *f.* liberty; freedom 3.6

libre *adj. m., f.* free 1.4

librería *f.* bookstore 1.2

libro *m.* book 1.2

licencia de conducir *f.* driver's license 2.5

limón *m.* lemon 2.2

limpiar *v.* to clean 2.6

　limpiar la casa *v.* to clean the house 2.6

limpio/a *adj.* clean 1.5

línea *f.* line 1.4

listo/a *adj.* ready; smart 1.5

literatura *f.* literature 1.2

llamar *v.* to call 2.5

　llamar por teléfono to call on the phone

llamarse *v.* to be called; to be named 2.1

llanta *f.* tire 2.5

llave *f.* key 1.5; wrench 2.5

llegada *f.* arrival 1.5

llegar *v.* to arrive 1.2

llenar *v.* to fill 2.5, 3.2

　llenar el tanque to fill the tank 2.5

　llenar (un formulario) to fill out (a form) 3.2

lleno/a *adj.* full 2.5

llevar *v.* to carry 1.2; to wear; to take 1.6

　llevar una vida sana to lead a healthy lifestyle 3.3

　llevarse bien/mal (con) to get along well/badly (with) 2.3

llorar *v.* to cry 3.3

llover (o:ue) *v.* to rain 1.5

　Llueve. It's raining. 1.5

lluvia *f.* rain

lo *m., sing. d.o. pron.* him, it, *form.* you 1.5

　¡Lo he pasado de película! I've had a fantastic time! 3.6

　lo mejor the best (thing)

　lo que that which; what 2.6

　Lo siento. I'm sorry. 1.1

loco/a *adj.* crazy 1.6

locutor(a) *m., f.* (TV or radio) announcer 3.6

lodo *m.* mud

lograr *v.* to achieve 3.6

los *m., pl., def. art.* the 1.1; *m. pl., d.o. pron.* them, you 1.5

luchar (contra/por) *v.* to fight; to struggle (against/for) 3.6

luego *adv.* then 2.1; later 1.1

lugar *m.* place 1.2, 1.4

luna *f.* moon 3.1

lunares *m.* polka dots

lunes *m., sing.* Monday 1.2

luz *f.* light; electricity 2.6

M

madrastra *f.* stepmother 1.3
madre *f.* mother 1.3
madurez *f.* maturity; middle age 2.3
maestro/a *m., f.* teacher 3.4
magnífico/a *adj.* magnificent 1.5
maíz *m.* corn 2.2
mal, malo/a *adj.* bad 1.3
maleta *f.* suitcase 1.1
mamá *f.* mom
mandar *v.* to order 2.6; to send; to mail 3.2
manejar *v.* to drive 2.5
manera *f.* way
mano *f.* hand 1.1
manta *f.* blanket 2.6
mantener *v.* to maintain 3.3
  mantenerse en forma to stay in shape 3.3
mantequilla *f.* butter 2.2
manzana *f.* apple 2.2
mañana *f.* morning, a.m. 1.1; tomorrow 1.1
mapa *m.* map 1.1, 1.2
maquillaje *m.* makeup 2.1
maquillarse *v.* to put on makeup 2.1
mar *m.* sea 1.5
maravilloso/a *adj.* marvelous 1.5
mareado/a *adj.* dizzy; nauseated 2.4
margarina *f.* margarine 2.2
mariscos *m., pl.* shellfish 2.2
marrón *adj. m., f.* brown 1.6
martes *m., sing.* Tuesday 1.2
marzo *m.* March 1.5
más *adv.* more 1.2
  más de (+ *number*) more than 2.2
  más tarde later (on) 2.1
  más... que more... than 2.2
masaje *m.* massage 3.3
matemáticas *f., pl.* mathematics 1.2
materia *f.* course 1.2
matrimonio *m.* marriage 2.3
máximo/a *adj.* maximum 2.5
mayo *m.* May 1.5
mayonesa *f.* mayonnaise 2.2
mayor *adj.* older 1.3
  el/la mayor *adj.* oldest 2.2
me *sing., d.o. pron.* me 1.5; *sing. i.o. pron.* to/for me 1.6
  Me gusta... I like... 1.2
  Me gustaría(n)... I would like... 3.3
  Me llamo... My name is... 1.1
  Me muero por... I'm dying to (for)...
mecánico/a *m., f.* mechanic 2.5
mediano/a *adj.* medium
medianoche *f.* midnight 1.1

medias *f., pl.* pantyhose, stockings 1.6
medicamento *m.* medication 2.4
medicina *f.* medicine 2.4
médico/a *m., f.* doctor 1.3; *adj.* medical 2.4
medio/a *adj.* half 1.3
  medio ambiente *m.* environment 3.1
  medio/a hermano/a *m., f.* half-brother/half-sister 1.3
  mediodía *m.* noon 1.1
  medios de comunicación *m., pl.* means of communication; media 3.6
  y media thirty minutes past the hour (time) 1.1
mejor *adj.* better 2.2
  el/la mejor *m., f.* the best 2.2
mejorar *v.* to improve 3.1
melocotón *m.* peach 2.2
menor *adj.* younger 1.3
  el/la menor *m., f.* youngest 2.2
menos *adv.* less 2.4
  menos cuarto..., menos quince... quarter to... (*time*) 1.1
  menos de (+ *number*) fewer than 2.2
  menos... que less... than 2.2
mensaje *m.* **de texto** text message 2.5
mensaje electrónico *m.* e-mail message 1.4
mensajero/a *m., f.* messenger 2.3
mentira *f.* lie 1.4
menú *m.* menu 2.2
mercado *m.* market 1.6
  mercado al aire libre open-air market 1.6
merendar (e:ie) *v.* to snack 2.2; to have an afternoon snack
merienda *f.* afternoon snack 3.3
mes *m.* month 1.5
mesa *f.* table 1.2
mesita *f.* end table 2.6
  mesita de noche night stand 2.6
meta *f.* goal 3.6
metro *m.* subway 1.5
mexicano/a *adj.* Mexican 1.3
mí *pron., obj. of prep.* me 2.3
mi(s) *poss. adj.* my 1.3
microonda *f.* microwave 2.6
  horno de microondas *m.* microwave oven 2.6
miedo *m.* fear
miel *f.* honey
mientras *conj.* while 2.4
miércoles *m., sing.* Wednesday 1.2
mil *m.* one thousand 1.2
  mil millones billion
milla *f.* mile
millón *m.* million 1.2
millones (de) *m.* millions (of)
mineral *m.* mineral 3.3
minuto *m.* minute

mío(s)/a(s) *poss.* my; (of) mine 2.5
mirar *v.* to look (at); to watch 1.2
  mirar (la) televisión to watch television 1.2
mismo/a *adj.* same 1.3
mochila *f.* backpack 1.2
moda *f.* fashion 1.6
moderno/a *adj.* modern 3.5
monitor *m.* (computer) monitor 2.5
monitor(a) *m., f.* trainer
mono *m.* monkey 1.3
montaña *f.* mountain 1.4
montar *v.* **a caballo** to ride a horse 1.5
montón: un montón de a lot of 1.4
monumento *m.* monument 1.4
morado/a *adj.* purple 1.6
moreno/a *adj.* brunet(te) 1.3
morir (o:ue) *v.* to die 2.2
mostrar (o:ue) *v.* to show 1.4
moto(cicleta) *f.* motorcycle 1.5
motor *m.* motor
muchacho/a *m., f.* boy/girl 1.3
mucho/a *adj.,* a lot of; much; many 1.3
  (Muchas) gracias. Thank you (very much); Thanks (a lot). 1.1
  muchas veces *adv.* a lot; many times 2.4
  Mucho gusto. Pleased to meet you. 1.1
mudarse *v.* to move (from one house to another) 2.6
muebles *m., pl.* furniture 2.6
muerte *f.* death 2.3
muerto/a *p.p.* died 3.2
mujer *f.* woman 1.1
  mujer de negocios *f.* business woman 3.4
  mujer policía *f.* female police officer
multa *f.* fine 2.4
mundial *adj. m., f.* worldwide
mundo *m.* world 2.2
muro *m.* wall 3.3
músculo *m.* muscle 3.3
museo *m.* museum 1.4
música *f.* music 1.2, 3.5
musical *adj. m., f.* musical 3.5
músico/a *m., f.* musician 3.5
muy *adv.* very 1.1
  (Muy) bien, gracias. (Very) well, thanks. 1.1

N

nacer *v.* to be born 2.3
nacimiento *m.* birth 2.3
nacional *adj. m., f.* national 3.6
nacionalidad *f.* nationality 1.1
nada nothing 1.1; not anything 2.1
  nada mal not bad at all 1.5
nadar *v.* to swim 1.4
nadie *pron.* no one, nobody, not anyone 2.1

naranja *f.* orange 2.2
nariz *f.* nose 2.4
natación *f.* swimming 1.4
natural *adj. m., f.* natural 3.1
naturaleza *f.* nature 3.1
navegador *m.* **GPS** GPS 2.5
navegar (en Internet) *v.* to surf (the Internet) 2.5
Navidad *f.* Christmas 2.3
necesario/a *adj.* necessary 2.6
necesitar (+ *inf.*) *v.* to need 1.2
negar (e:ie) *v.* to deny 3.1
  no negar (e:ie) *v.* not to deny 3.1
negocios *m., pl.* business; commerce 3.4
negro/a *adj.* black 1.6
nervioso/a *adj.* nervous 1.5
nevar (e:ie) *v.* to snow 1.5
  Nieva. It's snowing. 1.5
ni...ni neither... nor 2.1
niebla *f.* fog
nieto/a *m., f.* grandson/ granddaughter 1.3
nieve *f.* snow
ningún, ninguno/a(s) *adj.* no; none; not any 2.1
niñez *f.* childhood 2.3
niño/a *m., f.* child 1.3
no no; not 1.1
  ¿no? right? 1.1
  no cabe duda de there is no doubt 3.1
  no es seguro it's not certain 3.1
  no es verdad it's not true 3.1
  No está nada mal. It's not bad at all. 1.5
  no estar de acuerdo to disagree
  No estoy seguro. I'm not sure.
  no hay there is not; there are not 1.1
  No hay de qué. You're welcome. 1.1
  no hay duda de there is no doubt 3.1
  ¡No me diga(s)! You don't say!
  No me gustan nada. I don't like them at all. 1.2
  no muy bien not very well 1.1
  No quiero. I don't want to. 1.4
  No sé. I don't know.
  no tener razón to be wrong 1.3
noche *f.* night 1.1
nombre *m.* name 1.1
norte *m.* north 3.2
norteamericano/a *adj.* (North) American 1.3
nos *pl., d.o. pron.* us 1.5; *pl., i.o. pron.* to/for us 1.6
  Nos vemos. See you. 1.1
nosotros/as *sub. pron.* we 1.1; *obj. pron.* us
noticias *f., pl.* news 3.6
noticiero *m.* newscast 3.6

novecientos/as nine hundred 1.2
noveno/a *adj.* ninth 1.5
noventa ninety 1.2
noviembre *m.* November 1.5
novio/a *m., f.* boyfriend/ girlfriend 1.3
nube *f.* cloud 3.1
nublado/a *adj.* cloudy 1.5
  Está (muy) nublado. It's very cloudy. 1.5
nuclear *adj. m. f.* nuclear 3.1
nuera *f.* daughter-in-law 1.3
nuestro(s)/a(s) *poss. adj.* our 1.3; our, (of) ours 2.5
nueve nine 1.1
nuevo/a *adj.* new 1.6
número *m.* number 1.1; (shoe) size 1.6
nunca *adv.* never; not ever 2.1
nutrición *f.* nutrition 3.3
nutricionista *m., f.* nutritionist 3.3

O

o or 2.1
o... o; either... or 2.1
obedecer *v.* to obey 3.6
obra *f.* work (*of art, literature, music, etc.*) 3.5
  obra maestra *f.* masterpiece 3.5
obtener *v.* to obtain; to get 3.4
obvio/a *adj.* obvious 3.1
océano *m.* ocean
ochenta eighty 1.2
ocho eight 1.1
ochocientos/as eight hundred 1.2
octavo/a *adj.* eighth 1.5
octubre *m.* October 1.5
ocupación *f.* occupation 3.4
ocupado/a *adj.* busy 1.5
ocurrir *v.* to occur; to happen 3.6
odiar *v.* to hate 2.3
oeste *m.* west 3.2
oferta *f.* offer
oficina *f.* office 2.6
oficio *m.* trade 3.4
ofrecer *v.* to offer 1.6
oído *m.* (sense of) hearing; inner ear 2.4
oído/a *p.p.* heard 3.2
oír *v.* to hear 1.4
ojalá (que) *interj.* I hope (that); I wish (that) 3.1
ojo *m.* eye 2.4
olvidar *v.* to forget 2.4
once eleven 1.1
ópera *f.* opera 3.5
operación *f.* operation 2.4
oportunidad *f.* opportunity 3.4
ordenado/a *adj.* orderly 1.5
ordinal *adj.* ordinal (*number*)
oreja *f.* (outer) ear 2.4
organizarse *v.* to organize oneself 2.6
orquesta *f.* orchestra 3.5
ortografía *f.* spelling

ortográfico/a *adj.* spelling
os *fam., pl. d.o. pron.* you 1.5; *fam., pl. i.o. pron.* to/for you 1.6
oso/a *m., f.* bear 3.1
otoño *m.* autumn 1.5
otro/a *adj.* other; another 1.6
  otra vez again

P

paciente *m., f.* patient 2.4
padrastro *m.* stepfather 1.3
padre *m.* father 1.3
padres *m., pl.* parents 1.3
pagar *v.* to pay 1.6
  pagar a plazos to pay in installments 3.2
  pagar al contado to pay in cash 3.2
  pagar en efectivo to pay in cash 3.2
  pagar la cuenta to pay the bill
página *f.* page 2.5
  página principal *f.* home page 2.5
país *m.* country 1.1
paisaje *m.* landscape 1.5
pájaro *m.* bird 3.1
palabra *f.* word 1.1
paleta helada *f.* popsicle 1.4
pan *m.* bread 2.2
  pan tostado *m.* toasted bread 2.2
panadería *f.* bakery 3.2
pantalla *f.* screen 2.5
  pantalla táctil *f.* touch screen
pantalones *m., pl.* pants 1.6
  pantalones cortos *m., pl.* shorts 1.6
pantuflas *f.* slippers 2.1
papa *f.* potato 2.2
  papas fritas *f., pl.* fried potatoes; French fries 2.2
papá *m.* dad
  papás *m., pl.* parents
papel *m.* paper 1.2; role 3.5
papelera *f.* wastebasket 1.2
paquete *m.* package 3.2
par *m.* pair 1.6
  par de zapatos pair of shoes 1.6
para *prep.* for; in order to; by; used for; considering 2.5
  para que *conj.* so that 3.1
parabrisas *m., sing.* windshield 2.5
parar *v.* to stop 2.5
parecer *v.* to seem 1.6
pared *f.* wall 2.6
pareja *f.* (married) couple; partner 2.3
parientes *m., pl.* relatives 1.3
parque *m.* park 1.4
párrafo *m.* paragraph
parte: de parte de on behalf of 2.5
partido *m.* game; match (*sports*) 1.4
partitura *f.* (music) score 3.5

pasado/a *adj.* last; past 1.6
  pasado *p.p.* passed
pasaje *m.* ticket 1.5
  pasaje de ida y vuelta *m.*
    roundtrip ticket 1.5
pasajero/a *m., f.* passenger 1.1
pasaporte *m.* passport 1.5
pasar *v.* to go through
  pasar la aspiradora to
    vacuum 2.6
  pasar por la aduana to go
    through customs
  pasar tiempo to spend time
  pasarlo bien/mal to have a
    good/bad time 2.3
pasatiempo *m.* pastime;
  hobby 1.4
pasear *v.* to take a walk; to
  stroll 1.4
  pasear en bicicleta to ride a
    bicycle 1.4
  pasear por to walk around
pasillo *m.* hallway 2.6
pasta *f.* **de dientes**
  toothpaste 2.1
pastel *m.* cake; pie 2.3
  pastel de chocolate *m.*
    chocolate cake 2.3
  pastel de cumpleaños *m.*
    birthday cake
pastelería *f.* pastry shop 3.2
pastilla *f.* pill; tablet 2.4
patata *f.* potato 2.2
  patatas fritas *f., pl.* fried
    potatoes; French fries 2.2
patinar (en línea) *v.* to (inline)
  skate 1.4
patineta *f.* skateboard 1.4
patio *m.* patio; yard 2.6
pavo *m.* turkey 2.2
paz *f.* peace 3.6
pedir (e:i) *v.* to ask for; to
  request 1.4; to order (*food*) 2.2
  pedir prestado *v.* to
    borrow 3.2
  pedir un préstamo *v.* to apply
    for a loan 3.2
  **Todos me dijeron que te
  pidiera una disculpa de su
  parte.** They all told me to ask
    you to excuse them/forgive
    them. 3.6
peinarse *v.* to comb one's hair 2.1
película *f.* movie 1.4
peligro *m.* danger 3.1
peligroso/a *adj.* dangerous 3.6
pelirrojo/a *adj.* red-haired 1.3
pelo *m.* hair 2.1
pelota *f.* ball 1.4
peluquería *f.* beauty salon 3.2
peluquero/a *m., f.* hairdresser 3.4
penicilina *f.* penicillin
pensar (e:ie) *v.* to think 1.4
  pensar (+ inf.) *v.* to intend to;
    to plan to (*do something*) 1.4
  pensar en *v.* to think
    about 1.4
pensión *f.* boardinghouse

peor *adj.* worse 2.2
  el/la peor *adj.* the worst 2.2
pequeño/a *adj.* small 1.3
pera *f.* pear 2.2
perder (e:ie) *v.* to lose;
  to miss 1.4
perdido/a *adj.* lost 3.1, 3.2
Perdón. Pardon me.;
  Excuse me. 1.1
perezoso/a *adj.* lazy
perfecto/a *adj.* perfect 1.5
periódico *m.* newspaper 1.4
periodismo *m.* journalism 1.2
periodista *m., f.* journalist 1.3
permiso *m.* permission
pero *conj.* but 1.2
perro *m.* dog 3.1
persona *f.* person 1.3
personaje *m.* character 3.5
  personaje principal *m.* main
    character 3.5
pesas *f. pl.* weights 3.3
pesca *f.* fishing
pescadería *f.* fish market 3.2
pescado *m.* fish (*cooked*) 2.2
pescar *v.* to fish 1.5
peso *m.* weight 3.3
pez *m., sing.* (**peces** *pl.*) fish
  (*live*) 3.1
pie *m.* foot 2.4
piedra *f.* stone 3.1
pierna *f.* leg 2.4
pimienta *f.* black pepper 2.2
pintar *v.* to paint 3.5
pintor(a) *m., f.* painter 3.4
pintura *f.* painting; picture 2.6, 3.5
piña *f.* pineapple
piscina *f.* swimming pool 1.4
piso *m.* floor (*of a building*) 1.5
pizarra *f.* blackboard 1.2
placer *m.* pleasure
planchar la ropa *v.* to iron the
  clothes 2.6
planes *m., pl.* plans
planta *f.* plant 3.1
  planta baja *f.* ground floor 1.5
plástico *m.* plastic 3.1
plato *m.* dish (*in a meal*) 2.2;
  m. plate 2.6
  plato principal *m.* main
    dish 2.2
playa *f.* beach 1.5
plaza *f.* city or town square 1.4
plazos *m., pl.* periods; time 3.2
pluma *f.* pen 1.2
población *f.* population 3.1
pobre *adj. m., f.* poor 1.6
pobrecito/a *adj.* poor thing 2.4
pobreza *f.* poverty
poco *adv.* little 1.5, 2.4
poder (o:ue) *v.* to be able to;
  can 1.4
poema *m.* poem 3.5
poesía *f.* poetry 3.5
poeta *m., f.* poet 3.5
policía *f.* police (force) 2.5
política *f.* politics 3.6
político/a *m., f.* politician 3.4;
  adj. political 3.6

pollo *m.* chicken 2.2
  pollo asado *m.* roast chicken 2.2
poner *v.* to put; to place 1.4; to
  turn on (*electrical appliances*) 2.5
  poner la mesa to set the
    table 2.6
  poner una inyección to give
    an injection 2.4
  ponerle el nombre to name
    someone/something 2.3
ponerse (+ adj.) *v.* to become
  (+ *adj.*) 2.1; to put on 2.1
por *prep.* in exchange for; for;
  by; in; through; around; along;
  during; because of; on account
  of; on behalf of; in search of;
  by way of; by means of 2.5
  por aquí around here 2.5
  por ejemplo for example 2.5
  por eso that's why;
    therefore 2.5
  por favor please 1.1
  por fin finally 2.5
  por la mañana in the
    morning 2.1
  por la noche at night 2.1
  por la tarde in the
    afternoon 2.1
  por lo menos *adv.* at least 2.4
  ¿por qué? why? 1.2
  Por supuesto. Of course.
  por teléfono by phone; on
    the phone
  por último finally 2.1
porcentaje *m.* percentage 3.6
porque *conj.* because 1.2
portátil *adj.* portable 2.5
portero/a *m., f.* doorman/
  doorwoman 1.1, 3.4
porvenir *m.* future 3.4
posesivo/a *adj.* possessive
posible *adj.* possible 3.1
  es posible it's possible 3.1
  no es posible it's not
    possible 3.1
postal *f.* postcard
postre *m.* dessert 2.3
practicar *v.* to practice 1.2
  practicar deportes *m., pl.* to
    play sports 1.4
precio (fijo) *m.* (fixed; set) price 1.6
preferir (e:ie) *v.* to prefer 1.4
pregunta *f.* question
preguntar *v.* to ask (*a question*) 1.2
premio *m.* prize; award 3.5
prender *v.* to turn on 2.5
prensa *f.* press 3.6
preocupado/a (por) *adj.* worried
  (about) 1.5
preocuparse (por) *v.* to worry
  (about) 2.1
preparar *v.* to prepare 1.2
preposición *f.* preposition
presentación *f.* introduction

presentar *v.* to introduce; to present 3.5; to put on (*a performance*) 3.5
  Le presento a... I would like to introduce you to (name). (*form.*) 1.1
  Te presento a... I would like to introduce you to (name). (*fam.*) 1.1
presiones *f., pl.* pressures 3.3
prestado/a *adj.* borrowed
préstamo *m.* loan 3.2
prestar *v.* to lend; to loan 1.6
primavera *f.* spring 1.5
primer, primero/a *adj.* first 1.5
primero *adv.* first 1.2
primo/a *m., f.* cousin 1.3
principal *adj. m., f.* main 2.2
prisa *f.* haste
  darse prisa *v.* to hurry; to rush 3.3
probable *adj. m., f.* probable 3.1
  es probable it's probable 3.1
  no es probable it's not probable 3.1
probador *m.* dressing room 1.6
probar (o:ue) *v.* to taste; to try 2.2
probarse (o:ue) *v.* to try on 2.1
problema *m.* problem 1.1
profesión *f.* profession 1.3; 3.4
profesor(a) *m., f.* teacher 1.1, 1.2
programa *m.* program 1.1
  programa de computación *m.* software 2.5
  programa de entrevistas *m.* talk show 3.5
  programa de realidad *m.* reality show 3.5
programador(a) *m., f.* computer programmer 1.3
prohibir *v.* to prohibit 2.4; to forbid
pronombre *m.* pronoun
pronto *adv.* soon 2.4
propina *f.* tip 2.2
propio/a *adj.* own
proteger *v.* to protect 3.1
proteína *f.* protein 3.3
próximo/a *adj.* next 1.3, 3.4
prueba *f.* test; quiz 1.2
psicología *f.* psychology 1.2
psicólogo/a *m., f.* psychologist 3.4
publicar *v.* to publish 3.5
público *m.* audience 3.5
pueblo *m.* town
puente *m.* bridge 1.5
puerta *f.* door 1.2
puertorriqueño/a *adj.* Puerto Rican 1.3
pues *conj.* well
puesto *m.* position; job 3.4; stall 1.6
puesto/a *p.p.* put 3.2
puro/a *adj.* pure 3.1

Q

que *pron.* that; which; who 2.6
  ¿En qué...? In which...?
  ¡Qué...! How...!
  ¡Qué dolor! What pain!
  ¡Qué ropa más bonita! What pretty clothes! 1.6
  ¡Qué sorpresa! What a surprise!
  ¿qué? what? 1.1, 1.2
  ¿Qué día es hoy? What day is it? 1.2
  ¿Qué hay de nuevo? What's new? 1.1
  ¿Qué hora es? What time is it? 1.1
  ¿Qué les parece? What do you (*pl.*) think?
  ¿Qué pasa? What's happening? What's going on? 1.1
  ¿Qué pasó? What happened?
  ¿Qué precio tiene? What is the price?
  ¿Qué tal...? How are you?; How is it going? 1.1
  ¿Qué talla lleva/usa? What size do you wear? 1.6
  ¿Qué tiempo hace? How's the weather? 1.5
quedar *v.* to be left over; to fit (*clothing*) 2.1; to be located 3.2
quedarse *v.* to stay; to remain 2.1
quehaceres domésticos *m., pl.* household chores 2.6
quemar (un CD/DVD) *v.* to burn (a CD/DVD)
querer (e:ie) *v.* to want; to love 1.4
queso *m.* cheese 2.2
quien(es) *pron.* who; whom; that 2.6
¿quién(es)? who?; whom? 1.1, 1.2
  ¿Quién es...? Who is...? 1.1
química *f.* chemistry 1.2
quince fifteen 1.1
  menos quince quarter to (time) 1.1
  y quince quarter after (time) 1.1
quinceañera *f.* young woman celebrating her fifteenth birthday 2.3
quinientos/as five hundred 1.2
quinto/a *adj.* fifth 1.5
quisiera *v.* I would like
quitar el polvo *v.* to dust 2.6
quitar la mesa *v.* to clear the table 2.6
quitarse *v.* to take off 2.1
quizás *adv.* maybe 1.5

R

racismo *m.* racism 3.6
radio *f.* radio (*medium*) 1.2; *m.* radio (set) 2.5
radiografía *f.* X-ray 2.4

rápido *adv.* quickly 2.4
ratón *m.* mouse 2.5
ratos libres *m., pl.* spare (free) time 1.4
raya *f.* stripe
razón *f.* reason
rebaja *f.* sale 1.6
receta *f.* prescription 2.4
recetar *v.* to prescribe 2.4
recibir *v.* to receive 1.3
reciclaje *m.* recycling 3.1
reciclar *v.* to recycle 3.1
recién casado/a *m., f.* newly-wed 2.3
recoger *v.* to pick up 3.1
recomendar (e:ie) *v.* to recommend 2.2, 2.6
recordar (o:ue) *v.* to remember 1.4
recorrer *v.* to tour an area
recurso *m.* resource 3.1
  recurso natural *m.* natural resource 3.1
red *f.* network; Web 2.5
reducir *v.* to reduce 3.1
refresco *m.* soft drink 2.2
refrigerador *m.* refrigerator 2.6
regalar *v.* to give (a gift) 2.3
regalo *m.* gift 1.6
regatear *v.* to bargain 1.6
región *f.* region; area
regresar *v.* to return 1.2
regular *adv.* so-so; OK 1.1
reído *p.p.* laughed 3.2
reírse (e:i) *v.* to laugh 2.3
relaciones *f., pl.* relationships
relajante *adj.* relaxing 3.1
relajarse *v.* to relax 2.3
reloj *m.* clock; watch 1.2
renovable *adj.* renewable 3.1
renunciar (a) *v.* to resign (from) 3.4
repetir (e:i) *v.* to repeat 1.4
reportaje *m.* report 3.6
reportero/a *m., f.* reporter 3.4
representante *m., f.* representative 3.6
reproductor de CD *m.* CD player 2.5
reproductor de DVD *m.* DVD player 2.5
reproductor de MP3 *m.* MP3 player 2.5
resfriado *m.* cold (*illness*) 2.4
residencia estudiantil *f.* dormitory 1.2
resolver (o:ue) *v.* to resolve; to solve 3.1
respirar *v.* to breathe 3.1
responsable *adj.* responsible 2.2
respuesta *f.* answer
restaurante *m.* restaurant 1.4
resuelto/a *p.p.* resolved 3.2
reunión *f.* meeting 3.4
revisar *v.* to check 2.5
  revisar el aceite *v.* to check the oil 2.5

revista *f.* magazine 1.4
rico/a *adj.* rich 1.6; *adj.* tasty; delicious 2.2
ridículo/a *adj.* ridiculous 3.1
río *m.* river 3.1
rodilla *f.* knee 2.4
rogar (o:ue) *v.* to beg; to plead 2.6
rojo/a *adj.* red 1.6
romántico/a *adj.* romantic 3.5
romper *v.* to break 2.4
  romperse la pierna *v.* to break one's leg 2.4
  romper (con) *v.* to break up (with) 2.3
ropa *f.* clothing; clothes 1.6
  ropa interior *f.* underwear 1.6
rosado/a *adj.* pink 1.6
roto/a *adj.* broken 2.4, 3.2
rubio/a *adj.* blond(e) 1.3
ruso/a *adj.* Russian 1.3
rutina *f.* routine 2.1
  rutina diaria *f.* daily routine 2.1

S

sábado *m.* Saturday 1.2
saber *v.* to know; to know how 1.6
  saber a to taste like 2.2
sabrosísimo/a *adj.* extremely delicious 2.2
sabroso/a *adj.* tasty; delicious 2.2
sacar *v.* to take out
  sacar buenas notas to get good grades 1.2
  sacar fotos to take photos 1.5
  sacar la basura to take out the trash 2.6
  sacar(se) un diente to have a tooth removed 2.4
sacudir *v.* to dust 2.6
  sacudir los muebles to dust the furniture 2.6
sal *f.* salt 2.2
sala *f.* living room 2.6; room
  sala de emergencia(s) emergency room 2.4
salario *m.* salary 3.4
salchicha *f.* sausage 2.2
salida *f.* departure; exit 1.5
salir *v.* to leave 1.4; to go out
  salir con to go out with; to date 1.4, 2.3
  salir de to leave from 1.4
  salir para to leave for (*a place*) 1.4
salmón *m.* salmon 2.2
salón de belleza *m.* beauty salon 3.2
salud *f.* health 2.4
saludable *adj.* healthy 2.4
saludar(se) *v.* to greet (each other) 2.5
saludo *m.* greeting 1.1
  saludos a... greetings to... 1.1
salvar *v.* to save 3.6
sandalia *f.* sandal 1.6

sandía *f.* watermelon
sándwich *m.* sandwich 2.2
sano/a *adj.* healthy 2.4
se *ref. pron.* himself, herself, itself, *form.* yourself, themselves, yourselves 2.1
se *impersonal* one 2.4
  Se hizo... He/she/it became...
secadora *f.* clothes dryer 2.6
secarse *v.* to dry (oneself) 2.1
sección de (no) fumar *f.* (non) smoking section 2.2
secretario/a *m., f.* secretary 3.4
secuencia *f.* sequence
sed *f.* thirst
seda *f.* silk 1.6
sedentario/a *adj.* sedentary; related to sitting 3.3
seguir (e:i) *v.* to follow; to continue 1.4
según according to
segundo/a *adj.* second 1.5
seguro/a *adj.* sure; safe; confident 1.5
seis six 1.1
seiscientos/as six hundred 1.2
sello *m.* stamp 3.2
selva *f.* jungle 3.1
semáforo *m.* traffic light 3.2
semana *f.* week 1.4
  fin *m.* **de semana** weekend 1.4
  semana *f.* **pasada** last week 1.6
semestre *m.* semester 1.2
sendero *m.* trail; path 3.1
sentarse (e:ie) *v.* to sit down 2.1
sentir (e:ie) *v.* to be sorry; to regret 3.1
sentirse (e:ie) *v.* to feel 2.1
señor (Sr.); don *m.* Mr.; sir 1.1
señora (Sra.); doña *f.* Mrs.; ma'am 1.1
señorita (Srta.) *f.* Miss 1.1
separado/a *adj.* separated 2.3
separarse (de) *v.* to separate (from) 2.3
septiembre *m.* September 1.5
séptimo/a *adj.* seventh 1.5
ser *v.* to be 1.1
  ser aficionado/a (a) to be a fan (of)
  ser alérgico/a (a) to be allergic (to) 2.4
  ser gratis to be free of charge 3.2
serio/a *adj.* serious
servicio *m.* service 3.3
servilleta *f.* napkin 2.6
servir (e:i) *v.* to serve 2.2; to help 1.5
sesenta sixty 1.2
setecientos/as seven hundred 1.2
setenta seventy 1.2
sexismo *m.* sexism 3.6
sexto/a *adj.* sixth 1.5
sí *adv.* yes 1.1
si *conj.* if 1.4
SIDA *m.* AIDS 3.6
siempre *adv.* always 2.1

siete seven 1.1
silla *f.* seat 1.2
sillón *m.* armchair 2.6
similar *adj. m., f.* similar
simpático/a *adj.* nice; likeable 1.3
sin *prep.* without 3.1
  sin duda without a doubt
  sin embargo however
  sin que *conj.* without 3.1
sino but (rather) 2.1
síntoma *m.* symptom 2.4
sirena *f.* siren 2.4
sitio *m.* place 1.3
sitio *m.* **web** website 2.5
situado/a *p.p.* located
sobre *m.* envelope 3.2; *prep.* on; over 1.2
  sobre todo above all 3.1
(sobre)población *f.* (over)population 3.1
sobrino/a *m., f.* nephew/niece 1.3
sociología *f.* sociology 1.2
sofá *m.* couch; sofa 2.6
sol *m.* sun 3.1
solar *adj. m., f.* solar 3.1
soldado *m., f.* soldier 3.6
soleado/a *adj.* sunny
solicitar *v.* to apply (*for a job*) 3.4
solicitud (de trabajo) *f.* (job) application 3.4
sólo *adv.* only 1.6
solo/a *adj.* alone
soltero/a *adj.* single 2.3
solución *f.* solution 3.1
sombrero *m.* hat 1.6
Son las dos. It's two o'clock. 1.1
sonar (o:ue) *v.* to ring 2.5
sonreído *p.p.* smiled 3.2
sonreír (e:i) *v.* to smile 2.3
sopa *f.* soup 2.2
sorprender *v.* to surprise 2.3
sorpresa *f.* surprise 2.3
sótano *m.* basement; cellar 2.6
soy I am 1.1
  Soy de... I'm from... 1.1
su(s) *poss. adj.* his; her; its; *form.* your; their 1.3
subir(se) a *v.* to get on/into (*a vehicle*) 2.5
sucio/a *adj.* dirty 1.5
sudar *v.* to sweat 3.3
suegro/a *m., f.* father-in-law/ mother-in-law 1.3
sueldo *m.* salary 3.4
suelo *m.* floor 2.6
sueño *m.* sleep
suerte *f.* luck
suéter *m.* sweater 1.6
sufrir *v.* to suffer 2.4
  sufrir muchas presiones to be under a lot of pressure 3.3
  sufrir una enfermedad to suffer an illness 2.4
sugerir (e:ie) *v.* to suggest 2.6
supermercado *m.* supermarket 3.2

suponer *v.* to suppose **1.4**
sur *m.* south **3.2**
sustantivo *m.* noun
susurrar *v.* to whisper **3.5**
suyo(s)/a(s) *poss.* (of) his/her; (of) hers; its; *form.* your, (of) yours, (of) theirs, their **2.5**

T

tabla de (wind)surf *f.* surf board/sailboard **1.5**
tal vez *adv.* maybe **1.5**
talentoso/a *adj.* talented **3.5**
talla *f.* size **1.6**
 talla grande *f.* large
taller *m.* **mecánico** garage; mechanic's repair shop **2.5**
también *adv.* also; too **1.2; 2.1**
tampoco *adv.* neither; not either **2.1**
tan *adv.* so **1.5**
 tan... como as... as **2.2**
 tan pronto como *conj.* as soon as **3.1**
tanque *m.* tank **2.5**
tanto *adv.* so much
 tanto... como as much... as **2.2**
tantos/as... como as many... as **2.2**
tarde *adv.* late **2.1**; *f.* afternoon; evening; P.M. **1.1**
tarea *f.* homework **1.2**
tarjeta *f.* (post) card
tarjeta de crédito *f.* credit card **1.6**
tarjeta postal *f.* postcard
taxi *m.* taxi **1.5**
taza *f.* cup **2.6**
te *sing., fam., d.o. pron.* you **1.5**; *sing., fam., i.o. pron.* to/for you **1.6**
 Te presento a... *fam.* I would like to introduce you to (name). **1.1**
 ¿Te gustaría? Would you like to?
 ¿Te gusta(n)...? Do you like...? **1.2**
té *m.* tea **2.2**
 té helado *m.* iced tea **2.2**
teatro *m.* theater **3.5**
teclado *m.* keyboard **2.5**
técnico/a *m., f.* technician **3.4**
tejido *m.* weaving **3.5**
teleadicto/a *m., f.* couch potato **3.3**
(teléfono) celular *m.* (cell) phone **2.5**
telenovela *f.* soap opera **3.5**
teletrabajo *m.* telecommuting **3.4**
televisión *f.* television **1.2**
televisión por cable *f.* cable television
televisor *m.* television set **2.5**
temer *v.* to fear; to be afraid **3.1**

temperatura *f.* temperature **2.4**
temporada *f.* period of time **1.5**
temprano *adv.* early **2.1**
tenedor *m.* fork **2.6**
tener *v.* to have **1.3**
 tener... años to be... years old **1.3**
 tener (mucho) calor to be (very) hot **1.3**
 tener (mucho) cuidado to be (very) careful **1.3**
 tener dolor to have pain **2.4**
 tener éxito to be successful **3.4**
 tener fiebre to have a fever **2.4**
 tener (mucho) frío to be (very) cold **1.3**
 tener ganas de (+ *inf.*) to feel like (*doing something*) **1.3**
 tener (mucha) hambre *f.* to be (very) hungry **1.3**
 tener (mucho) miedo (de) to be (very) afraid (of); to be (very) scared (of) **1.3**
 tener miedo (de) que to be afraid that
 tener planes *m., pl.* to have plans
 tener (mucha) prisa to be in a (big) hurry **1.3**
 tener que (+ *inf.*) *v.* to have to (*do something*) **1.3**
 tener razón *f.* to be right **1.3**
 tener (mucha) sed *f.* to be (very) thirsty **1.3**
 tener (mucho) sueño to be (very) sleepy **1.3**
 tener (mucha) suerte to be (very) lucky **1.3**
 tener tiempo to have time **3.2**
 tener una cita to have a date; to have an appointment **2.3**
tenis *m.* tennis **1.4**
tensión *f.* tension **3.3**
tercer, tercero/a *adj.* third **1.5**
terco/a *adj.* stubborn
terminar *v.* to end; to finish **1.2**
 terminar de (+ *inf.*) *v.* to finish (*doing something*)
terremoto *m.* earthquake **3.6**
terrible *adj. m., f.* terrible **3.1**
ti *obj. of prep., fam.* you **2.3**
tiempo *m.* time **3.2**; weather **1.5**
 tiempo libre free time
tienda *f.* store **1.6**
tierra *f.* land; soil **3.1**
tío/a *m., f.* uncle/aunt **1.3**
tíos *m., pl.* aunts and uncles **1.3**
tiza *f.* chalk **1.2**
toalla *f.* towel **2.1**
tobillo *m.* ankle **2.4**
tocar *v.* to play (*a musical instrument*) **3.5**; to touch **3.5**
todavía *adv.* yet; still **1.5**
todo *m.* everything **1.5**
todo(s)/a(s) *adj.* all
todos *m., pl.* all of us; *m., pl.* everybody; everyone
todos los días *adv.* every day **2.4**

tomar *v.* to take; to drink **1.2**
 tomar clases *f., pl.* to take classes **1.2**
 tomar el sol to sunbathe **1.4**
 tomar en cuenta to take into account
 tomar fotos *f., pl.* to take photos **1.5**
 tomar la temperatura to take someone's temperature **2.4**
tomate *m.* tomato **2.2**
tonto/a *adj.* foolish **1.3**
torcerse (o:ue) (el tobillo) *v.* to sprain (one's ankle) **2.4**
tormenta *f.* storm **3.6**
tornado *m.* tornado **3.6**
torre *f.* tower **3.4**
tortilla *f.* potato omelet (in Spain) **2.2**
tortuga (marina) *f.* (sea) turtle **3.1**
tos *f., sing.* cough **2.4**
toser *v.* to cough **2.4**
tostado/a *adj.* toasted **2.2**
tostadora *f.* toaster **2.6**
trabajador(a) *adj.* hard-working **1.3**
trabajar *v.* to work **1.2**
trabajo *m.* job; work **3.4**
traducir *v.* to translate **1.6**
traer *v.* to bring **1.4**
tráfico *m.* traffic **2.5**
tragedia *f.* tragedy **3.5**
traído/a *p.p.* brought **3.2**
traje *m.* suit **1.6**
 traje de baño *m.* bathing suit **1.6**
tranquilo/a *adj.* calm; quiet **3.3**
 Tranquilo/a, cariño. Relax, sweetie. **2.5**
transmitir *v.* to broadcast **3.6**
tratar de (+ *inf.*) *v.* to try (*to do something*) **3.3**
trece thirteen **1.1**
treinta thirty **1.1, 1.2**
 y treinta thirty minutes past the hour (time) **1.1**
tren *m.* train **1.5**
tres three **1.1**
trescientos/as three hundred **1.2**
trimestre *m.* trimester; quarter **1.2**
triste *adj.* sad **1.5**
tú *fam. sub. pron.* you **1.1**
tu(s) *fam. poss. adj.* your **1.3**
turismo *m.* tourism
turista *m., f.* tourist **1.1**
turístico/a *adj.* touristic
tuyo(s)/a(s) *fam. poss. pron.* your; (of) yours **2.5**

U

Ud. *form. sing.* you **1.1**
Uds. *pl.* you **1.1**
último/a *adj.* last **2.1**
 la última vez the last time **2.1**

un, uno/a *indef. art.* a; one **1.1**
  a la una at one o'clock **1.1**
  una vez once **1.6**
  una vez más one more time
uno one **1.1**
único/a *adj.* only **1.3**; unique **2.3**
universidad *f.* university; college **1.2**
unos/as *m., f., pl. indef. art.* some **1.1**
urgente *adj.* urgent **2.6**
usar *v.* to wear; to use **1.6**
usted (Ud.) *form. sing.* you **1.1**
ustedes (Uds.) *pl.* you **1.1**
útil *adj.* useful
uva *f.* grape **2.2**

V

vaca *f.* cow **3.1**
vacaciones *f. pl.* vacation **1.5**
valle *m.* valley **3.1**
vamos let's go **1.4**
vaquero *m.* cowboy **3.5**
  de vaqueros *m., pl.* western (genre) **3.5**
varios/as *adj. m. f., pl.* various; several
vaso *m.* glass **2.6**
veces *f., pl.* times **1.6**
vecino/a *m., f.* neighbor **1.2, 2.6**
veinte twenty **1.1**
veinticinco twenty-five **1.1**
veinticuatro twenty-four **1.1**
veintidós twenty-two **1.1**
veintinueve twenty-nine **1.1**
veintiocho twenty-eight **1.1**
veintiséis twenty-six **1.1**
veintisiete twenty-seven **1.1**
veintitrés twenty-three **1.1**
veintiún, veintiuno/a *adj.* twenty-one **1.1**
veintiuno twenty-one **1.1**

vejez *f.* old age **2.3**
velocidad *f.* speed **2.5**
  velocidad máxima *f.* speed limit **2.5**
vencer *v.* to expire **3.2**
vendedor(a) *m., f.* salesperson **1.6**
vender *v.* to sell **1.6**
venir *v.* to come **1.3**
ventana *f.* window **1.2**
ver *v.* to see **1.4**
  a ver *v.* let's see
  ver películas *f., pl.* to see movies **1.4**
verano *m.* summer **1.5**
verbo *m.* verb
verdad *f.* truth **1.4**
  (no) es verdad it's (not) true **3.1**
  ¿verdad? right? **1.1**
verde *adj., m. f.* green **1.6**
verduras *pl., f.* vegetables **2.2**
vestido *m.* dress **1.6**
vestirse (e:i) *v.* to get dressed **2.1**
vez *f.* time **1.6**
viajar *v.* to travel **1.2**
viaje *m.* trip **1.5**
viajero/a *m., f.* traveler **1.5**
vida *f.* life **2.3**
video *m.* video **1.1**
videoconferencia *f.* videoconference **3.4**
videojuego *m.* video game **1.4**
vidrio *m.* glass **3.1**
viejo/a *adj.* old **1.3**
viento *m.* wind
viernes *m., sing.* Friday **1.2**
vinagre *m.* vinegar **2.2**
violencia *f.* violence **3.6**
visitar *v.* to visit **1.4**
  visitar monumentos *m., pl.* to visit monuments **1.4**
visto/a *p.p.* seen **3.2**

vitamina *f.* vitamin **3.3**
viudo/a *adj.* widower/widow **2.3**
vivienda *f.* housing **2.6**
vivir *v.* to live **1.3**
vivo/a *adj.* clever; living
volante *m.* steering wheel **2.5**
volcán *m.* volcano **3.1**
vóleibol *m.* volleyball **1.4**
volver (o:ue) *v.* to return **1.4**
volver a ver(te, lo, la) *v.* to see (you, him, her) again
vos *pron.* you
vosotros/as *fam., pl.* you **1.1**
votar *v.* to vote **3.6**
vuelta *f.* return trip
vuelto/a *p.p.* returned **3.2**
vuestro(s)/a(s) *poss. adj.* your **1.3**; your, (of) yours *fam., pl.* **2.5**

Y

y *conj.* and **1.1**
  y cuarto quarter after (time) **1.1**
  y media half-past (time) **1.1**
  y quince quarter after (time) **1.1**
  y treinta thirty (minutes past the hour) **1.1**
  ¿Y tú? *fam.* And you? **1.1**
  ¿Y usted? *form.* And you? **1.1**
ya *adv.* already **1.6**
yerno *m.* son-in-law **1.3**
yo *sub. pron.* I **1.1**
yogur *m.* yogurt **2.2**

Z

zanahoria *f.* carrot **2.2**
zapatería *f.* shoe store **3.2**
zapatos de tenis *m., pl.* tennis shoes, sneakers **1.6**
zumo *m.* juice (in Spain) **3.3**

English–Spanish

A

a **un/a** *m.*, *f.*, *sing.*; *indef. art.* 1.1
@ (*symbol*) **arroba** *f.* 2.5
a.m. **de la mañana** *f.* 1.1
able: be able to **poder (o:ue)** *v.* 1.4
aboard **a bordo**
above all **sobre todo** 3.1
accident **accidente** *m.* 2.4
account **cuenta** *f.* 3.2
   on account of **por** *prep.* 2.5
accountant **contador(a)** *m.*, *f.* 3.4
accounting **contabilidad** *f.* 1.2
ache **dolor** *m.* 2.4
achieve **lograr** *v.* 3.6
acquainted: be acquainted with
   conocer *v.* 1.6
action (genre) **de acción** *f.* 3.5
active **activo/a** *adj.* 3.3
actor **actor** *m.*, **actriz** *f.* 3.4
additional **adicional** *adj.*
address **dirección** *f.* 3.2
adjective **adjetivo** *m.*
adolescence **adolescencia** *f.* 2.3
adventure (genre) **de aventuras**
   f. 3.5
advertise **anunciar** *v.* 3.6
advertisement **anuncio** *m.* 3.4
advice **consejo** *m.*
   give advice **dar consejos** 1.6
advise **aconsejar** *v.* 2.6
advisor **consejero/a** *m.*, *f.* 3.4
aerobic **aeróbico/a** *adj.* 3.3
   aerobics class **clase de**
      ejercicios aeróbicos 3.3
   to do aerobics **hacer ejercicios**
      aeróbicos 3.3
affected **afectado/a** *adj.* 3.1
   be affected (by) **estar** *v.*
      afectado/a (por) 3.1
affirmative **afirmativo/a** *adj.*
afraid: be (very) afraid (of) **tener**
   (mucho) miedo (de) 1.3
   be afraid that **tener miedo**
      (de) que
after **después de** *prep.* 2.1;
   después de que *conj.* 3.1
afternoon **tarde** *f.* 1.1
afterward **después** *adv.* 2.1
again **otra vez**
age **edad** *f.* 2.3
agree **concordar** *v.*
agree **estar** *v.* **de acuerdo** 3.5
agreement **acuerdo** *m.*
AIDS **SIDA** *m.* 3.6
air **aire** *m.* 3.1
   air pollution **contaminación**
      del aire 3.1
airplane **avión** *m.* 1.5
airport **aeropuerto** *m.* 1.5
alarm clock **despertador** *m.* 2.1
all **todo(s)/a(s)** *adj.*
   all of us **todos**
allergic **alérgico/a** *adj.* 2.4
   be allergic (to) **ser alérgico/a**
      (a) 2.4

alleviate **aliviar** *v.*
almost **casi** *adv.* 2.4
alone **solo/a** *adj.*
along **por** *prep.* 2.5
already **ya** *adv.* 1.6
also **también** *adv.* 1.2; 2.1
aluminum **aluminio** *m.* 3.1
   (made) of aluminum **de**
      aluminio 3.1
always **siempre** *adv.* 2.1
American (*North*)
   norteamericano/a *adj.* 1.3
among **entre** *prep.* 1.2
amusement **diversión** *f.*
anchovy **boquerón** *m.* 2.2
and **y** 1.1, **e** (*before words*
   beginning with i or hi)
   And you? **¿Y tú?** *fam.* 1.1;
      ¿Y usted? *form.* 1.1
angel **ángel** *m.* 2.3
angry **enojado/a** *adj.* 1.5
   get angry (with) **enojarse** *v.*
      (con) 2.1
animal **animal** *m.* 3.1
ankle **tobillo** *m.* 2.4
anniversary **aniversario** *m.* 2.3
   (wedding) anniversary
      aniversario *m.* **(de**
      bodas) 2.3
announce **anunciar** *v.* 3.6
announcer (*TV/radio*) **locutor(a)**
   m., *f.* 3.6
another **otro/a** *adj.* 1.6
answer **contestar** *v.* 1.2;
   respuesta *f.*
answering machine **contestadora** *f.*
antibiotic **antibiótico** *m.* 2.4
any **algún, alguno/a(s)** *adj.* 2.1
anyone **alguien** *pron.* 2.1
anything **algo** *pron.* 2.1
apartment **apartamento** *m.* 2.6
apartment building **edificio de**
   apartamentos 2.6
app **aplicación** *f.* 2.5
appear **parecer** *v.*
appetizers **entremeses** *m.*, *pl.* 2.2
applaud **aplaudir** *v.* 3.5
apple **manzana** *f.* 2.2
appliance (electric)
   electrodoméstico *m.* 2.6
applicant **aspirante** *m.*, *f.* 3.4
application **solicitud** *f.* 3.4
   job application **solicitud de**
      trabajo 3.4
apply (*for a job*) **solicitar** *v.* 3.4
   apply for a loan **pedir (e:i)** *v.*
      un préstamo 3.2
appointment **cita** *f.* 2.3
   have an appointment **tener** *v.*
      una cita 2.3
appreciate **apreciar** *v.* 3.5
April **abril** *m.* 1.5
archeologist **arqueólogo/a**
   m., *f.* 3.4
archeology **arqueología** *f.* 1.2
architect **arquitecto/a** *m.*, *f.* 3.4
area **región** *f.*
Argentine **argentino/a** *adj.* 1.3
arm **brazo** *m.* 2.4
armchair **sillón** *m.* 2.6

army **ejército** *m.* 3.6
around **por** *prep.* 2.5
   around here **por aquí** 2.5
arrange **arreglar** *v.* 2.5
arrival **llegada** *f.* 1.5
arrive **llegar** *v.* 1.2
art **arte** *m.* 1.2
   (fine) arts **bellas artes** *f.*,
      pl. 3.5
article **artículo** *m.* 3.6
artist **artista** *m.*, *f.* 1.3
artistic **artístico/a** *adj.* 3.5
arts **artes** *f.*, *pl.* 3.5
as **como** 2.2
   as a child **de niño/a** 2.4
   as... as **tan... como** 2.2
   as many... as **tantos/as...**
      como 2.2
   as much... as **tanto... como** 2.2
   as soon as **en cuanto** *conj.* 3.1;
      tan pronto como *conj.* 3.1
ask (*a question*) **preguntar** *v.* 1.2
   ask for **pedir (e:i)** *v.* 1.4
asparagus **espárragos** *m.*, *pl.* 2.2
aspirin **aspirina** *f.* 2.4
at **a** *prep.* 1.1; **en** *prep.* 1.2
   at + *time* **a la(s)** + *time* 1.1
   at home **en casa**
   at least **por lo menos** 2.4
   at night **por la noche** 2.1
   At what time...? **¿A qué**
      hora...? 1.1
   At your service. **A sus**
      órdenes.
ATM **cajero automático** *m.* 3.2
attend **asistir (a)** *v.* 1.3
attic **altillo** *m.* 2.6
audience **público** *m.* 3.5
August **agosto** *m.* 1.5
aunt **tía** *f.* 1.3
   aunts and uncles **tíos** *m.*, *pl.* 1.3
automobile **automóvil** *m.* 1.5;
   carro *m.*; **coche** *m.* 2.5
autumn **otoño** *m.* 1.5
avenue **avenida** *f.*
avoid **evitar** *v.* 3.1
award **premio** *m.* 3.5

B

backpack **mochila** *f.* 1.2
bad **mal, malo/a** *adj.* 1.3
   It's bad that... **Es malo**
      que... 2.6
   It's not bad at all. **No está**
      nada mal. 1.5
bag **bolsa** *f.* 1.6
bakery **panadería** *f.* 3.2
balanced **equilibrado/a** *adj.* 3.3
   to eat a balanced diet **comer**
      una dieta equilibrada 3.3
balcony **balcón** *m.* 2.6
ball **pelota** *f.* 1.4
balloon **globo** *m.* 2.3
banana **banana** *f.* 2.2
band **banda** *f.* 3.5
bank **banco** *m.* 3.2

bargain **ganga** *f.* 1.6; **regatear** *v.* 1.6
baseball (*game*) **béisbol** *m.* 1.4
basement **sótano** *m.* 2.6
basketball (*game*) **baloncesto** *m.* 1.4
bathe **bañarse** *v.* 2.1
bathing suit **traje** *m.* **de baño** 1.6
bathroom **baño** *m.* 2.1; **cuarto de baño** *m.* 2.1
be **ser** *v.* 1.1; **estar** *v.* 1.2
  be… years old **tener… años** 1.3
  be sick of… **estar harto/a de…** 3.6
beach **playa** *f.* 1.5
beans **frijoles** *m., pl.* 2.2
bear **oso/a** *m., f.* 3.1
beautiful **hermoso/a** *adj.* 1.6
beauty **belleza** *f.* 3.2
  beauty salon **peluquería** *f.* 3.2; **salón** *m.* **de belleza** 3.2
because **porque** *conj.* 1.2
  because of **por** *prep.* 2.5
become (+ *adj.*) **ponerse (+ adj.)** 2.1; **convertirse** *v.*
bed **cama** *f.* 1.5
  go to bed **acostarse (o:ue)** *v.* 2.1
bedroom **alcoba** *f.*, **recámara** *f.*; **dormitorio** *m.* 2.6
beef **carne de res** *f.* 2.2
before **antes** *adv.* 2.1; **antes de** *prep.* 2.1; **antes (de) que** *conj.* 3.1
beg **rogar (o:ue)** *v.* 2.6
begin **comenzar (e:ie)** *v.* 1.4; **empezar (e:ie)** *v.* 1.4
behalf: on behalf of **de parte de** 2.5
behind **detrás de** *prep.* 1.2
believe (in) **creer** *v.* **(en)** 1.3; **creer** *v.* 3.1
  not to believe **no creer** 3.1
believed **creído/a** *p.p.* 3.2
bellhop **botones** *m., f. sing.* 1.5
below **debajo de** *prep.* 1.2
belt **cinturón** *m.* 1.6
benefit **beneficio** *m.* 3.4
beside **al lado de** *prep.* 1.2
besides **además (de)** *adv.* 2.4
best **mejor** *adj.*
  the best **el/la mejor** *m., f.* 2.2 **lo mejor** *neuter*
better **mejor** *adj.* 2.2
  It's better that… **Es mejor que…** 2.6
between **entre** *prep.* 1.2
beverage **bebida** *f.* 2.2
bicycle **bicicleta** *f.* 1.4
big **grande** *adj.* 1.3
bill **cuenta** *f.* 2.2
billion **mil millones**
biology **biología** *f.* 1.4
bird **ave** *f.* 3.1; **pájaro** *m.* 3.1
birth **nacimiento** *m.* 2.3
birthday **cumpleaños** *m., sing.* 2.3
  have a birthday **cumplir** *v.* **años**
black **negro/a** *adj.* 1.6

blackboard **pizarra** *f.* 1.2
blanket **manta** *f.* 2.6
block (city) **cuadra** *f.* 3.2
blog **blog** *m.* 2.5
blond(e) **rubio/a** *adj.* 1.3
blouse **blusa** *f.* 1.6
blue **azul** *adj. m., f.* 1.6
boarding house **pensión** *f.*
boat **barco** *m.* 1.5
body **cuerpo** *m.* 2.4
bone **hueso** *m.* 2.4
book **libro** *m.* 1.2
bookcase **estante** *m.* 2.6
bookshelves **estante** *m.* 2.6
bookstore **librería** *f.* 1.2
boot **bota** *f.* 1.6
bore **aburrir** *v.* 2.1
bored **aburrido/a** *adj.* 1.5
  be bored **estar** *v.* **aburrido/a** 1.5
  get bored **aburrirse** *v.* 3.5
boring **aburrido/a** *adj.* 1.5
born: be born **nacer** *v.* 2.3
borrow **pedir (e:i)** *v.* **prestado** 3.2
borrowed **prestado/a** *adj.*
boss **jefe** *m.*, **jefa** *f.* 3.4
bother **molestar** *v.* 2.1
bottle **botella** *f.* 2.3
bottom **fondo** *m.*
boulevard **bulevar** *m.*
boy **chico** *m.* 1.1; **muchacho** *m.* 1.3
boyfriend **novio** *m.* 1.3
brakes **frenos** *m., pl.*
bread **pan** *m.* 2.2
break **romper** *v.* 2.4
  break (one's leg) **romperse (la pierna)** 2.4
  break down **dañar** *v.* 2.4
  break up (with) **romper** *v.* **(con)** 2.3
breakfast **desayuno** *m.* 1.5, 2.2
  have breakfast **desayunar** *v.* 1.2
breathe **respirar** *v.* 3.1
bridge **puente** *m.* 1.5
bring **traer** *v.* 1.4
broadcast **transmitir** *v.* 3.6; **emitir** *v.* 3.6
brochure **folleto** *m.*
broken **roto/a** *adj.* 3.2
  be broken **estar roto/a**
broom **escoba** *f.* 2.6
brother **hermano** *m.* 1.3
brother-in-law **cuñado** *m.* 1.3
brothers and sisters **hermanos** *m., pl.* 1.3
brought **traído/a** *p.p.* 3.2
brown **café** *adj.* 1.6; **marrón** *adj.* 1.6
browser **buscador** *m.* 2.5
brunet(te) **moreno/a** *adj.* 1.3
brush **cepillar(se)** *v.* 2.1
  brush one's hair **cepillarse el pelo** 2.1
  brush one's teeth **cepillarse los dientes** 2.1

bucket **balde** *m.* 1.5
build **construir** *v.*
building **edificio** *m.* 2.6
bump into (*something accidentally*) **darse con** 2.4; (*someone*) **encontrarse** *v.* 2.5
burn (a CD/DVD) **quemar** *v.* **(un CD/DVD)**
bus **autobús** *m.* 1.1
  bus station **estación** *f.* **de autobuses** 1.5
business **negocios** *m. pl.* 3.4
  business administration **administración** *f.* **de empresas** 1.2
  business-related **comercial** *adj.* 3.4
businessperson **hombre** *m.* / **mujer** *f.* **de negocios** 3.4
busy **ocupado/a** *adj.* 1.5
but **pero** *conj.* 1.2; (rather) **sino** *conj.* (*in negative sentences*) 2.1
butcher shop **carnicería** *f.* 3.2
butter **mantequilla** *f.* 2.2
buy **comprar** *v.* 1.2
by **por** *prep.* 2.5; **para** *prep.* 2.5
  by means of **por** *prep.* 2.5
  by phone **por teléfono**
  by plane **en avión** 1.5
  by way of **por** *prep.* 2.5
bye **chau** *interj. fam.* 1.1

C

cable television **televisión** *f.* **por cable** *m.*
café **café** *m.* 1.4
cafeteria **cafetería** *f.* 1.2
caffeine **cafeína** *f.* 3.3
cake **pastel** *m.* 2.3
  chocolate cake **pastel de chocolate** *m.* 2.3
calamari **calamar** *m.* 2.2
calculator **calculadora** *f.* 1.2
call **llamar** *v.* 2.5
  be called **llamarse** *v.* 2.1
  call on the phone **llamar por teléfono**
calm **tranquilo/a** *adj.* 3.3
calorie **caloría** *f.* 3.3
camera **cámara** *f.* 2.5
camp **acampar** *v.* 1.5
can (tin) **lata** *f.* 3.1
can **poder (o:ue)** *v.* 1.4
  Could I ask you something? **¿Podría pedirte algo?** 3.5
Canadian **canadiense** *adj.* 1.3
candidate **aspirante** *m., f.* 3.4; **candidato/a** *m., f.* 3.6
candy **dulces** *m., pl.* 2.3
cap **gorra** *f.* 1.2
capital city **capital** *f.*
car **coche** *m.* 2.5; **carro** *m.* 2.5; **auto(móvil)** *m.* 1.5
caramel **caramelo** *m.* 2.3
card **tarjeta** *f.*; (*playing*) **carta** *f.* 1.5

care **cuidado** *m.*
  take care of **cuidar** *v.* 3.1
career **carrera** *f.* 3.4
careful: be (very) careful **tener** *v.*
  (mucho) cuidado 1.3
caretaker **ama** *m., f.* **de**
  casa 2.6
carpenter **carpintero/a** *m.,*
  f. 3.4
carpet **alfombra** *f.* 2.6
carrot **zanahoria** *f.* 2.2
carry **llevar** *v.* 1.2
cartoons **dibujos** *m, pl.*
  animados 3.5
case: in case (that) **en caso (de)**
  que 3.1
cash (a check) **cobrar** *v.* 3.2;
  cash **(en) efectivo** 1.6
  cash register **caja** *f.* 1.6
  pay in cash **pagar** *v.* **al contado**
  3.2; **pagar en efectivo** 3.2
cashier **cajero/a** *m., f.*
cat **gato** *m.* 3.1
CD **disco compacto** *m.* 2.5
CD player **reproductor de CD**
  m. 2.5
CD-ROM **cederrón** *m.*
celebrate **celebrar** *v.* 2.3
celebration **celebración** *f.*
cellar **sótano** *m.* 2.6
(cell) phone **(teléfono)**
  celular *m.* 1.4, 2.5
cereal **cereales** *m., pl.* 2.2
certain **cierto/a** *adj.;* **seguro/a**
  adj. 3.1
  it's (not) certain **(no) es**
  cierto/seguro 3.1
chalk **tiza** *f.* 1.2
change **cambiar** *v.* **(de)** 2.3
change: in change **de cambio** 1.2
channel (*TV*) **canal** *m.* 2.5; 3.5
character (*fictional*) **personaje**
  m. 3.5
  (main) character *m.* **personaje**
  (principal) 3.5
charger **cargador** *m.* 2.5
chat **conversar** *v.* 1.2; **chatear**
  v. 2.5
cheap **barato/a** *adj.* 1.6
check **comprobar (o:ue)** *v.;*
  revisar *v.* 2.5; (*bank*) **cheque**
  m. 3.2
  check the oil **revisar el aceite** 2.5
checking account **cuenta** *f.*
  corriente 3.2
cheese **queso** *m.* 2.2
chef **cocinero/a** *m., f.* 3.4
chemistry **química** *f.* 1.2
chest of drawers **cómoda** *f.* 2.6
chicken **pollo** *m.* 2.2
child **niño/a** *m., f.* 1.3
childhood **niñez** *f.* 2.3
children **hijos** *m., pl.* 1.3
Chinese **chino/a** *adj.* 1.3
chocolate **chocolate** *m.* 2.3
  chocolate cake **pastel** *m.* **de**
  chocolate 2.3
choke **ahogarse** *v.* 2.2
cholesterol **colesterol** *m.* 3.3

choose **escoger** *v.* 2.2
chop (*food*) **chuleta** *f.* 2.2
Christmas **Navidad** *f.* 2.3
church **iglesia** *f.* 1.4
cinnamon **canela** *f.*
citizen **ciudadano/a** *m., f.* 3.6
city **ciudad** *f.*
class **clase** *f.* 1.2
  take classes **tomar clases** 1.2
classical **clásico/a** *adj.* 3.5
classmate **compañero/a** *m., f.* **de**
  clase 1.2
clean **limpio/a** *adj.* 1.5;
  limpiar *v.* 2.6
  clean the house *v.* **limpiar la**
  casa 2.6
clear (*weather*) **despejado/a** *adj.*
  clear the table **quitar la**
  mesa 2.6
  It's (very) clear. (*weather*)
  Está (muy) despejado.
clerk **dependiente/a** *m., f.* 1.6
climate change **cambio climático**
  m. 3.1
climb **escalar** *v.* 1.4
  climb mountains **escalar**
  montañas 1.4
clinic **clínica** *f.* 2.4
clock **reloj** *m.* 1.2
close **cerrar (e:ie)** *v.* 1.4
closed **cerrado/a** *adj.* 1.5
closet **armario** *m.* 2.6
clothes **ropa** *f.* 1.6
  clothes dryer **secadora** *f.* 2.6
clothing **ropa** *f.* 1.6
cloud **nube** *f.* 3.1
cloudy **nublado/a** *adj.* 1.5
  It's (very) cloudy. **Está (muy)**
  nublado. 1.5
coat **abrigo** *m.* 1.6
coffee **café** *m.* 2.2
  coffee maker **cafetera** *f.* 2.6
cold **frío** *m.* 1.5;
  (*illness*) **resfriado** *m.* 2.4
  be (*feel*) (very) cold **tener**
  (mucho) frío 1.3
  It's (very) cold. (*weather*) **Hace**
  (mucho) frío. 1.5
college **universidad** *f.* 1.2
collision **choque** *m.* 3.6
color **color** *m.* 1.6
colorful **colorido/a** *adj.* 3.5
comb one's hair **peinarse** *v.* 2.1
come **venir** *v.* 1.3
comedy **comedia** *f.* 3.5
comfortable **cómodo/a** *adj.* 1.5
commerce **negocios** *m., pl.* 3.4
commercial **comercial** *adj.* 3.4
communicate (with) **comunicarse**
  v. **(con)** 3.6
communication **comunicación**
  f. 3.6
  means of communication
  medios *m. pl.* **de**
  comunicación 3.6
community **comunidad** *f.* 1.1
company **compañía** *f.* 3.4;
  empresa *f.* 3.4
comparison **comparación** *f.*

composer **compositor(a)** *m., f.* 3.5
computer **computadora** *f.* 1.1
  computer disc **disco** *m.*
  computer monitor **monitor**
  m. 2.5
  computer programmer
  programador(a) *m., f.* 1.3
  computer science **computación**
  f. 1.2
concert **concierto** *m.* 3.5
conductor (*musical*) **director(a)**
  m., f. 3.5
confident **seguro/a** *adj.* 1.5
confirm **confirmar** *v.* 1.5
  confirm a reservation **confirmar**
  una reservación 1.5
confused **confundido/a** *adj.* 1.5
congested **congestionado/a**
  adj. 2.4
congratulate **felicitar** *v.* 3.4
Congratulations! **¡Felicidades!;**
  ¡Felicitaciones! *f., pl.* 2.3
conservation **conservación** *f.* 3.1
conserve **conservar** *v.* 3.1
considering **para** *prep.* 2.5
consume **consumir** *v.* 3.3
container **envase** *m.* 3.1
contamination **contaminación** *f.*
content **contento/a** *adj.* 1.5
contest **concurso** *m.* 3.5
continue **seguir (e:i)** *v.* 1.4
control **control** *m.;* **controlar** *v.* 3.1
conversation **conversación** *f.* 1.1
converse **conversar** *v.* 1.2
cook **cocinar** *v.* 2.6; **cocinero/a**
  m., f. 3.4
cookie **galleta** *f.* 2.3
cool **fresco/a** *adj.* 1.5
  It's cool. (*weather*) **Hace**
  fresco. 1.5
  How cool! **¡Qué guay!** 1.2
corn **maíz** *m.* 2.2
corner **esquina** *f.* 3.2
cost **costar (o:ue)** *v.* 1.6
Costa Rican **costarricense** *adj.* 1.3
costume **disfraz** *m.* 3.1
cotton **algodón** *f.* 1.6
  (made of) cotton **de algodón** 1.6
couch **sofá** *m.* 2.6
couch potato **teleadicto/a**
  m., f. 3.3
cough **tos** *f.* 2.4; **toser** *v.* 2.4
counselor **consejero/a** *m., f.* 3.4
count **contar (o:ue)** *v.* 1.4
country (*nation*) **país** *m.* 1.1
countryside **campo** *m.* 1.5
(married) couple **pareja** *f.* 2.3
course **curso** *m.* 1.2; **materia** *f.* 1.2
courtesy **cortesía** *f.*
cousin **primo/a** *m., f.* 1.3
cover **cubrir** *v.*
covered **cubierto/a** *p.p.*
cow **vaca** *f.* 3.1
crafts **artesanía** *f.* 3.5
craftsmanship **artesanía** *f.* 3.5
crater **cráter** *m.* 3.1
crazy **loco/a** *adj.* 1.6
create **crear** *v.*

credit **crédito** *m.* 1.6
  credit card **tarjeta** *f.* **de crédito** 1.6
crime **crimen** *m.* 3.6
croquette **croqueta** *f.* 2.2
cross **cruzar** *v.* 3.2
cry **llorar** *v.* 3.3
Cuban **cubano/a** *adj.* 1.3
culture **cultura** *f.* 1.2, 3.5
cup **taza** *f.* 2.6
currency exchange **cambio** *m.* **de moneda**
current events **actualidades** *f.,* *pl.* 3.6
curtains **cortinas** *f., pl.* 2.6
custard (*baked*) **flan** *m.* 2.3
custom **costumbre** *f.*
customer **cliente/a** *m., f.* 1.6
customs **aduana** *f.*
  customs inspector **inspector(a)** *m., f.* **de aduanas** 1.5
cybercafé **cibercafé** *m.* 2.5
cycling **ciclismo** *m.* 1.4

D

dad **papá** *m.*
daily **diario/a** *adj.* 2.1
  daily routine **rutina** *f.* **diaria** 2.1
damage **dañar** *v.* 2.4
dance **bailar** *v.* 1.2; **danza** *f.* 3.5; **baile** *m.* 3.5
dancer **bailarín/bailarina** *m., f.* 3.5
danger **peligro** *m.* 3.1
dangerous **peligroso/a** *adj.* 3.6
date (*appointment*) **cita** *f.* 2.3; (*calendar*) **fecha** *f.* 1.5; (*someone*) **salir** *v.* **con (alguien)** 2.3
  have a date **tener una cita** 2.3
daughter **hija** *f.* 1.3
daughter-in-law **nuera** *f.* 1.3
day **día** *m.* 1.1
  day before yesterday **anteayer** *adv.* 1.6
death **muerte** *f.* 2.3
decaffeinated **descafeinado/a** *adj.* 3.3
December **diciembre** *m.* 1.5
decide **decidir** *v.* (+ *inf.*) 1.3
declare **declarar** *v.* 3.6
deforestation **deforestación** *f.* 3.1
delicious **delicioso/a** *adj.* 2.2; **rico/a** *adj.* 2.2; **sabroso/a** *adj.* 2.2
delighted **encantado/a** *adj.* 1.1
dentist **dentista** *m., f.* 2.4
deny **negar (e:ie)** *v.* 3.1
  not to deny **no negar** 3.1
department store **almacén** *m.* 1.6
departure **salida** *f.* 1.5
deposit **depositar** *v.* 3.2
describe **describir** *v.* 1.3
described **descrito/a** *p.p.* 3.2
desert **desierto** *m.* 3.1
design **diseño** *m.*

designer **diseñador(a)** *m., f.* 3.4
desire **desear** *v.* 1.2
desk **escritorio** *m.* 1.2
dessert **postre** *m.* 2.3
destroy **destruir** *v.* 3.1
develop **desarrollar** *v.* 3.1
diary **diario** *m.* 1.1
dictatorship **dictadura** *f.* 3.6
dictionary **diccionario** *m.* 1.1
die **morir (o:ue)** *v.* 2.2
died **muerto/a** *p.p.* 3.2
diet **dieta** *f.* 3.3; **alimentación**
  balanced diet **dieta equilibrada** 3.3
  be on a diet **estar a dieta** 3.3
difficult **difícil** *adj. m., f.* 1.3
digital camera **cámara** *f.* **digital** 2.5
dining room **comedor** *m.* 2.6
dinner **cena** *f.* 2.2
  have dinner **cenar** *v.* 1.2
direct **dirigir** *v.* 3.5
director **director(a)** *m., f.* 3.5
dirty **ensuciar** *v.;* **sucio/a** *adj.* 1.5
  get (something) dirty **ensuciar** *v.* 2.6
disagree **no estar de acuerdo**
disaster **desastre** *m.* 3.6
discount **descuento** *m.* 1.6
discover **descubrir** *v.* 3.1
discovered **descubierto/a** *p.p.* 3.2
discrimination **discriminación** *f.* 3.6
dish **plato** *m.* 2.2, 2.6
  main dish *m.* **plato principal** 2.2
dishwasher **lavaplatos** *m., sing.* 2.6
disk **disco** *m.*
disorderly **desordenado/a** *adj.* 1.5
divorce **divorcio** *m.* 2.3
divorced **divorciado/a** *adj.* 2.3
  get divorced (from) **divorciarse** *v.* **(de)** 2.3
dizzy **mareado/a** *adj.* 2.4
do **hacer** *v.* 1.4
  do aerobics **hacer ejercicios aeróbicos** 3.3
  do household chores **hacer quehaceres domésticos** 2.6
  do stretching exercises **hacer ejercicios de estiramiento** 3.3
  (I) don't want to. **No quiero.** 1.4
doctor **doctor(a)** *m., f.* 1.3; 2.4; **médico/a** *m., f.* 1.3
documentary (*film*) **documental** *m.* 3.5
dog **perro** *m.* 3.1
domestic **doméstico/a** *adj.*
  domestic appliance **electrodoméstico** *m.*
done **hecho/a** *p.p.* 3.2
door **puerta** *f.* 1.2
doorman/doorwoman **portero/a** *m., f.* 1.1, 3.4
dormitory **residencia** *f.* **estudiantil** 1.2
double **doble** *adj.* 1.5
  double room **habitación** *f.* **doble** 1.5

doubt **duda** *f.* 3.1; **dudar** *v.* 3.1
  not to doubt **no dudar** 3.1
  there is no doubt that **no cabe duda de** 3.1; **no hay duda de** 3.1
download **descargar** *v.* 2.5
downtown **centro** *m.* 1.4
drama **drama** *m.* 3.5
dramatic **dramático/a** *adj.* 3.5
draw **dibujar** *v.* 1.2
drawing **dibujo** *m.*
dress **vestido** *m.* 1.6
  get dressed **vestirse (e:i)** *v.* 2.1
dressing room **probador** *m.* 1.6
drink **beber** *v.* 1.3; **bebida** *f.* 2.2; **tomar** *v.* 1.2
drive **conducir** *v.* 1.6; **manejar** *v.* 2.5
driver **conductor(a)** *m., f.* 1.1
dry (oneself) **secarse** *v.* 2.1
during **durante** *prep.* 2.1; **por** *prep.* 2.5
dust **sacudir** *v.* 2.6; **quitar** *v.* **el polvo** 2.6
dust the furniture **sacudir los muebles** 2.6
DVD player **reproductor** *m.* **de DVD** 2.5

E

each **cada** *adj.* 1.6
ear (outer) **oreja** *f.* 2.4
early **temprano** *adv.* 2.1
earn **ganar** *v.* 3.4
earring **arete** *m.* 1.6
earthquake **terremoto** *m.* 3.6
ease **aliviar** *v.*
east **este** *m.* 3.2
  to the east **al este** 3.2
easy **fácil** *adj. m., f.* 1.3
eat **comer** *v.* 1.3
ecological **ecológico/a** *adj.* 3.1
ecologist **ecologista** *m., f.* 3.1
ecology **ecología** *f.* 3.1
economics **economía** *f.* 1.2
ecotourism **ecoturismo** *m.* 3.1
Ecuadorian **ecuatoriano/a** *adj.* 1.3
effective **eficaz** *adj. m., f.*
egg **huevo** *m.* 2.2
eight **ocho** 1.1
eight hundred **ochocientos/as** 1.2
eighteen **dieciocho** 1.1
eighth **octavo/a** 1.5
eighty **ochenta** 1.2
either… or **o… o** *conj.* 2.1
elect **elegir (e:i)** *v.* 3.6
election **elecciones** *f. pl.* 3.6
electric appliance **electrodoméstico** *m.* 2.6
electrician **electricista** *m., f.* 3.4
electricity **luz** *f.* 2.6
elegant **elegante** *adj. m., f.* 1.6
elevator **ascensor** *m.* 1.5
eleven **once** 1.1

e-mail **correo** *m.*
   electrónico 1.4
   e-mail address **dirección** *f.*
      electrónica 2.5
   e-mail message **mensaje** *m.*
      electrónico 1.4
   read e-mail **leer** *v.* **el correo**
      electrónico 1.4
embarrassed **avergonzado/a**
   adj. 1.5
embrace (each other) **abrazar(se)**
   v. 2.5
emergency **emergencia** *f.* 2.4
   emergency room **sala** *f.* **de**
      emergencia(s) 2.4
employee **empleado/a** *m., f.* 1.5
employment **empleo** *m.* 3.4
end **fin** *m.* 1.4; **terminar** *v.* 1.2
   end table **mesita** *f.* 2.6
energy **energía** *f.* 3.1
engaged: get engaged (to)
   comprometerse *v.* **(con)** 2.3
engineer **ingeniero/a** *m., f.* 1.3
English (*language*) **inglés** *m.* 1.2;
   inglés, inglesa *adj.* 1.3
enjoy **disfrutar** *v.* **(de)** 3.3
enough **bastante** *adv.* 2.4
entertainment **diversión** *f.* 1.4
entrance **entrada** *f.* 2.6
envelope **sobre** *m.* 3.2
environment **medio ambiente**
   m. 3.1
environmental science **ciencias**
   ambientales 1.2
equality **igualdad** *f.* 3.6
erase **borrar** *v.* 2.5
eraser **borrador** *m.* 1.2
errand **diligencia** *f.* 3.2
essay **ensayo** *m.* 1.3
establish **establecer** *v.* 3.4
evening **tarde** *f.* 1.1
event **acontecimiento** *m.* 3.6
every day **todos los días** 2.4
everything **todo** *m.* 1.5
exactly **en punto** 1.1
exam **examen** *m.* 1.2
excellent **excelente** *adj.* 1.5
excess **exceso** *m.* 3.3
   in excess **en exceso** 3.3
exchange **intercambiar** *v.* 1.6
   in exchange for **por** 2.5
exciting **emocionante** *adj. m., f.*
excursion **excursión** *f.*
excuse **disculpar** *v.*
Excuse me. (*May I?*) **Con**
   permiso. 1.1; (*I beg your*
   pardon.) **Perdón.** 1.1, 3.2
executive **ejecutivo/a** *m., f.* 3.4
exercise **ejercicio** *m.* 3.3;
   hacer *v.* **ejercicio** 3.3; (a
   degree/profession) **ejercer** *v.* 3.4
exhale **exhalar** *v.* 3.3
exit **salida** *f.* 1.5
expensive **caro/a** *adj.* 1.6
experience **experiencia** *f.*
expire **vencer** *v.* 3.2
explain **explicar** *v.* 1.2
explore **explorar** *v.*

expression **expresión** *f.*
extinction **extinción** *f.* 3.1
eye **ojo** *m.* 2.4

F

fabulous **fabuloso/a** *adj.* 1.5
face **cara** *f.* 2.1
facing **enfrente de** *prep.* 3.2
fact: in fact **de hecho**
factory **fábrica** *f.* 3.1
fall (down) **caerse** *v.* 2.4
   fall asleep **dormirse (o:ue)** *v.* 2.1
   fall in love (with) **enamorarse**
      v. **(de)** 2.3
fall (season) **otoño** *m.* 1.5
fallen **caído/a** *p.p.* 3.2
family **familia** *f.* 1.3
famous **famoso/a** *adj.*
fan **aficionado/a** *m., f.* 1.4
   be a fan (of) **ser aficionado/a (a)**
far from **lejos de** *prep.* 1.2
farewell **despedida** *f.*
fascinate **fascinar** *v.* 2.1
fashion **moda** *f.* 1.6
   be in fashion **estar de**
      moda 1.6
fast **rápido/a** *adj.*
fat **gordo/a** *adj.* 1.3; **grasa** *f.* 3.3
father **padre** *m.* 1.3
father-in-law **suegro** *m.* 1.3
favorite **favorito/a** *adj.* 1.4
fax (machine) *fax* *m.*
fear **miedo** *m.*; **temer** *v.* 3.1
February **febrero** *m.* 1.5
feel **sentir(se) (e:ie)** *v.* 2.1
   feel like (*doing something*) **tener**
      ganas de (+ *inf.*) 1.3
festival **festival** *m.* 3.5
fever **fiebre** *f.* 2.4
   have a fever **tener** *v.* **fiebre** 2.4
few **pocos/as** *adj. pl.*
   fewer than **menos de**
      (+ *number*) 2.2
field: major field of study
   especialización *f.*
fifteen **quince** 1.1
   fifteen-year-old girl celebrating her
   birthday **quinceañera** *f.*
fifth **quinto/a** 1.5
fifty **cincuenta** 1.2
fight (for/against) **luchar** *v.* **(por/**
   contra) 3.6
figure (*number*) **cifra** *f.*
file **archivo** *m.* 2.5
fill **llenar** *v.* 2.5
   fill out (a form) **llenar (un**
      formulario) 3.2
   fill the tank **llenar el**
      tanque 2.5
finally **finalmente** *adv.*; **por**
   último 2.1; **por fin** 2.5
find **encontrar (o:ue)** *v.* 1.4
   find (each other) **encontrar(se)**

fine **multa** *f.*
   That's fine. **Está bien.**
(fine) arts **bellas artes** *f., pl.* 3.5
finger **dedo** *m.* 2.4
finish **terminar** *v.* 1.2
   finish (*doing something*)
      terminar *v.* **de (+ *inf.*)**
fire **incendio** *m.* 3.6; **despedir**
   (e:i) *v.* 3.4
firefighter **bombero/a** *m., f.* 3.4
firm **compañía** *f.* 3.4; **empresa**
   f. 3.4
first **primer, primero/a** 1.2, 1.5
fish (*food*) **pescado** *m.* 2.2;
   pescar *v.* 1.5; (*live*) **pez** *m.*,
   sing. (**peces** *pl.*) 3.1
   fish market **pescadería** *f.* 3.2
fishing **pesca** *f.*
fit (*clothing*) **quedar** *v.* 2.1
five **cinco** 1.1
five hundred **quinientos/as** 1.2
fix (*put in working order*) **arreglar**
   v. 2.5; (*clothes, hair, etc. to*
   go out) **arreglarse** *v.* 2.1
fixed **fijo/a** *adj.* 1.6
flag **bandera** *f.*
flexible **flexible** *adj.* 3.3
flood **inundación** *f.* 3.6
floor (*of a building*) **piso** *m.* 1.5;
   suelo *m.* 2.6
   ground floor **planta baja** *f.* 1.5
   top floor **planta** *f.* **alta**
florist's shop **floristería** *f.* 3.2
flower **flor** *f.* 3.1
flu **gripe** *f.* 2.4
fog **niebla** *f.*
folk **folclórico/a** *adj.* 3.5
follow **seguir (e:i)** *v.* 1.4
food **comida** *f.* 1.4, 2.2
foolish **tonto/a** *adj.* 1.3
foot **pie** *m.* 2.4
football **fútbol** *m.*
   americano 1.4
for **para** *prep.* 2.5; **por** *prep.* 2.5
   for example **por ejemplo** 2.5
   for me **para mí** 2.2
forbid **prohibir** *v.*
foreign **extranjero/a** *adj.* 3.5
   foreign languages **lenguas**
   f., pl. **extranjeras** 1.2
forest **bosque** *m.* 3.1
forget **olvidar** *v.* 2.4
fork **tenedor** *m.* 2.6
form **formulario** *m.* 3.2
forty **cuarenta** 1.2
four **cuatro** 1.1
four hundred
   cuatrocientos/as 1.2
fourteen **catorce** 1.1
fourth **cuarto/a** *m., f.* 1.5
free **libre** *adj. m., f.* 1.4
   be free (of charge) **ser gratis** 3.2
   free time **tiempo libre**; spare
   (free) time **ratos libres** 1.4

freedom **libertad** *f.* 3.6
freezer **congelador** *m.* 2.6
French **francés, francesa** *adj.* 1.3
  French fries **papas** *f., pl.*
    fritas 2.2; **patatas** *f., pl.*
    fritas 2.2
frequently **frecuentemente** *adv.*;
  con frecuencia *adv.* 2.4
Friday **viernes** *m., sing.* 1.2
fried **frito/a** *adj.* 2.2
  fried potatoes **papas** *f., pl.*
    fritas 2.2; **patatas** *f., pl.*
    fritas 2.2
friend **amigo/a** *m., f.* 1.3
friendly **amable** *adj. m., f.* 1.5
friendship **amistad** *f.* 2.3
from **de** *prep.* 1.1; **desde** *prep.* 1.6
  from the United States
    estadounidense *m., f. adj.* 1.3
  from time to time **de vez en**
    cuando 2.4
  I'm from… **Soy de…** 1.1
front: (cold) front **frente (frío)**
  m. 1.5
fruit **fruta** *f.* 2.2
  fruit juice **jugo** *m.* **de fruta** 2.2
  fruit store **frutería** *f.* 3.2
full **lleno/a** *adj.* 2.5
fun **divertido/a** *adj.*
  fun activity **diversión** *f.* 1.4
  have fun **divertirse (e:ie)** *v.* 2.3
function **funcionar** *v.*
furniture **muebles** *m., pl.* 2.6
furthermore **además (de)** *adv.* 2.4
future **porvenir** *m.* 3.4
  in the future **en el futuro**

G

gain weight **aumentar** *v.* **de**
  peso 3.3; **engordar** *v.* 3.3
game **juego** *m.*; *(match)*
  partido *m.* 1.4
  game show **concurso** *m.* 3.5
garage *(in a house)* **garaje** *m.* 2.6;
  garaje *m.* 2.5; **taller**
  (mecánico) 2.5
garden **jardín** *m.* 2.6
garlic **ajo** *m.* 2.2
gas station **gasolinera** *f.* 2.5
gasoline **gasolina** *f.* 2.5
gentleman **caballero** *m.* 2.2
geography **geografía** *f.* 1.2
German **alemán, alemana**
  adj. 1.3
get **conseguir(e:i)** *v.* 1.4;
  obtener *v.* 3.4
  get along well/badly (with)
    llevarse bien/mal (con) 2.3
  get bigger **aumentar** *v.* 3.3
  get bored **aburrirse** *v.* 3.5
  get good grades **sacar buenas**
    notas 1.2
  get off of (a vehicle) **bajar(se)** *v.*
    de 2.5

get on/into (a vehicle) **subir(se)**
  v. **a** 2.5
get out of (a vehicle) **bajar(se)**
  v. **de** 2.5
get ready **arreglarse** *v.* 2.1
get up **levantarse** *v.* 2.1
gift **regalo** *m.* 1.6
ginger **jengibre** *m.* 2.4
girl **chica** *f.* 1.1; **muchacha** *f.* 1.3
girlfriend **novia** *f.* 1.3
give **dar** *v.* 1.6; *(as a gift)*
  regalar 2.3
  give directions **indicar cómo**
    llegar 3.2
glass *(drinking)* **vaso** *m.* 2.6;
  vidrio *m.* 3.1
  (made) of glass **de vidrio** 3.1
glasses **gafas** *f., pl.* 1.6
  sunglasses **gafas** *f., pl.*
    de sol 1.6
global warming **calentamiento**
  global *m.* 3.1
gloves **guantes** *m., pl.* 1.6
go **ir** *v.* 1.4
  go away **irse** 2.1
  go by boat **ir en barco** 1.5
  go by bus **ir en autobús** 1.5
  go by car **ir en auto(móvil)** 1.5
  go by motorcycle **ir en**
    moto(cicleta) 1.5
  go by plane **ir en avión** 1.5
  go by taxi **ir en taxi** 1.5
  go down **bajar(se)** *v.*
  go on a hike **ir de excursión** 1.4
  go out (with) **salir** *v.* **(con)** 2.3
  go up **subir** *v.*
  Let's go. **Vamos.** 1.4
goal **meta** *f.* 3.6
goat **cabra** *f.* 3.1
goblet **copa** *f.* 2.6
going to: be going to *(do*
  something) **ir a (+ inf.)** 1.4
golf **golf** *m.* 1.4
good **buen, bueno/a** *adj.* 1.3, 1.6
  Good afternoon. **Buenas**
    tardes. 1.1
  Good evening. **Buenas**
    noches. 1.1
  Good morning. **Buenos días.** 1.1
  Good night. **Buenas noches.** 1.1
  It's good that… **Es bueno**
    que… 2.6
goodbye **adiós** *m.* 1.1
good-looking **guapo/a** *adj.* 1.3
government **gobierno** *m.* 3.1
GPS **navegador GPS** *m.* 2.5
graduate (from/in) **graduarse** *v.*
  (de/en) 2.3
grains **cereales** *m., pl.* 2.2
granddaughter **nieta** *f.* 1.3
grandfather **abuelo** *m.* 1.3
grandmother **abuela** *f.* 1.3
grandparents **abuelos** *m., pl.* 1.3
grandson **nieto** *m.* 1.3
grape **uva** *f.* 2.2

grass **hierba** *f.* 3.1
grave **grave** *adj.* 2.4
gray **gris** *adj. m., f.* 1.6
great **fenomenal** *adj. m., f.* 1.5
great-grandfather **bisabuelo** *m.* 1.3
great-grandmother **bisabuela** *f.* 1.3
green **verde** *adj. m., f.* 1.6
greet (each other) **saludar(se)**
  v. 2.5
greeting **saludo** *m.* 1.1
  Greetings to… **Saludos a…** 1.1
grilled **a la plancha** 2.2
ground floor **planta baja** *f.* 1.5
guest *(at a house/hotel)* **huésped**
  m., f. 1.5 *(invited to a function)*
  invitado/a *m., f.* 2.3
guesthouse **hostal** *m.* 1.5
guide **guía** *m., f.*
gymnasium **gimnasio** *m.* 1.4

H

hair **pelo** *m.* 2.1
hairdresser **peluquero/a** *m., f.* 3.4
half **medio/a** *adj.* 1.3
  half-brother **medio**
    hermano *m.* 1.3
  half-past… *(time)* **…y media** 1.1
  half-sister **media hermana** *f.* 1.3
hallway **pasillo** *m.* 2.6
ham **jamón** *m.* 2.2
hamburger **hamburguesa** *f.* 2.2
hand **mano** *f.* 1.1
handsome **guapo/a** *adj.* 1.3
happen **ocurrir** *v.* 3.6
happiness **alegría** *v.* 2.3
Happy birthday!
  ¡Feliz cumpleaños! 2.3
happy **alegre** *adj.* 1.5; **contento/a**
  adj. 1.5; **feliz** *adj. m., f.* 1.5
  be happy **alegrarse** *v.* **(de)** 3.1
hard **difícil** *adj. m., f.* 1.3
hard-working **trabajador(a)** *adj.* 1.3
hardly **apenas** *adv.* 2.4
hat **sombrero** *m.* 1.6
hate **odiar** *v.* 2.3
have **tener** *v.* 1.3
  have time **tener tiempo** 3.2
  have to (do something) **tener**
    que (+ inf.) 1.3
  have a tooth removed **sacar(se)**
    un diente 2.4
he **él** 1.1
head **cabeza** *f.* 2.4
headache **dolor** *m.* **de cabeza** 2.4
health **salud** *f.* 2.4
healthy **saludable** *adj. m., f.* 2.4;
  sano/a *adj.* 2.4
  lead a healthy lifestyle **llevar** *v.*
    una vida sana 3.3
hear **oír** *v.* 1.4
heard **oído/a** *p.p.* 3.2
hearing: sense of hearing **oído** *m.* 2.4
heart **corazón** *m.* 2.4
heat **calor** *m.*
Hello. **Hola.** 1.1

help **ayudar** *v.*; **servir (e:i)** *v.* 1.5
  help each other **ayudarse** *v.* 2.5
  Help! **¡Auxilio!** *interj.* 3.2
her **su(s)** *poss. adj.* 1.3; (of) hers
  suyo(s)/a(s) *poss.* 2.5
  her **la** *f., sing., d.o. pron.* 1.5
  to/for her **le** *f., sing., i.o. pron.* 1.6
here **aquí** *adv.* 1.1
  Here is/are... **Aquí está(n)...** 1.5
Hi. **Hola.** 1.1
highway **autopista** *f.* 2.5;
  carretera *f.* 2.5
hike **excursión** *f.* 1.4
  go on a hike **ir de**
    excursión 1.4
hiker **excursionista** *m., f.*
hiking **de excursión** 1.4
him *m., sing., d.o. pron.* **lo** 1.5;
  to/for him **le** *m., sing., i.o.*
    pron. 1.6
hire **contratar** *v.* 3.4
his **su(s)** *poss. adj.* 1.3; (of) his
  suyo(s)/a(s) *poss. pron.* 2.5
history **historia** *f.* 1.2; 3.5
hobby **pasatiempo** *m.* 1.4
hockey **hockey** *m.* 1.4
hole **hueco** *m.* 1.4
holiday **día** *m.* **de fiesta** 2.3
home **casa** *f.* 1.2
  home page **página** *f.*
    principal 2.5
homework **tarea** *f.* 1.2
honey **miel** *f.*
hood **capó** *m.* 2.5; **cofre** *m.* 2.5
hope **esperar** *v.* (+ *inf.*) 1.2;
  esperar *v.* 3.1
  I hope (that) **ojalá (que)** 3.1
horror (genre) **de horror** *m.* 3.5
hors d'oeuvres **entremeses** *m.,*
  pl. 2.2
horse **caballo** *m.* 1.5
hospital **hospital** *m.* 2.4
hot: be (*feel*) (very) hot **tener**
  (mucho) calor 1.3
  It's (very) hot. **Hace (mucho)**
    calor. 1.5
hotel **hotel** *m.* 1.5
hour **hora** *f.* 1.1
house **casa** *f.* 1.2
household chores **quehaceres** *m.*
  pl. **domésticos** 2.6
housekeeper **ama** *m., f.* **de casa** 2.6
housing **vivienda** *f.* 2.6
How...! **¡Qué...!**
  how **¿cómo?** *adv.* 1.1, 1.2
  How are you? **¿Qué tal?** 1.1
  How are you? **¿Cómo estás?**
    fam. 1.1
  How are you? **¿Cómo está**
    usted? *form.* 1.1
  How can I help you? **¿En qué**
    puedo servirles? 1.5
  How is it going? **¿Qué tal?** 1.1
  How is the weather? **¿Qué**
    tiempo hace? 1.5

How much/many?
  ¿Cuánto(s)/a(s)? 1.1
How much does... cost?
  ¿Cuánto cuesta...? 1.6
How old are you? **¿Cuántos**
  años tienes? *fam.*
however **sin embargo**
hug (each other) **abrazar(se)** *v.* 2.5
humanities **humanidades** *f., pl.* 1.2
hundred **cien, ciento** 1.2
hunger **hambre** *f.*
hungry: be (very) hungry **tener** *v.*
  (mucha) hambre 1.3
hunt **cazar** *v.* 3.1
hurricane **huracán** *m.* 3.6
hurry **apurarse** *v.* 3.3; **darse**
  prisa *v.* 3.3
  be in a (big) hurry **tener** *v.*
    (mucha) prisa 1.3
hurt **doler (o:ue)** *v.* 2.4
husband **esposo** *m.* 1.3

I

I **yo** 1.1
  I hope (that) **Ojalá (que)**
    interj. 3.1
  I wish (that) **Ojalá (que)**
    interj. 3.1
ice cream **helado** *m.* 2.3
  ice cream shop **heladería** *f.* 3.2
iced **helado/a** *adj.* 2.2
  iced tea **té** *m.* **helado** 2.2
idea **idea** *f.* 3.6
if **si** *conj.* 1.4
illness **enfermedad** *f.* 2.4
important **importante** *adj.* 1.3
  be important to **importar** *v.* 2.1
  It's important that... **Es**
    importante que... 2.6
impossible **imposible** *adj.* 3.1
  it's impossible **es imposible** 3.1
improbable **improbable** *adj.* 3.1
  it's improbable **es**
    improbable 3.1
improve **mejorar** *v.* 3.1
in **en** *prep.* 1.2; **por** *prep.* 2.5
  in the afternoon **de la**
    tarde 1.1; **por la tarde** 2.1
  in a bad mood **de mal**
    humor 1.5
  in the direction of **para** *prep.* 2.5
  in the early evening **de la**
    tarde 1.1
  in the evening **de la noche** 1.1;
    por la tarde 2.1
  in a good mood **de buen**
    humor 1.5
  in the morning **de la mañana**
    1.1; **por la mañana** 2.1
  in love (with) **enamorado/a**
    (de) 1.5
  in search of **por** *prep.* 2.5
in front of **delante de** *prep.* 1.2

increase **aumento** *m.*
incredible **increíble** *adj.* 1.5
inequality **desigualdad** *f.* 3.6
infection **infección** *f.* 2.4
inform **informar** *v.* 3.6
inhale **inhalar** *v.* 3.3
injection **inyección** *f.* 2.4
  give an injection *v.* **poner una**
    inyección 2.4
injure (oneself) **lastimarse** 2.4
  injure (one's foot) **lastimarse** *v.*
    (el pie) 2.4
inner ear **oído** *m.* 2.4
inside **dentro** *adv.*
insist (on) **insistir** *v.* **(en)** 2.6
installments: pay in installments
  pagar *v.* **a plazos** 3.2
intelligent **inteligente** *adj.* 1.3
intend to **pensar** *v.* **(+ *inf.*)** 1.4
interest **interesar** *v.* 2.1
interesting **interesante** *adj.* 1.3
  be interesting to **interesar** *v.* 2.1
international **internacional**
  adj. m., f. 3.6
Internet **Internet** 2.5
interview **entrevista** *f.* 3.4;
  interview **entrevistar** *v.* 3.4
interviewer **entrevistador(a)** *m.,*
  f. 3.4
introduction **presentación** *f.*
  I would like to introduce you to
  (name). **Le presento a...**
    form. 1.1; **Te presento a...**
    fam. 1.1
invest **invertir (e:ie)** *v.* 3.4
invite **invitar** *v.* 2.3
iron (clothes) **planchar** *v.* **la**
  ropa 2.6
issue **asunto** *m.* 3.6
it **lo/la** *sing., d.o., pron.* 1.5
Italian **italiano/a** *adj.* 1.3
its **su(s)** *poss. adj.* 1.3;
  suyo(s)/a(s) *poss. pron.* 2.5
it's the same **es igual** 1.5

J

jacket **chaqueta** *f.* 1.6
January **enero** *m.* 1.5
Japanese **japonés, japonesa**
  adj. 1.3
jeans **(blue)jeans** *m., pl.* 1.6
jewelry store **joyería** *f.* 3.2
job **empleo** *m.* 3.4; **puesto**
  m. 3.4; **trabajo** *m.* 3.4
  job application **solicitud** *f.* **de**
    trabajo 3.4
jog **correr** *v.*
journalism **periodismo** *m.* 1.2
journalist **periodista** *m., f.* 1.3
joy **alegría** *f.* 2.3
juice **jugo** *m.* 2.2
July **julio** *m.* 1.5
June **junio** *m.* 1.5

jungle **selva, jungla** *f.* 3.1
just **apenas** *adv.*
 have just done something
  acabar de (+ inf.) 1.6

key **llave** *f.* 1.5
keyboard **teclado** *m.* 2.5
kilometer **kilómetro** *m.* 2.5
kiss **beso** *m.* 2.3
 kiss each other **besarse** *v.* 2.5
kitchen **cocina** *f.* 2.6
knee **rodilla** *f.* 2.4
knife **cuchillo** *m.* 2.6
know **saber** *v.* 1.6; **conocer**
 v. 1.6
know how **saber** *v.* 1.6

laboratory **laboratorio** *m.* 1.2
lack **faltar** *v.* 2.1
lake **lago** *m.* 3.1
lamp **lámpara** *f.* 2.6
land **tierra** *f.* 3.1
landscape **paisaje** *m.* 1.5
language **lengua** *f.* 1.2
laptop (computer) **computadora**
 f. **portátil** 2.5
large **grande** *adj.* 1.3
large (clothing size) **talla grande**
last **durar** *v.* 3.6; **pasado/a**
 adj. 1.6; **último/a** *adj.* 2.1
 last name **apellido** *m.* 1.3
 last night **anoche** *adv.* 1.6
 last week **semana** *f.*
  pasada 1.6
 last year **año** *m.* **pasado** 1.6
 the last time **la última vez** 2.1
late **tarde** *adv.* 2.1
later (on) **más tarde** 2.1
 See you later. **Hasta la vista.** 1.1;
  Hasta luego. 1.1
laugh **reírse (e:i)** *v.* 2.3
laughed **reído** *p.p.* 3.2
laundromat **lavandería** *f.* 3.2
law **ley** *f.* 3.1
lawyer **abogado/a** *m., f.* 3.4
lazy **perezoso/a** *adj.*
learn **aprender** *v.* (a + *inf.*) 1.3
least, at **por lo menos** *adv.* 2.4
leave **salir** *v.* 1.4; **irse** *v.* 2.1
 leave a tip **dejar una**
  propina
 leave behind **dejar** *v.* 3.4
 leave for (a place) **salir para**
 leave from **salir de**
left **izquierda** *f.* 1.2
 be left over **quedar** *v.* 2.1
 to the left of **a la izquierda**
  de 1.2
leg **pierna** *f.* 2.4
lemon **limón** *m.* 2.2
lend **prestar** *v.* 1.6

less **menos** *adv.* 2.4
 less… than **menos… que** 2.2
 less than **menos de (+ number)**
lesson **lección** *f.* 1.1
let **dejar** *v.*
let's see **a ver**
letter **carta** *f.* 1.4, 3.2
lettuce **lechuga** *f.* 2.2
liberty **libertad** *f.* 3.6
library **biblioteca** *f.* 1.2
license (driver's) **licencia** *f.* **de**
 conducir 2.5
lie **mentira** *f.* 1.4
life **vida** *f.* 2.3
lifestyle: lead a healthy lifestyle
 llevar una vida sana 3.3
lift **levantar** *v.* 3.3
 lift weights **levantar pesas** 3.3
light **luz** *f.* 2.6
like **como** *prep.* 2.2; **gustar** *v.* 1.2
 I like… **Me gusta(n)…** 1.2
 like this **así** *adv.* 2.4
 like very much **encantar** *v.*;
  fascinar *v.* 2.1
 Do you like…? **¿Te**
  gusta(n)…? 1.2
likeable **simpático/a** *adj.* 1.3
likewise **igualmente** *adv.* 1.1
limp **cojear** *v.* 2.4; **cojera** *f.* 2.4
line **línea** *f.* 1.4; **cola** (queue) *f.* 3.2
listen (to) **escuchar** *v.* 1.2
 listen to music **escuchar**
  música 1.2
 listen to the radio **escuchar la**
  radio 1.2
literature **literatura** *f.* 1.2
little (quantity) **poco** *adv.* 2.4
live **vivir** *v.* 1.3; **en vivo** *adj.* 2.1
living room **sala** *f.* 2.6
loan **préstamo** *m.* 3.2; **prestar**
 v. 1.6, 3.2
lobster **langosta** *f.* 2.2
located **situado/a** *adj.*
 be located **quedar** *v.* 3.2
long **largo/a** *adj.* 1.6
look (at) **mirar** *v.* 1.2
look for **buscar** *v.* 1.2
lose **perder (e:ie)** *v.* 1.4
 lose weight **adelgazar** *v.* 3.3
lost **perdido/a** *adj.* 3.1, 3.2
 be lost **estar perdido/a** 3.2
lot, a **muchas veces** *adv.* 2.4
lot of, a **mucho/a** *adj.* 1.3;
 un montón de 1.4
love (another person) **querer**
 (e:ie) *v.* 1.4; (inanimate objects)
 encantar *v.* 2.1; **amor** *m.* 2.3
 in love **enamorado/a** *adj.* 1.5
 love at first sight **amor a**
  primera vista 2.3
luck **suerte** *f.*
lucky: be (very) lucky **tener**
 (mucha) suerte 1.3
luggage **equipaje** *m.* 1.5
lunch **almuerzo** *m.* 1.4, 2.2
 have lunch **almorzar (o:ue)**
  v. 1.4

ma'am **señora (Sra.); doña** *f.* 1.1
mad **enojado/a** *adj.* 1.5
magazine **revista** *f.* 1.4
magnificent **magnífico/a** *adj.* 1.5
mail **correo** *m.* 3.2; **enviar** *v.*,
 mandar *v.* 3.2; **echar (una**
 carta) al buzón 3.2
 mail carrier **cartero** *m.* 3.2
mailbox **buzón** *m.* 3.2
main **principal** *adj. m., f.* 2.2
maintain **mantener** *v.* 3.3
major **especialización** *f.* 1.2
make **hacer** *v.* 1.4
 make the bed **hacer la cama** 2.6
makeup **maquillaje** *m.* 2.1
 put on makeup **maquillarse**
  v. 2.1
man **hombre** *m.* 1.1
manager **gerente** *m., f.* 3.4
many **mucho/a** *adj.* 1.3
 many times **muchas veces** 2.4
map **mapa** *m.* 1.1, 1.2
March **marzo** *m.* 1.5
margarine **margarina** *f.* 2.2
marinated fish **ceviche** *m.* 2.2
 lemon-marinated shrimp
  ceviche *m.* **de camarón** 2.2
marital status **estado** *m.* **civil** 2.3
market **mercado** *m.* 1.6
 open-air market **mercado al**
  aire libre 1.6
marriage **matrimonio** *m.* 2.3
married **casado/a** *adj.* 2.3
 get married (to) **casarse** *v.*
  (con) 2.3
marvelous **maravilloso/a** *adj.* 1.5
massage **masaje** *m.* 3.3
masterpiece **obra maestra** *f.* 3.5
mat **estera** *f.* 3.3
match (sports) **partido** *m.* 1.4
match (with) **hacer** *v.*
 juego (con) 1.6
mathematics **matemáticas**
 f., pl. 1.2
matter **importar** *v.* 2.1
maturity **madurez** *f.* 2.3
maximum **máximo/a** *adj.* 2.5
May **mayo** *m.* 1.5
maybe **tal vez** 1.5; **quizás** 1.5
mayonnaise **mayonesa** *f.* 2.2
me **me** *sing., d.o. pron.* 1.5
 to/for me **me** *sing., i.o. pron.* 1.6
meal **comida** *f.* 2.2
means of communication **medios**
 m., pl. **de comunicación** 3.6
meat **carne** *f.* 2.2
mechanic **mecánico/a** *m., f.* 2.5
 mechanic's repair shop **taller**
  mecánico 2.5
media **medios** *m., pl.* **de**
 comunicación 3.6
medical **médico/a** *adj.* 2.4
medication **medicamento** *m.* 2.4
medicine **medicina** *f.* 2.4

medium **mediano/a** *adj.*
meet (each other) **encontrar(se)**
   v. 2.5; **conocer(se)** *v.* 2.2
meeting **reunión** *f.* 3.4
menu **menú** *m.* 2.2
message **mensaje** *m.*
messenger **mensajero/a** *m., f.* 2.3
Mexican **mexicano/a** *adj.* 1.3
microwave **microonda** *f.* 2.6
   microwave oven **horno** *m.* **de**
      microondas 2.6
middle age **madurez** *f.* 2.3
midnight **medianoche** *f.* 1.1
mile **milla** *f.*
milk **leche** *f.* 2.2
million **millón** *m.* 1.2
   million of **millón de** 1.2
mine **mío(s)/a(s)** *poss.* 2.5
mineral **mineral** *m.* 3.3
   mineral water **agua** *f.*
      mineral 2.2
minute **minuto** *m.*
mirror **espejo** *m.* 2.1
Miss **señorita (Srta.)** *f.* 1.1
miss **perder (e:ie)** *v.* 1.4
mistaken **equivocado/a** *adj.*
modern **moderno/a** *adj.* 3.5
mom **mamá** *f.*
Monday **lunes** *m., sing.* 1.2
money **dinero** *m.* 1.6
monitor **monitor** *m.* 2.5
monkey **mono** *m.* 3.1
month **mes** *m.* 1.5
monument **monumento** *m.* 1.4
moon **luna** *f.* 3.1
more **más** 1.2
   more... than **más... que** 2.2
   more than **más de** (+
      number) 2.2
morning **mañana** *f.* 1.1
mother **madre** *f.* 1.3
mother-in-law **suegra** *f.* 1.3
motor **motor** *m.*
motorcycle **moto(cicleta)** *f.* 1.5
mountain **montaña** *f.* 1.4
mouse **ratón** *m.* 2.5
mouth **boca** *f.* 2.4
move (*from one house to another*)
   mudarse *v.* 2.6
movie **película** *f.* 1.4
   movie star **estrella** *f.*
      de cine 3.5
   movie theater **cine** *m.* 1.4
MP3 player **reproductor** *m.* **de**
   MP3 2.5
Mr. **señor (Sr.)**; **don** *m.* 1.1
Mrs. **señora (Sra.)**; **doña** *f.* 1.1
much **mucho/a** *adj.* 1.3
mud **lodo** *m.*
murder **crimen** *m.* 3.6
muscle **músculo** *m.* 3.3
museum **museo** *m.* 1.4
mushroom **champiñón** *m.* 2.2
music **música** *f.* 1.2, 3.5

musical **musical** *adj., m., f.* 3.5
musician **músico/a** *m., f.* 3.5
must **deber** *v.* (+ *inf.*) 1.3
my **mi(s)** *poss. adj.* 1.3; **mío(s)/a(s)**
   poss. pron. 2.5

N

name **nombre** *m.* 1.1
   be named **llamarse** *v.* 2.1
   in the name of **a nombre de** 1.5
   last name **apellido** *m.* 1.3
   My name is... **Me llamo...** 1.1
   name someone/something
      ponerle el nombre 2.3
napkin **servilleta** *f.* 2.6
national **nacional** *adj. m., f.* 3.6
nationality **nacionalidad** *f.* 1.1
natural **natural** *adj. m., f.* 3.1
   natural disaster **desastre** *m.*
      natural 3.6
   natural resource **recurso** *m.*
      natural 3.1
nature **naturaleza** *f.* 3.1
nauseated **mareado/a** *adj.* 2.4
near **cerca de** *prep.* 1.2
neaten **arreglar** *v.* 2.6
necessary **necesario/a** *adj.* 2.6
   It is necessary that... **Es**
      necesario que... 2.6
neck **cuello** *m.* 2.4
need **faltar** *v.* 2.1; **necesitar** *v.*
   (+ *inf.*) 1.2
neighbor **vecino/a** *m., f.* 2.6
neighborhood **barrio** *m.* 2.6
neither **tampoco** *adv.* 2.1
neither... nor **ni... ni** *conj.* 2.1
nephew **sobrino** *m.* 1.3
nervous **nervioso/a** *adj.* 1.5
network **red** *f.* 2.5
never **nunca** *adj.* 2.1; **jamás** 2.1
new **nuevo/a** *adj.* 1.6
newlywed **recién casado/a**
   m., f. 2.3
news **noticias** *f., pl.* 3.6;
   actualidades *f., pl.* 3.6;
newscast **noticiero** *m.* 3.6
newspaper **periódico** 1.4;
   diario *m.* 3.6
next **próximo/a** *adj.* 1.3, 3.4
   next to **al lado de** *prep.* 1.2
nice **simpático/a** *adj.* 1.3;
   amable *adj.* 1.5
niece **sobrina** *f.* 1.3
night **noche** *f.* 1.1
   night stand **mesita** *f.* **de**
      noche 2.6
nine **nueve** 1.1
nine hundred
   novecientos/as 1.2
nineteen **diecinueve** 1.1
ninety **noventa** 1.2
ninth **noveno/a** 1.5

no **no** 1.1; **ningún,**
   ninguno/a(s) *adj.* 2.1
   no one **nadie** *pron.* 2.1
nobody **nadie** 2.1
none **ningún, ninguno/a(s)**
   adj. 2.1
noon **mediodía** *m.* 1.1
nor **ni** *conj.* 2.1
north **norte** *m.* 3.2
   to the north **al norte** 3.2
nose **nariz** *f.* 2.4
not **no** 1.1
   not any **ningún, ninguno/a(s)**
      adj. 2.1
   not anyone **nadie** *pron.* 2.1
   not anything **nada** *pron.* 2.1
   not bad at all **nada mal** 1.5
   not either **tampoco** *adv.* 2.1
   not ever **nunca** *adv.* 2.1; **jamás**
      adv. 2.1
   not very well **no muy bien** 1.1
   not working **descompuesto/a**
      adj. 2.5
notebook **cuaderno** *m.* 1.1
nothing **nada** 1.1; 2.1
noun **sustantivo** *m.*
November **noviembre** *m.* 1.5
now **ahora** *adv.* 1.2
nowadays **hoy día** *adv.*
nuclear **nuclear** *adj. m., f.* 3.1
   nuclear energy **energía**
      nuclear 3.1
number **número** *m.* 1.1
nurse **enfermero/a** *m., f.* 2.4
nutrition **nutrición** *f.* 3.3
nutritionist **nutricionista** *m.,*
   f. 3.3

O

o'clock: It's... o'clock **Son**
   las... 1.1
   It's one o'clock. **Es la una.** 1.1
obey **obedecer** *v.* 3.6
obligation **deber** *m.* 3.6
obtain **conseguir (e:i)** *v.* 1.4;
   obtener *v.* 3.4
obvious **obvio/a** *adj.* 3.1
   it's obvious **es obvio** 3.1
occupation **ocupación** *f.* 3.4
occur **ocurrir** *v.* 3.6
October **octubre** *m.* 1.5
of **de** *prep.* 1.1
   Of course. **Claro que sí.;**
      Por supuesto.
offer **oferta** *f.*; **ofrecer (c:zc)**
   v. 1.6
office **oficina** *f.* 2.6
   doctor's office **consultorio**
      m. 2.4
often **a menudo** *adv.* 2.4
Oh! **¡Ay!**
oil **aceite** *m.* 2.2
OK **regular** *adj.* 1.1
   It's okay. **Está bien.**

old **viejo/a** adj. 1.3
old age **vejez** f. 2.3
older **mayor** adj. m., f. 1.3
  older brother, sister **hermano/a mayor** m., f. 1.3
oldest **el/la mayor** 2.2
olive **aceituna** f. 2.2
on **en** prep. 1.2; **sobre** prep. 1.2
  on behalf of **por** prep. 2.5
  on the dot **en punto** 1.1
  on time **a tiempo** 2.4
  on top of **encima de** 1.2
once **una vez** 1.6
one **uno** 1.1
  one hundred **cien(to)** 1.2
  one million **un millón** m. 1.2
  one more time **una vez más**
  one thousand **mil** 1.2
  one time **una vez** 1.6
onion **cebolla** f. 2.2
only **sólo** adv. 1.6; **único/a** adj. 1.3
  only child **hijo/a único/a** m., f. 1.3
open **abierto/a** adj. 1.5, 3.2; **abrir** v. 1.3
open-air **al aire libre** 1.6
opening **inauguración** f. 3.5
opera **ópera** f. 3.5
operation **operación** f. 2.4
opportunity **oportunidad** f. 3.4
opposite **enfrente de** prep. 3.2
or **o** conj. 2.1
orange **anaranjado/a** adj. 1.6; **naranja** f. 2.2
orchestra **orquesta** f. 3.5
order **mandar** 2.6; (food) **pedir (e:i)** v. 2.2
  in order to **para** prep. 2.5
orderly **ordenado/a** adj. 1.5
ordinal (numbers) **ordinal** adj.
organize oneself **organizarse** v. 2.6
other **otro/a** adj. 1.6
ought to **deber** v. (+ inf.) adj. 1.3
our **nuestro(s)/a(s)** poss. adj. 1.3; poss. pron. 2.5
out of order **descompuesto/a** adj. 2.5
outside **afuera** adv. 1.5
outskirts **afueras** f., pl. 2.6
oven **horno** m. 2.6
over **sobre** prep. 1.2
(over)population **(sobre)población** f. 3.1
over there **allá** adv. 1.2
own **propio/a** adj.
owner **dueño/a** m., f. 2.2

P

p.m. **de la tarde, de la noche** f. 1.1
pack (one's suitcases) **hacer** v. **las maletas** 1.5
package **paquete** m. 3.2
page **página** f. 2.5

pain **dolor** m. 2.4
  have pain **tener** v. **dolor** 2.4
paint **pintar** v. 3.5
painter **pintor(a)** m., f. 3.4
painting **pintura** f. 2.6, 3.5
pair **par** m. 1.6
  pair of shoes **par** m. **de zapatos** 1.6
pants **pantalones** m., pl. 1.6
pantyhose **medias** f., pl. 1.6
paper **papel** m. 1.2; (report) **informe** m. 3.6
Pardon me. (May I?) **Con permiso.** 1.1; (Excuse me.) Pardon me. **Perdón.** 1.1
parents **padres** m., pl. 1.3; **papás** m., pl.
park **estacionar** v. 2.5; **parque** m. 1.4
parking lot **estacionamiento** m. 3.2
partner (one of a married couple) **pareja** f. 2.3
party **fiesta** f. 2.3
passed **pasado/a** p.p.
passenger **pasajero/a** m., f. 1.1
passport **pasaporte** m. 1.5
past **pasado/a** adj. 1.6
pastime **pasatiempo** m. 1.4
pastry shop **pastelería** f. 3.2
path **sendero** m. 3.1
patient **paciente** m., f. 2.4
patio **patio** m. 2.6
pay **pagar** v. 1.6
  pay in cash **pagar** v. **al contado; pagar en efectivo** 3.2
  pay in installments **pagar** v. **a plazos** 3.2
  pay the bill **pagar la cuenta**
pea **arveja** m. 2.2
peace **paz** f. 3.6
peach **melocotón** m. 2.2
peak **cima** f. 3.3
pear **pera** f. 2.2
pen **pluma** f. 1.2
pencil **lápiz** m. 1.1
penicillin **penicilina** f.
people **gente** f. 1.3
pepper (black) **pimienta** f. 2.2
per **por** prep. 2.5
percentage **porcentaje** m. 3.6
perfect **perfecto/a** adj. 1.5
period of time **temporada** f. 1.5
person **persona** f. 1.3
pharmacy **farmacia** f. 2.4
phenomenal **fenomenal** adj. 1.5
photograph **foto(grafía)** f. 1.1
physical (exam) **examen** m. **médico** 2.4
physician **doctor(a), médico/a** m., f. 1.3
physics **física** f. sing. 1.2
pick up **recoger** v. 3.1
picture **cuadro** m. 2.6; **pintura** f. 2.6
pie **pastel** m. 2.3
pill (tablet) **pastilla** f. 2.4
pillow **almohada** f. 2.6

pineapple **piña** f.
pink **rosado/a** adj. 1.6
place **lugar** m. 1.2, 1.4; **sitio** m. 1.3; **poner** v. 1.4
plaid **de cuadros** 1.6
plans **planes** m., pl.
  have plans **tener planes**
plant **planta** f. 3.1
plastic **plástico** m. 3.1
  (made) of plastic **de plástico** 3.1
plate **plato** m. 2.6
play **drama** m. 3.5; **comedia** f. 3.5 **jugar (u:ue)** v. 1.4; (a musical instrument) **tocar** v. 3.5; (a role) **hacer el papel de** 3.5; (cards) **jugar a (las cartas)** 1.5; (sports) **practicar deportes** 1.4
player **jugador(a)** m., f. 1.4
playwright **dramaturgo/a** m., f. 3.5
plead **rogar (o:ue)** v. 2.6
pleasant **agradable** adj.
please **por favor** 1.1
Pleased to meet you. **Mucho gusto.** 1.1; **Encantado/a.** adj. 1.1
pleasing: be pleasing to **gustar** v. 2.1
pleasure **gusto** m. 1.1; **placer** m. The pleasure is mine. **El gusto es mío.** 1.1
poem **poema** m. 3.5
poet **poeta** m., f. 3.5
poetry **poesía** f. 3.5
police (force) **policía** f. 2.5
political **político/a** adj. 3.6
politician **político/a** m., f. 3.4
politics **política** f. 3.6
polka-dotted **de lunares** 1.6
poll **encuesta** f. 3.6
pollute **contaminar** v. 3.1
polluted **contaminado/a** m., f. 3.1
  be polluted **estar contaminado/a** 3.1
pollution **contaminación** f. 3.1
pond **estanque** m. 1.3
pool **piscina** f. 1.4
poor **pobre** adj., m., f. 1.6
  poor thing **pobrecito/a** adj. 1.3
popsicle **paleta helada** f. 1.4
population **población** f. 3.1
pork **cerdo** m. 2.2
  pork chop **chuleta** f. **de cerdo** 2.2
portable **portátil** adj. 2.5
  portable computer **computadora** f. **portátil** 2.5
position **puesto** m. 3.4
possessive **posesivo/a** adj.
possible **posible** adj. 3.1
  it's (not) possible **(no) es posible** 3.1
post office **correo** m. 3.2
postcard **postal** f.
poster **cartel** m. 2.6
potato **papa** f. 2.2; **patata** f. 2.2
pottery **cerámica** f. 3.5

practice **entrenarse** *v.* 3.3;
   practicar *v.* 1.2
prefer **preferir (e:ie)** *v.* 1.4
pregnant **embarazada** *adj. f.* 2.4
prepare **preparar** *v.* 1.2
preposition **preposición** *f.*
prescribe (*medicine*) **recetar** *v.* 2.4
prescription **receta** *f.* 2.4
present **regalo** *m.*; **presentar** *v.* 3.5
press **prensa** *f.* 3.6
pressure **presión** *f.*
   be under a lot of pressure **sufrir
     muchas presiones** 3.3
pretty **bonito/a** *adj.* 1.3
price **precio** *m.* 1.6
   (fixed, set) price **precio** *m.*
     fijo 1.6
print **imprimir** *v.* 2.5
printer **impresora** *f.* 2.5
prize **premio** *m.* 3.5
probable **probable** *adj.* 3.1
   it's (not) probable **(no) es
     probable** 3.1
problem **problema** *m.* 1.1
profession **profesión** *f.* 1.3; 3.4
professor **profesor(a)** *m., f.*
program **programa** *m.* 1.1
programmer **programador(a)**
   m., f. 1.3
prohibit **prohibir** *v.* 2.4
promotion (*career*)
   ascenso *m.* 3.4
pronoun **pronombre** *m.*
protect **proteger** *v.* 3.1
protein **proteína** *f.* 3.3
provided (that) **con tal (de) que**
   conj. 3.1
psychologist **psicólogo/a**
   m., f. 3.4
psychology **psicología** *f.* 1.2
publish **publicar** *v.* 3.5
Puerto Rican **puertorriqueño/a**
   adj. 1.3
purchases **compras** *f., pl.*
pure **puro/a** *adj.* 3.1
purple **morado/a** *adj.* 1.6
purse **bolsa** *f.* 1.6
put **poner** *v.* 1.4; **puesto/a** *p.p.* 3.2
   put (a letter) in the mailbox
     **echar (una carta) al
     buzón** 3.2
   put on (*a performance*)
     presentar *v.* 3.5
   put on (*clothing*) **ponerse** *v.* 2.1
   put on makeup **maquillarse**
     v. 2.1

Q

quality **calidad** *f.* 1.6
quarter (*academic*) **trimestre** *m.* 1.2
   quarter after (*time*) **y cuarto**
     1.1; **y quince** 1.1
   quarter to (*time*) **menos cuarto**
     1.1; **menos quince** 1.1
question **pregunta** *f.*
quickly **rápido** *adv.* 2.4

quiet **tranquilo/a** *adj.* 3.3
quit **dejar** *v.* 3.4
quiz **prueba** *f.* 1.2

R

racism **racismo** *m.* 3.6
radio (*medium*) **radio** *f.* 1.2
   radio (set) **radio** *m.* 2.5
rain **llover (o:ue)** *v.* 1.5; **lluvia** *f.*
   It's raining. **Llueve.** 1.5; **Está
     lloviendo.** 1.5
raincoat **impermeable** *m.* 1.6
rain forest **bosque** *m.* **tropical** 3.1
raise (*salary*) **aumento de
   sueldo** 3.4
rather **bastante** *adv.* 2.4
read **leer** *v.* 1.3; **leído/a** *p.p.* 3.2
   read e-mail **leer el correo
     electrónico** 1.4
   read a magazine **leer una
     revista** 1.4
   read a newspaper **leer un
     periódico** 1.4
ready **listo/a** *adj.* 1.5
reality show **programa de
   realidad** *m.* 3.5
reap the benefits (of) *v.* **disfrutar**
   v. **(de)** 3.3
receive **recibir** *v.* 1.3
recommend **recomendar (e:ie)**
   v. 2.2; 2.6
record **grabar** *v.* 2.5
recreation **diversión** *f.* 1.4
recycle **reciclar** *v.* 3.1
recycling **reciclaje** *m.* 3.1
red **rojo/a** *adj.* 1.6
red-haired **pelirrojo/a** *adj.* 1.3
reduce **reducir** *v.* 3.1; **disminuir**
   v. 3.4
   reduce stress/tension **aliviar el
     estrés/la tensión** 3.3
refrigerator **refrigerador** *m.* 2.6
region **región** *f.*
regret **sentir (e:ie)** *v.* 3.1
relatives **parientes** *m., pl.* 1.3
relax **relajarse** *v.* 2.3
   Relax. **Tranquilo/a.** 3.1
   Relax, sweetie. **Tranquilo/a,
     cariño.** 2.5
relaxing **relajante** *adj.* 3.1
remain **quedarse** *v.* 2.1
remember **acordarse (o:ue)** *v.*
   (de) 2.1; **recordar (o:ue)** *v.* 1.4
remote control **control remoto**
   m. 2.5
renewable **renovable** *adj.* 3.1
rent **alquilar** *v.* 2.6; (payment)
   alquiler *m.* 2.6
repeat **repetir (e:i)** *v.* 1.4
report **informe** *m.* 3.6; **reportaje**
   m. 3.6
reporter **reportero/a** *m., f.* 3.4
representative **representante** *m.,
   f.* 3.6

request **pedir (e:i)** *v.* 1.4
reservation **reservación** *f.* 1.5
resign (from) **renunciar (a)** *v.* 3.4
resolve **resolver (o:ue)** *v.* 3.1
resolved **resuelto/a** *p.p.* 3.2
resource **recurso** *m.* 3.1
responsibility **deber** *m.* 3.6;
   responsabilidad *f.*
responsible **responsable** *adj.* 2.2
rest **descansar** *v.* 1.2
restaurant **restaurante** *m.* 1.4
résumé **currículum** *m.* 3.4
retire (from work) **jubilarse**
   v. 2.3
return **regresar** *v.* 1.2; **volver
   (o:ue)** *v.* 1.4
returned **vuelto/a** *p.p.* 3.2
rice **arroz** *m.* 2.2
rich **rico/a** *adj.* 1.6
ride a bicycle **pasear** *v.* **en
   bicicleta** 1.4
ride a horse **montar** *v.* **a
   caballo** 1.5
ridiculous **ridículo/a** *adj.* 3.1
   it's ridiculous **es ridículo** 3.1
right **derecha** *f.* 1.2
   be right **tener razón** 1.3
   right? (*question tag*) **¿no?** 1.1;
     ¿verdad? 1.1
   right away **enseguida** *adv.*
   right now **ahora mismo** 1.5
   to the right of **a la
     derecha de** 1.2
rights **derechos** *m.* 3.6
ring (*a doorbell*) **sonar (o:ue)**
   v. 2.5
river **río** *m.* 3.1
road **carretera** *f.* 2.5; **camino** *m.*
roast **asado/a** *adj.* 2.2
roast chicken **pollo** *m.* **asado** 2.2
rollerblade **patinar en línea** *v.*
romantic **romántico/a** *adj.* 3.5
room **habitación** *f.* 1.5; **cuarto**
   m. 1.2; 2.1
   living room **sala** *f.* 2.6
roommate **compañero/a**
   m., f. **de cuarto** 1.2
roundtrip **de ida y vuelta** 1.5
   roundtrip ticket **pasaje** *m.* **de
     ida y vuelta** 1.5
routine **rutina** *f.* 2.1
rowboat **bote de remos** *m.* 1.3
rug **alfombra** *f.* 2.6
run **correr** *v.* 1.3
   run errands **hacer
     diligencias** 3.2
   run into (*have an accident*)
     chocar (con) *v.*; (*meet
     accidentally*) **encontrar(se)
     (o:ue)** *v.* 2.5; (*run into
     something*) **darse (con)** 2.4
   run into (each other)
     encontrar(se) (o:ue) *v.* 2.5
rush **apurarse, darse prisa** *v.* 3.3
Russian **ruso/a** *adj.* 1.3

S

sad **triste** *adj.* 1.5; 3.1
   it's sad **es triste** 3.1
safe **seguro/a** *adj.* 1.5
said **dicho/a** *p.p.* 3.2
sailboard **tabla de windsurf** *f.* 1.5
salad **ensalada** *f.* 2.2
salary **salario** *m.* 3.4; **sueldo** *m.* 3.4
sale **rebaja** *f.* 1.6
salesperson **vendedor(a)** *m.*, *f.* 1.6
salmon **salmón** *m.* 2.2
salt **sal** *f.* 2.2
same **mismo/a** *adj.* 1.3
sandal **sandalia** *f.* 1.6
sandwich **sándwich** *m.* 2.2
Saturday **sábado** *m.* 1.2
sausage **salchicha** *f.* 2.2
save (*on a computer*) **guardar** *v.* 2.5; save (money) **ahorrar** *v.* 3.2; save (someone) **salvar** *v.* 3.6
savings **ahorros** *m.* 3.2
   savings account **cuenta** *f.* **de ahorros** 3.2
say **decir** *v.* 1.4; **declarar** *v.* 3.6
say (that) **decir (que)** *v.* 1.4
   say the answer **decir la respuesta** 1.4
scan **escanear** *v.* 2.5
scarcely **apenas** *adv.* 2.4
scared: be (very) scared (of) **tener (mucho) miedo (de)** 1.3
scarf **bufanda** *f.* 1.4
schedule **horario** *m.* 1.2
school **escuela** *f.* 1.1
sciences *f., pl.* **ciencias** 1.2
science fiction (genre) **de ciencia ficción** *f.* 3.5
scientist **científico/a** *m.*, *f.* 3.4
scream **grito** *m.* 1.5; **gritar** *v.*
screen **pantalla** *f.* 2.5
scuba dive **bucear** *v.* 1.4
sculpt **esculpir** *v.* 3.5
sculptor **escultor(a)** *m.*, *f.* 3.5
sculpture **escultura** *f.* 3.5
sea **mar** *m.* 1.5
   (sea) turtle **tortuga (marina)** *f.* 3.1
season **estación** *f.* 1.5
seat **silla** *f.* 1.2; **asiento** *m.* 2.5
   seat belt **cinturón de seguridad** *m.* 2.5
second **segundo/a** 1.5
secretary **secretario/a** *m.*, *f.* 3.4
sedentary **sedentario/a** *adj.* 3.3
see **ver** *v.* 1.4
   see (you, him, her) again **volver a ver(te, lo, la)**
   see movies **ver películas** 1.4
   See you. **Nos vemos.** 1.1
   See you later. **Hasta la vista.** 1.1; **Hasta luego.** 1.1
   See you soon. **Hasta pronto.** 1.1
   See you tomorrow. **Hasta mañana.** 1.1
seem **parecer** *v.* 1.6
seen **visto/a** *p.p.* 3.2

sell **vender** *v.* 1.6
semester **semestre** *m.* 1.2
send **enviar; mandar** *v.* 3.2
separate (from) **separarse** *v.* (de) 2.3
separated **separado/a** *adj.* 2.3
September **septiembre** *m.* 1.5
sequence **secuencia** *f.*
serious **grave** *adj.* 2.4
serve **servir (e:i)** *v.* 2.2
service **servicio** *m.* 3.3
set (*fixed*) **fijo/a** *adj.* 1.6
   set the table **poner la mesa** 2.6
seven **siete** 1.1
seven hundred **setecientos/as** 1.2
seventeen **diecisiete** 1.1
seventh **séptimo/a** 1.5
seventy **setenta** 1.2
several **varios/as** *adj. pl.*
sexism **sexismo** *m.* 3.6
shame **lástima** *f.* 3.1
   it's a shame **es una lástima** 3.1
shampoo **champú** *m.* 2.1
shape **forma** *f.* 3.3
   be in good shape **estar en buena forma** 3.3
   stay in shape **mantenerse en forma** 3.3
share **compartir** *v.* 1.3
sharp (*time*) **en punto** 1.1
shave **afeitarse** *v.* 2.1
shaving cream **crema** *f.* **de afeitar** 1.5, 2.1
she **ella** 1.1
shellfish **mariscos** *m., pl.* 2.2
ship **barco** *m.*
shirt **camisa** *f.* 1.6
shoe **zapato** *m.* 1.6
   shoe size **número** *m.* 1.6
   shoe store **zapatería** *f.* 3.2
   tennis shoes **zapatos** *m., pl.* **de tenis** 1.6
shop **tienda** *f.* 1.6
shopping, to go **ir de compras** 1.5
   shopping mall **centro comercial** *m.* 1.6
short (*in height*) **bajo/a** *adj.* 1.3; (*in length*) **corto/a** *adj.* 1.6
short story **cuento** *m.* 3.5
shorts **pantalones cortos** *m., pl.* 1.6
should (*do something*) **deber** *v.* (+ *inf.*) 1.3
shout **gritar** *v.*
show **espectáculo** *m.* 3.5; **mostrar (o:ue)** *v.* 1.4
   game show **concurso** *m.* 3.5
shower **ducha** *f.* 2.1; **ducharse** *v.* 2.1
shrimp **camarón** *m.* 2.2
siblings **hermanos/as** *pl.* 1.3
sick **enfermo/a** *adj.* 2.4
   be sick **estar enfermo/a** 2.4
   get sick **enfermarse** *v.* 2.4
sign **firmar** *v.* 3.2; **letrero** *m.* 3.2
silk **seda** *f.* 1.6
   (made of) silk **de seda** 1.6
since **desde** *prep.*
sing **cantar** *v.* 1.2
singer **cantante** *m., f.* 3.5

single **soltero/a** *adj.* 2.3
   single room **habitación** *f.* **individual** 1.5
sink **lavabo** *m.* 2.1
sir **señor (Sr.), don** *m.* 1.1
siren **sirena** *f.* 2.5
sister **hermana** *f.* 1.3
sister-in-law **cuñada** *f.* 1.3
sit down **sentarse (e:ie)** *v.* 2.1
six **seis** 1.1
six hundred **seiscientos/as** 1.2
sixteen **dieciséis** 1.1
sixth **sexto/a** 1.5
sixty **sesenta** 1.2
size **talla** *f.* 1.6
   shoe size *m.* **número** 1.6
(in-line) skate **patinar (en línea)** *v.* 1.4
skateboard **andar en patineta** *v.* 1.4
ski **esquiar** *v.* 1.4
skiing **esquí** *m.* 1.4
   water-skiing **esquí** *m.* **acuático** 1.4
skirt **falda** *f.* 1.6
sky **cielo** *m.* 3.1
sleep **dormir (o:ue)** *v.* 1.4; **sueño** *m.*
   go to sleep **dormirse (o:ue)** *v.* 2.1
sleepy: be (very) sleepy **tener (mucho) sueño** 1.3
slender **delgado/a** *adj.* 1.3
slim down **adelgazar** *v.* 3.3
slippers **pantuflas** *f.* 2.1
slow **lento/a** *adj.* 2.5
slowly **despacio** *adv.* 2.4
small **pequeño/a** *adj.* 1.3
smart **listo/a** *adj.* 1.5
smile **sonreír (e:i)** *v.* 2.3
smiled **sonreído** *p.p.* 3.2
smoggy: It's (very) smoggy. **Hay (mucha) contaminación.**
smoke **fumar** *v.* 3.3
   (not) to smoke **(no) fumar** 3.3
smoking section **sección** *f.* **de fumar** 2.2
   (non) smoking section *f.* **sección de (no) fumar** 2.2
snack **merendar (e:ie)** *v.* 2.2
   afternoon snack **merienda** *f.* 3.3
   have a snack **merendar** *v.* 2.2
sneakers **los zapatos de tenis** 1.6
sneeze **estornudar** *v.* 2.4
snow **nevar (e:ie)** *v.* 1.5; **nieve** *f.*
snowing: It's snowing. **Nieva.** 1.5; **Está nevando.** 1.5
so (*in such a way*) **así** *adv.* 2.4; **tan** *adv.* 1.5
   so much **tanto** *adv.*
   so-so **regular** 1.1
   so that **para que** *conj.* 3.1
soap **jabón** *m.* 2.1
soap opera **telenovela** *f.* 3.5
soccer **fútbol** *m.* 1.4
sociology **sociología** *f.* 1.2
sock(s) **calcetín (calcetines)** *m.* 1.6
sofa **sofá** *m.* 2.6
soft drink **refresco** *m.* 2.2

software **programa** *m.* **de computación** 2.5
soil **tierra** *f.* 3.1
solar **solar** *adj., m., f.* 3.1
　solar energy **energía solar** 3.1
soldier **soldado** *m., f.* 3.6
solution **solución** *f.* 3.1
solve **resolver (o:ue)** *v.* 3.1
some **algún, alguno/a(s)** *adj.* 2.1; **unos/as** *indef. art.* 1.1
somebody **alguien** *pron.* 2.1
someone **alguien** *pron.* 2.1
something **algo** *pron.* 2.1
sometimes **a veces** *adv.* 2.4
son **hijo** *m.* 1.3
song **canción** *f.* 3.5
son-in-law **yerno** *m.* 1.3
soon **pronto** *adv.* 2.4
　See you soon. **Hasta pronto.** 1.1
sorry: be sorry **sentir (e:ie)** *v.* 3.1
　I'm sorry. **Lo siento.** 1.1
soup **sopa** *f.* 2.2
south **sur** *m.* 3.2
　to the south **al sur** 3.2
Spain **España** *f.*
Spanish (*language*) **español** *m.* 1.2; **español(a)** *adj.* 1.3
spare (free) time **ratos libres** 1.4
speak **hablar** *v.* 1.2
　Speaking. (*on the telephone*) **Con él/ella habla.** 2.5
special: today's specials **las especialidades del día** 2.2
specialize **especializarse** *v.* 3.4
spectacular **espectacular** *adj. m., f.*
speech **discurso** *m.* 3.6
speed **velocidad** *f.* 2.5
　speed limit **velocidad** *f.* **máxima** 2.5
spelling **ortografía** *f.*, **ortográfico/a** *adj.*
spend (*money*) **gastar** *v.* 1.6
spider **araña** *f.* 2.1
spoon (*table or large*) **cuchara** *f.* 2.6
sport **deporte** *m.* 1.4
　sports-related **deportivo/a** *adj.* 1.4
spouse **esposo/a** *m., f.* 1.3
sprain (one's ankle) **torcerse (o:ue)** *v.* **(el tobillo)** 2.4
spring **primavera** *f.* 1.5
(city or town) square **plaza** *f.* 1.4
stadium **estadio** *m.* 1.2
stage **etapa** *f.* 2.3
stairs **escalera** *f.* 2.6
stairway **escalera** *f.* 2.6
stall **puesto** *m.* 1.6
stamp **estampilla** *f.* 3.2; **sello** *m.* 3.2
stand in line **hacer** *v.* **cola** 3.2
star **estrella** *f.* 3.1
start (*a vehicle*) **arrancar** *v.* 2.5
station **estación** *f.* 1.5
statue **estatua** *f.* 3.5
status: marital status **estado** *m.* **civil** 2.3

stay **quedarse** *v.* 2.1
　stay in shape **mantenerse en forma** 3.3
steak **bistec** *m.* 2.2
steering wheel **volante** *m.* 2.5
step **escalón** *m.* 3.3
stepbrother **hermanastro** *m.* 1.3
stepdaughter **hijastra** *f.* 1.3
stepfather **padrastro** *m.* 1.3
stepmother **madrastra** *f.* 1.3
stepsister **hermanastra** *f.* 1.3
stepson **hijastro** *m.* 1.3
stereo **estéreo** *m.* 2.5
still **todavía** *adv.* 1.5
stockbroker **corredor(a)** *m., f.* **de bolsa** 3.4
stockings **medias** *f., pl.* 1.6
stomach **estómago** *m.* 2.4
stone **piedra** *f.* 3.1
stop **parar** *v.* 2.5
　stop (*doing something*) **dejar de (+ inf.)** 3.1
store **tienda** *f.* 1.6
storm **tormenta** *f.* 3.6
story **cuento** *m.* 3.5; **historia** *f.* 3.5
stove **cocina, estufa** *f.* 2.6
straight **derecho** *adv.* 3.2
　straight (ahead) **derecho** 3.2
straighten up **arreglar** *v.* 2.6
strange **extraño/a** *adj.* 3.1
　it's strange **es extraño** 3.1
street **calle** *f.* 2.5
stress **estrés** *m.* 3.3
stretching **estiramiento** *m.* 3.3
　do stretching exercises **hacer ejercicios** *m. pl.* **de estiramiento** 3.3
strike (*labor*) **huelga** *f.* 3.6
striped **de rayas** 1.6
stroll **pasear** *v.* 1.4
strong **fuerte** *adj. m., f.* 3.3
struggle (for/against) **luchar** *v.* **(por/contra)** 3.6
student **estudiante** *m., f.* 1.1; 1.2; **estudiantil** *adj.* 1.2
study **estudiar** *v.* 1.2
stupendous **estupendo/a** *adj.* 1.5
style **estilo** *m.* 3.5
suburbs **afueras** *f., pl.* 2.6
subway **metro** *m.* 1.5
　subway station **estación** *f.* **del metro** 1.5
success **éxito** *m.*
successful: be successful **tener éxito** 3.4
such as **tales como**
suddenly **de repente** *adv.* 1.6
suffer **sufrir** *v.* 2.4
　suffer an illness **sufrir una enfermedad** 2.4
sugar **azúcar** *m.* 2.2
suggest **sugerir (e:ie)** *v.* 2.6
suit **traje** *m.* 1.6
suitcase **maleta** *f.* 1.1
summer **verano** *m.* 1.5
sun **sol** *m.* 3.1
sunbathe **tomar** *v.* **el sol** 1.4

Sunday **domingo** *m.* 1.2
(sun)glasses **gafas** *f., pl.* **(de sol)** 1.6
sunny: It's (very) sunny. **Hace (mucho) sol.** 1.5
supermarket **supermercado** *m.* 3.2
support **apoyar** *v.* 3.6
suppose **suponer** *v.* 1.4
sure **seguro/a** *adj.* 1.5
　be sure **estar seguro/a** 1.5
surf **hacer** *v.* **surf** 1.5; (*the Internet*) **navegar** *v.* **(en Internet)** 2.5
surfboard **tabla de surf** *f.* 1.5
surprise **sorprender** *v.* 2.3; **sorpresa** *f.* 2.3
survey **encuesta** *f.* 3.6
sweat **sudar** *v.* 3.3
sweater **suéter** *m.* 1.6
sweep the floor **barrer el suelo** 2.6
sweets **dulces** *m., pl.* 2.3
swim **nadar** *v.* 1.4
swimming **natación** *f.* 1.4
　swimming pool **piscina** *f.* 1.4
symptom **síntoma** *m.* 2.4

T

table **mesa** *f.* 1.2
tablespoon **cuchara** *f.* 2.6
tablet (*pill*) **pastilla** *f.* 2.4
take **tomar** *v.* 1.2; **llevar** *v.* 1.6
　take care of **cuidar** *v.* 3.1
　take someone's temperature **tomar** *v.* **la temperatura** 2.4
　take (*wear*) a shoe size **calzar** *v.* 1.6
　take a bath **bañarse** *v.* 2.1
　take a shower **ducharse** *v.* 2.1
　take off **quitarse** *v.* 2.1
　take out the trash *v.* **sacar la basura** 2.6
　take photos **tomar** *v.* **fotos** 1.5; **sacar** *v.* **fotos** 1.5
talented **talentoso/a** *adj.* 3.5
talk **hablar** *v.* 1.2
　talk show **programa** *m.* **de entrevistas** 3.5
tall **alto/a** *adj.* 1.3
tank **tanque** *m.* 2.5
taste **probar (o:ue)** *v.* 2.2
　taste like **saber a** 2.2
tasty **rico/a** *adj.* 2.2; **sabroso/a** *adj.* 2.2
tax **impuesto** *m.* 3.6
taxi **taxi** *m.* 1.5
tea **té** *m.* 2.2
teach **enseñar** *v.* 1.2
teacher **profesor(a)** *m., f.* 1.1, 1.2; **maestro/a** *m., f.* 3.4
team **equipo** *m.* 1.4
technician **técnico/a** *m., f.* 3.4
telecommuting **teletrabajo** *m.* 3.4
telephone **teléfono** 2.5

television **televisión** *f.* 1.2
　television set **televisor** *m.* 2.5
tell **contar** *v.* 1.4; **decir** *v.* 1.4
tell (that) **decir** *v.* **(que)** 1.4
　tell lies **decir mentiras** 1.4
　tell the truth **decir la
　　verdad** 1.4
temperature **temperatura** *f.* 2.4
ten **diez** 1.1
tennis **tenis** *m.* 1.4
　tennis shoes **zapatos** *m., pl.*
　　de tenis 1.6
tension **tensión** *f.* 3.3
tent **tienda** *f.* **de campaña**
tenth **décimo/a** 1.5
terrible **terrible** *adj. m., f.* 3.1
　it's terrible **es terrible** 3.1
terrific **chévere** *adj.*
test **prueba** *f.* 1.2; **examen** *m.* 1.2
text message **mensaje** *m.* **de
　texto** 2.5
Thank you. **Gracias.** *f., pl.* 1.1
　Thank you (very much).
　　(Muchas) gracias. 1.1
　Thanks (a lot). **(Muchas)
　　gracias.** 1.1
　Thanks for inviting me. **Gracias
　　por invitarme.** 2.3
that **que, quien(es)** *pron.* 2.6
　that (one) **ése, ésa, eso**
　　pron. 1.6; **ese, esa,** *adj.* 1.6
　that (*over there*) **aquél,
　　aquélla, aquello** *pron.* 1.6;
　　aquel, aquella *adj.* 1.6
　that which **lo que** 2.6
　that's why **por eso** 2.5
the **el** *m.,* **la** *f. sing.,* **los** *m.,*
　las *f., pl.* 1.1
theater **teatro** *m.* 3.2, 3.5
their **su(s)** *poss. adj.* 1.3;
　suyo(s)/a(s) *poss. pron.* 2.5
them **los/las** *pl., d.o. pron.* 1.5
　to/for them **les** *pl., i.o. pron.* 1.6
then (*afterward*) **después**
　adv. 2.1; (*as a result*) **entonces**
　adv. 1.5, 2.1; (*next*) **luego**
　adv. 2.1
there **allí** *adv.* 1.2
　There is/are… **Hay…** 1.1
　There is/are not… **No hay…** 1.1
therefore **por eso** 2.5
these **éstos, éstas** *pron.* 1.6;
　estos, estas *adj.* 1.6
they **ellos** *m.,* **ellas** *f. pron.* 1.1
　They all told me to ask you to
　　excuse them/forgive them.
　　**Todos me dijeron que te
　　pidiera una disculpa de su
　　parte.** 3.6
thin **delgado/a** *adj.* 1.3
thing **cosa** *f.* 1.1
think **pensar (e:ie)** *v.* 1.4;
　(*believe*) **creer** *v.*
　think about **pensar en** *v.* 1.4
third **tercero/a** 1.5
thirst **sed** *f.*
thirsty: be (very) thirsty **tener
　(mucha) sed** 1.3
thirteen **trece** 1.1

thirty **treinta** 1.1; thirty (*minutes
　past the hour*) **y treinta; y
　media** 1.1
this **este, esta** *adj.;* **éste, ésta,
　esto** *pron.* 1.6
those **ésos, ésas** *pron.* 1.6; **esos,
　esas** *adj.* 1.6
those (over there) **aquéllos,
　aquéllas** *pron.* 1.6; **aquellos,
　aquellas** *adj.* 1.6
thousand **mil** *m.* 1.2
three **tres** 1.1
three hundred **trescientos/as** 1.2
throat **garganta** *f.* 2.4
through **por** *prep.* 2.5
Thursday **jueves** *m., sing.* 1.2
thus (*in such a way*) **así** *adv.*
ticket **boleto** *m.* 1.2, 3.5;
　pasaje *m.* 1.5
tie **corbata** *f.* 1.6
time **vez** *f.* 1.6; **tiempo** *m.* 3.2
　have a good/bad time **pasarlo
　　bien/mal** 2.3
　I've had a fantastic time. **Lo
　　he pasado de película.** 3.6
　What time is it? **¿Qué hora
　　es?** 1.1
　(At) What time…? **¿A qué
　　hora…?** 1.1
times **veces** *f., pl.* 1.6
　many times **muchas
　　veces** 2.4
　two times **dos veces** 1.6
tip **propina** *f.* 2.2
tire **llanta** *f.* 2.5
tired **cansado/a** *adj.* 1.5
　be tired **estar cansado/a** 1.5
to **a** *prep.* 1.1
toast (*drink*) **brindar** *v.* 2.3
　toast **pan** *m.* **tostado** 2.2
toasted **tostado/a** *adj.* 2.2
　toasted bread **pan tostado**
　　m. 2.2
toaster **tostadora** *f.* 2.6
today **hoy** *adv.* 1.2
　Today is… **Hoy es…** 1.2
toe **dedo** *m.* **del pie** 2.4
together **juntos/as** *adj.* 2.3
toilet **inodoro** *m.* 2.1
tomato **tomate** *m.* 2.2
tomorrow **mañana** *f.* 1.1
　See you tomorrow. **Hasta
　　mañana.** 1.1
tonight **esta noche** *adv.*
too **también** *adv.* 1.2, 2.1;
　en exceso 3.3
tooth **diente** *m.* 2.1
toothpaste **pasta** *f.* **de
　dientes** 2.1
top **cima** *f.* 3.3
tornado **tornado** *m.* 3.6
touch **tocar** *v.* 3.5
touch screen **pantalla táctil** *f.*
tour **excursión** *f.* 1.4
tour an area **recorrer** *v.*
tourism **turismo** *m.*
tourist **turista** *m., f.* 1.1;
　turístico/a *adj.*

toward **hacia** *prep.* 3.2;
　para *prep.* 2.5
towel **toalla** *f.* 2.1
tower **torre** *f.* 3.4
town **pueblo** *m.*
trade **oficio** *m.* 3.4
traffic **circulación** *f.* 2.5; **tráfico**
　m. 2.5
　traffic light **semáforo** *m.* 3.2
tragedy **tragedia** *f.* 3.5
trail **sendero** *m.* 3.1
train **entrenarse** *v.* 3.3; **tren** *m.* 1.5
　train station **estación** *f.* **de
　　tren** *m.* 1.5
trainer **entrenador(a)** *m., f.* 3.3
translate **traducir** *v.* 1.6
trash **basura** *f.* 2.6
travel **viajar** *v.* 1.2
　travel agency **agencia** f. **de
　　viajes** 1.5
　travel agent **agente** *m., f.*
　　de viajes 1.5
traveler **viajero/a** *m., f.* 1.5
　(traveler's) check **cheque (de
　　viajero)** 3.2
treadmill **cinta caminadora** *f.* 3.3
tree **árbol** *m.* 3.1
trillion **billón** *m.*
trimester **trimestre** *m.* 1.2
trip **viaje** *m.* 1.5
　take a trip **hacer un viaje** 1.5
tropical forest **bosque** *m.*
　tropical 3.1
true: it's (not) true **(no) es
　verdad** 3.1
trunk **baúl** *m.* 2.5
truth **verdad** *f.* 1.4
try **intentar** *v.;* **probar (o:ue)**
　v. 2.2
　try (*to do something*) **tratar de
　　(+ *inf.*)** 3.3
　try on **probarse (o:ue)** *v.* 2.1
t-shirt **camiseta** *f.* 1.6
Tuesday **martes** *m., sing.* 1.2
tuna **atún** *m.* 2.2
turkey **pavo** *m.* 2.2
turn **doblar** *v.* 3.2
　turn off (*electricity/appliance*)
　　apagar *v.* 2.5
　turn on (*electricity/appliance*)
　　poner *v.* 2.5; **prender** *v.* 2.5
twelve **doce** 1.1
twenty **veinte** 1.1
twenty-eight **veintiocho** 1.1
twenty-five **veinticinco** 1.1
twenty-four **veinticuatro** 1.1
twenty-nine **veintinueve** 1.1
twenty-one **veintiuno** 1.1;
　veintiún, veintiuno/a *adj.* 1.1
twenty-seven **veintisiete** 1.1
twenty-six **veintiséis** 1.1
twenty-three **veintitrés** 1.1
twenty-two **veintidós** 1.1
twice **dos veces** 1.6
twin **gemelo/a** *m., f.* 1.3
two **dos** 1.1
　two hundred **doscientos/as** 1.2
　two times **dos veces** 1.6

U

ugly **feo/a** *adj.* 1.3
uncle **tío** *m.* 1.3
under **debajo de** *prep.* 1.2
understand **comprender** *v.* 1.3;
   entender (e:ie) *v.* 1.4
underwear **ropa interior** 1.6
unemployment **desempleo**
   m. 3.6
unique **único/a** *adj.* 2.3
United States **Estados Unidos**
   (EE.UU.) *m. pl.*
university **universidad** *f.* 1.2
unless **a menos que** *conj.* 3.1
unmarried **soltero/a** *adj.* 2.3
unpleasant **antipático/a** *adj.* 1.3
until **hasta** *prep.* 1.6; **hasta que**
   conj. 3.1
urgent **urgente** *adj.* 2.6
   It's urgent that… **Es urgente**
      que… 2.6
us **nos** *pl., d.o. pron.* 1.5
   to/for us **nos** *pl., i.o. pron.* 1.6
use **usar** *v.* 1.6
used for **para** *prep.* 2.5
useful **útil** *adj. m., f.*

V

vacation **vacaciones** *f., pl.* 1.5
   be on vacation **estar de**
      vacaciones 1.5
   go on vacation **ir de**
      vacaciones 1.5
vacuum **pasar** *v.* **la**
   aspiradora 2.6
   vacuum cleaner **aspiradora**
      f. 2.6
valley **valle** *m.* 3.1
various **varios/as** *adj. m., f. pl.*
vegetables **verduras** *pl., f.* 2.2
verb **verbo** *m.*
very **muy** *adv.* 1.1
   (Very) well, thank you. **(Muy)**
      bien, gracias. 1.1
video **video** *m.* 1.1
   video camera **cámara** *f.* **de**
      video 2.5
   video game **videojuego** *m.* 1.4
videoconference
   videoconferencia *f.* 3.4
vinegar **vinagre** *m.* 2.2
violence **violencia** *f.* 3.6
visit **visitar** *v.* 1.4
   visit monuments **visitar**
      monumentos 1.4
vitamin **vitamina** *f.* 3.3
voice mail **correo de voz** *m.* 2.5
volcano **volcán** *m.* 3.1
volleyball **vóleibol** *m.* 1.4
vote **votar** *v.* 3.6

W

wait (for) **esperar** *v.* **(+** *inf.***)** 1.2
waiter/waitress **camarero/a**
   m., f. 2.2
wake up **despertarse (e:ie)** *v.* 2.1
walk **caminar** *v.* 1.2
   take a walk **pasear** *v.* 1.4
   walk around **pasear por** 1.4
wall **pared** *f.* 2.6; **muro** *m.* 3.3
wallet **cartera** *f.* 1.4, 1.6
want **querer (e:ie)** *v.* 1.4
war **guerra** *f.* 3.6
warm up **calentarse (e:ie)** *v.* 3.3
wash **lavar** *v.* 2.6
   wash one's face/hands **lavarse**
      la cara/las manos 2.1
   wash (the floor, the dishes)
      lavar (el suelo, los
      platos) 2.6
   wash oneself **lavarse** *v.* 2.1
washing machine **lavadora** *f.* 2.6
wastebasket **papelera** *f.* 1.2
watch **mirar** *v.* 1.2; **reloj** *m.* 1.2
   watch television **mirar (la)**
      televisión 1.2
water **agua** *f.* 2.2
   water pollution **contaminación**
      del agua 3.1
   water-skiing **esquí** *m.*
      acuático 1.4
way **manera** *f.*
we **nosotros(as)** *m., f.* 1.1
weak **débil** *adj. m., f.* 3.3
wear **llevar** *v.* 1.6; **usar** *v.* 1.6
weather **tiempo** *m.*
   The weather is bad. **Hace mal**
      tiempo. 1.5
   The weather is good. **Hace**
      buen tiempo. 1.5
weaving **tejido** *m.* 3.5
Web **red** *f.* 2.5
website **sitio** *m.* **web** 2.5
wedding **boda** *f.* 2.3
Wednesday **miércoles** *m., sing.* 1.2
week **semana** *f.* 1.2
weekend **fin** *m.* **de semana** 1.4
weight **peso** *m.* 3.3
   lift weights **levantar** *v.* **pesas**
      f., pl. 3.3
welcome **bienvenido(s)/a(s)**
   adj. 1.1
well: (Very) well, thanks. **(Muy)**
   bien, gracias. 1.1
well-being **bienestar** *m.* 3.3
well organized **ordenado/a** *adj.* 1.5
west **oeste** *m.* 3.2
   to the west **al oeste** 3.2
western (*genre*) **de vaqueros** 3.5
whale **ballena** *f.* 3.1
what **lo que** *pron.* 2.6
what? **¿qué?** 1.1
   At what time…? **¿A qué**
      hora…? 1.1
   What day is it? **¿Qué día es**
      hoy? 1.2

What do you guys think? **¿Qué**
   les parece?
What happened? **¿Qué**
   pasó?
What is today's date? **¿Cuál**
   es la fecha de hoy? 1.5
What nice clothes! **¡Qué ropa**
   más bonita! 1.6
What size do you wear? **¿Qué**
   talla lleva (usa)? 1.6
What time is it? **¿Qué hora**
   es? 1.1
What's going on? **¿Qué**
   pasa? 1.1
What's happening? **¿Qué**
   pasa? 1.1
What's… like? **¿Cómo es…?**
What's new? **¿Qué hay de**
   nuevo? 1.1
What's the weather like? **¿Qué**
   tiempo hace? 1.5
What's wrong? **¿Qué pasó?**
What's your name? **¿Cómo se**
   llama usted? *form.* 1.1;
   ¿Cómo te llamas (tú)?
   fam. 1.1
when **cuando** *conj.* 2.1; 3.1
When? **¿Cuándo?** 1.2
where **donde**
where (to)? (*destination*)
   ¿adónde? 1.2; (*location*)
   ¿dónde? 1.1, 1.2
   Where are you from? **¿De**
      dónde eres (tú)? (*fam.*) 1.1;
      ¿De dónde es (usted)?
      (*form.*) 1.1
   Where is…? **¿Dónde está…?** 1.2
which **que** *pron.,* **lo que**
   pron. 2.6
which? **¿cuál?** 1.2; **¿qué?** 1.2
   In which…? **¿En qué…?**
   which one(s)? **¿cuál(es)?** 1.2
while **mientras** *conj.* 2.4
whisper **susurrar** *v.* 3.5
white **blanco/a** *adj.* 1.6
who **que** *pron.* 2.6; **quien(es)**
   pron. 2.6
who? **¿quién(es)?** 1.1, 1.2
Who is…? **¿Quién es…?** 1.1
whole **todo/a** *adj.*
whom **quien(es)** *pron.* 2.6
whose? **¿de quién(es)?** 1.1
why? **¿por qué?** 1.2
widower/widow **viudo/a** *adj.* 2.3
wife **esposa** *f.* 1.3
win **ganar** *v.* 1.4
wind **viento** *m.*
window **ventana** *f.* 1.2
windshield **parabrisas** *m.,*
   sing. 2.5
windsurf **hacer** *v.* **windsurf** 1.5
windy: It's (very) windy. **Hace**
   (mucho) viento. 1.5
wink **guiñar (el ojo)** *v.* 3.5
winter **invierno** *m.* 1.5
wireless connection **conexión**
   inalámbrica *f.* 2.5
wish **desear** *v.* 1.2; **esperar** *v.* 3.1
   I wish (that) **ojalá (que)** 3.1

with **con** *prep.* 1.2
  with me **conmigo** 1.4; 2.3
  with you **contigo** *fam.* 1.5, 2.3
within (ten years) **dentro de (diez años)** *prep.* 3.4
without **sin** *prep.* 1.2; **sin que** *conj.* 3.1
woman **mujer** *f.* 1.1
word **palabra** *f.* 1.1
work **trabajar** *v.* 1.2; **funcionar** *v.* 2.5; **trabajo** *m.* 3.4
  work (*of art, literature, music, etc.*) **obra** *f.* 3.5
  work out **hacer gimnasia** 3.3
world **mundo** *m.* 2.2
worldwide **mundial** *adj. m., f.*
worried (about) **preocupado/a (por)** *adj.* 1.5
worry (about) **preocuparse** *v.* **(por)** 2.1
worse **peor** *adj. m., f.* 2.2
worst **el/la peor** 2.2
Would you like to...? **¿Te gustaría...?** *fam.*
Wow! **¡Guau!** *interj.* 2.6
wrench **llave** *f.* 2.5
write **escribir** *v.* 1.3
  write a letter/an e-mail **escribir una carta/un mensaje electrónico** 1.4

writer **escritor(a)** *m., f* 3.5
written **escrito/a** *p.p.* 3.2
wrong **equivocado/a** *adj.* 1.5
  be wrong **no tener razón** 1.3

X

X-ray **radiografía** *f.* 2.4

Y

yard **jardín** *m.* 2.6; **patio** *m.* 2.6
year **año** *m.* 1.5
  be... years old **tener... años** 1.3
yellow **amarillo/a** *adj.* 1.6
yes **sí** *interj.* 1.1
yesterday **ayer** *adv.* 1.6
yet **todavía** *adv.* 1.5
yogurt **yogur** *m.* 2.2
you **tú** *fam.* **usted (Ud.)** *form. sing.* **vosotros/as** *m., f. fam. pl.* **ustedes (Uds.)** *pl.* 1.1; (to, for) you *fam. sing.* **te** *pl.* **os** 1.6; *form. sing.* **le** *pl.* **les** 1.6
  you **te** *fam., sing.,* **lo/la** *form., sing.,* **os** *fam., pl.,* **los/las** *pl, d.o. pron.* 1.5

You don't say! **¡No me digas!** *fam.;* **¡No me diga!** *form.*
You're welcome. **De nada.** 1.1; **No hay de qué.** 1.1
young **joven** *adj., sing.* (**jóvenes** *pl.*) 1.3
  young person **joven** *m., f., sing.* (**jóvenes** *pl.*) 1.1
  young woman **señorita (Srta.)** *f.*
younger **menor** *adj. m., f.* 1.3
younger: younger brother, sister *m., f.* **hermano/a menor** 1.3
youngest **el/la menor** *m., f.* 2.2
your **su(s)** *poss. adj. form.* 1.3; **tu(s)** *poss. adj. fam. sing.* 1.3; **vuestro/a(s)** *poss. adj. fam. pl.* 1.3
your(s) *form.* **suyo(s)/a(s)** *poss. pron. form.* 2.5; **tuyo(s)/a(s)** *poss. fam. sing.* 2.5; **vuestro(s)/a(s)** *poss. fam.* 2.5
youth *f.* **juventud** 2.3

Z

zero **cero** *m.* 1.1

MATERIAS / ACADEMIC SUBJECTS

la administración de empresas	business administration
la agronomía	agriculture
el alemán	German
el álgebra	algebra
la antropología	anthropology
la arqueología	archaeology
la arquitectura	architecture
el arte	art
la astronomía	astronomy
la biología	biology
la bioquímica	biochemistry
la botánica	botany
el cálculo	calculus
el chino	Chinese
las ciencias políticas	political science
la computación	computer science
las comunicaciones	communications
la contabilidad	accounting
la danza	dance
el derecho	law
la economía	economics
la educación	education
la educación física	physical education
la enfermería	nursing
el español	Spanish
la filosofía	philosophy
la física	physics
el francés	French
la geografía	geography
la geología	geology
el griego	Greek
el hebreo	Hebrew
la historia	history
la informática	computer science
la ingeniería	engineering
el inglés	English
el italiano	Italian
el japonés	Japanese
el latín	Latin
las lenguas clásicas	classical languages
las lenguas romances	Romance languages
la lingüística	linguistics
la literatura	literature
las matemáticas	mathematics
la medicina	medicine
el mercadeo/ la mercadotecnia	marketing
la música	music
los negocios	business
el periodismo	journalism
el portugués	Portuguese
la psicología	psychology
la química	chemistry
el ruso	Russian
los servicios sociales	social services
la sociología	sociology
el teatro	theater
la trigonometría	trigonometry

LOS ANIMALES / ANIMALS

la abeja	bee
la araña	spider
la ardilla	squirrel
el ave (f.), el pájaro	bird
la ballena	whale
el burro	donkey
la cabra	goat
el caimán	alligator
el camello	camel
la cebra	zebra
el ciervo, el venado	deer
el cochino, el cerdo, el puerco	pig
el cocodrilo	crocodile
el conejo	rabbit
el coyote	coyote
la culebra, la serpiente, la víbora	snake
el elefante	elephant
la foca	seal
la gallina	hen
el gallo	rooster
el gato	cat
el gorila	gorilla
el hipopótamo	hippopotamus
la hormiga	ant
el insecto	insect
la jirafa	giraffe
el lagarto	lizard
el león	lion
el lobo	wolf
el loro, la cotorra, el papagayo, el perico	parrot
la mariposa	butterfly
el mono	monkey
la mosca	fly
el mosquito	mosquito
el oso	bear
la oveja	sheep
el pato	duck
el perro	dog
el pez	fish
la rana	frog
el ratón	mouse
el rinoceronte	rhinoceros
el saltamontes, el chapulín	grasshopper
el tiburón	shark
el tigre	tiger
el toro	bull
la tortuga	turtle
la vaca	cow
el zorro	fox

EL CUERPO HUMANO Y LA SALUD

THE HUMAN BODY AND HEALTH

El cuerpo humano

The human body

la barba	beard
el bigote	mustache
la boca	mouth
el brazo	arm
la cabeza	head
la cadera	hip
la ceja	eyebrow
el cerebro	brain
la cintura	waist
el codo	elbow
el corazón	heart
la costilla	rib
el cráneo	skull
el cuello	neck
el dedo	finger
el dedo del pie	toe
la espalda	back
el estómago	stomach
la frente	forehead
la garganta	throat
el hombro	shoulder
el hueso	bone
el labio	lip
la lengua	tongue
la mandíbula	jaw
la mejilla	cheek
el mentón, la barba, la barbilla	chin
la muñeca	wrist
el músculo	muscle
el muslo	thigh
las nalgas, el trasero, las asentaderas	buttocks
la nariz	nose
el nervio	nerve
el oído	(inner) ear
el ojo	eye
el ombligo	navel, belly button
la oreja	(outer) ear
la pantorrilla	calf
el párpado	eyelid
el pecho	chest
la pestaña	eyelash
el pie	foot
la piel	skin
la pierna	leg
el pulgar	thumb
el pulmón	lung
la rodilla	knee
la sangre	blood
el talón	heel
el tobillo	ankle
el tronco	torso, trunk
la uña	fingernail
la uña del dedo del pie	toenail
la vena	vein

Los cinco sentidos

The five senses

el gusto	taste
el oído	hearing
el olfato	smell
el tacto	touch
la vista	sight

La salud

Health

el accidente	accident
alérgico/a	allergic
el antibiótico	antibiotic
la aspirina	aspirin
el ataque cardiaco, el ataque al corazón	heart attack
el cáncer	cancer
la cápsula	capsule
la clínica	clinic
congestionado/a	congested
el consultorio	doctor's office
la curita	adhesive bandage
el/la dentista	dentist
el/la doctor(a), el/la médico/a	doctor
el dolor (de cabeza)	(head)ache, pain
embarazada	pregnant
la enfermedad	illness, disease
el/la enfermero/a	nurse
enfermo/a	ill, sick
la erupción	rash
el examen médico	physical exam
la farmacia	pharmacy
la fiebre	fever
la fractura	fracture
la gripe	flu
la herida	wound
el hospital	hospital
la infección	infection
el insomnio	insomnia
la inyección	injection
el jarabe	(cough) syrup
mareado/a	dizzy, nauseated
el medicamento	medication
la medicina	medicine
las muletas	crutches
la operación	operation
el/la paciente	patient
el/la paramédico/a	paramedic
la pastilla, la píldora	pill, tablet
los primeros auxilios	first aid
la pulmonía	pneumonia
los puntos	stitches
la quemadura	burn
el quirófano	operating room
la radiografía	x-ray
la receta	prescription
el resfriado	cold (illness)
la sala de emergencia(s)	emergency room
saludable	healthy, healthful
sano/a	healthy
el seguro médico	medical insurance
la silla de ruedas	wheelchair
el síntoma	symptom
el termómetro	thermometer
la tos	cough
la transfusión	transfusion

la vacuna	vaccination
la venda	bandage
el virus	virus

cortar(se)	to cut (oneself)
curar	to cure, to treat
desmayar(se)	to faint
enfermarse	to get sick
enyesar	to put in a cast
estornudar	to sneeze
guardar cama	to stay in bed
hinchar(se)	to swell
internar(se) en el hospital	to check into the hospital
lastimarse (el pie)	to hurt (one's foot)
mejorar(se)	to get better; to improve
operar	to operate
quemar(se)	to burn
respirar (hondo)	to breathe (deeply)
romperse (la pierna)	to break (one's leg)
sangrar	to bleed
sufrir	to suffer
tomarle la presión a alguien	to take someone's blood pressure
tomarle el pulso a alguien	to take someone's pulse
torcerse (el tobillo)	to sprain (one's ankle)
vendar	to bandage

EXPRESIONES ÚTILES PARA LA CLASE

USEFUL CLASSROOM EXPRESSIONS

Palabras útiles

Useful words

ausente	absent
el departamento	department
el dictado	dictation
la conversación, las conversaciones	conversation(s)
la expresión, las expresiones	expression(s)
el examen, los exámenes	test(s), exam(s)
la frase	sentence

la hoja de actividades	activity sheet
el horario de clases	class schedule
la oración, las oraciones	sentence(s)
el párrafo	paragraph
la persona	person
presente	present
la prueba	test, quiz
siguiente	following
la tarea	homework

Expresiones útiles

Useful expressions

Abra(n) su(s) libro(s).	Open your book(s).
Cambien de papel.	Change roles.
Cierre(n) su(s) libro(s).	Close your book(s).
¿Cómo se dice ___ en español?	How do you say ___ in Spanish?
¿Cómo se escribe ___ en español?	How do you write ___ in Spanish?
¿Comprende(n)?	Do you understand?
(No) comprendo.	I (don't) understand.
Conteste(n) las preguntas.	Answer the questions.
Continúe(n), por favor.	Continue, please.
Escriba(n) su nombre.	Write your name.
Escuche(n) el audio.	Listen to the audio.
Estudie(n) la Lección tres.	Study Lesson three.
Haga(n) la actividad (el ejercicio) número cuatro.	Do activity (exercise) number four.
Lea(n) la oración en voz alta.	Read the sentence aloud.
Levante(n) la mano.	Raise your hand(s).
Más despacio, por favor.	Slower, please.
No sé.	I don't know.
Páse(n)me los exámenes.	Pass me the tests.
¿Qué significa ___?	What does ___ mean?
Repita(n), por favor.	Repeat, please.
Siénte(n)se, por favor.	Sit down, please.
Siga(n) las instrucciones.	Follow the instructions.
¿Tiene(n) alguna pregunta?	Do you have any questions?
Vaya(n) a la página dos.	Go to page two.

COUNTRIES & NATIONALITIES

PAÍSES Y NACIONALIDADES

North America

Norteamérica

Canada	Canadá	canadiense
Mexico	México	mexicano/a
United States	Estados Unidos	estadounidense

Central America

Centroamérica

Belize	Belice	beliceño/a
Costa Rica	Costa Rica	costarricense
El Salvador	El Salvador	salvadoreño/a
Guatemala	Guatemala	guatemalteco/a
Honduras	Honduras	hondureño/a
Nicaragua	Nicaragua	nicaragüense
Panama	Panamá	panameño/a

The Caribbean
Cuba
Dominican Republic
Haiti
Puerto Rico

South America
Argentina
Bolivia
Brazil
Chile
Colombia
Ecuador
Paraguay
Peru
Uruguay
Venezuela

Europe
Armenia
Austria
Belgium
Bosnia
Bulgaria
Croatia
Czech Republic
Denmark
England
Estonia
Finland
France
Germany
Great Britain (United Kingdom)
Greece
Hungary
Iceland
Ireland
Italy
Latvia
Lithuania
Netherlands (Holland)
Norway
Poland
Portugal
Romania
Russia
Scotland
Serbia
Slovakia
Slovenia
Spain
Sweden
Switzerland
Ukraine
Wales

Asia
Bangladesh
Cambodia
China
India
Indonesia
Iran
Iraq

El Caribe
Cuba
República Dominicana
Haití
Puerto Rico

Suramérica
Argentina
Bolivia
Brasil
Chile
Colombia
Ecuador
Paraguay
Perú
Uruguay
Venezuela

Europa
Armenia
Austria
Bélgica
Bosnia
Bulgaria
Croacia
República Checa
Dinamarca
Inglaterra
Estonia
Finlandia
Francia
Alemania
Gran Bretaña (Reino Unido)
Grecia
Hungría
Islandia
Irlanda
Italia
Letonia
Lituania
Países Bajos (Holanda)
Noruega
Polonia
Portugal
Rumania
Rusia
Escocia
Serbia
Eslovaquia
Eslovenia
España
Suecia
Suiza
Ucrania
Gales

Asia
Bangladés
Camboya
China
India
Indonesia
Irán
Iraq, Irak

cubano/a
dominicano/a
haitiano/a
puertorriqueño/a

argentino/a
boliviano/a
brasileño/a
chileno/a
colombiano/a
ecuatoriano/a
paraguayo/a
peruano/a
uruguayo/a
venezolano/a

armenio/a
austríaco/a
belga
bosnio/a
búlgaro/a
croata
checo/a
danés, danesa
inglés, inglesa
estonio/a
finlandés, finlandesa
francés, francesa
alemán, alemana
británico/a
griego/a
húngaro/a
islandés, islandesa
irlandés, irlandesa
italiano/a
letón, letona
lituano/a
holandés, holandesa
noruego/a
polaco/a
portugués, portuguesa
rumano/a
ruso/a
escocés, escocesa
serbio/a
eslovaco/a
esloveno/a
español(a)
sueco/a
suizo/a
ucraniano/a
galés, galesa

bangladesí
camboyano/a
chino/a
indio/a
indonesio/a
iraní
iraquí

Israel	**Israel**	*israelí*
Japan	**Japón**	*japonés, japonesa*
Jordan	**Jordania**	*jordano/a*
Korea	**Corea**	*coreano/a*
Kuwait	**Kuwait**	*kuwaití*
Lebanon	**Líbano**	*libanés, libanesa*
Malaysia	**Malasia**	*malasio/a*
Pakistan	**Pakistán**	*pakistaní*
Russia	**Rusia**	*ruso/a*
Saudi Arabia	**Arabia Saudí**	*saudí*
Singapore	**Singapur**	*singapurés, singapuresa*
Syria	**Siria**	*sirio/a*
Taiwan	**Taiwán**	*taiwanés, taiwanesa*
Thailand	**Tailandia**	*tailandés, tailandesa*
Turkey	**Turquía**	*turco/a*
Vietnam	**Vietnam**	*vietnamita*

Africa / **África**

Algeria	**Argelia**	*argelino/a*
Angola	**Angola**	*angoleño/a*
Cameroon	**Camerún**	*camerunés, camerunesa*
Congo	**Congo**	*congolés, congolesa*
Egypt	**Egipto**	*egipcio/a*
Equatorial Guinea	**Guinea Ecuatorial**	*ecuatoguineano/a*
Ethiopia	**Etiopía**	*etíope*
Ivory Coast	**Costa de Marfil**	*marfileño/a*
Kenya	**Kenia, Kenya**	*keniano/a, keniata*
Libya	**Libia**	*libio/a*
Mali	**Malí**	*maliense*
Morocco	**Marruecos**	*marroquí*
Mozambique	**Mozambique**	*mozambiqueño/a*
Nigeria	**Nigeria**	*nigeriano/a*
Rwanda	**Ruanda**	*ruandés, ruandesa*
Somalia	**Somalia**	*somalí*
South Africa	**Sudáfrica**	*sudafricano/a*
Sudan	**Sudán**	*sudanés, sudanesa*
Tunisia	**Tunicia, Túnez**	*tunecino/a*
Uganda	**Uganda**	*ugandés, ugandesa*
Zambia	**Zambia**	*zambiano/a*
Zimbabwe	**Zimbabue**	*zimbabuense*

Australia and the Pacific / **Australia y el Pacífico**

Australia	**Australia**	*australiano/a*
New Zealand	**Nueva Zelanda**	*neozelandés, neozelandesa*
Philippines	**Filipinas**	*filipino/a*

MONEDAS DE LOS PAÍSES HISPANOS
CURRENCIES OF HISPANIC COUNTRIES

País / Country	Moneda / Currency
Argentina	el peso
Bolivia	el boliviano
Chile	el peso
Colombia	el peso
Costa Rica	el colón
Cuba	el peso
Ecuador	el dólar estadounidense
El Salvador	el dólar estadounidense
España	el euro
Guatemala	el quetzal
Guinea Ecuatorial	el franco
Honduras	el lempira
México	el peso
Nicaragua	el córdoba
Panamá	el balboa, el dólar estadounidense
Paraguay	el guaraní
Perú	el nuevo sol
Puerto Rico	el dólar estadounidense
República Dominicana	el peso
Uruguay	el peso
Venezuela	el bolívar

EXPRESIONES Y REFRANES

EXPRESSIONS AND SAYINGS

Expresiones y refranes con partes del cuerpo

Expressions and sayings with parts of the body

A cara o cruz	Heads or tails
A corazón abierto	Open heart
A ojos vistas	Clearly, visibly
Al dedillo	Like the back of one's hand
¡Choca/Vengan esos cinco!	Put it there!/Give me five!
Codo con codo	Side by side
Con las manos en la masa	Red-handed
Costar un ojo de la cara	To cost an arm and a leg
Darle a la lengua	To chatter/To gab
De rodillas	On one's knees
Duro de oído	Hard of hearing
En cuerpo y alma	In body and soul
En la punta de la lengua	On the tip of one's tongue
En un abrir y cerrar de ojos	In a blink of the eye
Entrar por un oído y salir por otro	In one ear and out the other
Estar con el agua al cuello	To be up to one's neck with/in
Estar para chuparse los dedos	To be delicious/To be finger-licking good
Hablar entre dientes	To mutter/To speak under one's breath
Hablar por los codos	To talk a lot/To be a chatterbox
Hacer la vista gorda	To turn a blind eye on something
Hombro con hombro	Shoulder to shoulder
Llorar a lágrima viva	To sob/To cry one's eyes out
Metérsele (a alguien) algo entre ceja y ceja	To get an idea in your head
No pegar ojo	Not to sleep a wink
No tener corazón	Not to have a heart
No tener dos dedos de frente	Not to have an ounce of common sense
Ojos que no ven, corazón que no siente	Out of sight, out of mind
Perder la cabeza	To lose one's head
Quedarse con la boca abierta	To be thunderstruck
Romper el corazón	To break someone's heart
Tener buen/mal corazón	Have a good/bad heart
Tener un nudo en la garganta	Have a knot in your throat
Tomarse algo a pecho	To take something too seriously
Venir como anillo al dedo	To fit like a charm/To suit perfectly

Expresiones y refranes con animales

Expressions and sayings with animals

A caballo regalado no le mires el diente.	Don't look a gift horse in the mouth.
Comer como un cerdo	To eat like a pig
Cuando menos se piensa, salta la liebre.	Things happen when you least expect it.
Llevarse como el perro y el gato	To fight like cats and dogs
Perro ladrador, poco mordedor./Perro que ladra no muerde.	His/her bark is worse than his/her bite.
Por la boca muere el pez.	Talking too much can be dangerous.
Poner el cascabel al gato	To stick one's neck out
Ser una tortuga	To be a slowpoke

Expresiones y refranes con alimentos

Expressions and sayings with food

Agua que no has de beber, déjala correr.	If you're not interested, don't ruin it for everybody else.
Con pan y vino se anda el camino.	Things never seem as bad after a good meal.
Contigo pan y cebolla.	You are all I need.
Dame pan y dime tonto.	I don't care what you say, as long as I get what I want.
Descubrir el pastel	To let the cat out of the bag
Dulce como la miel	Sweet as honey
Estar como agua para chocolate	To furious/To be at the boiling point
Estar en el ajo	To be in the know
Estar en la higuera	To have one's head in the clouds
Estar más claro que el agua	To be clear as a bell
Ganarse el pan	To earn a living/To earn one's daily bread
Llamar al pan, pan y al vino, vino.	Not to mince words.
No hay miel sin hiel.	Every rose has its thorn./There's always a catch.
No sólo de pan vive el hombre.	Man doesn't live by bread alone.
Pan con pan, comida de tontos.	Variety is the spice of life.
Ser agua pasada	To be water under the bridge
Ser más bueno que el pan	To be kindness itself
Temblar como un flan	To shake/tremble like a leaf

Expresiones y refranes con colores

Expressions and sayings with colors

Estar verde	To be inexperienced/wet behind the ears
Poner los ojos en blanco	To roll one's eyes
Ponerle a alguien un ojo morado	To give someone a black eye
Ponerse rojo	To turn red/To blush
Ponerse rojo de ira	To turn red with anger
Ponerse verde de envidia	To be green with envy
Quedarse en blanco	To go blank
Verlo todo de color de rosa	To see the world through rose-colored glasses

Refranes

A buen entendedor, pocas palabras bastan.

Ande o no ande, caballo grande.

A quien madruga, Dios le ayuda.

Cuídate, que te cuidaré.

De tal palo tal astilla.

Del dicho al hecho hay mucho trecho.

Dime con quién andas y te diré quién eres.

El saber no ocupa lugar.

Lo que es moda no incomoda.

Más vale maña que fuerza.

Más vale prevenir que curar.

Más vale solo que mal acompañado.

Más vale tarde que nunca.

No es oro todo lo que reluce.

Poderoso caballero es don Dinero.

Sayings

A word to the wise is enough.

Bigger is always better.

The early bird catches the worm.

Take care of yourself, and then I'll take care of you.

A chip off the old block.

Easier said than done.

A man is known by the company he keeps.

One never knows too much.

You have to suffer in the name of fashion.

Brains are better than brawn.

Prevention is better than cure.

Better alone than with people you don't like.

Better late than never.

All that glitters is not gold.

Money talks.

COMMON FALSE FRIENDS

False friends are Spanish words that look similar to English words but have very different meanings. While recognizing the English relatives of unfamiliar Spanish words you encounter is an important way of constructing meaning, there are some Spanish words whose similarity to English words is deceptive. Here is a list of some of the most common Spanish false friends.

actualmente ≠ actually
actualmente = nowadays, currently
actually = **de hecho, en realidad, en efecto**

argumento ≠ argument
argumento = plot
argument = **discusión, pelea**

armada ≠ army
armada = navy
army = **ejército**

balde ≠ bald
balde = pail, bucket
bald = **calvo/a**

batería ≠ battery
batería = drum set
battery = **pila**

bravo ≠ brave
bravo = wild; fierce
brave = **valiente**

cándido/a ≠ candid
cándido/a = innocent
candid = **sincero/a**

carbón ≠ carbon
carbón = coal
carbon = **carbono**

casual ≠ casual
casual = accidental, chance
casual = **informal, despreocupado/a**

casualidad ≠ casualty
casualidad = chance, coincidence
casualty = **víctima**

colegio ≠ college
colegio = school
college = **universidad**

collar ≠ collar (of a shirt)
collar = necklace
collar = **cuello (de camisa)**

comprensivo/a ≠ comprehensive
comprensivo/a = understanding
comprehensive = **completo, extensivo**

constipado ≠ constipated
estar constipado/a = to have a cold
to be constipated = **estar estreñido/a**

crudo/a ≠ crude
crudo/a = raw, undercooked
crude = **burdo/a, grosero/a**

divertir ≠ to divert
divertirse = to enjoy oneself
to divert = **desviar**

educado/a ≠ educated
educado/a = well-mannered
educated = **culto/a, instruido/a**

embarazada ≠ embarrassed
estar embarazada = to be pregnant
to be embarrassed = **estar avergonzado/a; dar/tener vergüenza**

eventualmente ≠ eventually
eventualmente = possibly
eventually = **finalmente, al final**

éxito ≠ exit
éxito = success
exit = **salida**

físico/a ≠ physician
físico/a = physicist
physician = **médico/a**

fútbol ≠ football
fútbol = soccer
football = **fútbol americano**

lectura ≠ lecture
lectura = reading
lecture = **conferencia**

librería ≠ library
librería = bookstore
library = **biblioteca**

máscara ≠ mascara
máscara = mask
mascara = **rímel**

molestar ≠ to molest
molestar = to bother, to annoy
to molest = **abusar**

oficio ≠ office
oficio = trade, occupation
office = **oficina**

rato ≠ rat
rato = while, time
rat = **rata**

realizar ≠ to realize
realizar = to carry out; to fulfill
to realize = **darse cuenta de**

red ≠ red
red = net
red = **rojo/a**

revolver ≠ revolver
revolver = to stir, to rummage through
revolver = **revólver**

sensible ≠ sensible
sensible = sensitive
sensible = **sensato/a, razonable**

suceso ≠ success
suceso = event
success = **éxito**

sujeto ≠ subject (topic)
sujeto = fellow; individual
subject = **tema, asunto**

LOS ALIMENTOS — FOODS

Frutas — Fruits

la aceituna	olive
el aguacate	avocado
el albaricoque, el damasco	apricot
la banana, el plátano	banana
la cereza	cherry
la ciruela	plum
el dátil	date
la frambuesa	raspberry
la fresa, la frutilla	strawberry
el higo	fig
el limón	lemon; lime
el melocotón, el durazno	peach
la mandarina	tangerine
el mango	mango
la manzana	apple
la naranja	orange
la papaya	papaya
la pera	pear
la piña	pineapple
el pomelo, la toronja	grapefruit
la sandía	watermelon
las uvas	grapes

Vegetales — Vegetables

la alcachofa	artichoke
el apio	celery
la arveja, el guisante	pea
la berenjena	eggplant
el brócoli	broccoli
la calabaza	squash; pumpkin
la cebolla	onion
el champiñón, la seta	mushroom
la col, el repollo	cabbage
la coliflor	cauliflower
los espárragos	asparagus
las espinacas	spinach
los frijoles, las habichuelas	beans
las habas	fava beans
las judías verdes, los ejotes	string beans, green beans
la lechuga	lettuce
el maíz, el choclo, el elote	corn
la papa, la patata	potato
el pepino	cucumber
el pimentón	bell pepper
el rábano	radish
la remolacha	beet
el tomate, el jitomate	tomato
la zanahoria	carrot

El pescado y los mariscos — Fish and shellfish

la almeja	clam
el atún	tuna
el bacalao	cod
el calamar	squid
el cangrejo	crab
el camarón, la gamba	shrimp
la langosta	lobster
el langostino	prawn
el lenguado	sole; flounder
el mejillón	mussel
la ostra	oyster
el pulpo	octopus
el salmón	salmon
la sardina	sardine
la vieira	scallop

La carne — Meat

la albóndiga	meatball
el bistec	steak
la carne de res	beef
el chorizo	hard pork sausage
la chuleta de cerdo	pork chop
el cordero	lamb
los fiambres	cold cuts, food served cold
el filete	fillet
la hamburguesa	hamburger
el hígado	liver
el jamón	ham
el lechón	suckling pig, roasted pig
el pavo	turkey
el pollo	chicken
el cerdo	pork
la salchicha	sausage
la ternera	veal
el tocino	bacon

Otras comidas — Other foods

el ajo	garlic
el arroz	rice
el azúcar	sugar
el batido	milkshake
el budín	pudding
el cacahuete, el maní	peanut
el café	coffee
los fideos	noodles, pasta
la harina	flour
el huevo	egg
el jugo, el zumo	juice
la leche	milk
la mermelada	marmalade, jam
la miel	honey
el pan	bread
el queso	cheese
la sal	salt
la sopa	soup
el té	tea
la tortilla	omelet (Spain), tortilla (Mexico)
el yogur	yogurt

Cómo describir la comida — Ways to describe food

a la plancha, a la parrilla	grilled
ácido/a	sour
al horno	baked
amargo/a	bitter
caliente	hot
dulce	sweet
duro/a	tough
frío/a	cold
frito/a	fried
fuerte	strong, heavy
ligero/a	light
picante	spicy
sabroso/a	tasty
salado/a	salty

DÍAS FESTIVOS

HOLIDAYS

enero
Año Nuevo (1)
Día de los Reyes Magos (6)
Día de Martin Luther King, Jr.

January
New Year's Day
Three Kings Day (Epiphany)

Martin Luther King, Jr. Day

febrero
Día de San Blas (Paraguay) (3)
Día de San Valentín, Día de los Enamorados (14)
Día de los Presidentes
Carnaval

February
St. Blas Day (Paraguay)

Valentine's Day

Presidents' Day
Carnival (Mardi Gras)

marzo
Día de San Patricio (17)
Nacimiento de Benito Juárez (México) (21)

March
St. Patrick's Day
Benito Juárez's Birthday (Mexico)

abril
Semana Santa
Pésaj
Pascua
Declaración de la Independencia de Venezuela (19)
Día de la Tierra (22)

April
Holy Week
Passover
Easter
Declaration of Independence of Venezuela
Earth Day

mayo
Día del Trabajo (1)
Cinco de Mayo (5) (México)
Día de las Madres
Independencia Patria (Paraguay) (15)
Día Conmemorativo

May
Labor Day
Cinco de Mayo (May 5th) (Mexico)
Mother's Day
Independence Day (Paraguay)

Memorial Day

junio
Día de los Padres
Día de la Bandera (14)
Día del Indio (Perú) (24)

June
Father's Day
Flag Day
Native People's Day (Peru)

julio
Día de la Independencia de los Estados Unidos (4)
Día de la Independencia de Venezuela (5)
Día de la Independencia de la Argentina (9)
Día de la Independencia de Colombia (20)

July
Independence Day (United States)

Independence Day (Venezuela)
Independence Day (Argentina)

Independence Day (Colombia)

Nacimiento de Simón Bolívar (24)
Día de la Revolución (Cuba) (26)
Día de la Independencia del Perú (28)

Simón Bolívar's Birthday

Revolution Day (Cuba)

Independence Day (Peru)

agosto
Día de la Independencia de Bolivia (6)
Día de la Independencia del Ecuador (10)
Día de San Martín (Argentina) (17)
Día de la Independencia del Uruguay (25)

August
Independence Day (Bolivia)

Independence Day (Ecuador)

San Martín Day (anniversary of his death) (Argentina)
Independence Day (Uruguay)

septiembre
Día del Trabajo (EE. UU.)
Día de la Independencia de Costa Rica, El Salvador, Guatemala, Honduras y Nicaragua (15)
Día de la Independencia de México (16)
Día de la Independencia de Chile (18)
Año Nuevo Judío
Día de la Virgen de las Mercedes (Perú) (24)

September
Labor Day (U.S.)
Independence Day (Costa Rica, El Salvador, Guatemala, Honduras, Nicaragua)

Independence Day (Mexico)

Independence Day (Chile)

Jewish New Year
Day of the Virgin of Mercedes (Peru)

octubre
Día de la Raza (12)
Noche de Brujas (31)

October
Columbus Day
Halloween

noviembre
Día de los Muertos (2)
Día de los Veteranos (11)
Día de la Revolución Mexicana (20)
Día de Acción de Gracias
Día de la Independencia de Panamá (28)

November
All Souls Day
Veterans' Day
Mexican Revolution Day

Thanksgiving
Independence Day (Panama)

diciembre
Día de la Virgen (8)
Día de la Virgen de Guadalupe (México) (12)
Januká
Nochebuena (24)
Navidad (25)
Año Viejo (31)

December
Day of the Virgin
Day of the Virgin of Guadalupe (Mexico)

Chanukah
Christmas Eve
Christmas
New Year's Eve

NOTE: In Spanish, dates are written with the day first, then the month. Christmas Day is **el 25 de diciembre**. In Latin America and in Europe, abbreviated dates also follow this pattern. Halloween, for example, falls on 31/10. You may also see the numbers in dates separated by periods: 27.4.16. When referring to centuries, roman numerals are always used. The 16th century, therefore, is **el siglo XVI**.

PESOS Y MEDIDAS

WEIGHTS AND MEASURES

Longitud

El sistema métrico
Metric system

milímetro = 0,001 metro
millimeter = 0.001 meter
centímetro = 0,01 metro
centimeter = 0.01 meter
decímetro = 0,1 metro
decimeter = 0.1 meter
metro
meter
decámetro = 10 metros
dekameter = 10 meters
hectómetro = 100 metros
hectometer = 100 meters
kilómetro = 1.000 metros
kilometer = 1,000 meters
U.S. system
El sistema estadounidense
inch
pulgada
foot = 12 inches
pie = 12 pulgadas
yard = 3 feet
yarda = 3 pies
mile = 5,280 feet
milla = 5.280 pies

Length

El equivalente estadounidense
U.S. equivalent

= 0.039 inch

= 0.39 inch

= 3.94 inches

= 39.4 inches

= 32.8 feet

= 328 feet

= .62 mile
Metric equivalent
El equivalente métrico

= 2.54 centimeters
= 2,54 centímetros
= 30.48 centimeters
= 30,48 centímetros
= 0.914 meter
= 0,914 metro
= 1.609 kilometers
= 1,609 kilómetros

Superficie

El sistema métrico
Metric system

metro cuadrado
square meter
área = 100 metros cuadrados
area = 100 square meters
hectárea = 100 áreas
hectare = 100 ares
U.S. system
El sistema estadounidense

Surface Area

El equivalente estadounidense
U.S. equivalent
= 10.764 square feet

= 0.025 acre

= 2.471 acres

Metric equivalent
El equivalente métrico

yarda cuadrada = 9 pies cuadrados = 0,836 metros cuadrados
square yard = 9 square feet = 0.836 square meters
acre = 4.840 yardas cuadradas = 0,405 hectáreas
acre = 4,840 square yards = 0.405 hectares

Capacidad

El sistema métrico
Metric system

mililitro = 0,001 litro
milliliter = 0.001 liter

Capacity

El equivalente estadounidense
U.S. equivalent

= 0.034 ounces

centilitro = 0,01 litro
centiliter = 0.01 liter
decilitro = 0,1 litro
deciliter = 0.1 liter
litro
liter
decalitro = 10 litros
dekaliter = 10 liters
hectolitro = 100 litros
hectoliter = 100 liters
kilolitro = 1.000 litros
kiloliter = 1,000 liters
U.S. system
El sistema estadounidense
ounce
onza
cup = 8 ounces
taza = 8 onzas
pint = 2 cups
pinta = 2 tazas
quart = 2 pints
cuarto = 2 pintas
gallon = 4 quarts
galón = 4 cuartos

= 0.34 ounces

= 3.4 ounces

= 1.06 quarts

= 2.64 gallons

= 26.4 gallons

= 264 gallons

Metric equivalent
El equivalente métrico
= 29.6 milliliters
= 29,6 mililitros
= 236 milliliters
= 236 mililitros
= 0.47 liters
= 0,47 litros
= 0.95 liters
= 0,95 litros
= 3.79 liters
= 3,79 litros

Peso

El sistema métrico
Metric system

miligramo = 0,001 gramo
milligram = 0.001 gram
gramo
gram
decagramo = 10 gramos
dekagram = 10 grams
hectogramo = 100 gramos
hectogram = 100 grams
kilogramo = 1.000 gramos
kilogram = 1,000 grams
tonelada (métrica) = 1.000 kilogramos
metric ton = 1,000 kilograms

Weight

El equivalente estadounidense
U.S. equivalent

= 0.035 ounce

= 0.35 ounces

= 3.5 ounces

= 2.2 pounds

= 1.1 tons

U.S. system
El sistema estadounidense
ounce
onza
pound = 16 ounces
libra = 16 onzas
ton = 2,000 pounds
tonelada = 2.000 libras

Metric equivalent
El equivalente métrico
= 28.35 grams
= 28,35 gramos
= 0.45 kilograms
= 0,45 kilogramos
= 0.9 metric tons
= 0,9 toneladas métricas

Temperatura

Grados centígrados
Degrees Celsius
To convert from Celsius to Fahrenheit, multiply by $\frac{9}{5}$ and add 32.

Temperature

Grados Fahrenheit
Degrees Fahrenheit
To convert from Fahrenheit to Celsius, subtract 32 and multiply by $\frac{5}{9}$.

NÚMEROS

Números ordinales

primer, primero/a	1º/1ª
segundo/a	2º/2ª
tercer, tercero/a	3º/3ª
cuarto/a	4º/4ª
quinto/a	5º/5ª
sexto/a	6º/6ª
séptimo/a	7º/7ª
octavo/a	8º/8ª
noveno/a	9º/9ª
décimo/a	10º/10ª

Fracciones

$\frac{1}{2}$	un medio, la mitad
$\frac{1}{3}$	un tercio
$\frac{1}{4}$	un cuarto
$\frac{1}{5}$	un quinto
$\frac{1}{6}$	un sexto
$\frac{1}{7}$	un séptimo
$\frac{1}{8}$	un octavo
$\frac{1}{9}$	un noveno
$\frac{1}{10}$	un décimo
$\frac{2}{3}$	dos tercios
$\frac{3}{4}$	tres cuartos
$\frac{5}{8}$	cinco octavos

Decimales

un décimo	0,1
un centésimo	0,01
un milésimo	0,001

NUMBERS

Ordinal numbers

first	1st
second	2nd
third	3rd
fourth	4th
fifth	5th
sixth	6th
seventh	7th
eighth	8th
ninth	9th
tenth	10th

Fractions

one half	
one third	
one fourth (quarter)	
one fifth	
one sixth	
one seventh	
one eighth	
one ninth	
one tenth	
two thirds	
three fourths (quarters)	
five eighths	

Decimals

one tenth	0.1
one hundredth	0.01
one thousandth	0.001

OCUPACIONES / OCCUPATIONS

el/la abogado/a	lawyer
el actor, la actriz	actor
el/la administrador(a) de empresas	business administrator
el/la agente de bienes raíces	real estate agent
el/la agente de seguros	insurance agent
el/la agricultor(a)	farmer
el/la arqueólogo/a	archaeologist
el/la arquitecto/a	architect
el/la artesano/a	artisan
el/la auxiliar de vuelo	flight attendant
el/la basurero/a	garbage collector
el/la bibliotecario/a	librarian
el/la bombero/a	firefighter
el/la cajero/a	bank teller, cashier
el/la camionero/a	truck driver
el/la carnicero/a	butcher
el/la carpintero/a	carpenter
el/la científico/a	scientist
el/la cirujano/a	surgeon
el/la cobrador(a)	bill collector
el/la cocinero/a	cook, chef
el/la consejero/a	counselor, advisor
el/la contador(a)	accountant
el/la corredor(a) de bolsa	stockbroker
el/la diplomático/a	diplomat
el/la diseñador(a) (gráfico/a)	(graphic) designer
el/la electricista	electrician
el/la fisioterapeuta	physical therapist
el/la fotógrafo/a	photographer
el hombre/la mujer de negocios	businessperson
el/la ingeniero/a en computación	computer engineer
el/la intérprete	interpreter
el/la juez(a)	judge
el/la maestro/a	elementary school teacher
el/la marinero/a	sailor
el/la obrero/a	manual laborer
el/la optometrista	optometrist
el/la panadero/a	baker
el/la paramédico/a	paramedic
el/la peluquero/a	hairdresser
el/la piloto	pilot
el/la pintor(a)	painter
el/la plomero/a	plumber
el/la político/a	politician
el/la programador(a)	computer programer
el/la psicólogo/a	psychologist
el/la reportero/a	reporter
el/la sastre	tailor
el/la secretario/a	secretary
el/la técnico/a (en computación)	(computer) technician
el/la vendedor(a)	sales representative
el/la veterinario/a	veterinarian

About the Author

José A. Blanco founded Vista Higher Learning in 1998. A native of Barranquilla, Colombia, Mr. Blanco holds degrees in Literature and Hispanic Studies from Brown University and the University of California, Santa Cruz. He has worked as a writer, editor, and translator for Houghton Mifflin and D.C. Heath and Company, and has taught Spanish at the secondary and university levels. Mr. Blanco is also the co-author of several other Vista Higher Learning programs: **Vistas**, **Panorama**, **Aventuras**, and **¡Viva!** at the introductory level; **Ventanas**, **Facetas**, **Enfoques**, **Imagina**, and **Sueña** at the intermediate level; and **Revista** at the advanced conversation level.

S

T

V

W

Y